実践 作りながら学ぶ マイコンカーラリー

H8 マイコンによる自走式ライントレースロボット

島津春夫 著

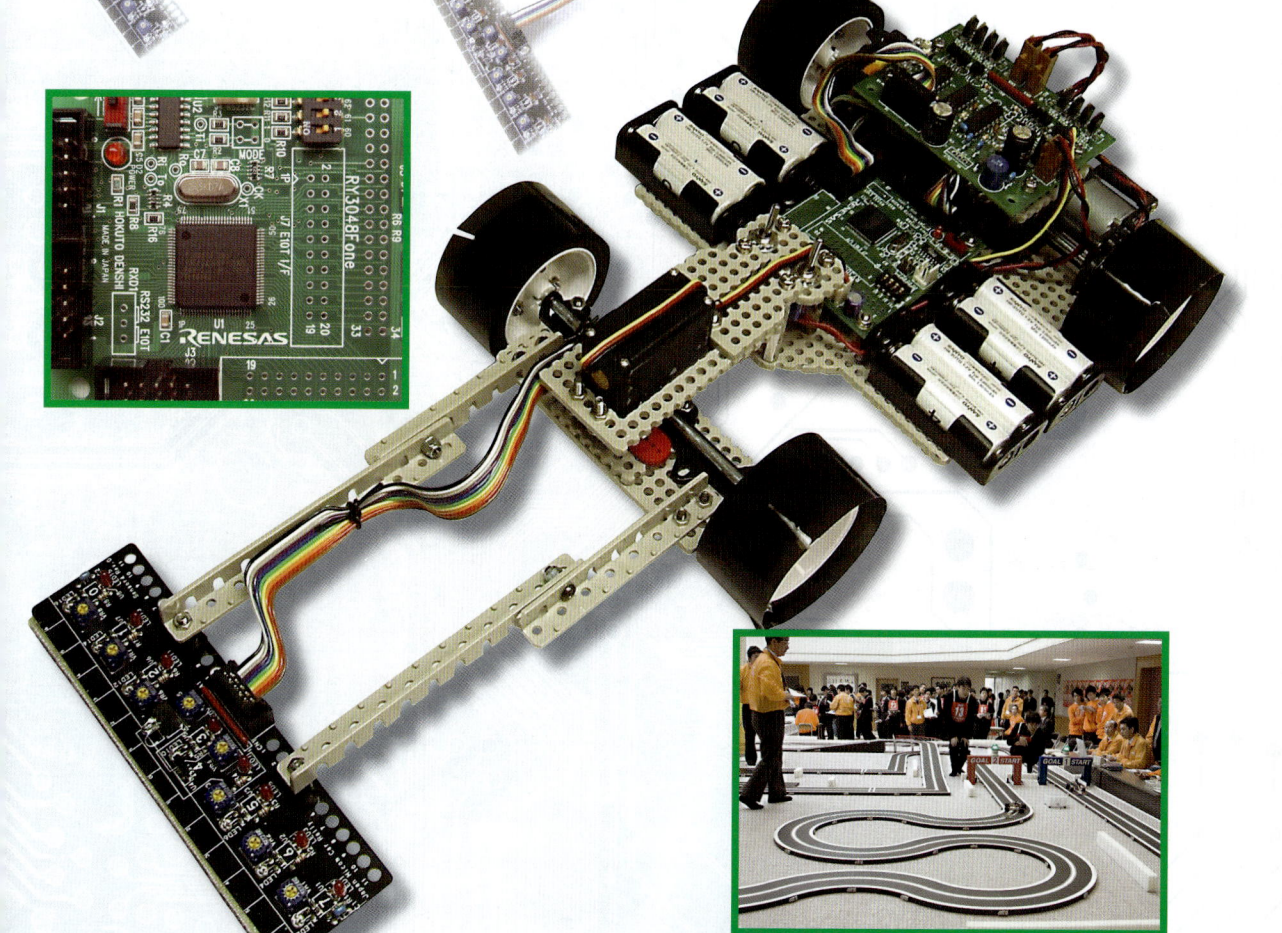

電波新聞社

MICOM CAR RALLY

■マイコンカーキットとオプション

モータドライブ基板 Vol.3
マイコンの小電流の信号を、モータが回る大電流の信号に変換します。

承認モータ
高校生の部では、駆動用モータとして、承認モータであるマブチモータ製の「RC-260RA-18130」を使用します。

CPU ボード
ルネサステクノロジ製の H8/3048F-ONE マイコンが搭載されているボードです。 ROM:128KB、RAM:4KB、16ビットタイマやA/D変換器など、多彩な機能が内蔵されています。センサの情報を読み取りモータやサーボを制御する、マイコンカーの頭脳に当たります。

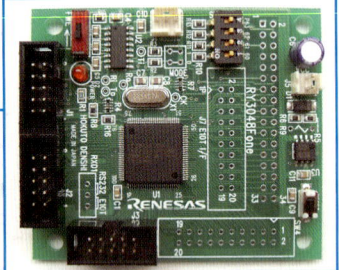

センサ基板 Ver.4

マイコンカーキット Ver.4 の部品

オプション

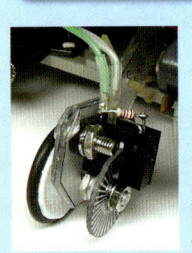

トレーニングボード
パラメータの設定や保存、情報を表示して確認するための基板です。

ロータリエンコーダ Ver.2
走行スピードや走行距離を検出することができます。

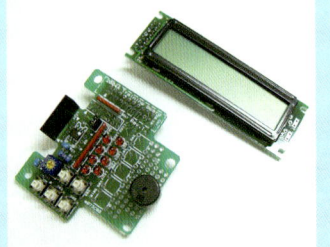

EEP-ROM 基板 Ver.2
走行データを記録して、解析するための基板です。

■今回製作したマイコンカー

第5章で製作するマイコンカー

サーボ下

自作したギヤボックス

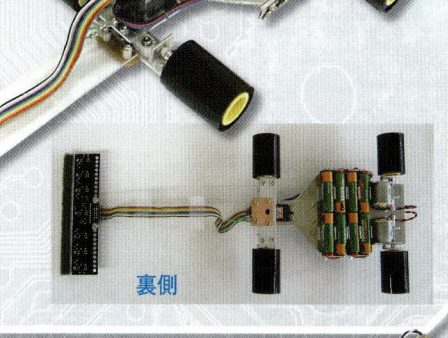

自作した前タイヤの軸受け

裏側

第7章で製作する4輪駆動のマイコンカー（ラジコンサーボ仕様）

前輪駆動部分

モータドライブ基板 Vol.3 を2枚使用して4輪独立制御をしています

サーボの取り付け部分

第7章で製作する自作サーボマイコンカー（2WD仕様）

アナログセンサ基板 TypeS

サーボを制御する自作回路

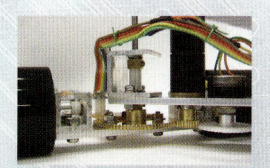

自作サーボとボリューム（横から）

自作サーボとボリューム（下から）

3

MICOM CAR RALLY

■大会の流れ

全国大会会場の北海道札幌国際情報高等学校  → 続々と会場入り  → 受付

試走 ← 控え室（体育館） ← 会場で初めてコースレイアウトを知る

開会式  → 車検  → いよいよレース

スタートバーが開くと同時にスタート！！ ← コースにマイコンカーをセット ← 最終車検

走行中  → 記録の確認  → 表彰式

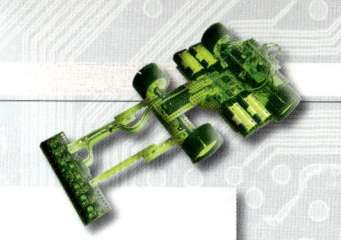

はじめに

　平成 16 年に出版された前作の「これからはじめるマイコンカーラリー」は、多くの愛好者に親しまれ、支えられてきました。この度の本書「実践！作りながら学ぶマイコンカーラリー」は第 2 冊目となります。今回も電波新聞社さまのご好意により出版させていただきました。

　前作でも紹介されていたように、(株) ルネサステクノロジ (当時の (株) 日立製作所半導体グループ) からの研究依頼により、多機能マイコンチップ「H8」の応用技術として「マイコンカー」が誕生しました。「マイコンカー」とは、センサで検知されたコース情報等をマイコンを組み込んだ回路で迅速に判断する、完全自走式ライントレースロボットカーのことです。高校生のプログラミング教材として興味・関心への趣から競技性を附加させ、また「ものづくり」「心づくり」「人づくり」の魅力から 1996 年 (平成 8 年) 1 月に北海道大会として、第 1 回目の大会が開催されました。そして回を重ね 2009 年 (平成 21 年) には第 14 回ジャパンマイコンカーラリー 2009 大会が北海道札幌国際情報高等学校で開催されます。

　2009 大会からは「高校生 Advanced Class の部」「高校生 Basic Class の部」そして「一般の部」の 3 つの部門で運営されます。「高校生 Basic Class の部」は、工業高校生に限らず多くの「ものづくり」初心者にその楽しさ、魅力を喚起するために開設されました。指定部品やマシン機構の面でも製作しやすいのが特徴です。

　競技規則もスタート方式の変更、レーンチェンジ (車線変更) の採用など、年々難易度が増すなかで、この大会は今では延べ参加台数も 28,000 人、年間 3,800 台を超える競技者人口のロボット大会に成長しました。平成 16 年よりマイコンカー製作に関する様々な技術は海外でも注目され、企業や国を挙げてプログラミング技術等の向上を目指す目的で、各国でも大会が行われています。前作愛読者の多くのみなさんもジャパンマイコンカーラリー大会に出場し、その豊かな経験によって今では各企業の第一線で活躍し、後輩の指導に尽力されていることでしょう。また、いつも黒子に徹してくれている協賛企業、そして生徒・学校関係者並びに PTA のみなさまによる自主運営がこの大会を支え、これからも多くのエピソードを残していくことでしょう。

　今回本書の編集には、工業高等学校の先生たちのほか、理科の先生にもご協力をいただき、工業系に偏りがちな表現方法にも留意しました。このことにより、多くの高校生が理解しやすい内容にリニューアルされたと思います。理工系離れが叫ばれる昨今、メカトロ技術の基礎ともいえるこのマイコンカー製作では、「ものづくり」による工夫や試行錯誤、個々の課題解決に伴う友との協力による「心づくり」、そして将来の技術者としての「人づくり」などから、「生きるための知恵」を身につけることを大いに期待しています。

　最後に、本書によってマイコンカー製作に興味をもち、私たちが目指す「ものづくり教育」にご理解を頂ければ幸いです。なお「マイコンカーラリー」公式サイト (www.mcr.gr.jp) では最新情報が連載されています。是非ご覧ください。

平成 20 年 6 月吉日
ジャパンマイコンカーラリー実行委員会

◇ マイコンカーラリー　目次 ◇

第1章　マイコンカーラリーとは？ ---------- 9
- 1.1　マイコンカーとマイコンカーラリー -------- 9
- 1.2　マイコンカーラリー大会の部門 -------- 10
- 1.3　マイコンカーの規定 ------------------- 10
- 1.4　コースの規定
  - 1.4.1　基本的なコース -------------- 12
  - 1.4.2　上り坂、下り坂 -------------- 12
  - 1.4.3　クロスラインからクランク部分 ---- 13
  - 1.4.4　レーンチェンジ部分 ----------- 13
  - 1.4.5　コースの材質 ---------------- 14
  - 1.4.6　コースレイアウト ------------- 14
- 1.5　スタートバーの規格 ------------------- 16
- 1.6　情報を得よう ---------------------- 17

第2章　マイコンとプログラムの開発環境 ------ 21
- 2.1　H8/3048F－ONEマイコンの仕様 -------- 21
  - 2.1.1　仕様 ---------------------- 21
  - 2.1.2　外観 ---------------------- 23
  - 2.1.3　使用できるI／O数 ------------ 24
  - 2.1.4　コネクタのピン配置 ----------- 25
  - 2.1.5　回路図 -------------------- 26
  - 2.1.6　ピン配置 ------------------- 27
  - 2.1.7　内部機能 ------------------- 28
  - 2.1.8　メモリマップ ---------------- 29
- 2.2　プログラムを開発するための環境設定 ------ 30
  - 2.2.1　ルネサス統合開発環境 --------- 30
  - 2.2.2　インストールする前にWindowsの設定 ----- 31
  - 2.2.3　ルネサス統合開発環境のインストール -------- 32
  - 2.2.4　マイコンカーに関係するその他のソフトのインストール ----- 41
  - 2.2.5　サンプルプログラムのインストール -------- 44
  - 2.2.6　ルネサス統合開発環境の設定 ----- 45
- 2.3　ルネサス統合開発環境の使い方 ---------- 48
  - 2.3.1　サンプルプログラムを開く ------- 48
  - 2.3.2　プロジェクトを切り替える -------- 53
  - 2.3.3　ソースファイルを編集する -------- 54
  - 2.3.4　ビルド(MOTファイルの作成)とは ----- 55
  - 2.3.5　ビルドしてみよう -------------- 56
  - 2.3.6　エラーの修正方法 ------------- 57
- 2.4　プログラムを書き込もう！ --------------- 58
  - 2.4.1　概要 ---------------------- 58
  - 2.4.2　通信ポートの確認 ------------- 59
  - 2.4.3　書き込もう！ ----------------- 60
  - 2.4.4　RXD1部分に赤いスイッチのあるCPUボードの場合 -- 62

第3章　マイコンカーキットVer.4のハードウェア -- 63
- 3.1　マイコンカーの変遷 ------------------- 63
- 3.2　キットの構成 ---------------------- 65
- 3.3　キットの電源構成 -------------------- 66
- 3.4　車体 --------------------------- 70
- 3.5　センサ基板 ----------------------- 72
  - 3.5.1　仕様 ---------------------- 72
  - 3.5.2　回路図 -------------------- 73
  - 3.5.3　基板寸法 ------------------- 74
  - 3.5.4　センサの位置 ---------------- 74
  - 3.5.5　コースの白と黒を判断する仕組み ---- 74
  - 3.5.6　機能説明 ------------------- 75
  - 3.5.7　スタートバーの開閉を判断する仕組み ------ 76
- 3.6　モータドライブ基板 ------------------- 77
  - 3.6.1　仕様 ---------------------- 77
  - 3.6.2　回路図 -------------------- 78
  - 3.6.3　基板寸法 ------------------- 79
  - 3.6.4　機能説明 ------------------- 79
  - 3.6.5　モータドライブ基板の役割 ------- 82
  - 3.6.6　スピード制御の原理 ----------- 82
  - 3.6.7　モータの回し方(電圧と動作の関係) ----- 84
  - 3.6.8　Hブリッジ回路 --------------- 85
  - 3.6.9　スイッチをFETにする --------- 85
  - 3.6.10　スピード制御 ----------------- 87
  - 3.6.11　正転とブレーキの切り替え時にショートしてしまう ---- 87
  - 3.6.12　短絡を防止する方法 ----------- 89
  - 3.6.13　PチャネルとNチャネルの短絡防止回路 ----- 91
  - 3.6.14　モータドライブ基板の回路 ------- 96
  - 3.6.15　サーボの動作原理 ------------- 97
  - 3.6.16　サーボの仕様 ---------------- 97
  - 3.6.17　サーボの制御回路 ------------- 98
  - 3.6.18　LEDの制御回路 -------------- 99
  - 3.6.19　プッシュスイッチの制御回路 ------ 100
- 3.7　駆動モータ ----------------------- 100
  - 3.7.1　寸法 ---------------------- 100
  - 3.7.2　仕様 ---------------------- 101
- 3.8　ギヤボックス、タイヤ ------------------ 107
- 3.9　電池 ---------------------------- 110
  - 3.9.1　電池の特徴 ------------------ 110
  - 3.9.2　放電容量 ------------------- 111
  - 3.9.3　内部抵抗 ------------------- 111
  - 3.9.4　メモリ効果 ------------------ 111
- 3.10　マイコンカーキットの接続確認 ----------- 116
- 3.11　センサの調整方法 -------------------- 122
- 3.12　シリコンシートの貼り方 ---------------- 124

第4章　マイコンカーキットVer.4のソフトウェア -- 129
- 4.1　ワークスペース --------------------- 129
- 4.2　プログラム「kit07.c」 ------------------ 130
- 4.3　関数一覧 ------------------------- 143
- 4.4　パターン ------------------------- 149
  - 4.4.1　パターン方式とは -------------- 149
  - 4.4.2　プログラムの作り方 ------------ 149
  - 4.4.3　パターンの内容 --------------- 151
- 4.5　フローチャート --------------------- 152
  - 4.5.1　パターン0：スイッチ入力待ち ----- 152
  - 4.5.2　パターン1：スタートバーが開いたかチェック -- 152
  - 4.5.3　パターン11：通常トレース -------- 153
  - 4.5.4　パターン12：右へ大曲げの終わりのチェック -- 153
  - 4.5.5　パターン13：左へ大曲げの終わりのチェック -- 154
  - 4.5.6　パターン21：1本目のクロスライン検出時の処理 -- 154
  - 4.5.7　パターン22：2本目を読み飛ばす ---------- 154
  - 4.5.8　パターン23：クロスライン後のトレース、クランク検出 -- 155
  - 4.5.9　パターン31：左クランククリア処理　安定するまで少し待つ -- 155
  - 4.5.10　パターン32：左クランククリア処理　曲げ終わりのチェック -- 155
  - 4.5.11　パターン41：右クランククリア処理　安定するまで少し待つ -- 156
  - 4.5.12　パターン42：右クランククリア処理　曲げ終わりのチェック -- 156
  - 4.5.13　パターン51：1本目の右ハーフライン検出時の処理 -- 156
  - 4.5.14　パターン52：2本目を読み飛ばす ---------- 156
  - 4.5.15　パターン53：右ハーフライン後のトレース -- 157
  - 4.5.16　パターン54：右レーンチェンジ終了のチェック -- 157
  - 4.5.17　パターン61：1本目の左ハーフライン検出時の処理 -- 157

4.5.18	パターン 62：2 本目を読み飛ばす	158
4.5.19	パターン 63：左ハーフライン後のトレース	158
4.5.20	パターン 64：左レーンチェンジ終了のチェック	158
4.6	通信ソフトをインストールする	159
4.6.1	Tera Term Pro のインストール	159
4.6.2	Tera Term Pro の使い方	162
4.7	サーボセンタ調整、サーボ最大切れ角を見つける	163
4.7.1	概要	163
4.7.2	サーボのセンタ調整	165
4.7.3	サーボの最大切れ角を見つける	169
7.4.4	「kit07.c」プログラムを書き換える	172
4.8	走行させよう！	174
4.8.1	走行前の確認	174
4.8.2	走行しよう！	175
4.9	右モータ、左モータの回転差計算	176
4.9.1	内輪と外輪の回転数	176
4.9.2	内輪を計算するエクセルシートのダウンロード	177
4.9.3	サンプルエクセルシートの使い方	179
4.10	プログラムのデバッグ方法	180
4.10.1	手押しで確認	180
4.10.2	LED にパターン表示しよう	181
4.10.3	7 セグメント LED にパターン表示しよう	185
4.11	プログラムを改造しよう	186
4.11.1	時間稼ぎの調整—パターン 22	186
4.11.2	時間稼ぎの調整—パターン 31、パターン 41	188
4.11.3	時間稼ぎの調整—パターン 52、パターン 62	190
4.11.4	クロスラインの検出がうまくいかない	191
4.11.5	クランクの検出がうまくいかない	192
4.11.6	ハーフラインの検出がうまくいかない	194
4.11.7	レーンチェンジ終了の判断ができない	195
4.11.8	クランククリア時、外側の白線を中心と勘違いして脱輪してしまう	196
4.11.9	脱輪時自動停止	199

第 5 章　マイコンカーを自作しよう -- 203

5.1	電源	203
5.1.1	モータの電圧を上げる	203
5.1.2	レギュレータについて	205
5.1.3	LM350 追加セット	209
5.1.4	モータドライブ基板 Vol.3 の電源回路	210
5.1.5	電池ボックス	210
5.1.6	電池の充電	212
5.2	サーボ	212
5.2.1	アナログサーボとデジタルサーボ	212
5.2.2	サーボの電圧	213
5.2.3	サーボの周期	213
5.2.4	サーボの中にあるギヤ	214
5.3	操舵の方式	215
5.3.1	センタピボット方式	215
5.3.2	アッカーマン方式	215
5.3.3	特徴	215
5.4	シャーシ	217
5.4.1	材質	217
5.4.2	構造	218
5.5	センサバー	218
5.5.1	材質	218
5.5.2	取り付け方	219
5.6	ホイール、タイヤ	219
5.6.1	市販のホイール	219
5.6.2	ホイールの自作	220
5.6.3	タイヤの材質	222
5.7	モータ、ギヤボックス	223
5.7.1	市販のギヤボックス	223
5.7.2	ギヤ	224
5.7.3	シャフト	225
5.7.4	軸受け	226
5.7.5	1 輪に使うモータの数	227
5.7.6	大会出場マイコンカーの使用モータ数	228
5.8	設計	229
5.8.1	車体の検討	229
5.8.2	CAD を使おう	231
5.8.3	車体全体の設計	232
5.8.4	車体の詳細	237
5.9	加工	242
5.9.1	必要な材料	242
5.9.2	加工で使用する工作機械、工具	242
5.9.3	加工しよう！	244
5.10	組み立て	254
5.10.1	組み立てに必要な部品表	254
5.10.2	組み立てよう！	255
5.11	走らせる	266
5.11.1	電源の確認	266
5.11.2	いよいよ走らそう！	268

第 6 章　早く走らせるためにオプションを取り付けよう -- 269

6.1	ロータリエンコーダを使う	269
6.1.1	動作原理	270
6.1.2	1 相出力と 2 相出力のエンコーダ	272
6.1.3	マイコンカーで使えるエンコーダの条件	273
6.1.4	市販のエンコーダと回路	273
6.1.5	自作のエンコーダと回路	274
6.1.6	ロータリエンコーダキット Ver.2	276
6.1.7	ロータリエンコーダキット Ver.2 の取り付け	278
6.1.8	サンプルワークスペース	279
6.1.9	プログラム「kit07enc_o3.c」	280
6.1.10	ITU2 の初期設定	285
6.1.11	ITU2 を使う意義	287
6.1.12	エンコーダ関連変数	289
6.1.13	割り込みプログラム	289
6.1.14	エンコーダのパルスと速度、距離の関係	291
6.1.15	プログラムでの使い方	292
6.1.16	エンコーダ出力をモータドライブ基板の LED に出力	295
6.1.17	speed2 関数	296
6.1.18	自分のマイコンカーのパルス数とスピード（距離）の関係	296
6.1.19	kit07enc_03.c の調整	297
6.2	EEP-ROM（24C256）を使う	298
6.2.1	EEP-ROM とは？	298
6.2.2	EEP-ROM を使う意義	299
6.2.3	回路	299
6.2.4	寸法	300
6.2.5	EEP-ROM 基板 Ver.2 の取り付け	301
6.2.6	サンプルワークスペース	302
6.2.7	プログラム「kit07rec_03.c」	303
6.2.8	プログラム「i2c_eeprom.c」で利用できる関数	309
6.2.9	EEP-ROM 関連変数	310

- 6.2.10 EEP-ROM の初期設定 ----------------------- 311
- 6.2.11 EEP-ROM にデータを保存する仕組み ----- 313
- 6.2.12 割り込みプログラム ----------------------- 314
- 6.2.13 保存データ ----------------------- 315
- 6.2.14 保存開始／終了 ----------------------- 316
- 6.2.15 EEP-ROM への実際の保存処理 ------------- 317
- 6.2.16 EEP-ROM クリア ----------------------- 317
- 6.2.17 転送方法 ----------------------- 318
- 6.2.18 int 型の保存 ----------------------- 319
- 6.2.19 long 型の保存 ----------------------- 320
- 6.2.20 パソコンへの転送方法 ----------------------- 320
- 6.2.21 解析方法 ----------------------- 323
- 6.2.22 グラフ化してみよう ----------------------- 324
- 6.3 トレーニングボード（液晶基板）を使う ----------- 327
  - 6.3.1 概要 ----------------------- 327
  - 6.3.2 回路 ----------------------- 330
  - 6.3.3 寸法 ----------------------- 331
  - 6.3.4 CPU ボードへの取り付け ----------------------- 331
  - 6.3.5 マイコンカーキットへの取り付け ----------- 332
  - 6.3.6 サンプルワークスペース ----------------------- 332
  - 6.3.7 マイコンカーキット Ver.4 への対応 --------- 334
  - 6.3.8 LCD の使い方 ----------------------- 334
  - 6.3.9 プッシュスイッチの使い方 ----------------------- 337
  - 6.3.10 ブザーの使い方 ----------------------- 341
  - 6.3.11 ブザーの使い方その 2 ----------------------- 348
  - 6.3.12 EEP-ROM(パラメータ保存用) の使い方 -- 349
  - 6.3.13 マイコンカー走行プログラムで
    トレーニングボードを使う (tr_25) ---------- 353

第 7 章 上位をねらうために ----------------------- 359
- 7.1 4 輪駆動のマイコンカーの製作 ----------------------- 359
  - 7.1.1 駆動輪による特徴 ----------------------- 359
  - 7.1.2 車体の設計 ----------------------- 360
- 7.2 追加回路なしの 4 輪駆動 ----------------------- 361
  - 7.2.1 接続 ----------------------- 361
  - 7.2.2 モータは何個まで並列接続できるか --------- 362
  - 7.2.3 問題点 ----------------------- 364
- 7.3 モータドライブ基板を追加した 4 輪駆動 --------- 364
  - 7.3.1 構成 ----------------------- 364
  - 7.3.2 実際の回路 ----------------------- 365
  - 7.3.3 サンプルワークスペース ----------------------- 366
  - 7.3.4 プログラム「kit07_4wd.c」----------------------- 366
  - 7.3.5 PWM 周期設定 ----------------------- 371
  - 7.3.6 関数の別名定義 ----------------------- 371
  - 7.3.7 ITU0、ITU1 の設定 ----------------------- 372
  - 7.3.8 前輪のスピードを制御する関数 ----------------------- 372
  - 7.3.9 メイン関数 ----------------------- 373
- 7.4 アナログセンサ基板 TypeS を使う ----------------------- 374
  - 7.4.1 アナログセンサとは ----------------------- 375
  - 7.4.2 アナログセンサ基板 TypeS とは ------------- 375
  - 7.4.3 アナログセンサで使用する素子 ----------------------- 376
  - 7.4.4 アナログセンサの動作原理 ----------------------- 377
  - 7.4.5 H8 マイコンで電圧を取り込む ----------------------- 378
  - 7.4.6 コースの状態を取り込む ----------------------- 378
  - 7.4.7 回路 ----------------------- 381
  - 7.4.8 寸法 ----------------------- 382
  - 7.4.9 マイコンカーへの取り付け ----------------------- 382
  - 7.4.10 センサの反応を確かめる ----------------------- 383
- 7.5 サーボを自作しよう ----------------------- 387
  - 7.5.1 特徴 ----------------------- 387
  - 7.5.2 自作サーボの構造 ----------------------- 388
  - 7.5.3 回路の構成 ----------------------- 390
  - 7.5.4 接続 ----------------------- 391
  - 7.5.5 サーボモータ制御回路 ----------------------- 392
  - 7.5.6 車体の設計 ----------------------- 393
  - 7.5.7 サンプルワークスペース ----------------------- 394
  - 7.5.8 H8/3048F-ONE で使用する内蔵周辺機能 --- 394
  - 7.5.9 変数、定数の定義 ----------------------- 395
  - 7.5.10 割り込みプログラム ----------------------- 396
  - 7.5.11 アナログセンサ基板 TypeS のデジタルセンサ値読み込み-- 396
  - 7.5.12 アナログセンサ基板 TypeS の中心デジタルセンサ読み込み-- 397
  - 7.5.13 サーボモータの PWM 出力 ----------------------- 398
  - 7.5.14 クロスラインの検出処理 ----------------------- 398
  - 7.5.15 サーボ角度の取得 ----------------------- 399
  - 7.5.16 アナログセンサ値の取得 ----------------------- 400
  - 7.5.17 サーボモータ制御 ----------------------- 402
  - 7.5.18 内輪の PWM 計算値 ----------------------- 405
  - 7.5.19 パターン処理 ----------------------- 406
  - 7.5.20 パターン 11：通常トレース ----------------------- 406
  - 7.5.21 パターン 21：クロスライン検出処理 --------- 407
  - 7.5.22 パターン 22：クロスライン後のトレース、直角検出処理-- 408
  - 7.5.23 パターン 31：右クランク処理 ----------------------- 409
  - 7.5.24 パターン 32：右クランク処理後、少し時間が経つまで待つ-- 410
  - 7.5.25 自作サーボの角度指定 ----------------------- 411
- 7.6 モータドライブ基板 TypeS を使う ----------------------- 414
  - 7.6.1 仕様 ----------------------- 416
  - 7.6.2 構成 ----------------------- 417
  - 7.6.3 H8/3048F-ONE で使用する内蔵周辺機能-- 417
  - 7.6.4 マイコンカー製作例 ----------------------- 418

第 8 章 大会に出場するまで ----------------------- 419
- 8.1 技術講習会 ----------------------- 419
- 8.2 大会参加資格、申し込み方法 ----------------------- 420
- 8.3 大会への準備 ----------------------- 421
- 8.4 控え場所での作業 ----------------------- 422
- 8.5 試走 ----------------------- 423
- 8.6 車検 ----------------------- 424
- 8.7 待機中の注意 ----------------------- 426
- 8.8 レース中 ----------------------- 426
- 8.9 最後に ----------------------- 428

付録 A 資料集 ----------------------- 429
- A.1 2 進 16 進変換表 ----------------------- 429
- A.2 H8 マイコンの変数のサイズ ----------------------- 430
- A.3 演算子の種類 ----------------------- 432
- A.4 C 言語の式の優先順位 ----------------------- 433
- A.5 printf 文の仕様 ----------------------- 434
- A.6 scanf 文の仕様 ----------------------- 436
- A.7 no_float.h について ----------------------- 437

付録 B マイコンカーラリー全国大会・大会記録 -- 439

付録 C ジャパンマイコンカーラリー大会　競技規則 -- 451
- 高校生「Advanced Class の部」・一般の部 ----------- 451
- 高校生「Basic Class の部」----------------------- 458
- ジャパンマイコンカーラリー大会　運営規則【平成20年度版】-- 463

第1章
マイコンカーラリーとは？

1.1 マイコンカーとマイコンカーラリー

「マイコンカー」とは、ルネサステクノロジ製のマイコンボードを搭載した完全自走式の車です。一見、おもちゃ屋さんでよく売られているラジオコントロールカー（ラジコン）と形はよく似ていますが中身は全く違います。一番の違いは、ラジコンは人間が操作するのに対し、マイコンカーはマイコンが操作する点です。独りでにコースを走っていくマイコンカーを見ると、生きているとさえ思えてきます。

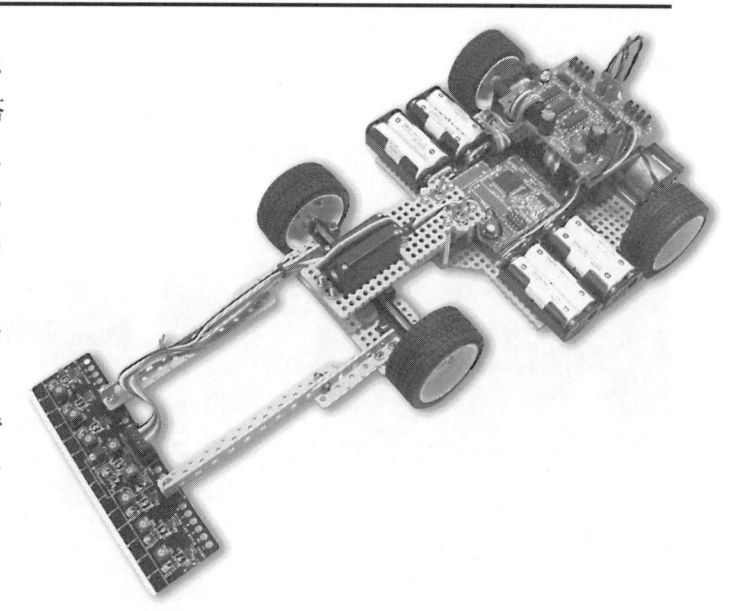

マイコンカーの例（マイコンカーキット Ver.4）

「マイコンカーラリー」は、マイコンカーを規定のコースで走らせタイムを競うレースのことです。大会は1996年1月に北海道大会として開催されて以来、3回目から「ジャパンマイコンカーラリー」と名前を変え各地区で行われる大会となりました。大会開始からの延べ参加台数は28000人を超えるロボットの大会です（2008年3月現在）。

JMCR2008 全国大会の様子

1.2 マイコンカーラリー大会の部門

マイコンカーラリーの大会は、3部門あります。

●高校生 Advanced Class の部
　高校生が参加する部門です。

●高校生 Basic Class の部
　初めてマイコンカーラリーの大会に参加する高校生を対象とした部門です。1年生はもとより、3年生であっても、課題研究などの授業で初めて取り組む生徒は参加できます。Advanced Class の部と比べ、使える部品が限定されています。

　もちろん、初めて参加するからといって Basic Class の部に参加しなければいけない訳ではありません。Advanced Class の部への参加も可能です。

●一般の部
　高校生以外は、小中学生も含めて一般の部に参加することになります。一般の部はモータの指定がありませんが、高校生と同じ規定で製作する愛好者の方も多くいます。

高校生の部 　　　　　　　　　　　一般の部

1.3 マイコンカーの規定

　高校生 Advanced Class の部、高校生 Basic Class の部、一般の部、それぞれの部門の規定を表1.1にまとめます。詳しくは競技規則を参照してください。

表1.1 マイコンカーの規定

部門	高校生 Basic Class の部	高校生 Advanced Class の部	一般の部
外形など共通仕様	・マシンの外形は幅300mm、高さ150mm以内とし、全長、重量、材質等については制限しない ・タイマセンサを遮ることの出来る構造とする ・スタート後、タイムを有利にするため故意に全長を変えることは不可。 ・マシンの駆動部はコース面上に接触しながら走行するものとし、接触部分に粘着性物質を使用することは不可（車検に於いて、コースに貼り付くと確認されるものも含む）。 ・吸引機能を用いたマシンは不可。 ・電気二重層コンデンサの使用は不可。 ※バックアップ電源等の用途で販売されている電気二重層コンデンサ等の大容量キャパシタは、使用不可とする。（公称容量がF[ファラド]で標記されているものは不可） ・走行時にコースを損傷させたり汚したりするおそれのある構造は不可		
CPUボード	ボードは右に同じ。他に、ボードの改造はコネクタの追加のみ認める。	実行委員会承認のCPUボードを使うこと。 ※2008年度の実行委員会承認CPUボードは、RY3048Foneボード（H8/3048F-ONEマイコン搭載）です。他に過去に支給されているボード（同等の販売ボード含む）も搭載可能です。	
駆動モータ	モータの型式、改造の有無は右に同じ。他に、モータの個数は、2個とする。	実行委員会承認のモータを使うこと、使用個数は制限なし。分解、改造は不可。ただし、ノイズ除去コンデンサなどのケースへの半田付けは除く。 ※2008年4月現在、承認モータは、マブチ製の「RC-260RA-18130」で表面に「MCR」マークのあるモータです。	規定なし（自由）
ギヤボックス	実行委員会承認のギヤボックスを2個使うこと。ケースの改造は次の3つ以外認めない。 ①ピニオンギア（8T）の交換 ②シャーシ取り付けネジを避けるための逃げ加工 ③シャフトの切断 ※2008年4月現在、現在、承認ギヤボックスは、タミヤ製のハイスピードギヤボックスHE。	規定なし（自由）	
タイヤ	規定なし（自由）		
サーボ	実行委員会承認のサーボを1個使うこと。サーボモータの基本性能を変える加工は認めない。	規定なし（自由）	
電池	使用できる電池は右に同じ。本数は、制御系に4本、駆動系に4本使うこと。取り付けは、電池ボックスを使用し電圧値の確認ができ、電池を容易に取り外すことができる構造であること。電池のパック化は認めない。 ※制御系の上限電圧は5.5Vまでのため、実際は単三2次電池を4本加えることになります。	単三アルカリ電池、または単三2次電池（1.2V仕様）8本以内。アルカリと2次電池の混在は可能。タブ付き電池は使用可能。マンガン電池、ニッケル一次電池、オキシライド電池など上記の2種類以外は使用不可。 ※電池の極面の半田付けはルール上禁止されていませんが、電池の使用上禁止されていることがほとんどなので、電池の使用上の注意に従ってください。	
変圧	三端子レギュレータなどによる降圧、DC-DCコンバータによる昇圧を含め、変圧禁止 ※実装されていると、使っているか使っていないか判断できません。変圧部品を実装しないようにしてください。	規定なし（自由）	
センサ	コースの色検出、およびスタートバーの開閉検出のみ認める。	規定なし（自由）	
表示する機器	液晶などの文字を表示する機能の搭載は認めない。	規定なし（自由）	

1.4 コースの規定

1.4.1 基本的なコース

　マイコンカーラリーのコースは、直線、カーブ、クランク、坂、レーンチェンジで構成されています。マイコンカーラリーのコースは、幅300[mm]の中に、黒、灰、白色があります。カーブは内径が450[mm]以上となっています（図1.1）。マイコンカーに取り付けているセンサによりコースとマイコンカーのずれを検出し、コースに沿って走るように制御します。

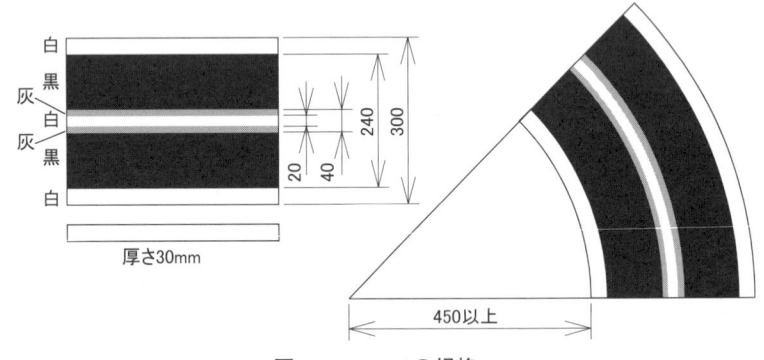

図1.1　コースの規格

1.4.2 上り坂、下り坂

　角度が10度以内の上り坂、下り坂があります（図1.2）。上り初め、上り終わり、下り初め、下り終わりでマイコンカーのシャーシなどがコースとこすらないように製作する必要があります。

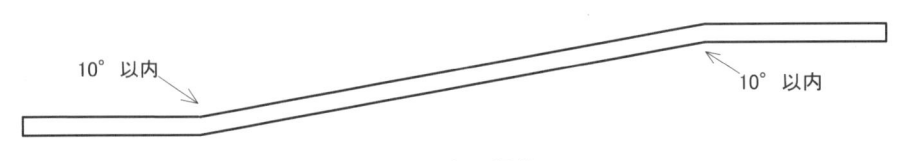

図1.2　坂の規格

※車検は、上り下りコースパーツ部（10度以内の傾斜がついた坂道コースの一部）を使用して、マイコンカーを手動で通過させます。このとき、センサ類（タイヤ、アースは含む）以外はコースに接触してはいけません。
　2輪タイプでコース接触部にコース保護材をつけたものはタイヤの一部と見なします。
車検時に、センサ部においてコースを損傷させる可能性が確認された場合は、保護材等で対処をお願いします（エンコーダやリミットスイッチ、センサ含）。

立体交差

1.4.3 クロスラインからクランク部分

マイコンカーラリーコースのいちばんの特徴は、クランク（直角）です。クランクは最大の難所ですが、腕の見せ所でもあります。

クランク手前の 500 〜 1000[mm] にはクロスラインと呼ばれる 2 本の白ラインが引かれています（図 1.3）。マイコンカーはこのラインを検出すると、直角を曲がれるスピードまで減速します。直角を発見すると曲がり、通常走行に戻ります。

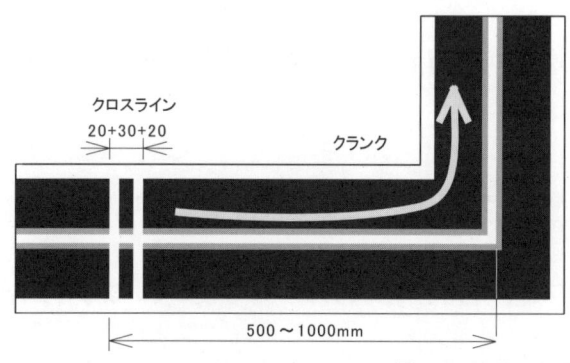

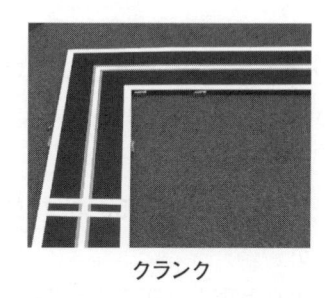

図 1.3 クランクの規格

1.4.4 レーンチェンジ部分

レーンチェンジコースは、ジャパンマイコンカーラリー 2007 大会(2006 年度)より追加されました。今までのコースは中心の白線が無くなることはありませんでしたが、初めて中心の白線が途切れるコースになっています。レーンチェンジは、プログラム技術の向上を目的として作られました。

レーンチェンジは右へのレーンチェンジ、左へのレーンチェンジの 2 通りあります。右なら、レーンチェンジ部分 300 〜 1000[mm] 手前にコース中心から右端まで白色 2 本のハーフラインがあり、それを発見すると右レーンチェンジと判断します。左レーンチェンジなら、コース中心から左端まで白色 2 本のハーフラインがあります。マイコンカーは中心線が無くなるとレーンチェンジを開始し、新しい中心線を見つけるとレーンチェンジ完了と判断し、通常走行に戻ります。図 1.4 に右レーンチェンジのコースを示します。

図 1.4 レーンチェンジの規格

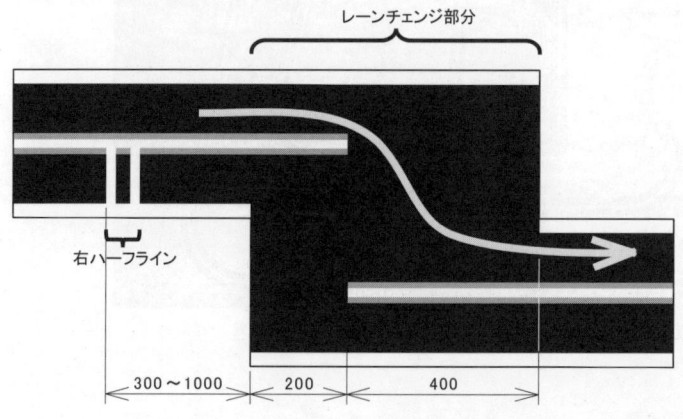

1.4.5 コースの材質

コースの黒色、灰色、白色は、下記の材質のシールを使用しています。シール意外の部分はつや消し白のアクリル材を使っています。

●黒色

セキスイハルカラー HC-015、エコパレットハルカラー HKC-011、中川ケミカル 793（ブラックマット）のいずれか

●灰色

セキスイハルカラー HC-050、エコパレットハルカラー HKC-057、中川ケミカル 735（ミディアムグレー）のいずれか

●白色

セキスイハルカラー HC-095、エコパレットハルカラー HKC-097、中川ケミカル 711（ホワイト）のいずれか

※ 2008 年 6 月現在、販売されているコースは、中川ケミカルのシールを使っています（予告無く変更の可能性があります）。

1.4.6 コースレイアウト

コースレイアウトは毎年変わり、直前まで非公開です。地区大会では全長約 50[m]、全国大会では約 60 〜 65[m] にもなります。どの様なコースレイアウトにも対応するマイコンカーを作る、そこが腕の見せ所です。

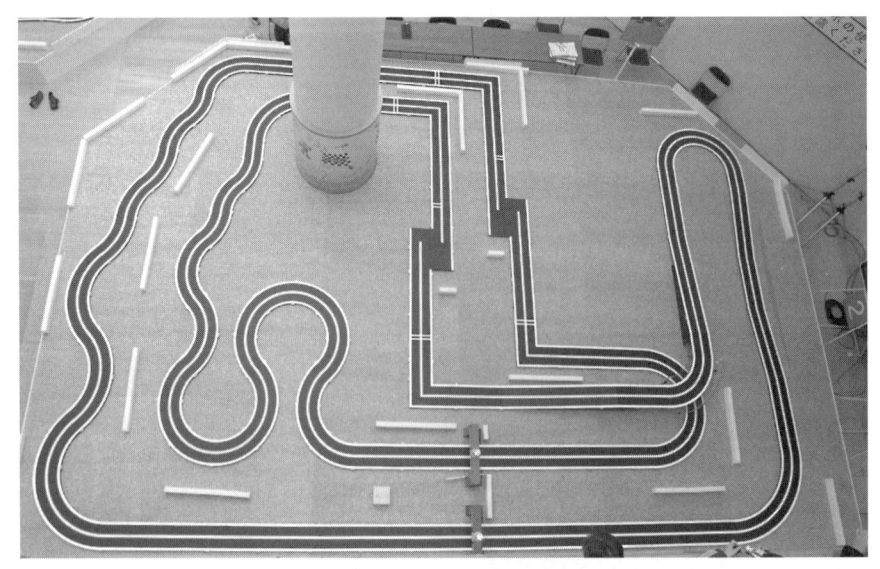

JMCR2008 全国大会　予選コースレイアウト

コラム　傾斜角度と車高の関係

　傾斜角はルール上最大の10度とします。このとき、マイコンカーの車高はどれくらいにすれば、シャーシの底を擦らないで済むのでしょうか。図Aのように図形を変形していきます。

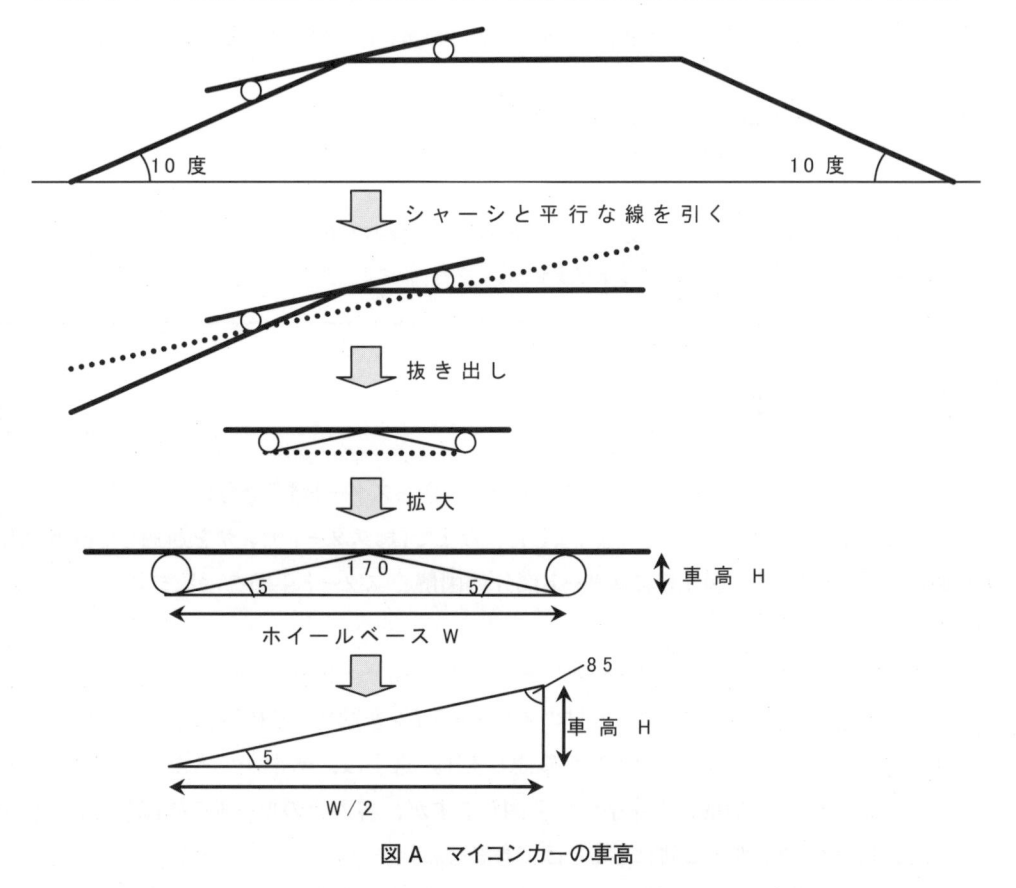

図A　マイコンカーの車高

　参考までに、三角関数である、「sin」、「cos」、「tan」の計算方法を図Bに示します。

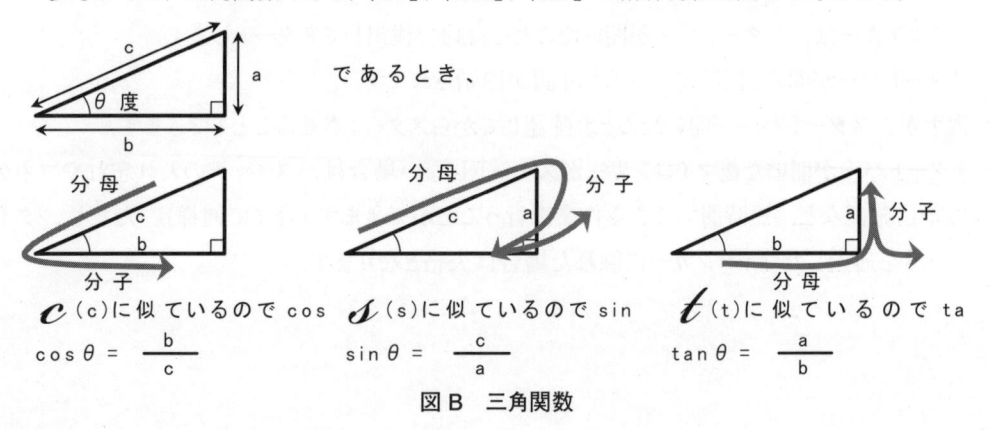

c (c)に似ているので cos
$$\cos\theta = \frac{b}{c}$$

s (s)に似ているので sin
$$\sin\theta = \frac{c}{a}$$

t (t)に似ているので tan
$$\tan\theta = \frac{a}{b}$$

図B　三角関数

今回は、底辺 (W/2) と高さ (H) が分かっていますので、tan を使います。角度θは、5°です。よって、

$$\tan 5° = \frac{H}{W/2}$$

$$H = \tan 5° \times (W/2)$$

となります。

例えば、ホイールベース 170[mm] のマイコンカーがあれば、10°でシャーシの底を擦らないようにするには、車高を

$$H = \tan 5° \times (170/2)$$
$$= 0.008488 \times 85$$
$$= 7.44[mm]$$

とすれば大丈夫です。ただし、これはシャーシが水平の場合のみです。シャーシが斜めになっている場合は、今回の計算は当てはまりません。

1.5 スタートバーの規格

ジャパンマイコンカーラリー2007大会（2006年度）からスタートするとき、スタートバーが開くと同時に計測を開始する方式に変更になりました。今までは、スタートセンサを通過して計測開始、再度通過してゴールでした。図1.5にスタート部分の図解、スタート手順を示します。

1. 選手は、マイコンカーの先頭とスタートバーの距離を20～50[mm]離してマイコンカーをセットします（コース表面にコース同一素材のスタートラインを貼り、その段差を目印とします）。
2. 審判が、マイコンカーをセットできたか確認します。選手は、準備ができたら審判にセットできた旨を伝えます（一般的に手を挙げて合図しますが、各大会のルールを確認してください）。セット後は、マイコンカーに触れることはできません。
3. スタートバー（表面はコース材質の白色のシールが貼ってあります）が進行方向に開きます（押し扉のイメージ）。
4. マイコンカーは、スタートバーが開いたことを自動で検出してスタートします。
5. スタートバーが開くと同時に、タイム計測が開始されます。
6. 選手が、スタートバーが開いたことを確認してからスタートさせることもできます。
7. スタートバーが開いた後マイコンカーがスタートしない場合は、スイッチの入れ忘れやコネクタの差込確認など、短時間でできる作業を行うことができます（今まで同様）。ただし、タイマセンサを通過したマイコンカーに触れた場合は失格となります。

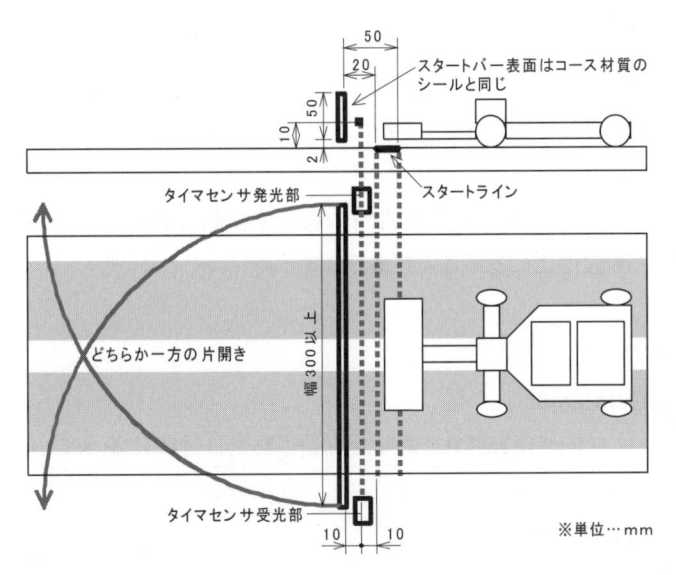

図 1.5 スタート部分

1.6 情報を得よう

　一人で、もしくは学校内でマイコンカーを作っているとなかなかうまくいかず、他の人はどうしているんだろう、この部品はどこで買えるのだろう、など疑問が出てくると思います。一人で悩んでいても分からないことは分かりません。そのようなときは、外部に発信している情報を有効に活用しましょう。ここでは情報源をいくつか紹介します。

■公式ホームページ
「Micom Car Rally Net」
http://www.mcr.gr.jp/

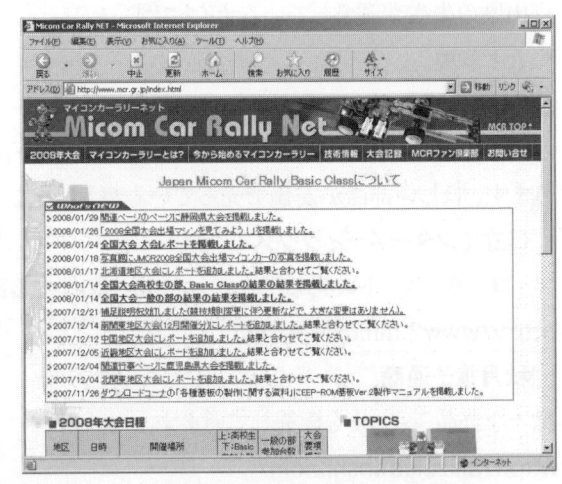

技術的に参考になるページを紹介します。

ページ	内容
技術情報→上位入賞マイコンカー	過去の上位入賞マイコンカーを、写真付きで掲載しています。
技術情報→参加者レポート	大会参加者が自分のマイコンカーについて解説しています。
MCRファン倶楽部→写真館	大会出場者のマイコンカーの写真が掲載されています。また簡単にマイコンカーの仕様が掲載されているページもあります。
MCRファン倶楽部→動画配信	過去の全国大会の模様を動画で見ることができます。

■個人のホームページ、ブログから情報を得る

　最近、個人的にマイコンカーの情報を発信しているサイトが多く見られます。大会で上位入賞したマイコンカーの技術解説をしているサイトや、ポイントを詳しくまとめているサイトなどがあり、必見です。

※ここで紹介しているページは 2008 年 6 月の情報です。個人で運営しているサイトのため、予告無くアドレス変更や運営停止になることがあります。

□mcrmcr アンテナ
http://www.i-know.jp/mcrmcr
個人のホームページやブログが登録されており、更新された日付順に並べているサイトです。

□MMC07 日記
http://mmc07.blog95.fc2.com/
群馬県の先生が運営しているサイトです。

□J's Factory
http://homepage2.nifty.com/Yokohama/
個人参加の jun さんが運営しているサイトです。

□砺波マイコンカークラブ（TMCC）
http://blog.goo.ne.jp/ban5315
富山県の先生が運営しているサイトです。

※五十音順

■部品の購入先

　マイコンカーで使う部品を売っている販売店を下記に示します。どの販売店もホームページがあります。ほしい部品が安価で売っているかもしれません。

□日立インターメディックス
マイコンカーキット販売など、マイコンカーに関する部材の販売を行っています。
http://www2.himdx.net/mcr

□秋月電子通商
様々な部品、キットを販売しています。

http://akizukidenshi.com/

□千石電商
様々な部品を販売しています。

http://www.sengoku.co.jp

□ツクモロボット王国
センサ関係の部材が多いです。ロータリセンサを販売しています。

http://www.rakuten.co.jp/tsukumo/

□**アルプス電気**

ロータリセンサを販売しています。

http://www4.alps.co.jp/

□**ピエゾン**

ロータリエンコーダを販売しています。

http://www.piezon.co.jp/

□**マクソンジャパン**

ステアリング(自作サーボ)に使えるモータを販売しています。

http://www.maxonjapan.co.jp/home.htm

□**教育歯車**

ギヤを販売しています。

http://www.kggear.co.jp/

□**レインボープロダクツ**

ギヤ、シャフト、ジョイントなど販売しています。

http://www.powers-rainbow.com/

□**廣杉計器**

スペーサ、スタット、ネジなど販売しています。

http://www.hirosugi.co.jp/

□**ABCホビー**

ラジコンの部品を販売しています。カーボンを扱っています。

http://www.abchobby.com/

□**RSコンポーネンツ**

電子部品を扱っています。

http://www.rswww.co.jp/

□**Digi-Key**

電子部品を扱っています。

http://jp.digikey.com/

□**日産商会**

ベアリングを販売しています。

http://www.nissan-sk.com/

□**日本圧着端子製造**

コネクタを販売しています。

http://www.jst-mfg.com/

□**共立電子**

電子部品を販売しています。

http://eleshop.kyohritsu.com/

※順不同

> **コラム**　質問の仕方
>
> 　ブログやホームページを公開している方々は「自分の技術が役に立つなら喜んで」、と質問に答えてくれる方々が多いです。
>
> 　ただし、当然質問する側には礼儀が必要です。それはメールでも同様です。例えば下記のようなメールは、大変失礼な文面です。どこか分かりますか？
>
> > ○○県の高校生です。
> > どうしたらスピードが速くなるのですか？教えてください m(_ _)m
>
> ●**匿名は失礼**
>
> 　受け側はどこの誰だか分からない質問者には、基本的に回答したくはありません。相手はあなたの質問に対して時間をかけて回答します。しっかり名乗りましょう。これは個人のブログでもオフィシャルのサイトでも変わりません。
>
> 　ただし、掲示板は誰でも見ることができるため、実名を書くと悪意を持った人から個人情報を書き込まれる可能性があります。掲示板は匿名で構いません。といっても、常識のある名前にしましょう。
>
> ●**質問は具体的に**
>
> 　具体的ではない質問は、何が困っているのか分からないので、答えようがありません。親切な方は、困っていることを予想して返信してくれる場合もありますが、かなり時間を浪費します。
>
> ●**顔文字は失礼**
>
> 　相手は幼なじみや友達ではありません。面識がない相手に送るならなおさらです。
>
> 　文面は自分がそのメールを受け取ったとき、どう思うかを考えて考えて書きましょう。もし自分が不快に思える内容なら相手も当然不快に思います。
>
> 　質問例を下記に示します。あくまで例ですので、状況に応じて失礼のない文面を考えて質問しましょう。
>
> > ○○県立●●工業高校電子科3年の山田と申します。
> > 自分もマイコンカーをクラブで作っており、ブログを楽しみに見させていただいています。自分のマイコンカーには上り坂を検出するスイッチを付けているのですが、坂以外でもスイッチが誤反応してしまいます。□□さんはどのような対策をされていますか。
> > お忙しい中恐縮ですが、回答いただけるとうれしいです。よろしくお願い致します。

第2章 マイコンとプログラムの開発環境

2.1 H8/3048F-ONE マイコンの仕様

2.1.1 仕様

2008年6月現在、ジャパンマイコンカーラリー実行委員会の承認ボードとして大会参加高等学校に配布しているCPUボードは「RY3048Fone TypeH」ボードです(図2.1)。

このボードの仕様を表2.1に示します。

図2.1 RY3048Fone

表2.1 CPUボードの仕様

内容	詳細
CPUボード型式	(株)北斗電子　RY3048Fone TypeH
CPU	(株)ルネサス テクノロジ　H8/3048F-ONE（HD64F3048BF25）
動作クロック	24.576[MHz]
電源電圧	5.0V ± 10% (4.5～5.5V) アルカリ乾電池を4本直列に使用すると、1.5V4本で6V以上となり5.5Vを超えてしまいますので、電源安定化素子を付加して5.0V一定になるようにして使用ください。 単三型二次電池は1.2V4本で、4.8Vと適正範囲内になっています。
外形寸法	W70 × D59 × H13mm（実寸）
実装コネクタ	J1,J2,J3
未実装コネクタ	J6,J7,J8 ※必要に応じて実装してください
固定穴寸法	60.0 × 50.0mm　φ3.0mmネジ　又は60.96 × 50.80mm　φ3.0mmネジ
内蔵フラッシュROM書き換え回数	H8/3048F-ONEに内蔵しているフラッシュROMの書き換え回数は、メーカ保証回数としては100回です。といっても、100回以上になったらすぐに書き込みができなくなる訳ではありません。あくまでメーカ保証が100回というだけで、それ以上の書き換えも可能です。実情、書き換え回数についてはあまり気にしないで大丈夫です。

CPUボードの細かい違いについて表2.2に示します。

表2.2 CPUボードの違い

型式	対象年	内容
RY3048Fone	～2004年度	最初のバージョンです。
RY3048Fone TypeH	2005～2006年度分	SW3、MODEピンの部品未実装となりました。使用上の違いはまったくありません。
RY3048Fone TypeH	2007年度～2008年6月現在	ディップスイッチのスイッチ部分に出っ張りがつき、スイッチの切り替えがしやすくなりました。

コラム　CPU、MPU、マイコンの名称の違いについて

それぞれの名称は、省略しています。正式名称は、下記のようです。

略称	正式名称
CPU	Central Processing Unit（セントラルプロセッシングユニット） 日本語では、「中央処理装置」という意味になります。
MPU	Micro Processing Unit（マイクロプロセッシングユニット） 日本語では、「超小型処理装置」という意味になります。
マイコン	Microcomputer（マイクロコンピュータ）の略です。日本語では「超小型コンピュータ」という意味になります。

　CPUは、外部にあるメモリや周辺機器（ポートやタイマなど）とやり取りを行い、プログラムに従って様々な処理を行います。

　CPUやメモリ、周辺機器を1チップのLSIに集積したものをMPUといいます。MPUとマイコンはほとんど同じ意味で使われます。MPUよりマイコンの方が言いやすいので、マイコンという用語がよく使われます。

　現在、CPU単体で存在することはほとんどなく、様々な周辺機器を1チップ化してMPUになっていることがほとんどです。厳密にはCPU、MPU（マイコン）は構成によって言い分ける必要がありますが、最近はあまり区別せず使われているようです。

　本書では、H8/3048F-ONEマイコンの搭載されている基板を「CPUボード」としています。本来は前記の通り「マイコンボード」と呼ぶべきですが、マイコンカーラリーホームページに掲載されているマニュアルは「CPUボード」で統一されているため、本書でも同様に統一します。

2.1.2 外観

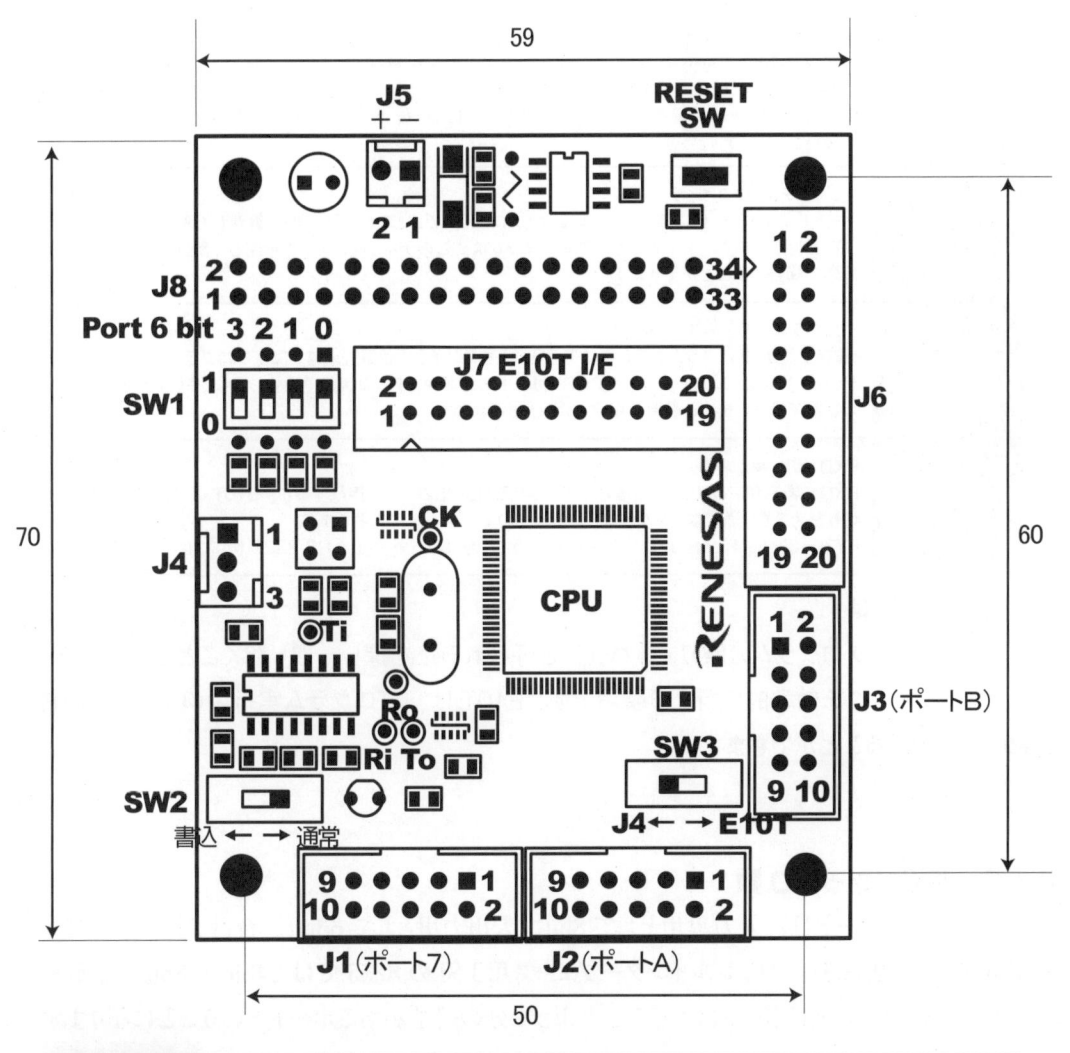

J1、J2、J3	I/O用10ピンコネクタ（オスコネクタ実装済み） CPUの各ポートに接続されているコネクタです。 J1はポート7、J2はポートA、J3はポートBに接続されています。
J4	RS-232C接続用3ピンコネクタ（オスコネクタ実装済み） パソコンのRS-232C側とこのコネクタをケーブルで接続し、プログラムの書き込みやパソコンとの通信を行うコネクタです。 J4のメスコネクタは、CPUボードの袋に同封されています。ただし、RS-232Cコネクタは付属していませんので、各自で用意して半田付けする必要があります。ケーブル長は、約1.5mです。
J5	電源用2ピンコネクタ（オスコネクタ実装済み） CPUボードに電源を供給するコネクタです。電源電圧は、5V±10%です。極性を間違えるとCPUボードが破損しますので気をつけてください。 J5のメスコネクタは、CPUボードの袋に同封されています。ケーブル長は約30cmです。赤色コードが＋側、黒色コードが－側です。
J6	I/O用20ピンコネクタ（コネクタ未実装） CPUの各ポートに接続されているコネクタです。J6はポート3、ポート4などと接続されています。

J7	E10T 用 20 ピンコネクタ（コネクタ未実装） E10T を接続するためのコネクタです。E10T とは、ルネサステクノロジで販売されているデバッグ装置のことです。通常の I/O としては使用できません。
J8	I/O 用 34 ピンコネクタ（コネクタ未実装） CPU の各ポートに接続されているコネクタです。J8 はポート 1、ポート 2、ポート 5、ポート 8 などと接続されています。
SW1	4 ビットディップスイッチ ポート 6 の bit3 ～ 0 に接続されています。プログラムでは、スイッチに ON と書かれた側を "1"、逆側を "0" と判断します。マイコンカーのプログラムは、このディップスイッチを使って走行スピードを 16 段階で調整することができます。
SW2	プログラム書き込みスイッチ 「書込」側が、プログラムを CPU に書き込むときのスイッチ位置、「通常」側がプログラム実行のスイッチ位置です。このスイッチは、必ず CPU ボードの電源が OFF の状態で操作してください。電源が入った状態で操作しますと最悪の場合、CPU が壊れます。
SW3	RXD1 切り替えスイッチ RXD1 端子（CPU の通信受信線）を、J4 の RS-232C 側へ接続するか、E10T 側に接続するかの切り替えです。通常は J4 から書き込みますので、J4 側にしておきます。 RY3048Fone TypeH より、このスイッチが外され基板のパターン上で RS-232C 側につなげています。

※デバッグ装置とは

　デバッグとは、プログラムの誤り（「バグ」と呼ばれる）を探し、取り除くことです。デバッグ装置とは、デバッグを効率的に行える装置です。E10T は、プログラム実行中のレジスタの値や変数の値を調べることができます。

2.1.3　使用できる I/O 数

　RY3048Fone ボードは、入力専用として 8bit、入出力用として 63bit、合計 71bit 分の端子が使用可能です（表 2.3）。パラレルインターフェース用 LSI の 8255 では 24bit（8bit × 3 ポート）ですので、RY3048Fone ボードは 8255 が 3 セット分の端子があるボードということになります。

表 2.3　使用できる I/O 数

コネクタ	入力として 使用できる bit 数	入力／出力として 使用できる bit 数	備考
J1	8	−	入力専用ポートです
J2	−	8	
J3	−	8	
J6	−	18	
J7	−	−	通常の I/O としては使用できません
J8	−	29	
合計	8	63	

2.1.4 コネクタのピン配置

RY3048Fone ボードのコネクタとポートの位置を図 2.2 に示します。

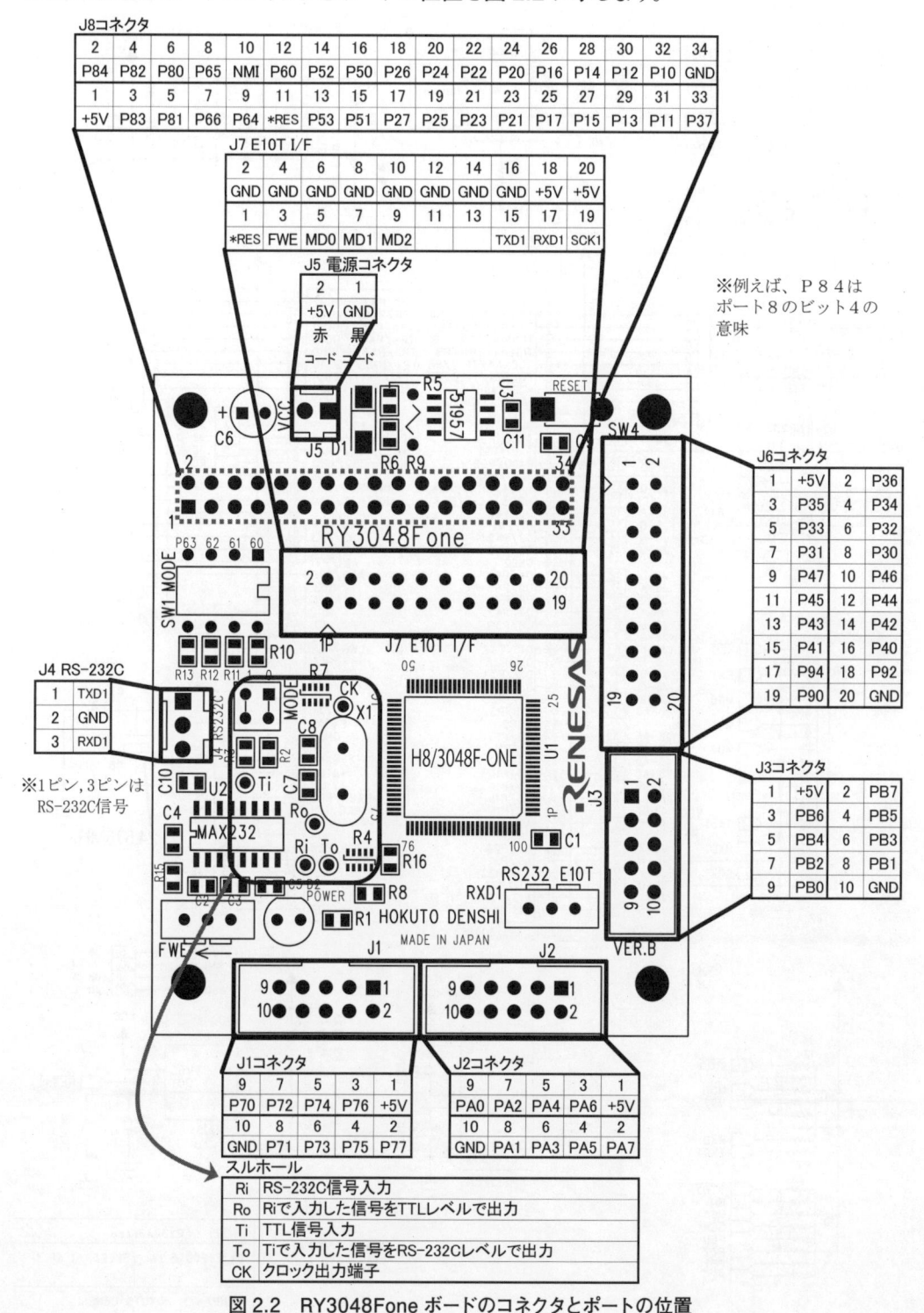

J8コネクタ

2	4	6	8	10	12	14	16	18	20	22	24	26	28	30	32	34
P84	P82	P80	P65	NMI	P60	P52	P50	P26	P24	P22	P20	P16	P14	P12	P10	GND
1	3	5	7	9	11	13	15	17	19	21	23	25	27	29	31	33
+5V	P83	P81	P66	P64	*RES	P53	P51	P27	P25	P23	P21	P17	P15	P13	P11	P37

J7 E10T I/F

2	4	6	8	10	12	14	16	18	20
GND	GND	GND	GND	GND	GND	GND	GND	+5V	+5V
1	3	5	7	9	11	13	15	17	19
*RES	FWE	MD0	MD1	MD2			TXD1	RXD1	SCK1

J5 電源コネクタ

2	1
+5V	GND
赤コード	黒コード

※例えば、P84は
ポート8のビット4の
意味

J6コネクタ

1	+5V	2	P36
3	P35	4	P34
5	P33	6	P32
7	P31	8	P30
9	P47	10	P46
11	P45	12	P44
13	P43	14	P42
15	P41	16	P40
17	P94	18	P92
19	P90	20	GND

J4 RS-232C

1	TXD1
2	GND
3	RXD1

※1ピン, 3ピンは
RS-232C信号

J3コネクタ

1	+5V	2	PB7
3	PB6	4	PB5
5	PB4	6	PB3
7	PB2	8	PB1
9	PB0	10	GND

J1コネクタ

9	7	5	3	1
P70	P72	P74	P76	+5V
10	8	6	4	2
GND	P71	P73	P75	P77

J2コネクタ

9	7	5	3	1
PA0	PA2	PA4	PA6	+5V
10	8	6	4	2
GND	PA1	PA3	PA5	PA7

スルホール

Ri	RS-232C信号入力
Ro	Riで入力した信号をTTLレベルで出力
Ti	TTL信号入力
To	Tiで入力した信号をRS-232Cレベルで出力
CK	クロック出力端子

図 2.2　RY3048Foneボードのコネクタとポートの位置

2.1.5 回路図

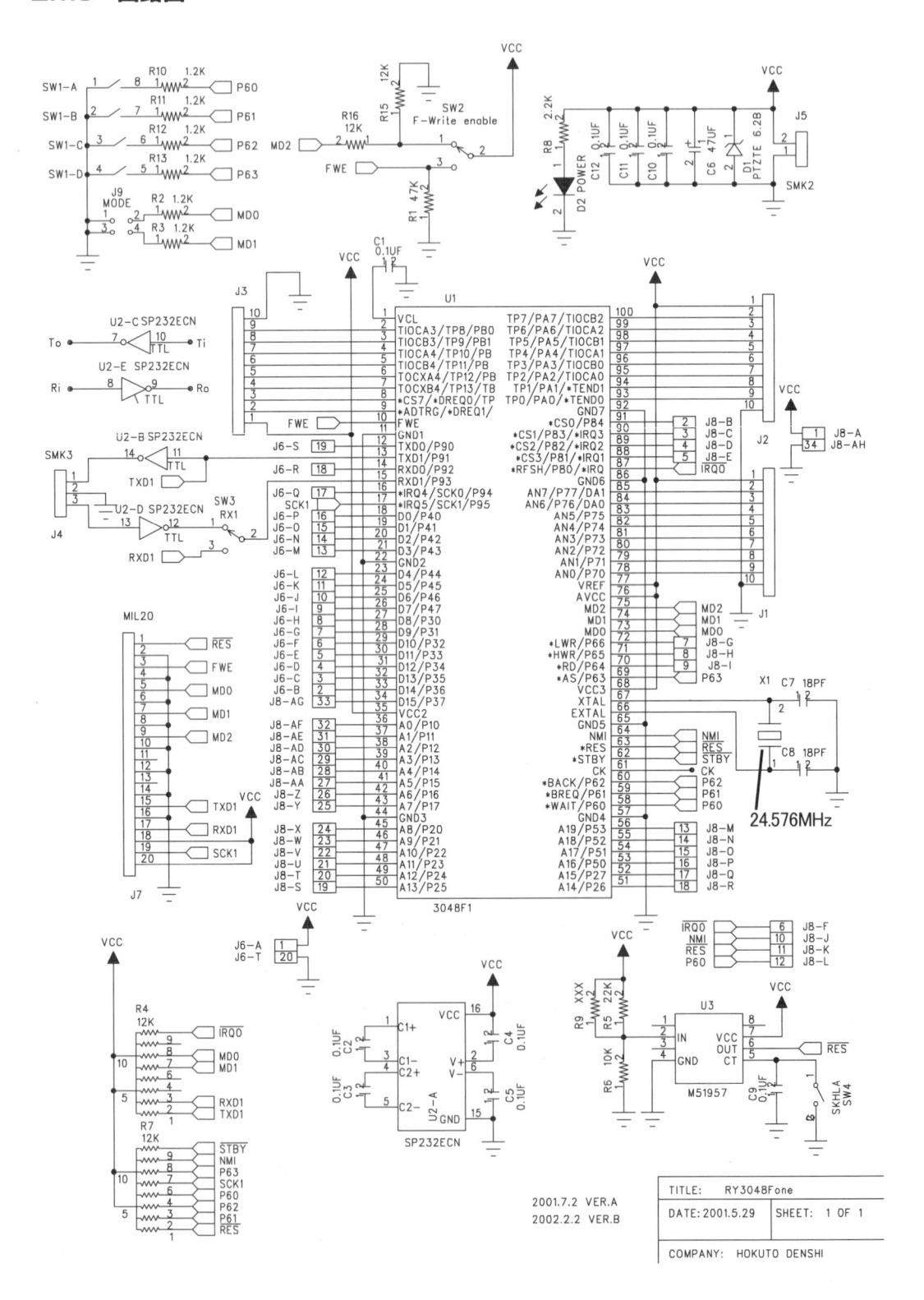

2.1.6 ピン配置

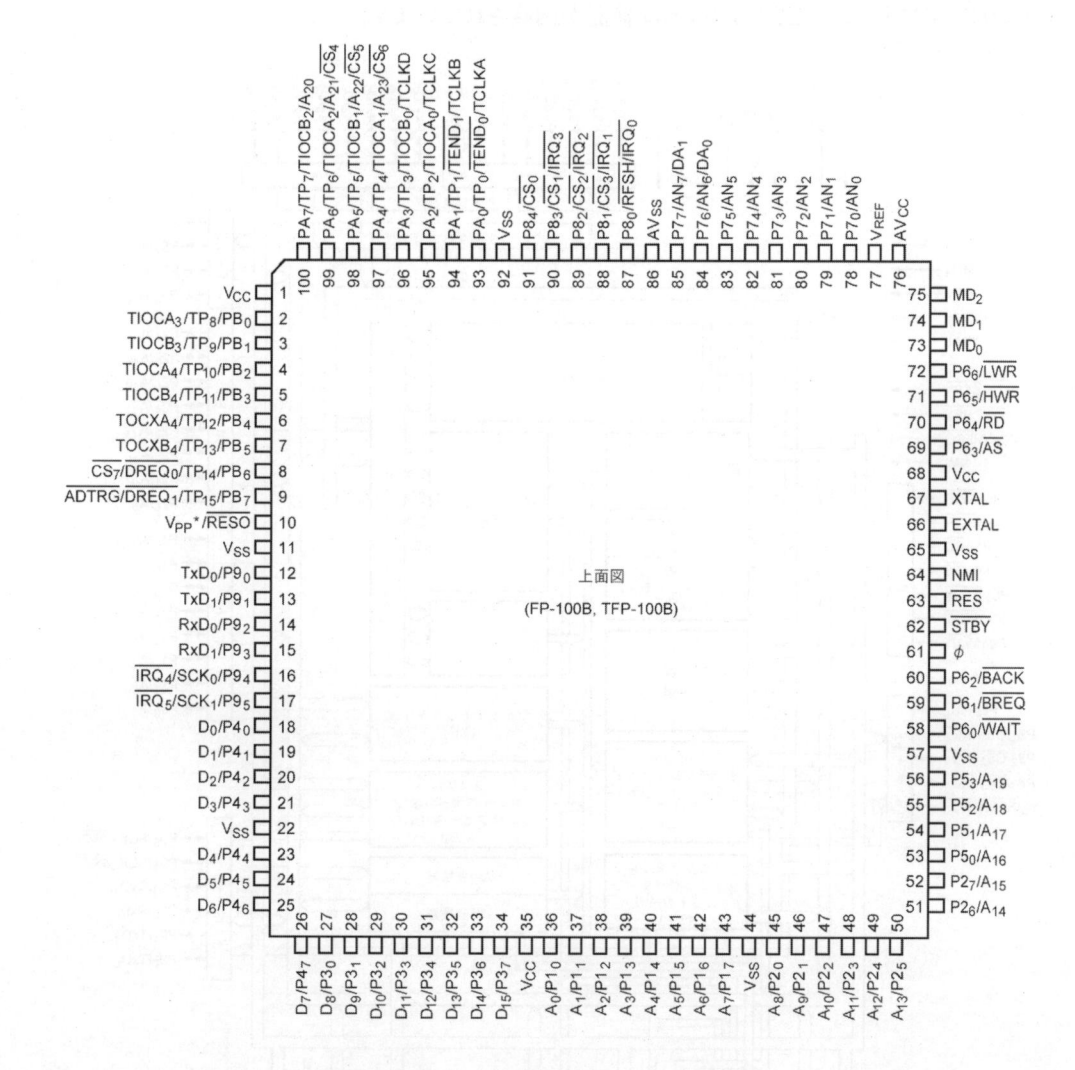

上面図 (FP-100B, TFP-100B)

左側（上から下、ピン1〜25）:
- 1: V_{CC}
- 2: $TIOCA_3/TP_8/PB_0$
- 3: $TIOCB_3/TP_9/PB_1$
- 4: $TIOCA_4/TP_{10}/PB_2$
- 5: $TIOCB_4/TP_{11}/PB_3$
- 6: $TOCXA_4/TP_{12}/PB_4$
- 7: $TOCXB_4/TP_{13}/PB_5$
- 8: $\overline{CS_7}/\overline{DREQ_0}/TP_{14}/PB_6$
- 9: $\overline{ADTRG}/\overline{DREQ_1}/TP_{15}/PB_7$
- 10: $V_{PP}*/\overline{RESO}$
- 11: V_{SS}
- 12: $TxD_0/P9_0$
- 13: $TxD_1/P9_1$
- 14: $RxD_0/P9_2$
- 15: $RxD_1/P9_3$
- 16: $\overline{IRQ_4}/SCK_0/P9_4$
- 17: $\overline{IRQ_5}/SCK_1/P9_5$
- 18: $D_0/P4_0$
- 19: $D_1/P4_1$
- 20: $D_2/P4_2$
- 21: $D_3/P4_3$
- 22: V_{SS}
- 23: $D_4/P4_4$
- 24: $D_5/P4_5$
- 25: $D_6/P4_6$

下側（左から右、ピン26〜50）:
- 26: $D_7/P4_7$
- 27: $D_8/P3_0$
- 28: $D_9/P3_1$
- 29: $D_{10}/P3_2$
- 30: $D_{11}/P3_3$
- 31: $D_{12}/P3_4$
- 32: $D_{13}/P3_5$
- 33: $D_{14}/P3_6$
- 34: $D_{15}/P3_7$
- 35: V_{CC}
- 36: $A_0/P1_0$
- 37: $A_1/P1_1$
- 38: $A_2/P1_2$
- 39: $A_3/P1_3$
- 40: $A_4/P1_4$
- 41: $A_5/P1_5$
- 42: $A_6/P1_6$
- 43: $A_7/P1_7$
- 44: V_{SS}
- 45: $A_8/P2_0$
- 46: $A_9/P2_1$
- 47: $A_{10}/P2_2$
- 48: $A_{11}/P2_3$
- 49: $A_{12}/P2_4$
- 50: $A_{13}/P2_5$

右側（下から上、ピン51〜75）:
- 51: $P2_6/A_{14}$
- 52: $P2_7/A_{15}$
- 53: $P5_0/A_{16}$
- 54: $P5_1/A_{17}$
- 55: $P5_2/A_{18}$
- 56: $P5_3/A_{19}$
- 57: V_{SS}
- 58: $P6_0/\overline{WAIT}$
- 59: $P6_1/\overline{BREQ}$
- 60: $P6_2/\overline{BACK}$
- 61: ϕ
- 62: $\overline{STBY}$
- 63: $\overline{RES}$
- 64: NMI
- 65: V_{SS}
- 66: $EXTAL$
- 67: $XTAL$
- 68: V_{CC}
- 69: $P6_3/\overline{AS}$
- 70: $P6_4/\overline{RD}$
- 71: $P6_5/\overline{HWR}$
- 72: $P6_6/\overline{LWR}$
- 73: MD_0
- 74: MD_1
- 75: MD_2

上側（右から左、ピン76〜100）:
- 76: AV_{CC}
- 77: V_{REF}
- 78: $P7_0/AN_0$
- 79: $P7_1/AN_1$
- 80: $P7_2/AN_2$
- 81: $P7_3/AN_3$
- 82: $P7_4/AN_4$
- 83: $P7_5/AN_5$
- 84: $P7_6/AN_6/DA_0$
- 85: $P7_7/AN_7/DA_1$
- 86: AV_{SS}
- 87: $P8_0/\overline{RFSH}/\overline{IRQ_0}$
- 88: $P8_1/\overline{CS_3}/\overline{IRQ_1}$
- 89: $P8_2/\overline{CS_2}/\overline{IRQ_2}$
- 90: $P8_3/\overline{CS_1}/\overline{IRQ_3}$
- 91: $P8_4/\overline{CS_0}$
- 92: V_{SS}
- 93: $PA_0/TP_0/\overline{TEND_0}/TCLKA$
- 94: $PA_1/TP_1/\overline{TEND_1}/TCLKB$
- 95: $PA_2/TP_2/TIOCA_0/TCLKC$
- 96: $PA_3/TP_3/TIOCB_0/TCLKD$
- 97: $PA_4/TP_4/TIOCA_1/A_{23}/TCLKE$
- 98: $PA_5/TP_5/TIOCB_1/A_{22}/\overline{CS_6}$
- 99: $PA_6/TP_6/TIOCA_2/A_{21}/\overline{CS_5}$
- 100: $PA_7/TP_7/TIOCB_2/A_{20}$

【注】* V_{PP}端子はフラッシュメモリ版のみ対応します。

1ピンと100ピンの間の角が面取りされています。V_{CC}は+側電圧の5V、V_{SS}は−側電圧の0Vを加えます。

2.1.7 内部機能

H8/3048F-ONE には、図 2.3 のような機能が内蔵されています。

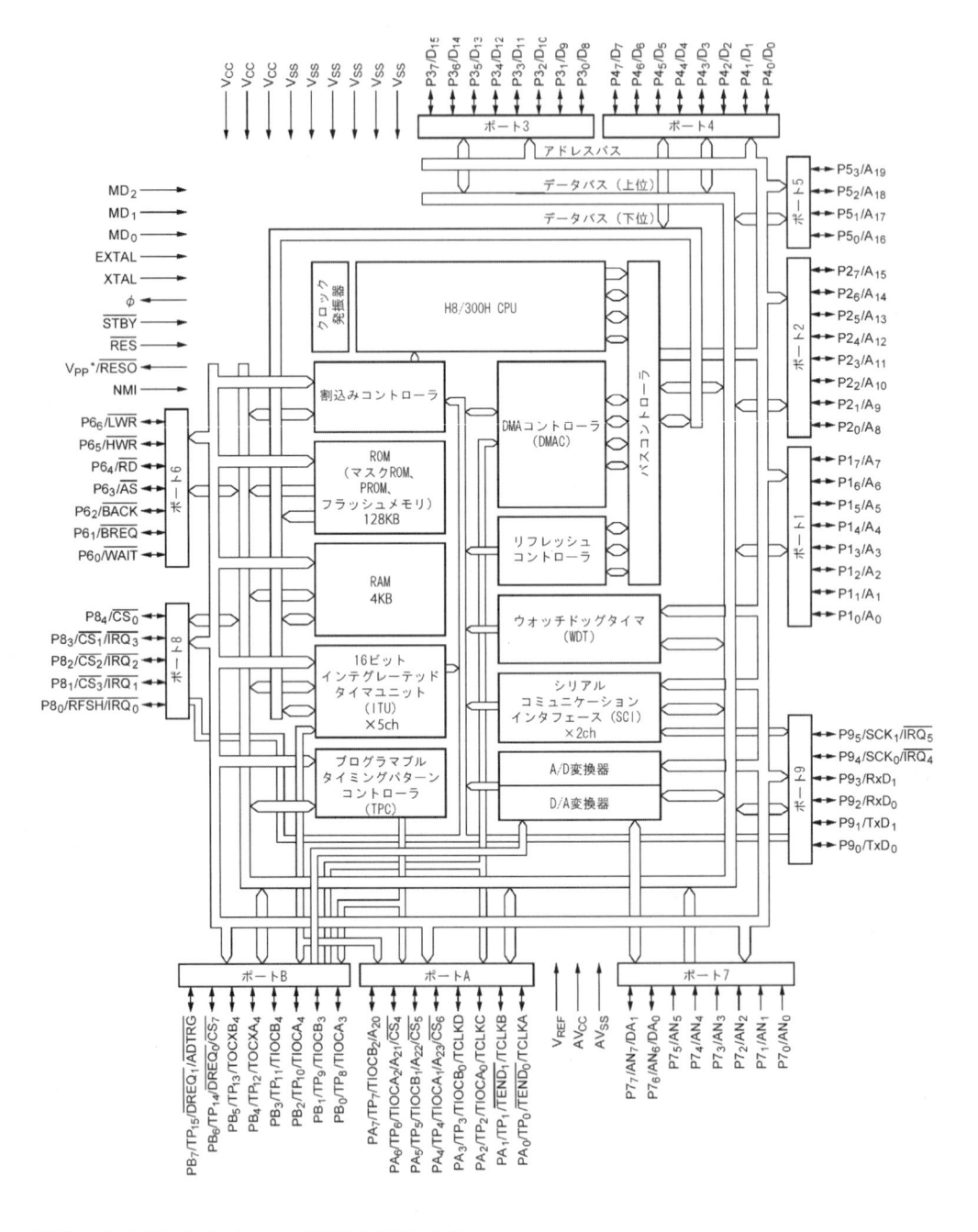

【注】＊ V_{pp} 端子はフラッシュメモリ版のみ対応します。

図 2.3　RY3048Fone の内部機能

2.1.8 メモリマップ

　H8/3048F-ONE の ROM 領域、RAM 領域、I/O レジスタ領域を図 2.4 に示します。RY3048Fone ボードはシングルチップモード（外付けの ROM や RAM などがない状態）で動作しているので、モード 7 のメモリマップとなります。

モード7
（シングルチップアドバンストモード）

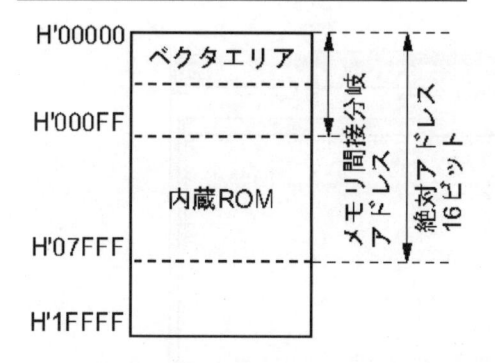

```
H'00000 ┌──────────┐ ┬  ┬
        │ ベクタエリア │ │  │
H'000FF ├ ─ ─ ─ ─ ─ ┤ ┴  │ メモリ間接分岐アドレス
        │          │    │ 絶対アドレス16ビット
        │  内蔵ROM  │    │
H'07FFF ├ ─ ─ ─ ─ ─ ┤    │
        │          │    │
H'1FFFF └──────────┘    ┴

H'F8000 ─ ─ ─ ─ ─ ─ ─ ─ ─ ─ ─

H'FEF10 ┌──────────┐ ┬  ┬
        │  内蔵RAM  │ │  │
H'FFF00 ├ ─ ─ ─ ─ ─ ┤ │  │
H'FFF0F │          │ │  │ 絶対アドレス8ビット
        ├──────────┤ │  │ 絶対アドレス16ビット
H'FFF1C │  内部I/O  │ │  │
        │  レジスタ  │ │  │
H'FFFFF └──────────┘ ┴  ┴
```

H8/3048F-ONE マイコンは、
・0x00000 〜 0x1ffff 番地が ROM（128KB）
・0xfef10 〜 0xfff0f 番地が RAM（4KB）
・0xfff1c 〜 0xfffff 番地が I/O レジスタ
となります。

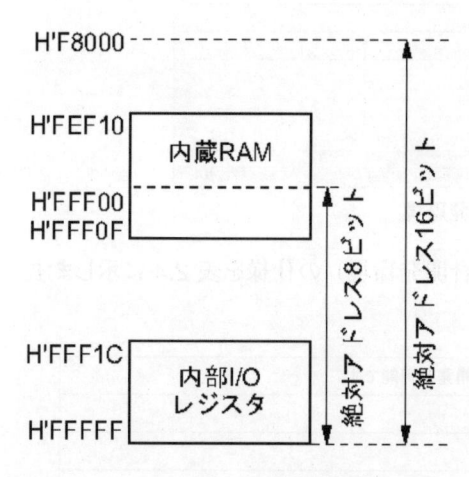

図 2.4　メモリマップ

2.2 プログラムを開発するための環境設定

2.2.1 ルネサス統合開発環境

ルネサス統合開発環境（High-performance Embedded Workshop）は、（株）ルネサス テクノロジがマイコンの開発ツールとして販売しているソフトです。販売しているバージョンの他に、インターネットからダウンロードできる無償評価版というバージョンもあります。今回、使用するのは、ルネサス統合開発環境の無償評価版です。

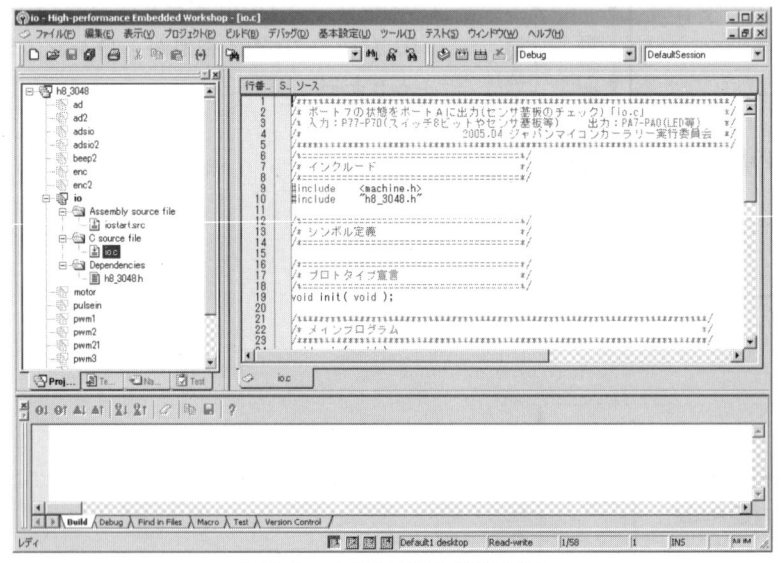

図 2.5　ルネサス統合開発環境

ルネサス統合開発環境無償評価版（以後、ルネサス統合開発環境）の仕様を**表 2.4** に示します。

表 2.4　ルネサス統合開発環境の仕様

対象マイコン	ルネサスマイコンほぼすべての開発が可能です。
アセンブラ、コンパイラの設定	非常に細かく設定可能です。
シミュレータ	あります。
サポート	評価版ソフトウェアに対する不具合改修、技術的なお問い合わせに対するサポートは一切ありません。必要な場合は、製品版の購入をお願いします。
サイズの制限	インストール後 60 日以上たつとプログラムサイズは 64KB 以下しかビルドできません。 ※ 64KB とは、MOT ファイルのサイズではなく、マイコンに書き込むプログラムの容量です。0x0000 ～ 0xffff 番地まで書き込むことができます。 ※マイコンカー kit07 のプログラム容量は、24KB です。プログラムを改造してもマイコンカーのプログラムならほとんどの場合は 64KB 以上になることはありません。そのため、この制限はマイコンカーに限ってはあまり気にせずとも大丈夫です。
C ソースファイルのファイル数	登録すれば何ファイルでも可能です。
C ソースファイルのアセンブリソースコード表示	表示可能です。

2.2.2 インストールする前に Windows の設定

Windows 標準の設定では、登録されている拡張子は表示されない設定になっています。後々不便なので、次の手順で拡張子を表示させる設定にしておきます。

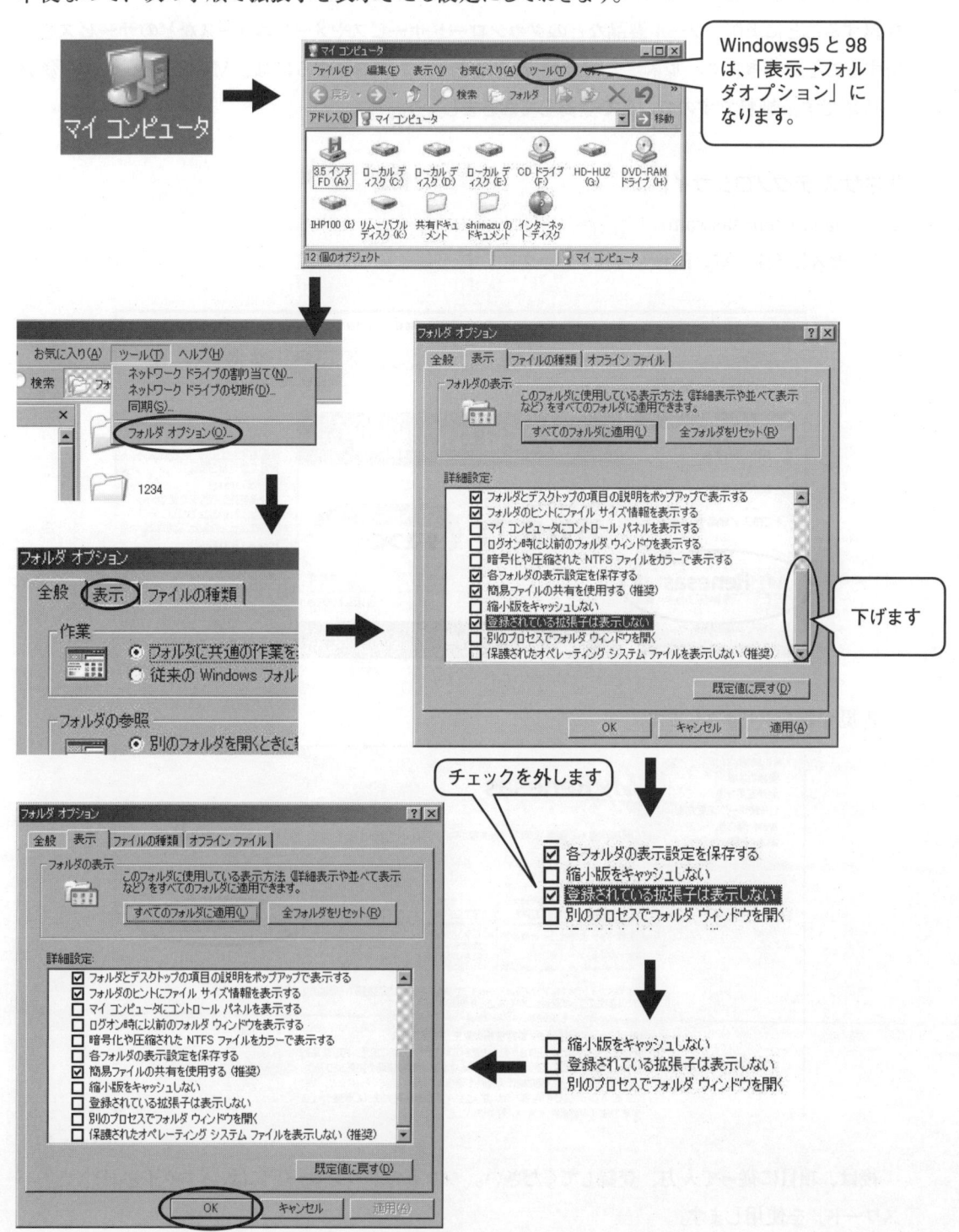

2.2.3 ルネサス統合開発環境のインストール

(1) My Renesas への登録

　My Renesas とは、ルネサス テクノロジの Web サイトでの無料ユーザ登録のことです。ユーザ登録することにより、ツール製品などのダウンロードサービスやメールニュースなどのサービスを利用することができます。ルネサス統合開発環境をダウンロードするには、My Renesas への登録が必須です。無料ですのでここで登録しておきましょう。

ルネサス テクノロジサイト

http://japan.renesas.com/

へアクセスします。My Renesas をクリックします。

新規登録をクリックします。

　後は、項目に従って入力、登録してください。ソフトのダウンロードには、「ログイン ID」と「パスワード」を使用します。

(2) ルネサス統合開発環境のダウンロード

ルネサス テクノロジサイト

http://japan.renesas.com/

へアクセスします。設計サポートの「ソフトウェアダウンロード」をクリックします。

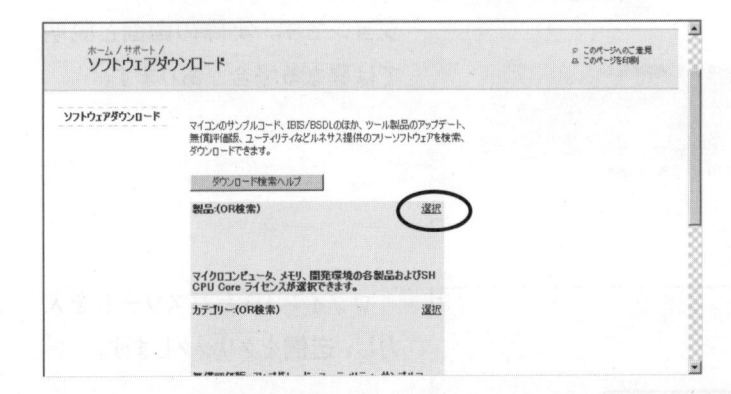

製品の「選択」をクリックします。

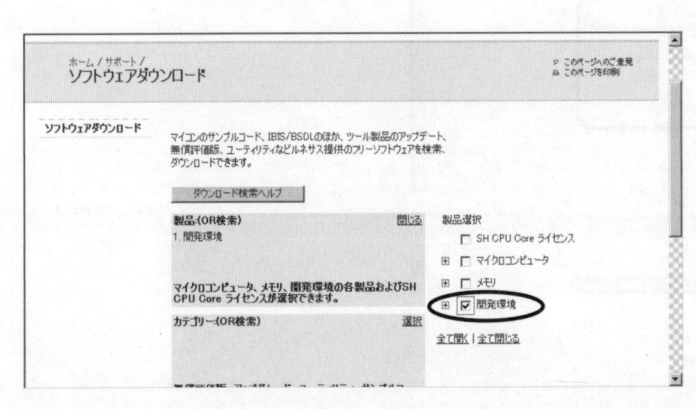

製品選択の「開発環境」にチェックを付けます。次に、カテゴリーの「選択」をクリックします。

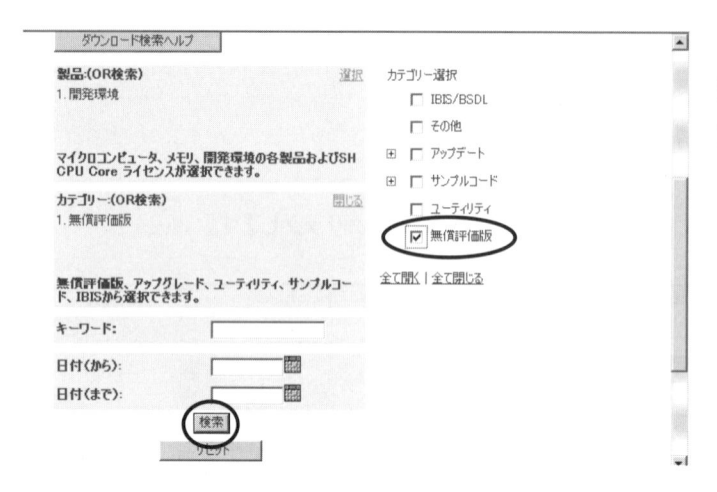

カテゴリー選択の「無償評価版」にチェックを付けます。次に「検索」をクリックします。

製品名の「【無償評価版】H8SX,H8S,H8ファミリ用 C/C++ コンパイラパッケージ V.6.02 Release 00」をクリックします。
※「V.6.02 Release 00」はバージョンです。実際の画面と説明では異なる場合があります。

ログイン ID とパスワードを入力し、**送信**をクリックします。

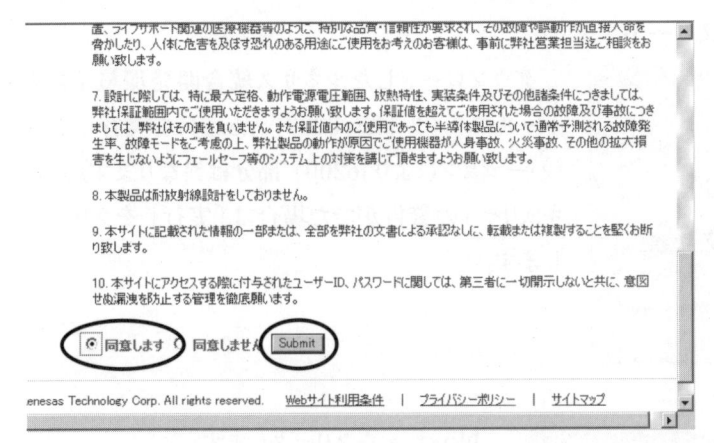

ダウンロードに対する諸注意が表示されます。
同意する場合は「○同意します」のチェックを付けて、Submit（同意する）をクリックします。

Downloadをクリックします。

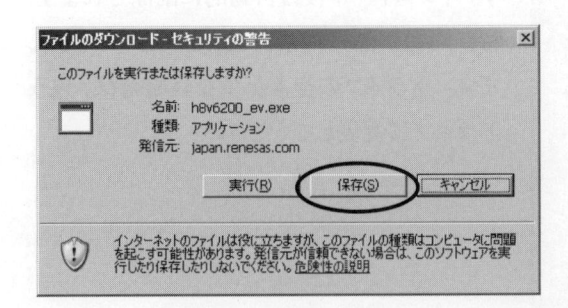

保存をクリックし、ファイルを保存します。

ファイルが保存されました。

MICOM CAR RALLY

●ルネサス統合開発環境のインストール

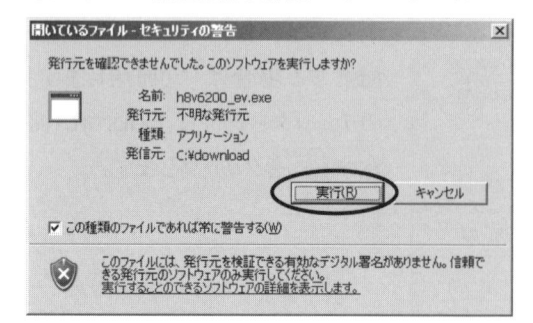

ダウンロードしたルネサス統合開発環境インストールファイル「h8v6200_ev.exe」を実行します（バージョンにより「6200」部分は異なります）。セキュリティの警告がでた場合は「実行」をクリックします。

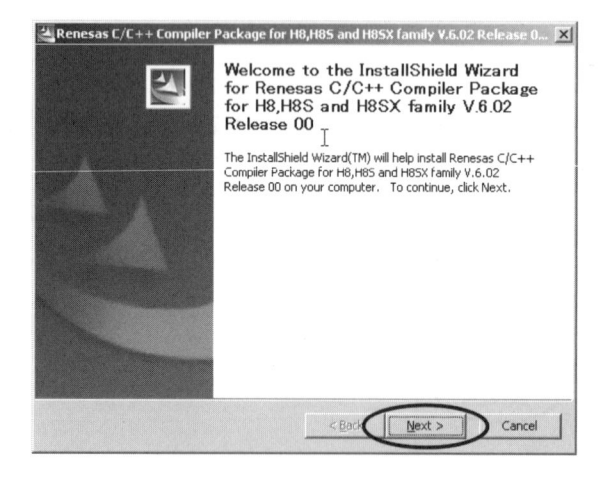

Next > をクリックします。

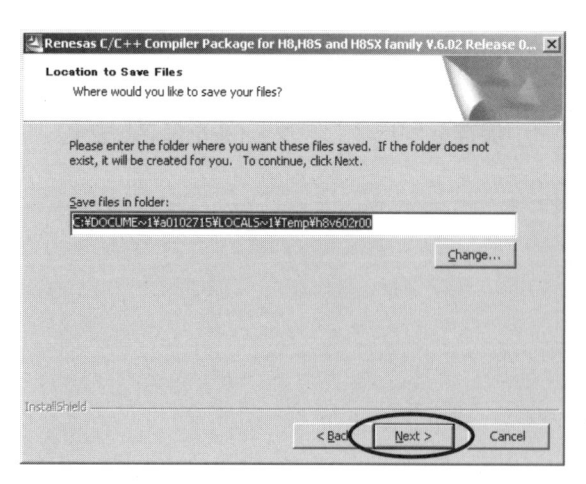

インストールに使う作業フォルダの指定です。インストール後は自動的に削除されます。特に問題が無ければ、Next > をクリックします。ドライブの空きが少ない場合は、違うドライブに変更してください。

※インストール作業エリアとして 130MB、インストールファイル約 160MB、合計 290MB 必要です。

　C ドライブの空きが 290MB 以下の場合、インストール作業エリアを C ドライブ以外にするか、使っていないソフトを削除し、290MB 以上確保してください。

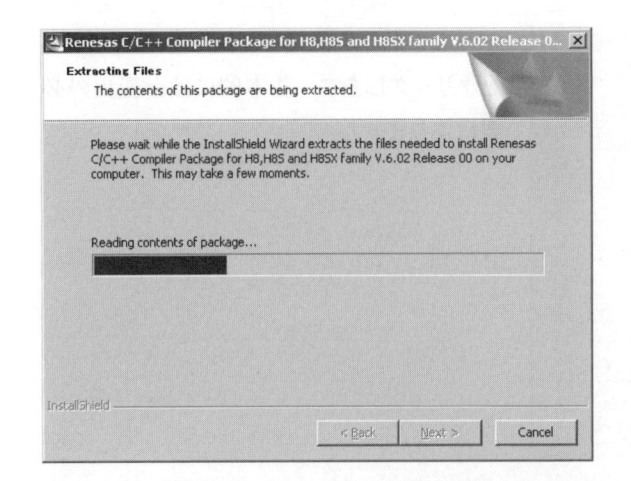

作業中です。数分程度時間がかかります。

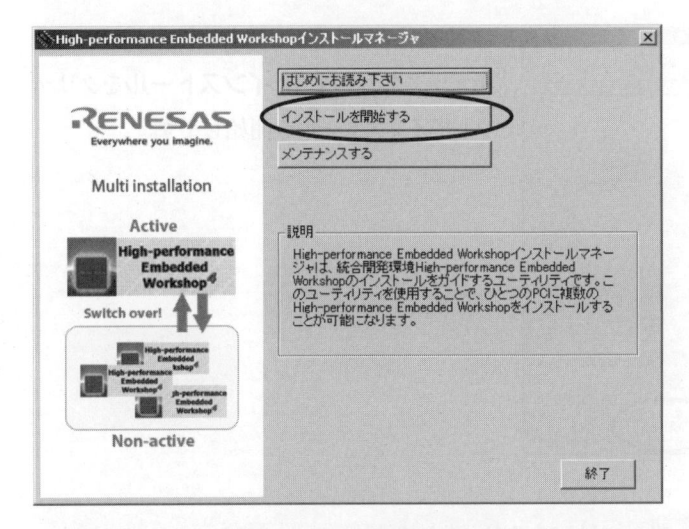

インストールを開始するをクリックします。

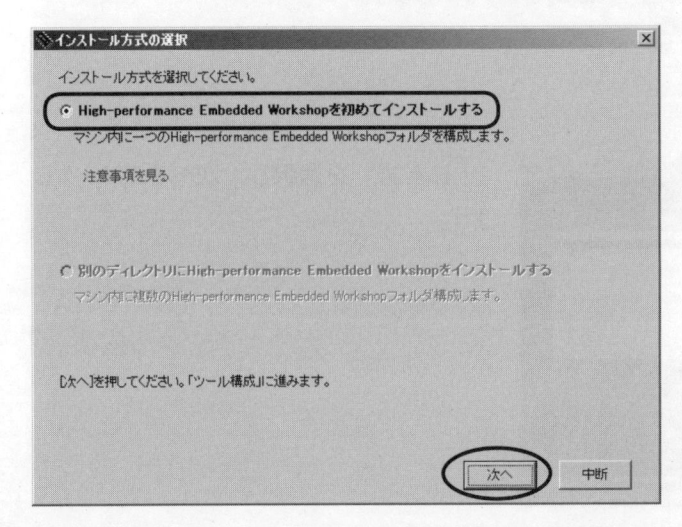

「High-performance Embedded Workshop を初めてインストールする」を選択、**次へ**をクリックします。

MICOM CAR RALLY

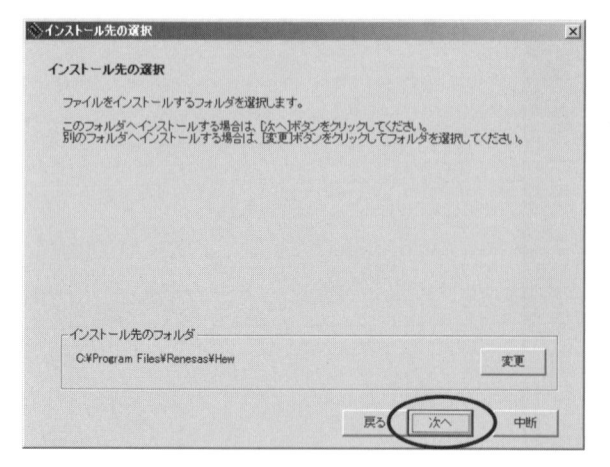

インストール先のフォルダを選び、**次へ**をクリックします。基本的には、変更の必要はありません。

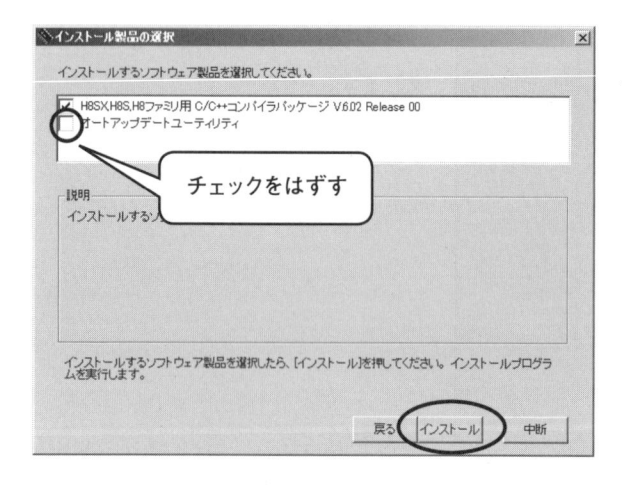

オートアップデートユーティリティのチェックを外します。**インストール**をクリックしてインストールを開始します。

チェックをはずす

はいをクリックします。

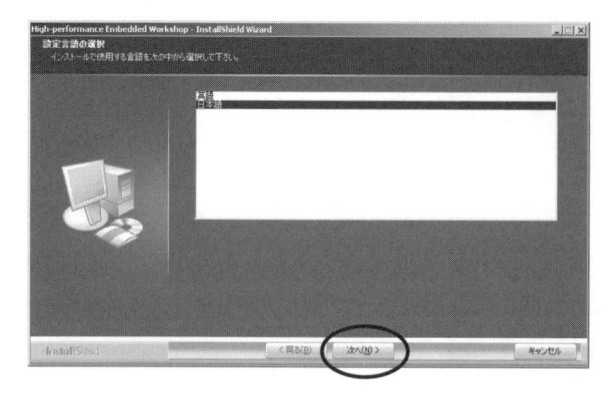

「日本語」を選択し、**次へ**をクリックします。

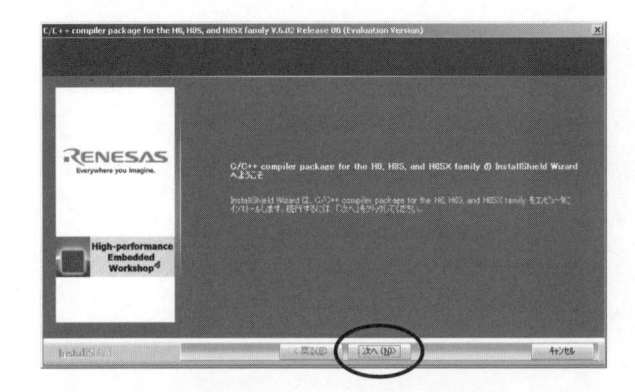

第 2 章 マイコンとプログラムの開発環境

次へをクリックします。

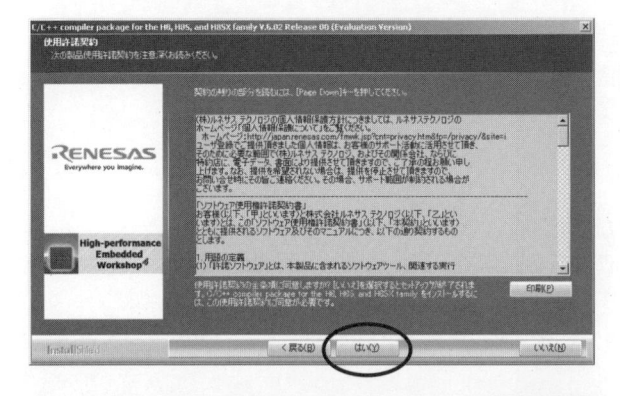

使用許諾契約に同意いただける場合、はいをクリックします。

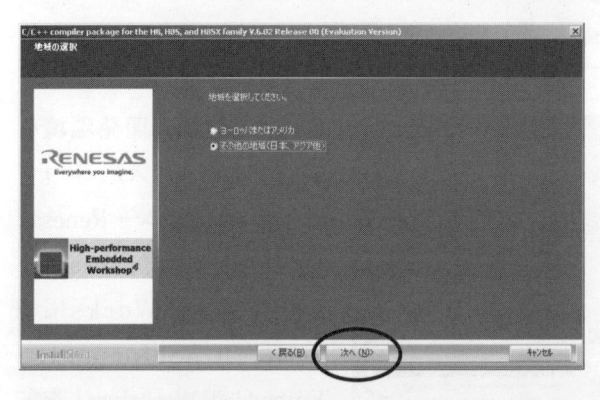

「その他の地域(日本、アジア他)」にチェックが付いていることを確認し、次へをクリックします。

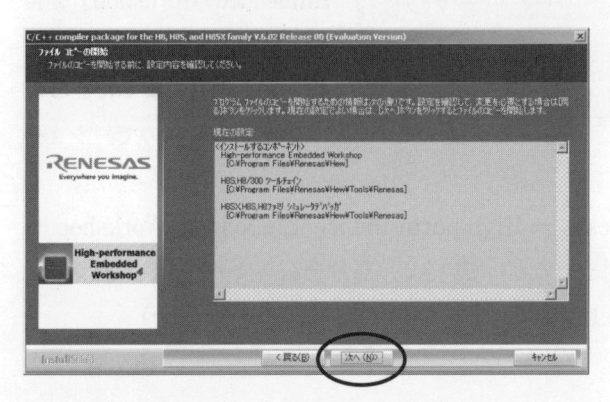

最終確認です。次へをクリックし、インストールを開始します。

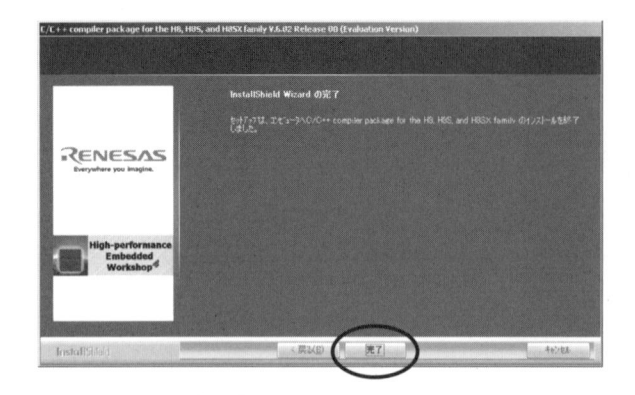

完了をクリックします。

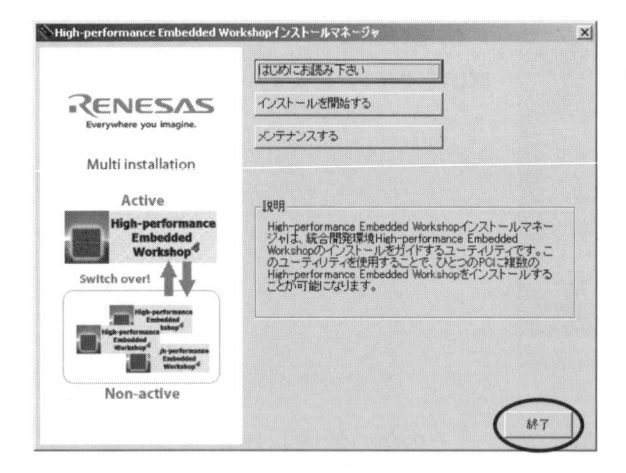

終了をクリックし、インストールを終了します。

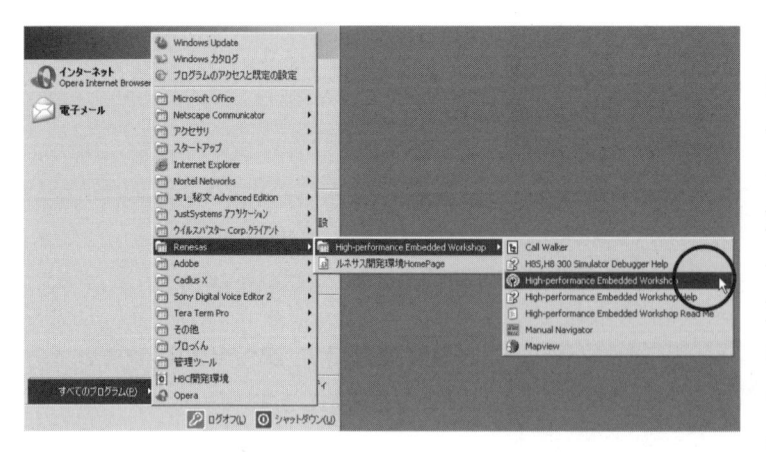

ルネサス統合開発環境を実行するには、「スタート→すべてのプログラム→ Renesas → High-performance Embedded Workshop → High-performance Embedded Workshop」を実行します。かなり深い（長い）です。毎回ここまでたどるのは少々煩わしいので、ショートカットを作成しておきましょう。

　「スタート→すべてのプログラム→ Renesas → High-performance Embedded Workshop → High-performance Embedded Workshop」までたどっていき、○部分を右クリックします。左クリックでは、直接ルネサス統合開発環境が立ち上がってしまいますので、気をつけましょう。

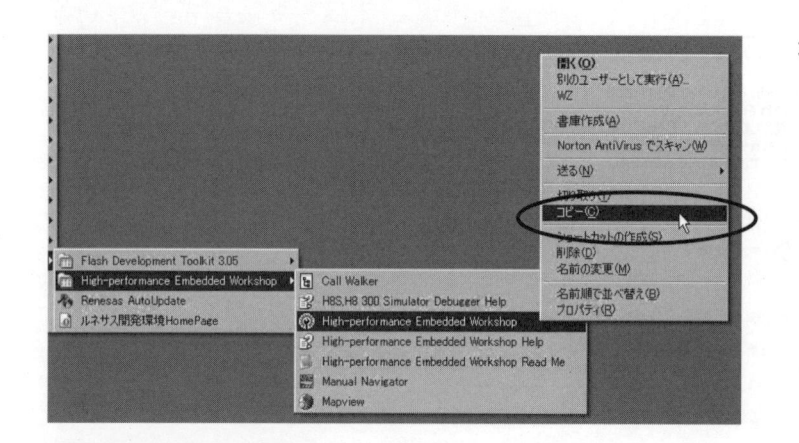

コピーをクリックします。

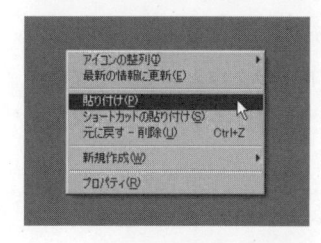

ディスクトップの何もないところで右クリックして、**貼り付け**をクリックします。

ショートカットができました。ダブルクリックすると、ルネサス統合開発環境が立ち上がります。

2.2.4　マイコンカーに関係するその他のソフトのインストール
マイコンカーラリーサイト

「http://www.mcr.gr.jp/」にアクセスします。「技術情報→ダウンロード」を選択します。

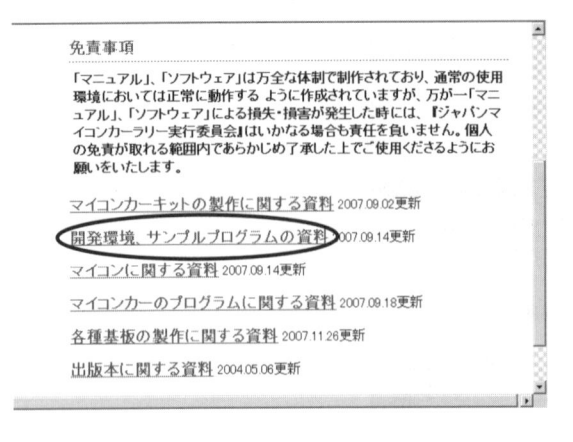

「開発環境、サンプルプログラムの資料」をクリックします。

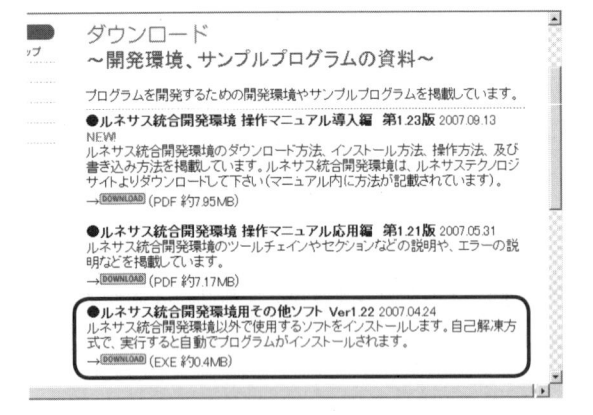

「ルネサス統合開発環境用その他ソフト」のダウンロードをクリックし、ファイルをダウンロードします。

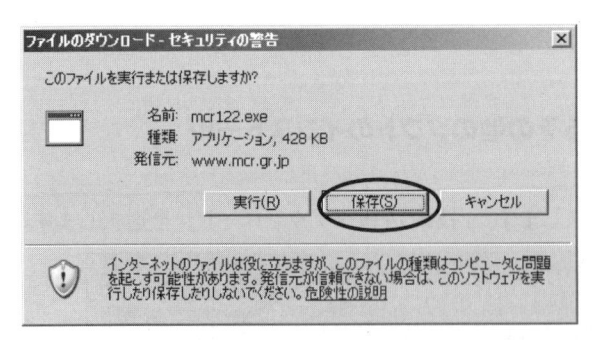

保存をクリックし、ファイルを保存します。

ダウンロードした「mcr122.exe」（122 はバージョンにより異なることがあります）を実行します。

第 2 章　マイコンとプログラムの開発環境

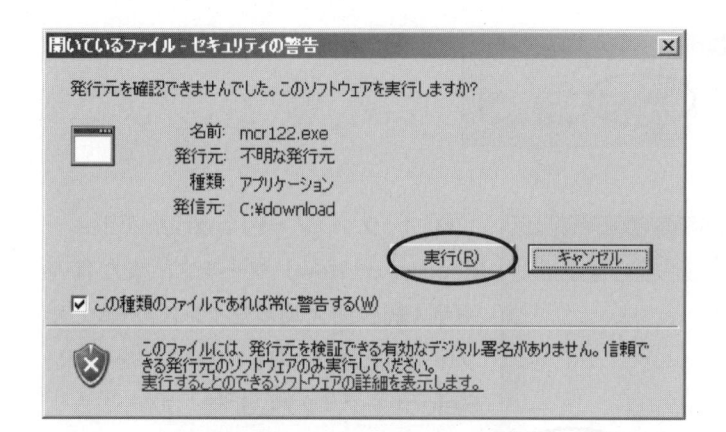

実行をクリックします。

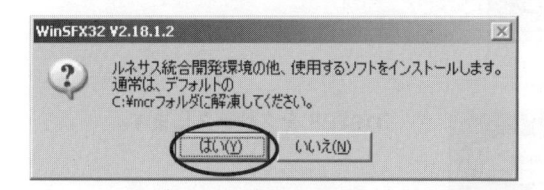

はいをクリックします。

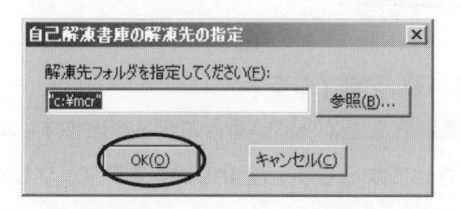

OK をクリックします。

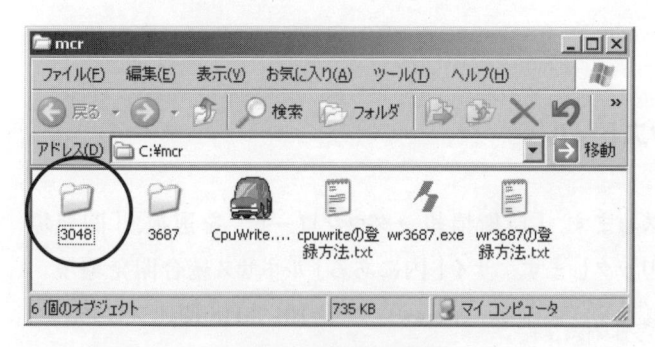

「c:\mcr」フォルダが自動で開かれれば、インストール成功です。続けて、「3048」フォルダをダブルクリックして、中身を開きます。

「setup.exe」を実行します。

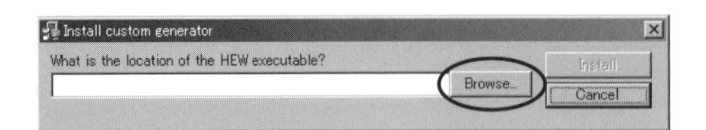

Browse をクリックします。

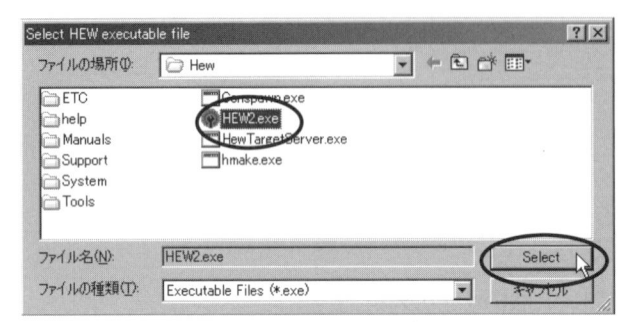

「C ドライブ → Program Files → Renesas → Hew」フォルダ、またはルネサス統合開発環境をインストールしたフォルダにある「HEW2.exe」を選択、Select をクリックします。

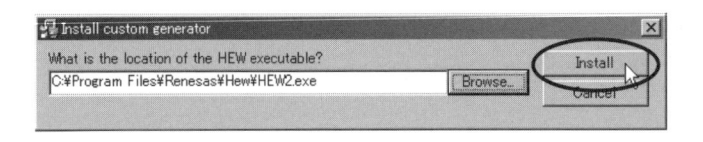

Install をクリックします。

インストール完了です。OK で終了します。
※ルネサス統合開発環境が立ち上がっているとエラーが出ます。ルネサス統合開発環境を終了させてからもう一度 Install をクリックしてください。

2.2.5 サンプルプログラムのインストール

マイコンカーラリーサイト

「http://www.mcr.gr.jp/」にアクセスします。「技術情報→ダウンロード」を選択、「開発環境、サンプルプログラムの資料」をクリックします。サイト内にある「ルネサス統合開発環境 H8/3048 関連プログラム」のダウンロードをクリックし、ファイルをダウンロードします。

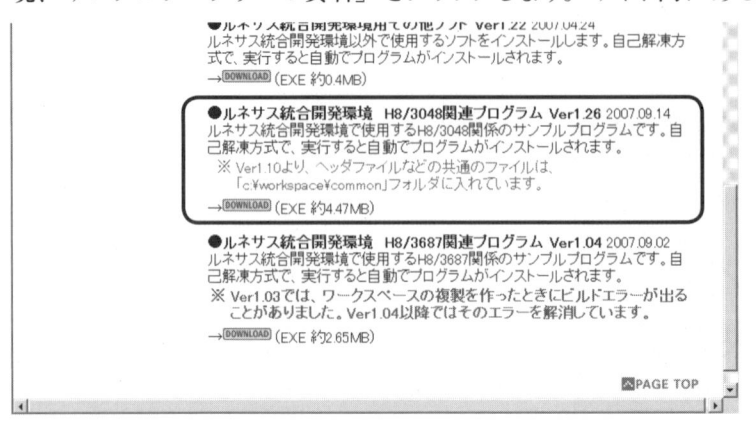

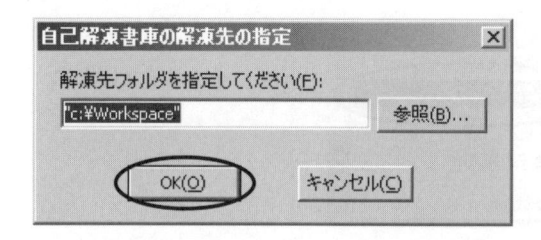

ファイルの解凍先を選択します。OK をクリックします。このフォルダは変更できません。

解凍が終わると自動的に「C ドライブ→ Workspace」フォルダが開きます。「h8_3048」、「kit07」フォルダなどがインストールされているはずです。

2.2.6 ルネサス統合開発環境の設定

ルネサス統合開発環境の設定を行う前に、「c ドライブ→ mcr → cpuwrite →登録方法 .txt」をダブルクリックして、ファイルを開いておきましょう。開いた「cpuwrite の登録方法 .txt」は最小化しておきます。後で使用します。

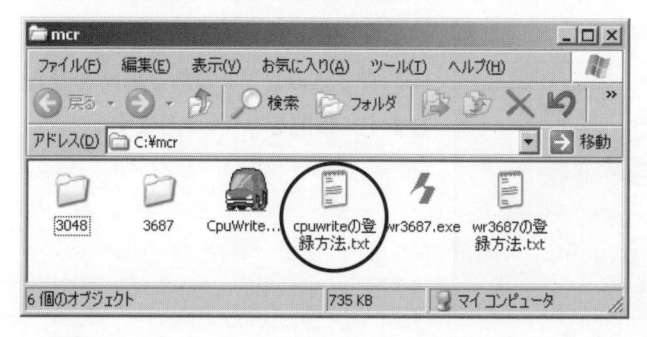

ルネサス統合開発環境を実行します。前に作成したショートカットをダブルクリックします。

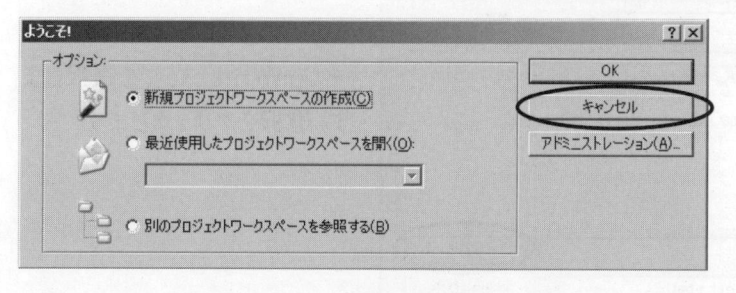

キャンセルをクリックします。

「基本設定→カスタマイズ」をクリックします。

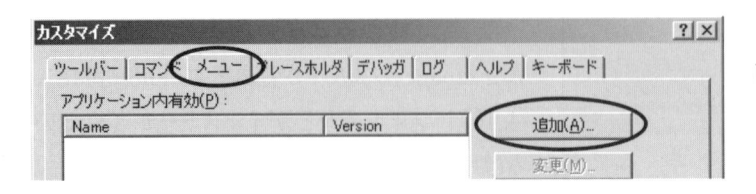

「メニュー」、追加をクリックします。

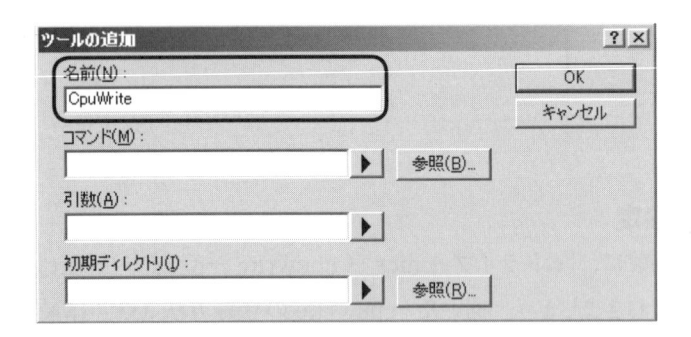

名前を「CpuWrite」と入力します。

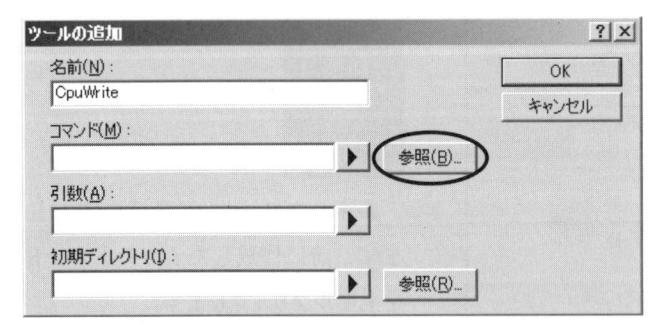

コマンドを入力します。コマンドとは、書き込みソフトのある場所を登録します。参照をクリックします。

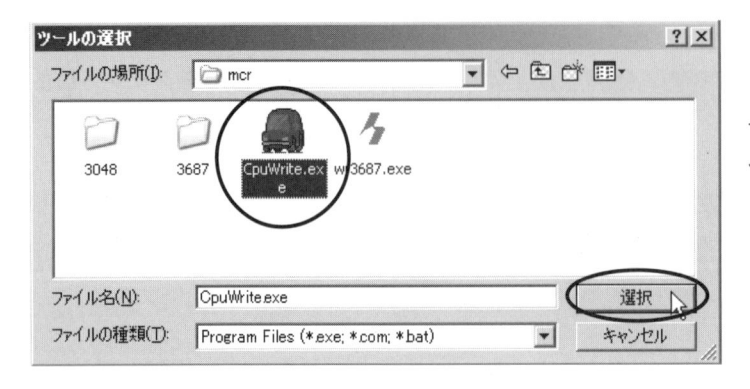

ファイルを選ぶ画面が出てきますので、「Cドライブ→ mcr → CpuWrite.exe」を選択します。**選択**をクリックします。

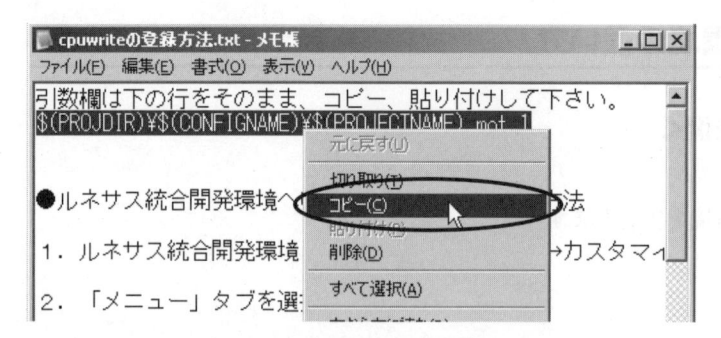

先ほど開いておいた「cpuwriteの登録方法.txt」を開き、2行目をすべて選択、右クリックして「コピー」を選択します。

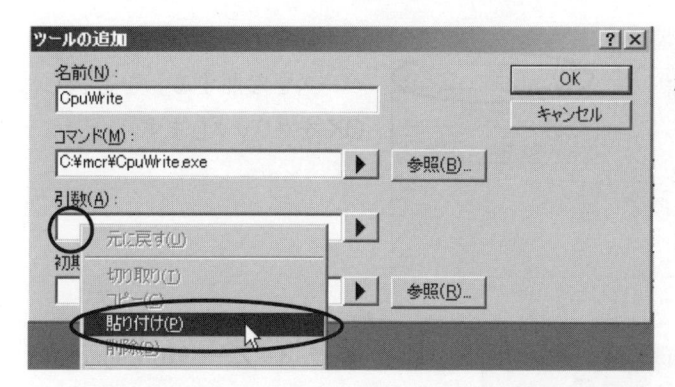

ツールの変更画面に戻り、「引数」欄で右クリックして貼り付けを選択します。

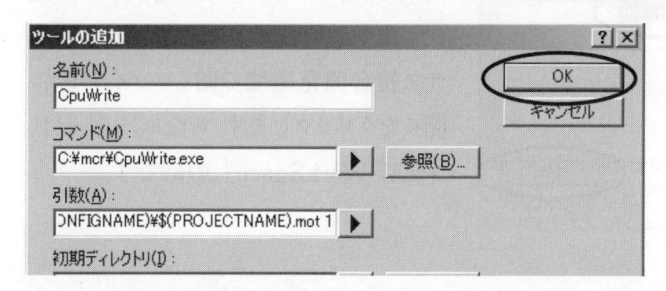

OKをクリックします。ツールの追加を終了します。

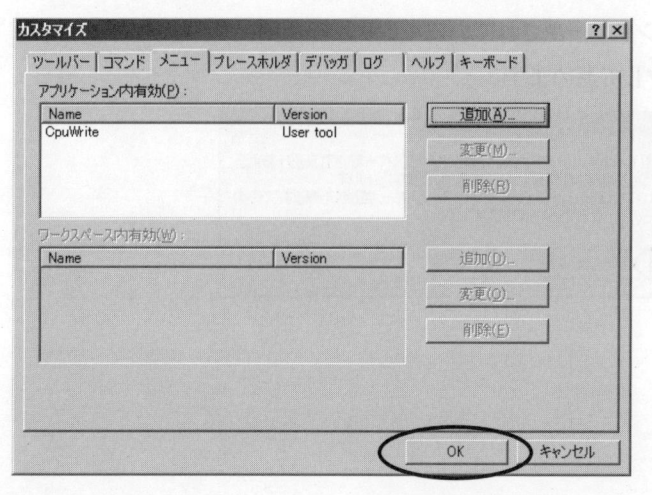

再度OKをクリックします。カスタマイズを終了します。これでルネサス統合開発環境へ書き込みソフトの登録が終わりました。ルネサス統合開発環境は、終了します。

2.3 ルネサス統合開発環境の使い方

2.3.1 サンプルプログラムを開く

ルネサス統合開発環境を実行します。

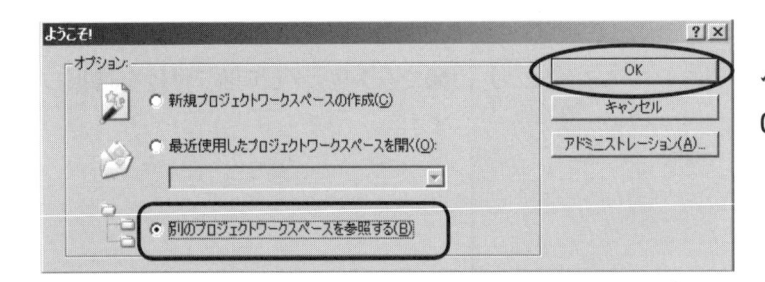

「別のプロジェクトワークスペースを参照する」を選択し、OK をクリックします。

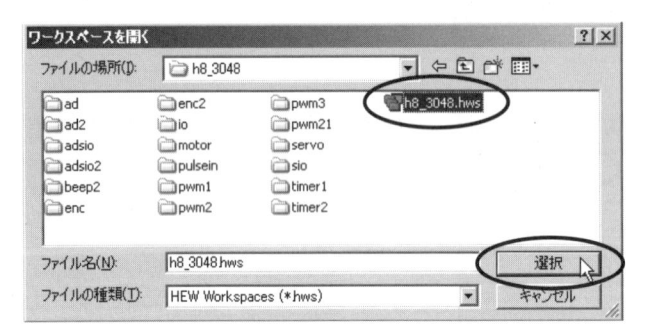

「 C ドライブ → Workspace → h8_3048」の「h8_3048.hws」を選択します。拡張子 hws ファイルがルネサス統合開発環境で開くファイルです。開くをクリックします。ちなみに hws は、「HEW WorkSpace」の略です。

　ワークスペースを開くときに、下記のようなメッセージが出ることがあります。これはワークスペース作成時のルネサス統合開発環境とインストールされているルネサス統合開発環境のバージョンが違うためです。気にせず OK をクリックして進めます。

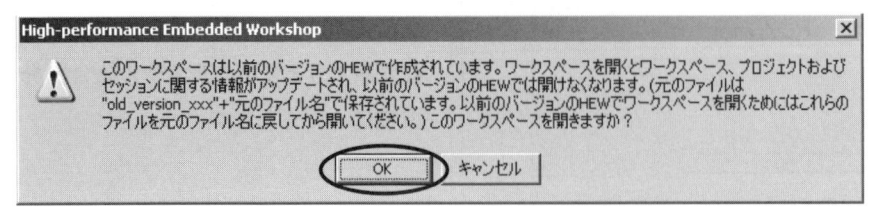

「h8_3048」ワークスペースが開かれます。

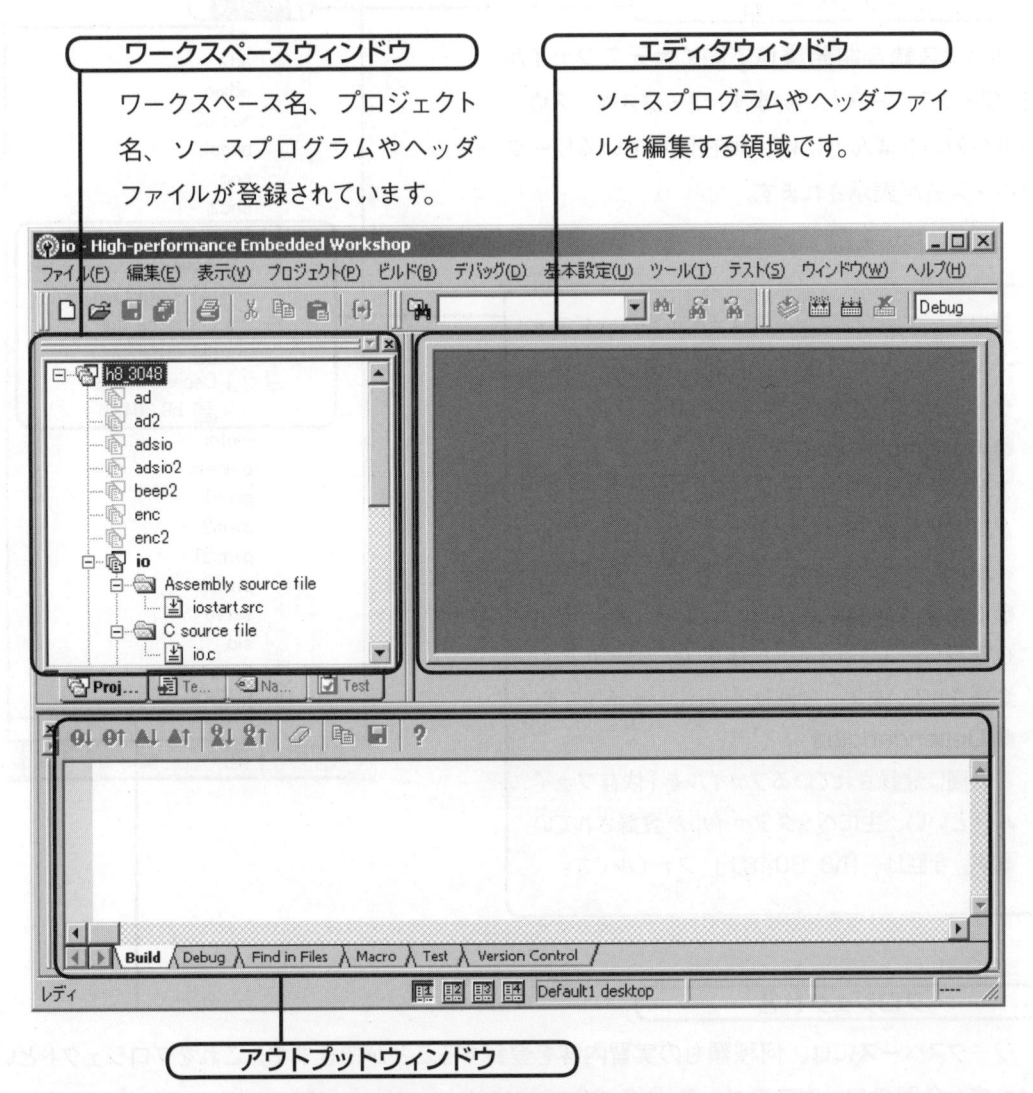

ワークスペースウィンドウ
ワークスペース名、プロジェクト名、ソースプログラムやヘッダファイルが登録されています。

エディタウィンドウ
ソースプログラムやヘッダファイルを編集する領域です。

アウトプットウィンドウ
実行した操作の過程や結果が表示されます。

MICOM CAR RALLY

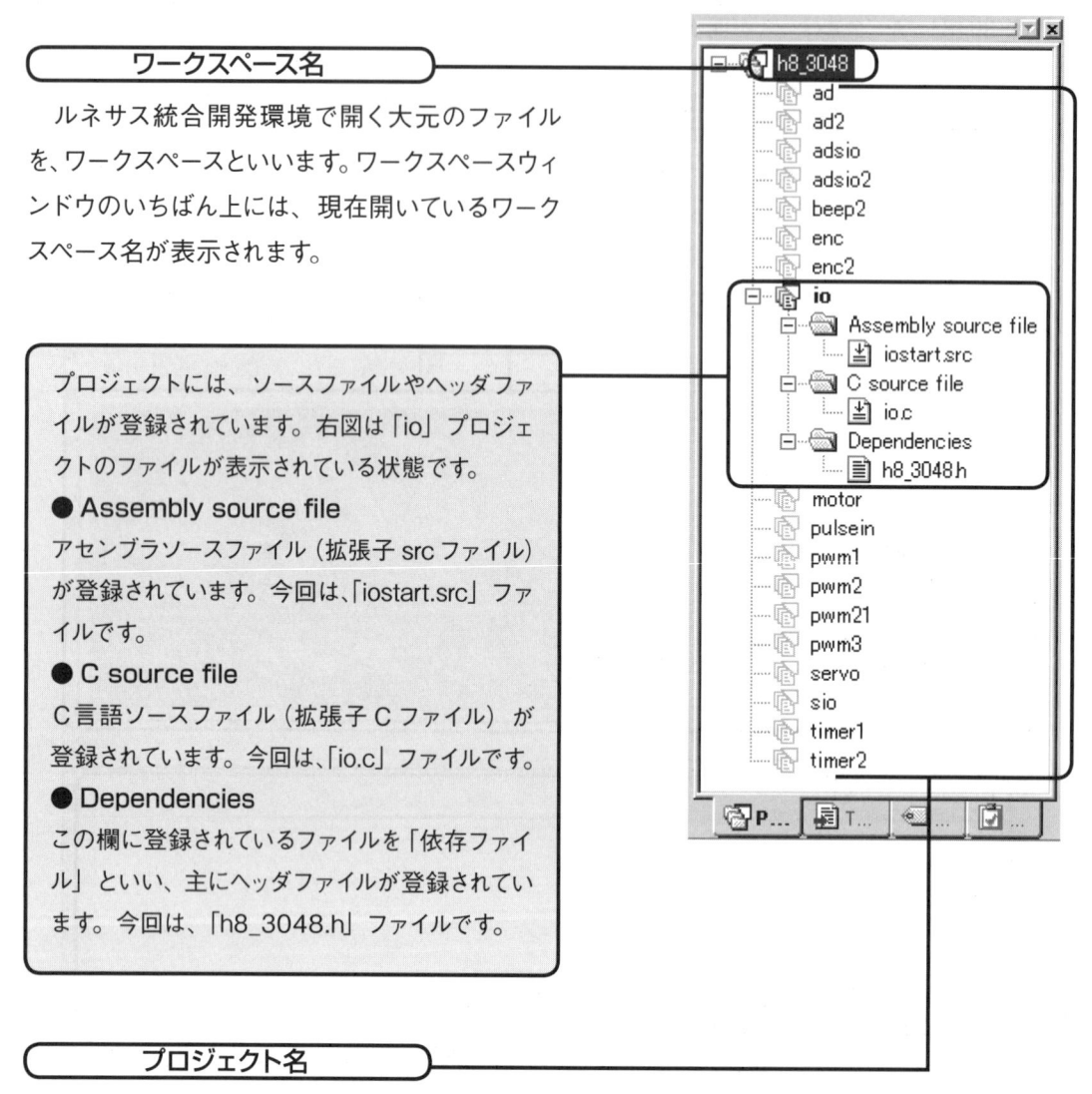

(ワークスペース名)

ルネサス統合開発環境で開く大元のファイルを、ワークスペースといいます。ワークスペースウィンドウのいちばん上には、現在開いているワークスペース名が表示されます。

プロジェクトには、ソースファイルやヘッダファイルが登録されています。右図は「io」プロジェクトのファイルが表示されている状態です。

● **Assembly source file**
アセンブラソースファイル（拡張子 src ファイル）が登録されています。今回は、「iostart.src」ファイルです。

● **C source file**
C言語ソースファイル（拡張子 C ファイル）が登録されています。今回は、「io.c」ファイルです。

● **Dependencies**
この欄に登録されているファイルを「依存ファイル」といい、主にヘッダファイルが登録されています。今回は、「h8_3048.h」ファイルです。

(プロジェクト名)

ワークスペースには、何種類もの実習内容を登録することができます。これをプロジェクトといいます。今回のワークススペース「h8_3048」には、「ad」、「ad2」…「timer1」、「timer2」などのプロジェクトがあります。要は、何種類もの実習内容あり、プロジェクトという単位で分類しているということです。

太く表示されているプロジェクトが、有効なプロジェクトで**アクティブプロジェクト**といいます。現在「io」がアクティブプロジェクトになっています。プロジェクトが有効であるか無いかの違いは、後で「ビルド」（アセンブル＋コンパイル＋リンク）という作業を行いますが、

・**アクティブプロジェクト**→ビルド（操作）対象となるプロジェクト
・**アクティブでないプロジェクト** → ビルド（操作）対象とならないプロジェクトとなります。

アクティブプロジェクトは1つだけです。2つ以上あると、どのプロジェクトがビルドの対象となるか分かりません。

「ワークスペース」や「プロジェクト」など、使い慣れない単語が出てきましたが、図2.6のような関係です。

ルネサス統合開発環境では必ずワークスペースとプロジェクトを作り、その中にソースファイルなどを入れるようにします。1つのワークスペースには、1つ以上のプロジェクトを作ることができます。

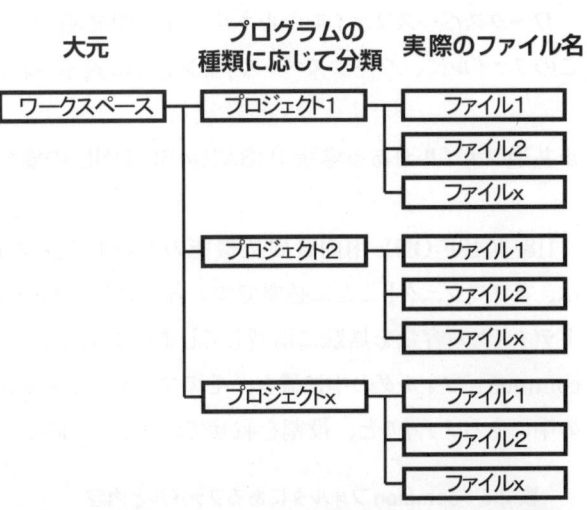

図2.6 ワークスペース、プロジェクト、ファイルの関係

ルネサス統合開発環境の名称	詳細	今回の例
ワークスペース	プロジェクトをまとめた大元	h8_3048
プロジェクト	ファイルのグループ	io
実際のファイル	実際のファイル	iostart.src、io.c

フォルダ、ファイルの構造は図2.7のようになります。

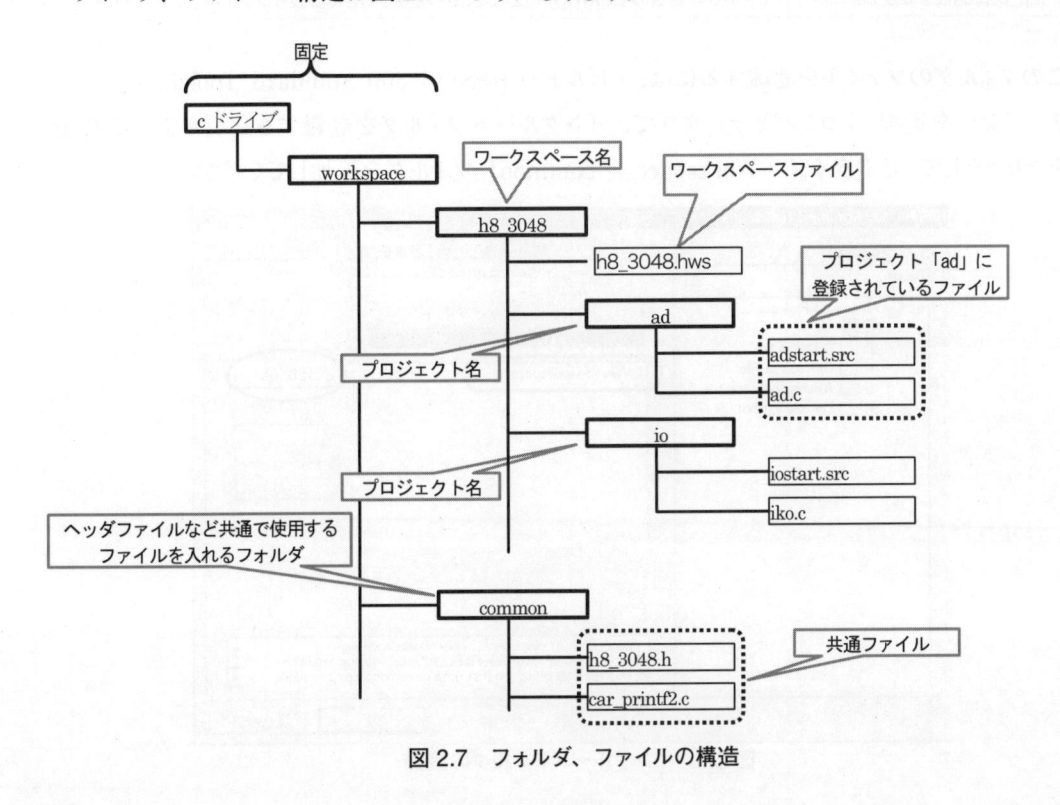

図2.7 フォルダ、ファイルの構造

ワークスペースファイルがルネサス統合開発環境の「ようこそ！」画面で選択するファイルです。このファイルに、ワークスペースウィンドウに表示される情報が保存されています。

※共通ファイルがある場所（H8/3048F-ONEの場合）

H8/3048F-ONE用内蔵周辺機能のI/Oレジスタ定義をしているファイルである「h8_3048.h」は、各プロジェクトごとに必要です。各プロジェクトのフォルダにこのファイルを入れておくと、ハードディスクの容量を無駄に消費してしまいます。そのため、共通なファイルは「C:\WorkSpace\common」フォルダの中に置き、そのファイルを読み込むことにしています。表2.5にこのフォルダの中にあるファイルと、役割を載せておきます。詳しくは、後述します。

表2.5 commonフォルダにあるファイルと内容

ファイル	内容
h8_3048.h	H8/3048F-ONE用内蔵周辺機能のI/Oレジスタを定義しているヘッダファイルです。
car_printf2.c	セクションの初期化やprintf文、scanf文を使用するときに必要なファイルです。
beep.c、beep.h	トレーニングボード（液晶基板）のブザーを使うときに必要なファイルです。
eeprom.c、eeprom.h	トレーニングボードのEEP-ROM（93C56）を使うときに必要なファイルです。
lcd2.c、lcd2.h	トレーニングボードの液晶を使うときに必要なファイルです。
switch.c、switch.h	トレーニングボードの押しボタンスイッチを使うときに必要なファイルです。
i2c_eeprom.c、i2c_eeprom.h	EEP-ROM基板のEEP-ROM（24C256）を使うときに必要なファイルです。

このフォルダのファイルを認識するには、「ビルド→H8S,H8/300 Standard Toolchain」（ツールチェイン）を選択、「コンパイラ」タブで、インクルードフォルダを登録する必要があります。**追加**をクリックして「Cドライブ→Workspace→common」フォルダを追加してください。

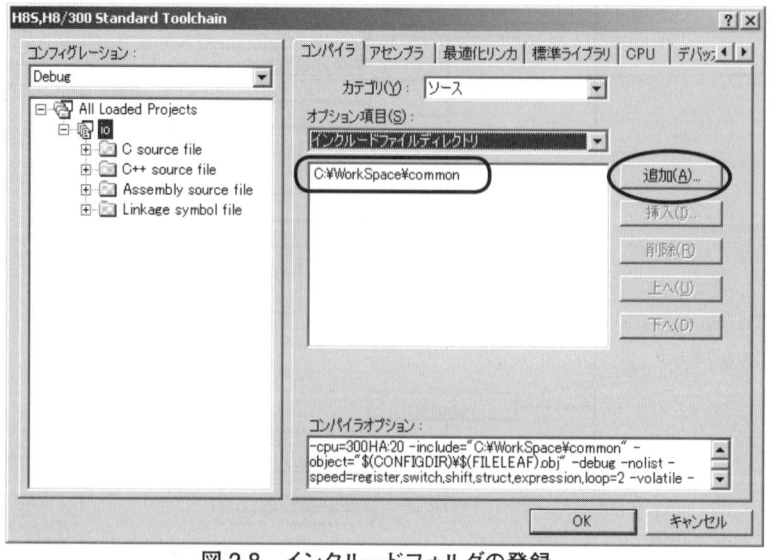

図2.8　インクルードフォルダの登録

2.3.2　プロジェクトを切り替える

　現在、「io」プロジェクトが有効です。例として「ad」プロジェクトを有効にしてみましょう。その前に、現在開いているファイルがあれば閉じておきます。下画面は「io.c」を開いているところです。×ボタンで閉じておきます。

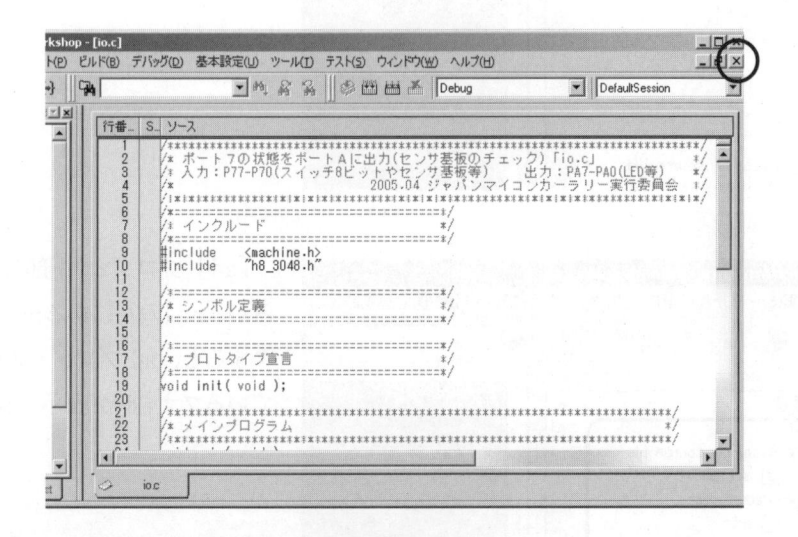

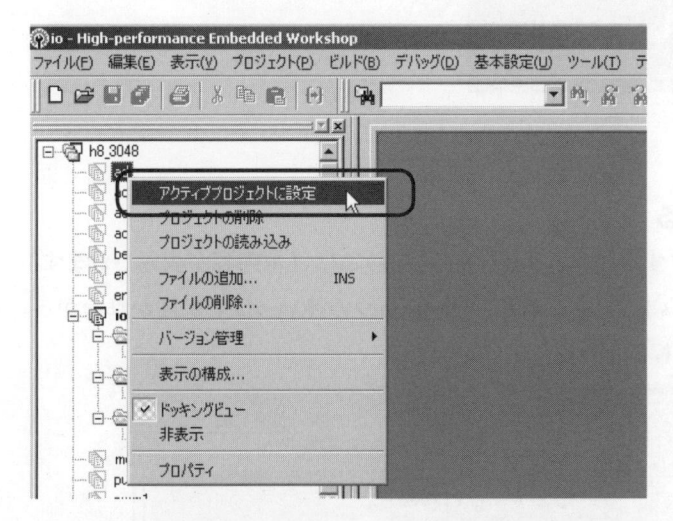

「ad」プロジェクト上で右クリック、「アクティブプロジェクトに設定」をクリックします。

「セッション "DefaultSession"（プロジェクト "***"）が変更されました。保存しますか？」というメッセージが出る場合があります。本書ではセッションは使用しませんので、**はい**でも**いいえ**でも良いのですが、一応**はい**で保存しておきます。

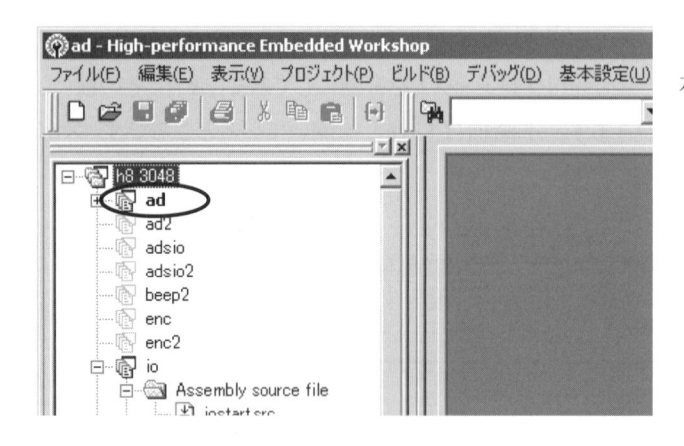

「ad」プロジェクトが太字になり、有効になりました。

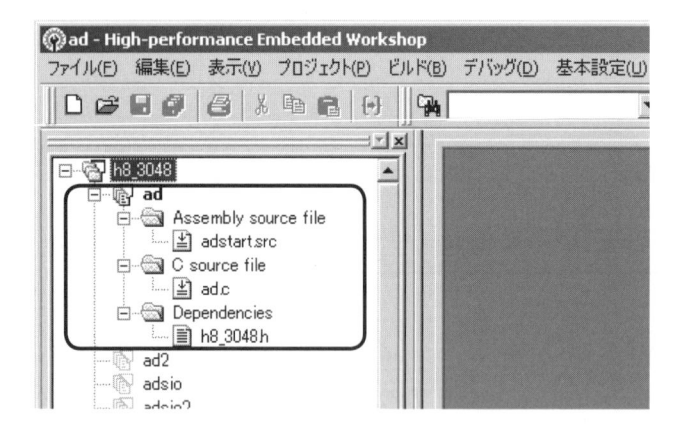

「ad」プロジェクト部分をクリックするか、「ad」の左にある＋ボタンをクリックすると、ad プロジェクトに登録されているファイルが表示されます。

2.3.3 ソースファイルを編集する

編集したいファイルをダブルクリックすると、エディタウィンドウにファイル内容が表示されます。ここでは、「ad.c」をダブルクリックしてみます。もしエディタウィンドウの枠いっぱいに開かれなかった場合は、□をクリックすると枠一杯に広がり見やすくなります。

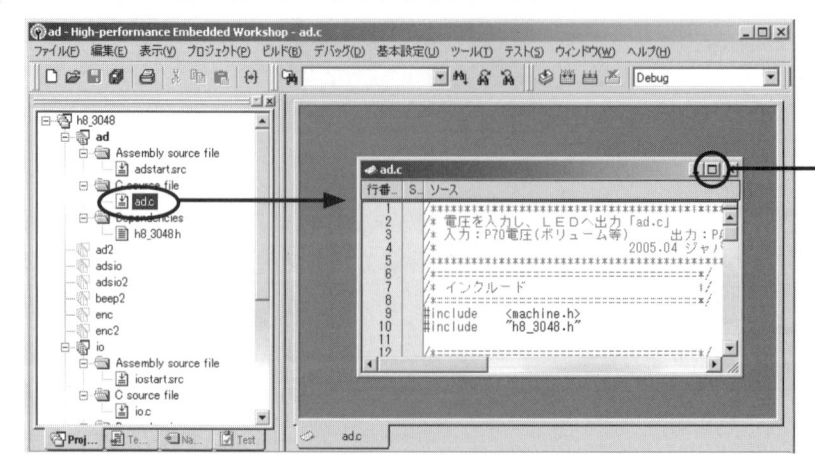

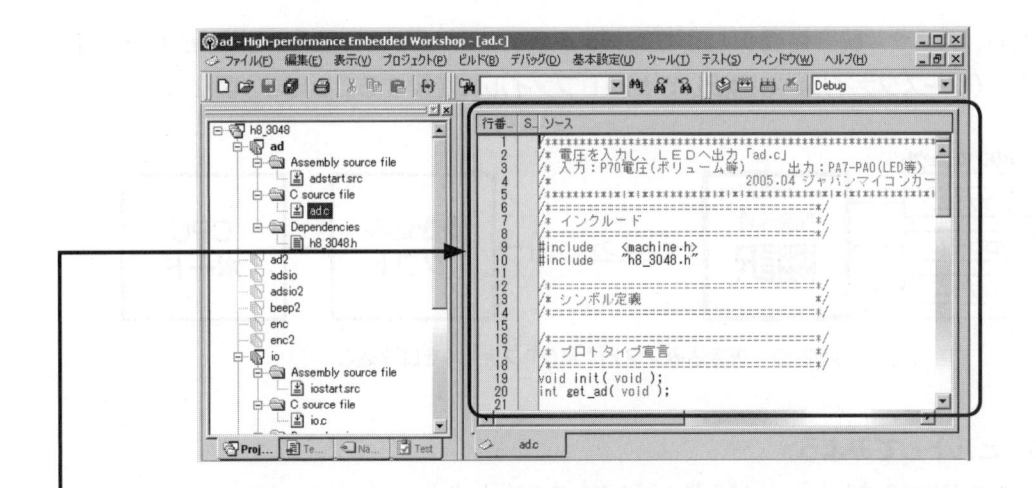

次に「adstart.src」をダブルクリックしてみます。「adstart.src」が開きます。開いているファイルが2つ以上ある場合はエディタウィンドウの下にあるタブで、どのファイルを表示、編集するか選びます。

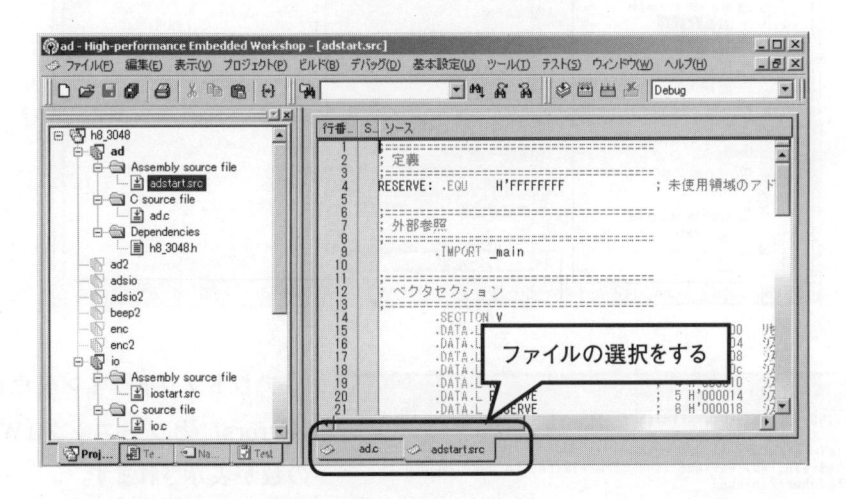

2.3.4 ビルド（MOTファイルの作成）とは

書き込みソフトが直接プログラムを読み込んでCPUボードに書き込めれば良いのですが、書き込みソフトが読み込めるのはMOT形式と呼ばれるファイルのみです（図2.9）。

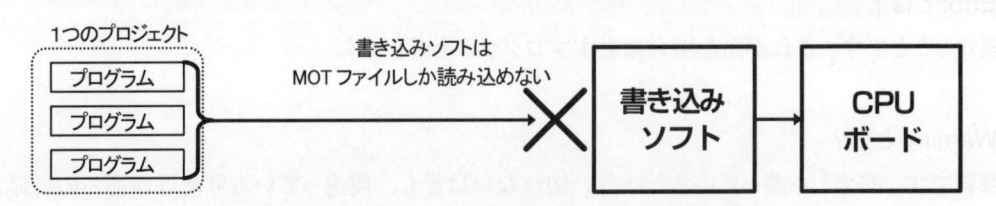

図2.9 書き込みソフトはMOTファイルしか読み込めない

そのため、ルネサス統合開発環境がプログラムを MOT ファイルに変換します。**ビルドとは、プログラム（ソースファイル）を翻訳して MOT ファイルに変換することです**（図 2.10）。

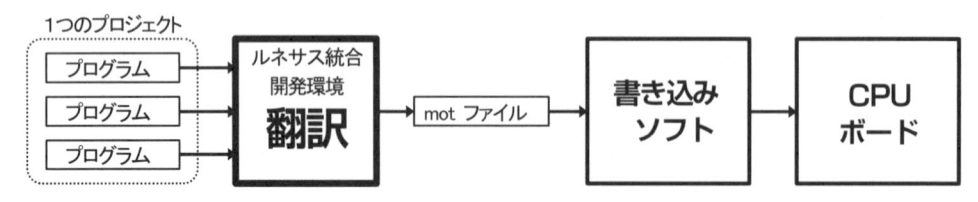

図 2.10　書き込みソフトは MOT ファイルを読み込む

2.3.5　ビルドしてみよう

早速、ビルドしてみましょう。「ビルド→ビルド」を実行します。

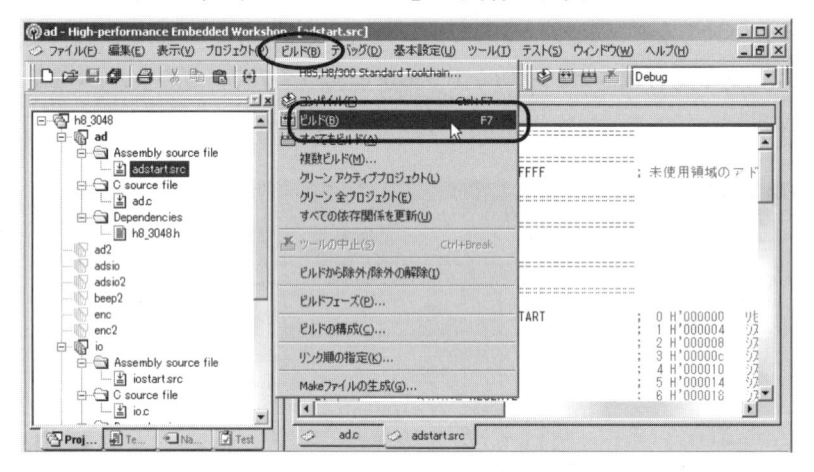

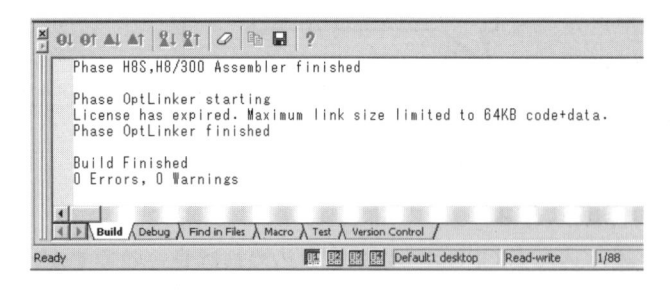

アウトプットウィンドウにエラー（Errors）とワーニング（Warnings）の数が表示されます。

● Error とは？

誤りのことです。これが出た場合は必ずプログラムを直します。

● Warning とは？

警告です。必ずしも誤っているとは言い切れないけども、間違っている可能性があるので確認してくださいというメッセージです。こちらも必ず直します。

Errors や Warnings が "0" なら、プログラムに誤りはないということで MOT ファイルが作成されます。もし、Errors や Warnings が 1 つでもあれば、正常にビルドができていないので MOT ファイルができていないか、もしくはできていても不完全な状態である可能性があります。プログラムの問題箇所を訂正して、エラーが無くなるまで再度ビルドしてください。

2.3.6 エラーの修正方法

ビルドは、エラー、ワーニングともに 0 になるまで実行します。

例として、io.c にエラーがある場合の修正方法を紹介します。

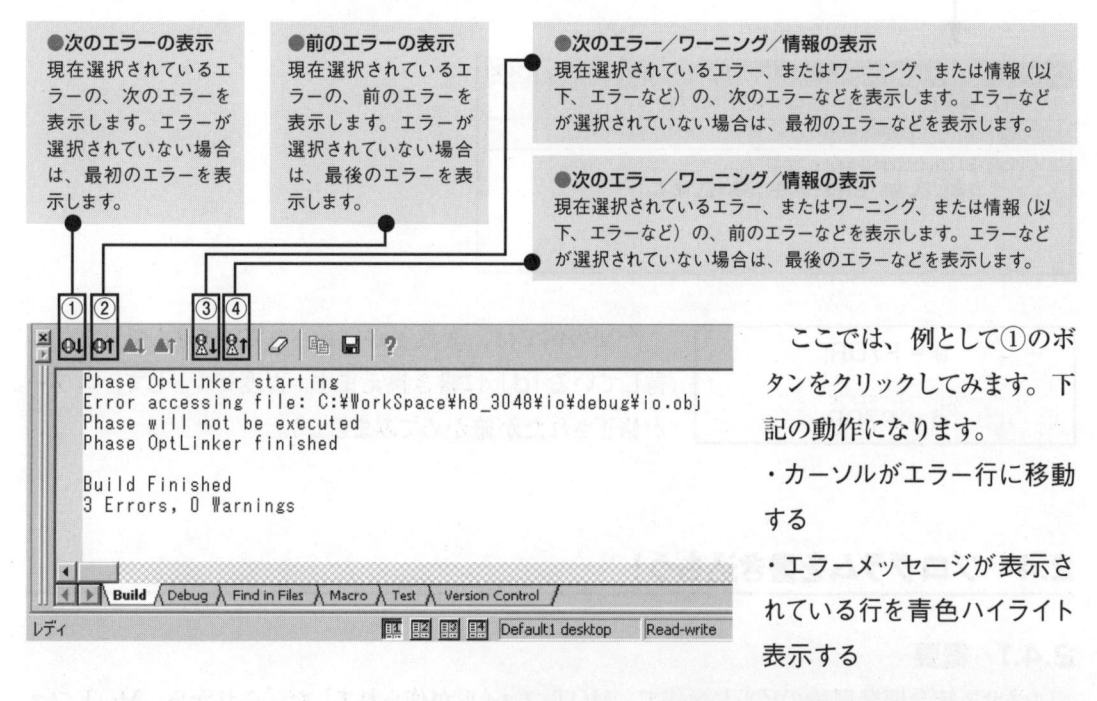

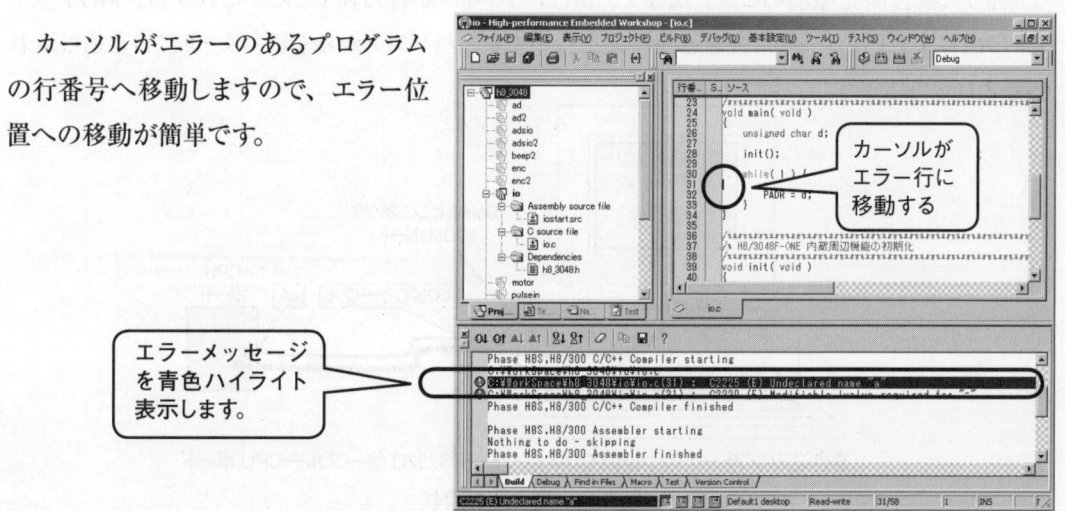

●次のエラーの表示
現在選択されているエラーの、次のエラーを表示します。エラーが選択されていない場合は、最初のエラーを表示します。

●前のエラーの表示
現在選択されているエラーの、前のエラーを表示します。エラーが選択されていない場合は、最後のエラーを表示します。

●次のエラー／ワーニング／情報の表示
現在選択されているエラー、またはワーニング、または情報(以下、エラーなど)の、次のエラーなどを表示します。エラーなどが選択されていない場合は、最初のエラーなどを表示します。

●次のエラー／ワーニング／情報の表示
現在選択されているエラー、またはワーニング、または情報(以下、エラーなど)の、前のエラーなどを表示します。エラーなどが選択されていない場合は、最後のエラーなどを表示します。

① ② ③ ④

```
Phase OptLinker starting
Error accessing file: C:\WorkSpace\h8_3048\io\debug\io.obj
Phase will not be executed
Phase OptLinker finished

Build Finished
3 Errors, 0 Warnings
```

ここでは、例として①のボタンをクリックしてみます。下記の動作になります。

・カーソルがエラー行に移動する

・エラーメッセージが表示されている行を青色ハイライト表示する

カーソルがエラーのあるプログラムの行番号へ移動しますので、エラー位置への移動が簡単です。

エラーメッセージを青色ハイライト表示します。

カーソルがエラー行に移動する

エラーメッセージの内容を詳しく表示するには、エラーメッセージのある行をマウスでクリックして（カーソルを移動して）、F1キーを押します。エラーメッセージの内容が表示されます。この内容を参考にして、エラーを修正してください。

```
a = P7DR;
   ↓
d = P7DR;
```

今回の例では、変数 a が宣言されていませんでした。宣言している「d」に書き換えます。再度ビルドして、エラーが修正されたか確かめてみましょう。

2.4 プログラムを書き込もう！

2.4.1 概要

ルネサス統合開発環境のビルド操作で、MOT ファイルが作られました。これから、MOT ファイルの内容を CPU ボードに書き込む作業を行います。パソコンから CPU ボードに書き込む流れを図 2.11 に示します。

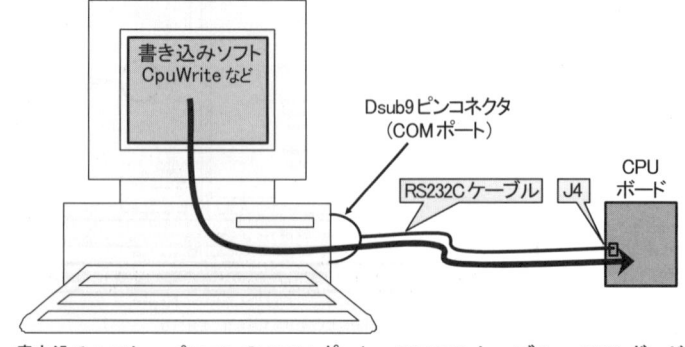

書き込みソフト→パソコンの COM ポート→RS232C ケーブル→CPU ボード

図 2.11　書き込む流れ

第 2 章　マイコンとプログラムの開発環境

書き込みソフト	MOT ファイルを読み込んで、CPU と通信をしてプログラムを書き込むソフトです。CpuWrite.exe などのソフトです。
パソコンの COM ポート	パソコンには Dsub9 ピンオスコネクタが付いています。このコネクタを通して、CPU ボードにプログラムを書き込みます。このコネクタには番号が付いています。これを COM ポート番号といいます。書き込みソフトで番号を指定する必要があります。 ※最近は Dsub9 ピンオスコネクタが付いていないパソコンが多くなっています。この場合は、USB-RS232C 変換ケーブルを追加して、Dsub9 ピンオスコネクタを新たに追加する必要があります。
RS232C ケーブル	パソコンと CPU ボードを繋ぐケーブルです。
CPU ボード	プログラムの書き込み先です。書き込むにはスイッチを切り換える必要があり、切り換え手順があります。後述します。

2.4.2　通信ポートの確認

COM ポートの番号が分からなければ、書き込みソフトの設定をすることができません。書き込む前に COM ポートの番号を確認しておきましょう。コントロールパネルから、「システム」アイコンをダブルクリックします。

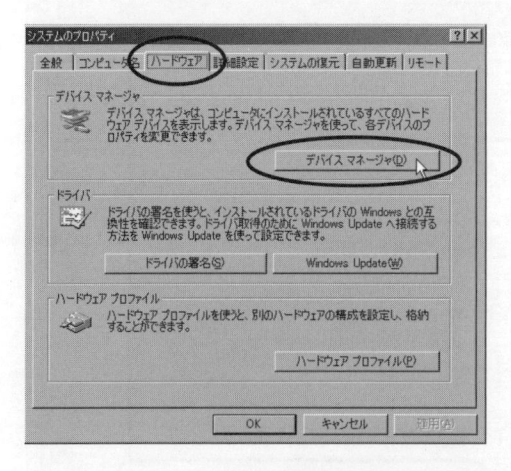

「ハードウェア」タブを選択、**デバイスマネージャ**をクリックします。

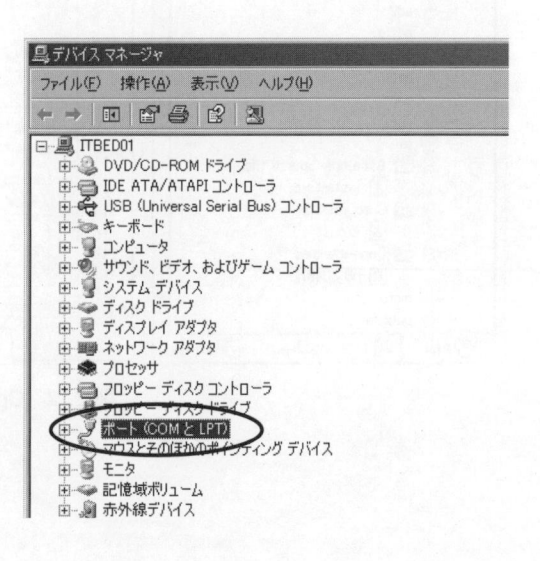

「ポート（COM と LPT）」をダブルクリックします。

59

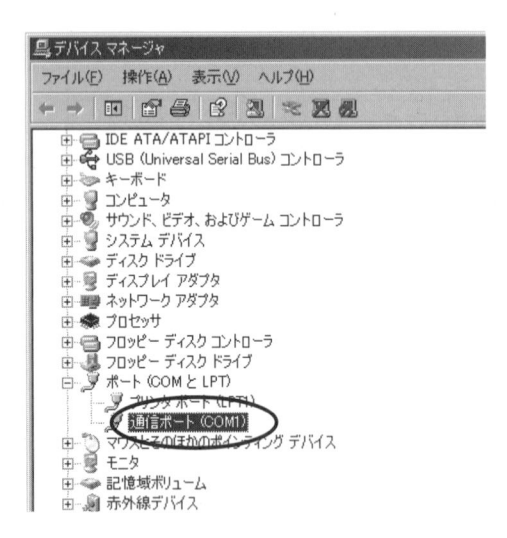

「通信ポート(COM1)」と表示されています。ポート番号は"COM1"ということになります。通信ポートが複数ある場合があります。その場合は、RS232Cケーブルと接続しているポート番号がどれか分かりませんので、数の小さい順から順番に試すようにします。

2.4.3　書き込もう！

次のような状態か確認しましょう。

・RS232Cケーブルは接続済
・CPUボードの電源はOFF
・ルネサス統合開発環境のビルド作業が終わり、エラーやワーニングが0である状態

　OKなら、ルネサス統合開発環境の「ツール→CpuWrite」をクリックします(図2.12)。

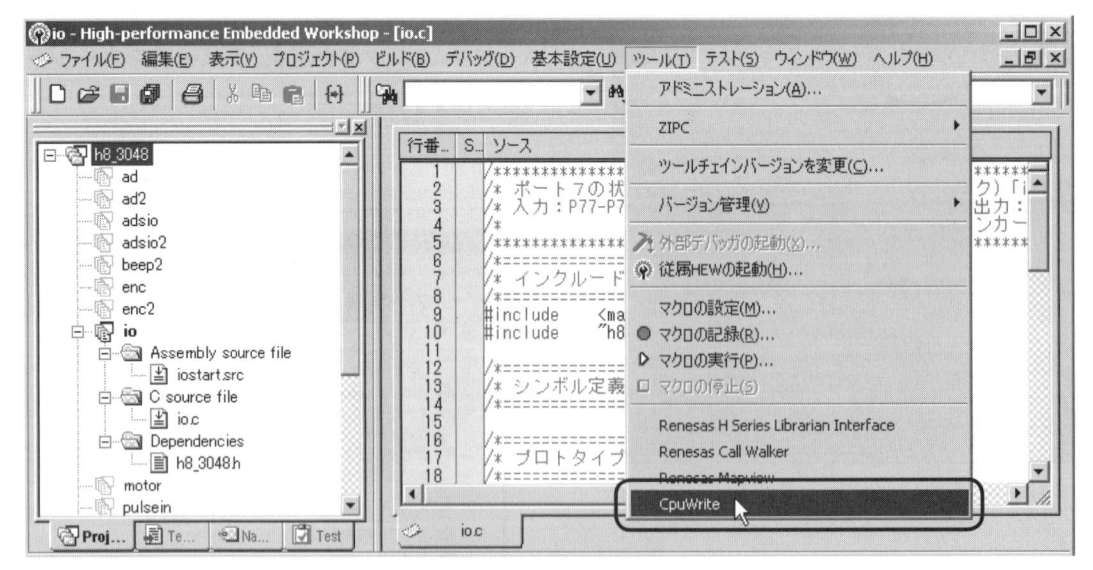

図2.12　CpuWriteの実行

通信ポートの番号を確認します。もし違う場合は、○部分をクリックして番号を変更してください。

CPUボードの電源が切れていることを確認し、赤い書き込みスイッチをFWE側に切り換えます。この状態がプログラム書き換え状態です。

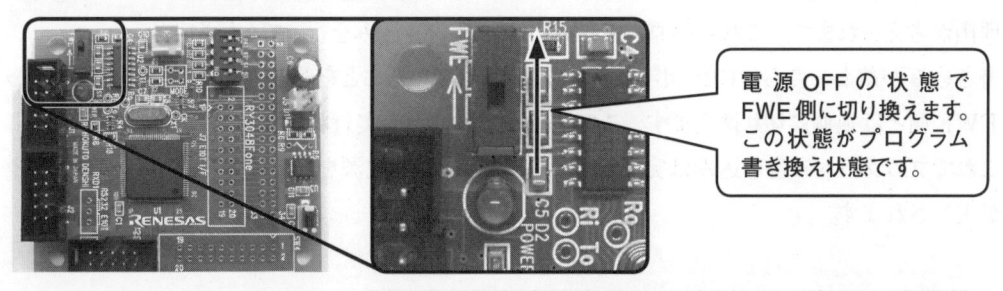

電源 OFF の状態で FWE 側に切り換えます。この状態がプログラム書き換え状態です。

⚠電源が入っている状態で、書き込みスイッチを切り換えると CPU ボードが壊れる可能性があります。必ず電源が切れていることを確認してください。CPU ボード上の LED が消えている状態です。

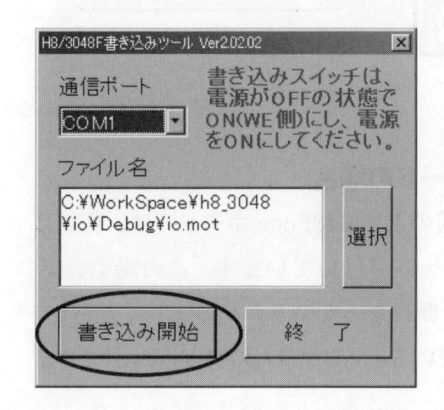

CPU ボードの電源を入れます。書き込みスイッチの近くにある LED が点灯します。しない場合は、電源を確認してください。書き込みソフトの**書き込み開始**をクリックします。

書き込み中です。正常に書き込みが終われば、自動的に書き込みソフトは終了します。

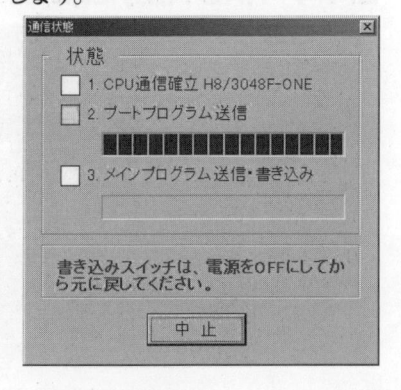

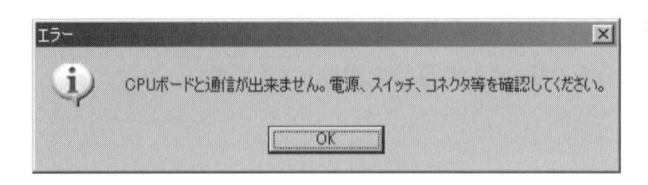

書き込みができなければ、エラーメッセージが出力されます。

正常に書き込まれない理由としては、
(1) RS232C ケーブルの接続間違え、断線
(2) パソコン側の問題。通信ポートが無効になっている、ポート番号が違っている、別の機器（赤外線ポートや Tera Term Pro など）がすでに通信ポートを使用しているなど
(3) CPU ボード側の問題。書き込みスイッチの切り換え間違え、CPU が書き込み制限回数を超えている（メーカ保証回数は 100 回）、RXD1 切り換えスイッチが RS232 側になっていない（2.4.4 を参照してください）、CPU 電源電圧が 4.5 〜 5.5V ではないなど

の理由が考えられます。これらの原因を解決して再度書き込みを行ってください。

書き込みが終わったら、CPU ボードの電源が切れていることを確認し、赤い書き込みスイッチを FWE 側とは逆側に切り換えます。この状態がプログラム実行状態です。

これでプログラムの書き込みは完了です。CPU ボードの電源を入れると、書き込んだプログラムが実行されます。

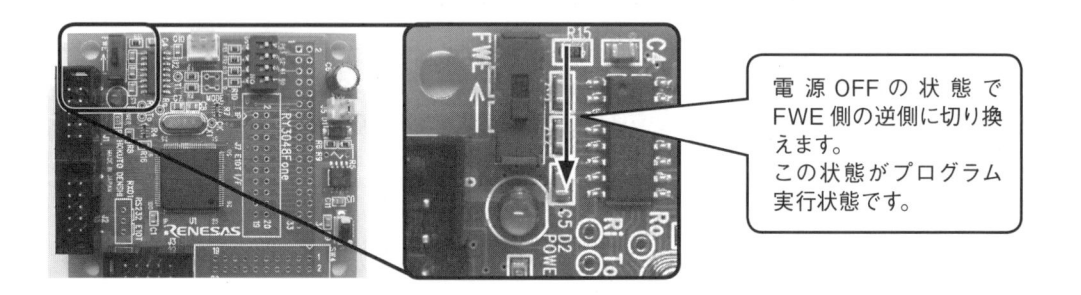

電源 OFF の状態で FWE 側の逆側に切り換えます。
この状態がプログラム実行状態です。

2.4.4 RXD1 部分に赤いスイッチのある CPU ボードの場合

2005 年度以前の RY3048Fone ボードには、RXD1 部分に赤いスイッチが付いています。この場合、スイッチが RS232 側になっているか確認してください。E10T 側になっているとプログラムの書き込みができません。

ちなみに、2006 年度以降の CPU ボードは、このスイッチが無くなり、強制的に RS232 側になっています（パターンでショートしています）。

第3章
マイコンカーキット Ver.4 のハードウェア

3.1 マイコンカーの変遷

年度と車体、プログラム、ルールの変遷を表 3.1 に示します。

表 3.1 年度と車体、プログラム、ルールの変遷

	車体の変遷	プログラムの変遷	主なルール変更
1998 年頃	マイコンカーキット Vol.1 を開発しました。	プログラム名「tmc4.c」マイコンカーキット Vol.1 に対応したプログラムです。	
2002 年	マイコンカーキット Vol.2 を開発しました。モータドライブ基板に電池 8 本分の電圧を加えられる回路になりました。センサ基板が小型化されました。	プログラム名「kit2.c」マイコンカーキット Vol.2 に対応したプログラムです。	駆動モータは、ジャパンマイコンカーラリー承認モータを使用することになりました。(高校生の部のみ)
2003 年			
2004 年		プログラム名「kit04.c」パターン方式を使用した制御方式に変更しました。	クロスラインからクランクまでの距離が 1m 固定から、50cm～1m 可変となりました。
2005 年	モータドライブ基板が Vol.3 となり、逆転できるようになりました(今まではできませんでした)。キットの内容はモータドライブ基板の変更のみですが、混乱を避けるため名称を「マイコンカーキット Vol.3」としました。	プログラム名「kit05.c」モータドライブ基板 Vol.3 に対応したプログラムです。	
2006 年	スタートバー検出センサがオプションとして開発されました。	プログラム名「kit06.c」自動スタート方式、レーンチェンジコースに対応したプログラムです。	スタート時、スタートバーが開くことをマイコンカーが自動検出してスタートする方式となりました。また、レーンチェンジコースが導入されました。
2007 年	マイコンカーキット Ver.4 を開発しました。センサ基板 Ver.4 を開発しました。モータドライブ基板は Vol.3 のままです。	プログラム名「kit07.c」センサ基板 Ver.4 に対応したプログラムです。	Basic Class(高校生の初心者部門)がプレ大会として導入されました。
2008 年			Basic Class が正式部門となり、 ・高校生　Basic Class の部 ・高校生　Advanced Class の部 ・一般の部 の 3 部門となりました。 坂の傾斜角度が「7 度以内」から「10 度以内」に変更になりました。

Micom Car Rally

※キットと基板の関係

キットのバージョンは現在4つあります（表3.2）。

表3.2 キットのバージョン

キットのバージョン	車体	センサ基板	モータドライブ基板	プログラム
Vol.1	A	センサ基板（バージョンなし）	モータドライブ基板（バージョンなし）	tmc4.c
Vol.2	B	センサ基板 TLN113版	モータドライブ基板 Vol.2	kit2.c kit04.c
Vol.3	B	センサ基板 TLN113版 途中から センサ基板 TLN119版	モータドライブ基板 Vol.3	kit05.c kit06.c
Ver.4	C	センサ基板 Ver.4	モータドライブ基板 Vol.3	kit07.c

「Vol.」は「volume」を略した記述です。訳すと「巻」という意味で、主に本で使用します。

「Ver.」は「version」を略した記述です。訳すと「版」という意味で、改訂した回数を示します。

マイコンカーの改訂数は、3回目まで「Vol.」を使っていましたが、前記のとおり誤った使い方です。4回目から本来の意味である「Ver.」を使っています。「Vol.1～3」は誤った使い方ですが、今までのマニュアルの記述やこの名称で親しまれていることを考え、あえて直していません。

マイコンカーキット Vol.1（車体Aバージョン）

マイコンカーキット Vol.3（車体Bバージョン）

マイコンカーキット Ver.4（車体Cバージョン）

3.2 キットの構成

マイコンカーキット Ver.4 は制御系の CPU ボード、センサ基板（Ver.4）、モータドライブ基板（Vol.3）、駆動系の右モータ、左モータ、サーボで構成されています（図 3.1）。

表 3.3 に搭載している基板の役割を、図 3.2 に基板間の信号の流れを示します。

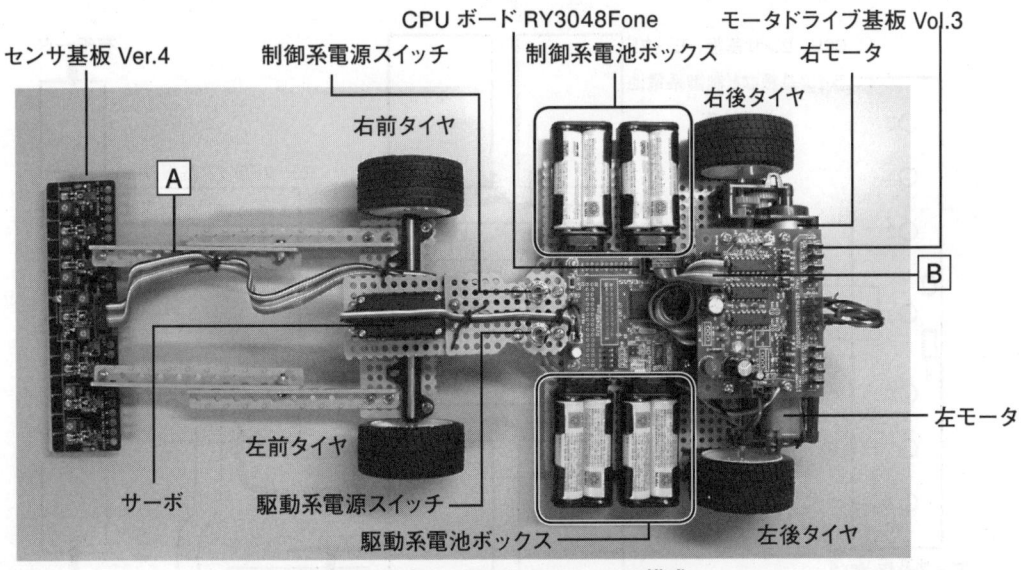

図 3.1　マイコンカーキット Ver.4 の構成

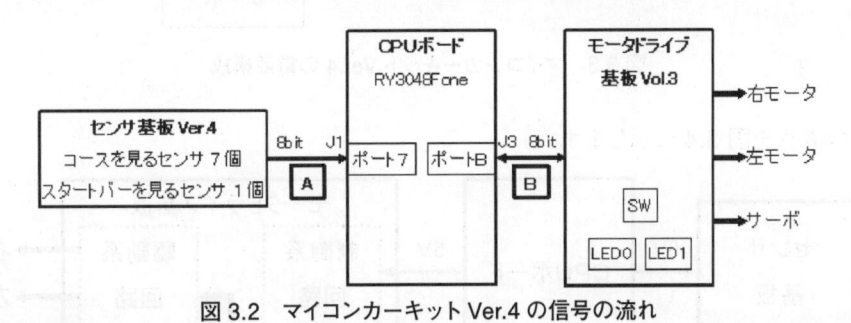

図 3.2　マイコンカーキット Ver.4 の信号の流れ

表 3.3　マイコンカーキット各部の説明

CPU ボード	センサの状態をポート 7 から読み込み、左右モータの PWM 出力値、サーボの切れ角を計算して、ポート B に接続されているモータドライブ基板へ出力します。この、センサの状態を基にモータ、サーボの出力値をどうするか、これをプログラムすることになります。ポート A はキットでは使用していません。ロータリエンコーダ、EEP-ROM など、チューンナップするための機器を接続することができます。
センサ基板 Ver.4	コースの状態を検出するセンサが 7 個あります。センサの下部が白色なら "0" を出力、黒色なら "1" を出力します。 ※プログラムは、信号を反転させ白色を "1"、黒色を "0" と判断しています。スタートバーがあるかどうか検出するセンサが 1 個あります。スタートバーがあれば "0" を出力、無ければ "1" を出力します。
モータドライブ基板 Vol.3	CPU ボードからの弱電信号を、モータを動作させるための強電信号に変換します。サーボの駆動もモータ用電源を使用します。プッシュスイッチが接続されており、このスイッチを押すことによりマイコンカーがスタートするようにプログラムされています。さらに、LED が 2 個付いており、デバッグに使用できます。

3.3 キットの電源構成

標準キットでは、制御系と駆動系で電源系統を切り離して、モータ・サーボ側でどれだけ電流を消費しても CPU がリセットしないようにしています。
標準キットの電源構成を図 3.3 に示します。

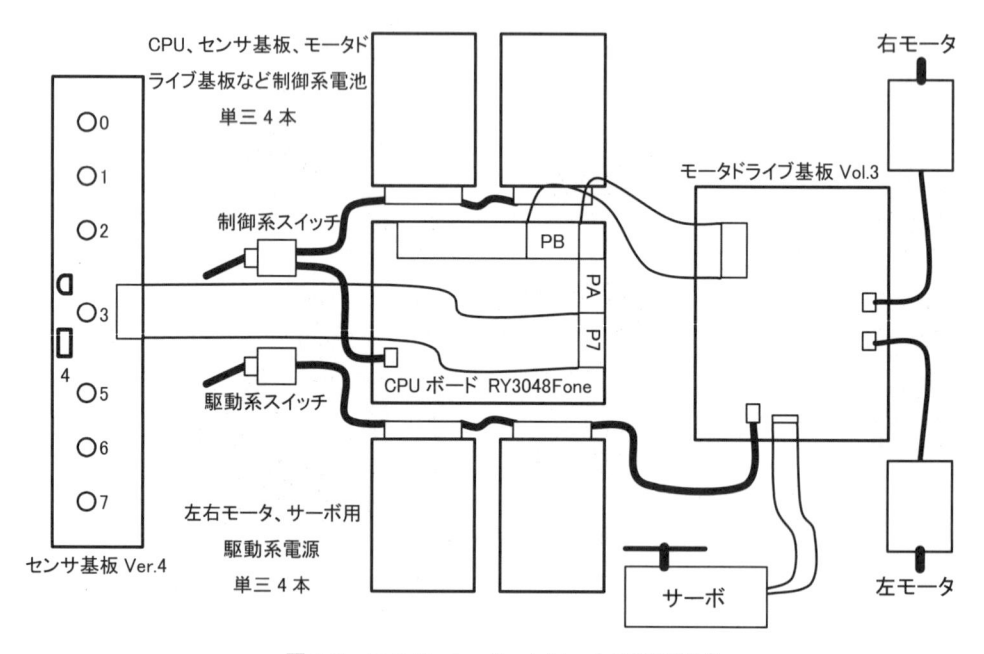

図 3.3　マイコンカーキット Ver.4 の電源構成

電源系の流れを図 3.4 に示します。

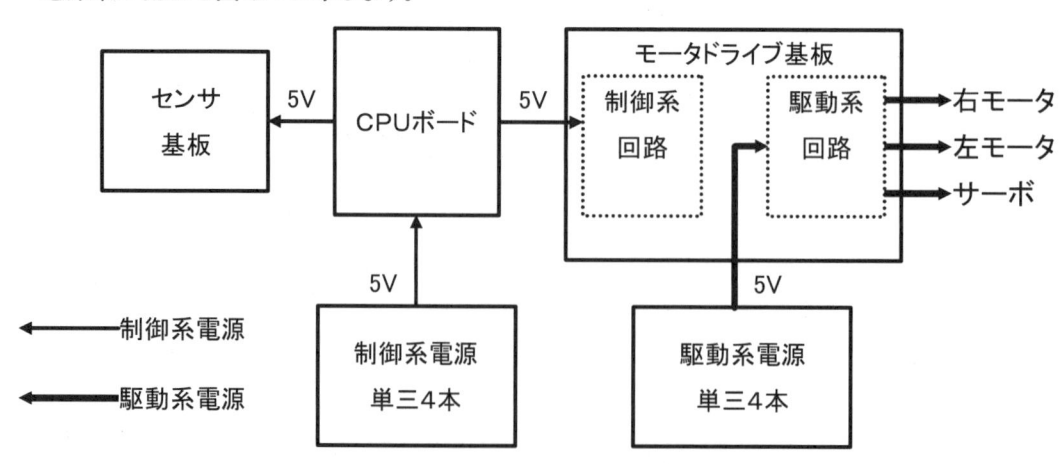

図 3.4　マイコンカーキット Ver.4 の電源系の流れ

・制御系（CPU）電源：単三2次電池4本（1.2V×4本＝4.8V）を使用
・駆動系（モータ・サーボ）電源：単三2次電池4本か単三アルカリ電池4本（1.5V×4本＝6.0V）を使用
※ CPU ボードの電圧は必ず、4.5〜5.5V の電圧にしてください。

> **コラム** 目に見えない抵抗

■接触抵抗

　コネクタとコネクタが接する部分、電池と電池ボックスが接する部分、スイッチ内部の接点部分など、接する部分には必ず接触抵抗があります。

　下図は、電池の＋側端子と電池ボックスの金属部分を拡大したところです。拡大すると接していない部分があります。さらには、接している部分の表面が酸化して電気が通りづらいかもしれません。このように接する部分には必ず抵抗成分があり、電流が流れにくくなります。一般的な接触抵抗は数[mΩ]～数十[mΩ]です。

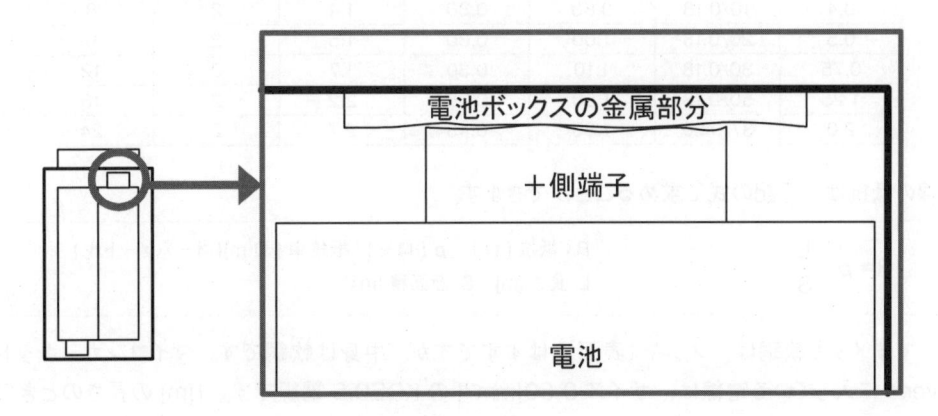

駆動系回路の接触抵抗がある位置を示します。

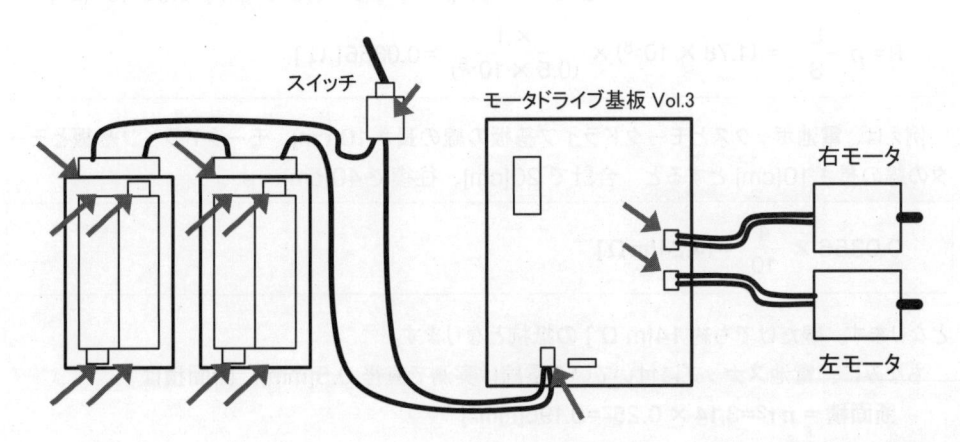

　例えば、1カ所平均5[mΩ]とすると、右モータ、左モータに電流が流れるまで13箇所接触する部分があるので65[mΩ]の抵抗が存在します。

■電線の抵抗

マイコンカーキット Ver.4 で使用している（株）フジクラ　KQE シリーズ　レイテン電線の仕様を参考までに掲載しておきます。線の材質は、すずメッキ軟銅です。

線のサイズ [mm²]	単線の本数[本]と直径[mm]	外形 [mm]	被覆の標準厚 [mm]	標準外形 [mm]	耐電圧 AC [kV/1分]	許容電流（周囲温度40度）[A]
0.32	1/0.32	0.32	0.25	0.8	2	2
0.4	1/0.40	0.40	0.25	0.9	2	3
0.5	1/0.50	0.50	0.25	1.0	2	5
0.2	7/0.18	0.54	0.25	1.0	2	4
0.3	12/0.18	0.70	0.30	1.3	2	7
0.4	16/0.18	0.83	0.30	1.4	2	8
0.5	20/0.18	1.00	0.30	1.5	2	9
0.75	30/0.18	1.10	0.30	1.7	2	12
1.25	50/0.18	1.50	0.35	2.2	2	18
2.0	37/0.26	1.80	0.45	2.7	2	24

線の抵抗は、下記の式で求めることができます。

$$R = \rho \frac{L}{S}$$

R：抵抗 [Ω]　ρ（ロー）：抵抗率 [Ωm]（オームメートル）
L：長さ [m]　S：断面積 [m²]

すずメッキ軟銅は、メッキ（表面）はすずですが、中身は軟銅です。マイコンカーキット Ver.4 に入っている電線は、サイズ 0.50[mm²] の KQE0.5 電線です。1[m] の長さのときの抵抗を求めてみます。

軟銅の $\rho = 1.71 \sim 1.78 \times 10^{-8}$ [Ωm]　長さ $L = 1$[m]
断面積 $S = 0.5$[mm²] $= 0.5 \times (10^{-3})^2$ [m²] $= 0.5 \times 10^{-6}$ [m²]

$$R = \rho \frac{L}{S} = (1.78 \times 10^{-8}) \times \frac{\times 1}{(0.5 \times 10^{-6})} = 0.0356 [\Omega]$$

例えば、電池ボックスとモータドライブ基板の線の長さ 10[cm]、モータドライブ基板とモータの線の長さ 10[cm] とすると、合計で 20[cm]、往復で 40[cm]、よって

$$0.0356 \times \frac{4}{10} = 14.24 [m\Omega]$$

となります。線だけでも約 14[mΩ] の抵抗となります。

ちなみに、電池スナップに付いている電線は実測で直径 0.5[mm]、断面積は

断面積 $= \pi r^2 = 3.14 \times 0.25^2 = 0.196$ [mm²]

軟銅とすると、

$$R = \rho \frac{L}{S} = (1.78 \times 10^{-8}) \times \frac{1}{(0.196 \times 10^{-6})} = 0.0908 [\Omega]$$

40[cm] とすると、

$$0.0908 \times \frac{4}{10} = 36.33[\mathrm{m}\Omega]$$

約 2.5 倍の抵抗となります。

例えば、4[A] の電流が流れたとすると、電線分の電圧降下は

$$V = I \cdot R = 4 \times 0.03633 = 0.145[V]$$

となります。

■基板のパターンの抵抗

基板のパターンにも、もちろん抵抗があります。基板のパターンの材質は銅です。基板の標準的な厚さは 35[μm] です。電源ラインのパターン幅は 2[mm] です。ρと断面積は、

$$銅の\rho = 1.62 \times 10^{-8}[\Omega \mathrm{m}]$$
$$2\mathrm{mm}幅の断面積 S = 幅 2[\mathrm{mm}] \times 厚さ 35[\mu \mathrm{m}]$$
$$= (2 \times 10^{-3}) \times (35 \times 10^{-6}) = 70 \times 10^{-9}[\mathrm{m}^2]$$

例えば、1[m] のパターンの抵抗は、

$$R = \rho \frac{L}{S} = (1.62 \times 10^{-8}) \times \frac{1}{(70 \times 10^{-9})} = 0.231[\Omega]$$

となります。10[cm] としても、1/10 の 23.1[mΩ]、大電流の場合は無視できません。

■ FET の ON 抵抗

モータは、FET を ON/OFF することにより回転させますが、ON させたときの FET にも抵抗があります。モータドライブ基板 Vol.3 で使用している FET の ON 抵抗は下記の通りです。

FET の型式	ON 時の平均抵抗 (10V 時)
2SJ530	0.08[Ω]
2SK2869	0.033[Ω]

FET の型式によって、ON 抵抗が違います。データシートに「ドレイン・ソース ON 抵抗」、または同意味の項目がありますので、参照してください。

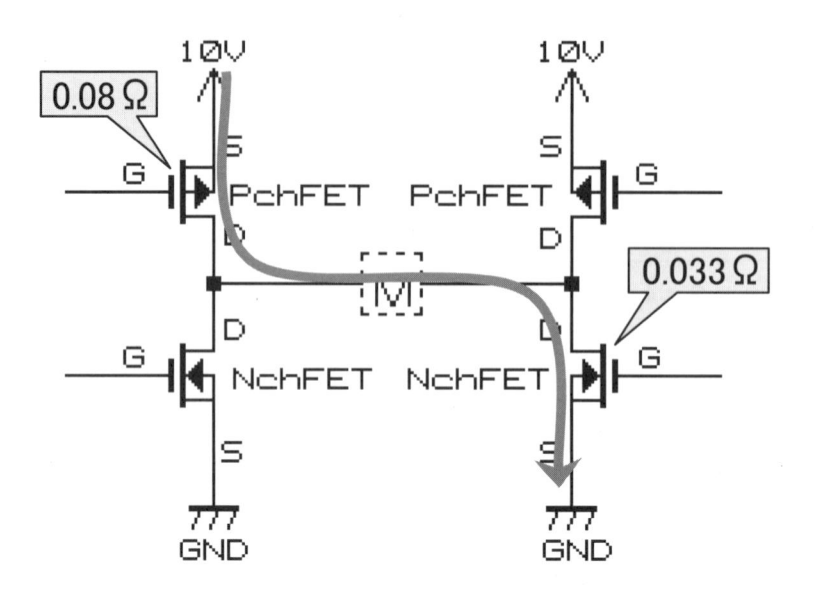

モータを回すには、2SJ530 と 2SK2869 を必ず通りますので、モータが回転していると
きの FET の ON 抵抗は、

ON 抵抗 = 0.08+0.033 = 0.113[Ω]

となります。

このように、各所に見えない抵抗があります。もちろん抵抗は少ない方がモータにかかる電圧が多くなり回転数が多くなりますので、内部抵抗をいかに少なくするかも工夫のしどころになります。

3.4 車体

車体は、タミヤ製の「ユニバーサルプレート L」を加工し使用しています。基板の取り付けやサーボ取り付け部分などの高さ調整には、スタットを使用しています。

ユニバーサルプレート L

第3章 マイコンカーキット Ver.4 のハードウェア

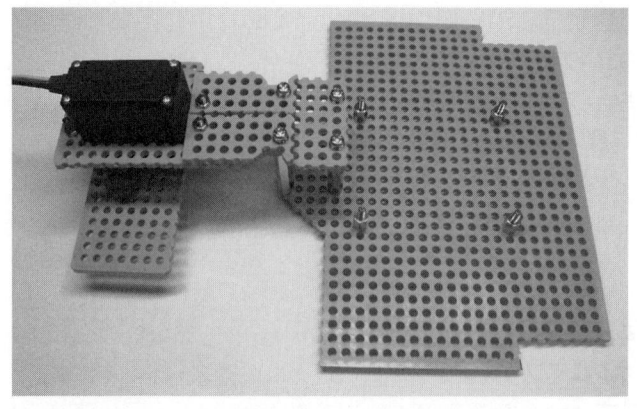

プレートを加工してサーボとスタットを取り付けたところ

スタット上に CPU ボードを載せたところ

> **コラム** ネジやワッシャ
>
> **■スプリングワッシャ（バネ座金）**
>
> 　ワッシャとは、ネジとナットや材料の間に入れて締め付けるときに挟み込んで使用する、金属製の穴の開いた部品です。座金ともいいます。
>
> 　スプリングワッシャは、C字型で上下にずれた形になっており、バネの働きをします。スプリングワッシャをネジとナットや材料の間に挟み込むとずれが上と下に力をかけるため、マイコンカーのように振動する機器でもネジが緩みづらくなります。しかし、ネジの締め付け方が弱いと上下にかかる力が弱くなるか、力がかからないため意味がありません。ネジとナットは、きつく締め付けなければいけません。

Micom Car Rally

■ 平ワッシャ（平座金）

　平ワッシャは名前の通り、ただの平たいワッシャなのでスプリングワッシャのように緩み止めにはなりません。スプリングワッシャは上下に力をかけるので材料が弱いと、材料に食い込み痛めたり傷つけたりしてしまいます。そこでスプリングワッシャと材料の間に入れて、材料が痛まないようにします。

■ セムスネジ（座金組み込みネジ）

　スプリングワッシャと平ワッシャをあらかじめ組み込んでいるネジがあります。セムスネジといいます。ネジにスプリングワッシャや平ワッシャを通さなくても良いため便利です。

3.5 センサ基板

　マイコンカーキット Ver.4 に付属のセンサ基板は、「センサ基板 Ver.4」です。

3.5.1 仕様

表 3.4 に、センサ基板 Ver.4 を含めた過去のセンサ基板の仕様を示します。

表 3.4　センサ基板の仕様

名称	センサ基板	センサ基板 TLN119 版	センサ基板 Ver.4
略称	センサ基板	センサ基板 3	センサ基板 4
付属キット	初期マイコンカーキット	マイコンカーキット Vol.2 マイコンカーキット Vol.3	マイコンカーキット Ver.4
販売開始時期	1998 年頃（販売終了）	2002 年 4 月頃（販売終了）	2007 年 5 月 （2008/6 現在販売中）
基板枚数	1 枚	本体基板とサブ基板の 2 枚	1 枚
コースを見る センサの個数	8 個	8 個	7 個
スタートバーを見る センサの個数	0 個	0 個	1 個
信号反転回路	74HC04 による反転	74HC04 による反転	なし（プログラムで反転）
電圧	DC5.0V ± 10%	DC5.0V ± 10%	DC5.0V ± 10%
重量 （完成品の実測）	約 33g	本体基板：約 20g サブ基板：約 10g	約 18g
レジスト（基板色）	なし（基板の地の色）	なし（基板の地の色）	黒色
基板寸法	W150 × D50 ×厚さ 1.6mm	本体基板：W150 × D33 ×厚さ 1.6mm サブ基板：W60 × D37 ×厚さ 1.6mm	W140 × D38 ×厚さ 1.2mm
寸法（実測）	最大 W150 × D50 × H20mm	本体基板：最大 W150 × D33 × H10mm サブ基板：最大 W60 × D37 × H10mm	最大 W140 × D38 × H14mm

※重量は、リード線の長さや半田の量で変わります

3.5.2 回路図

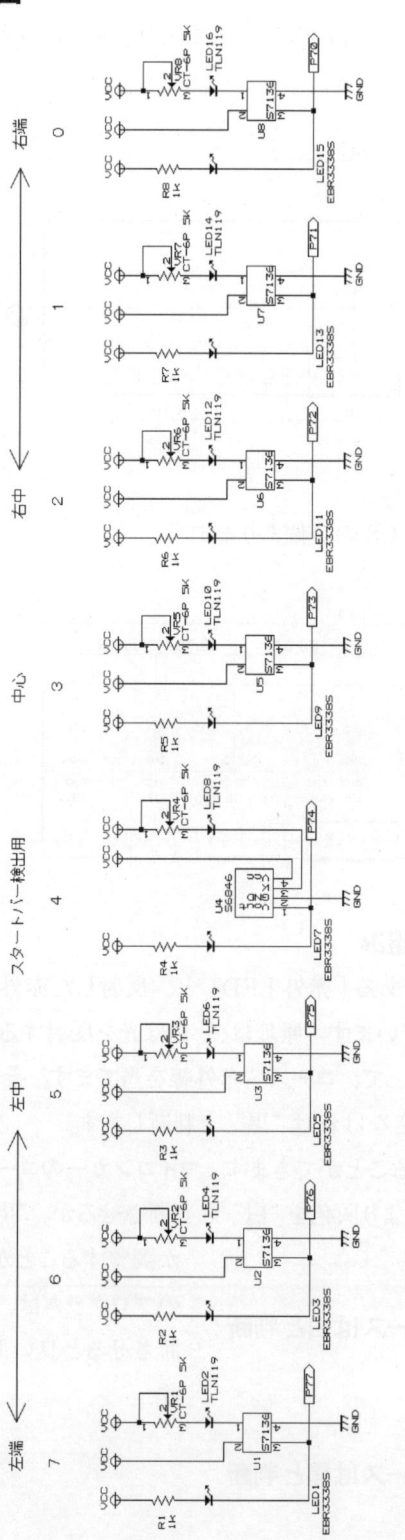

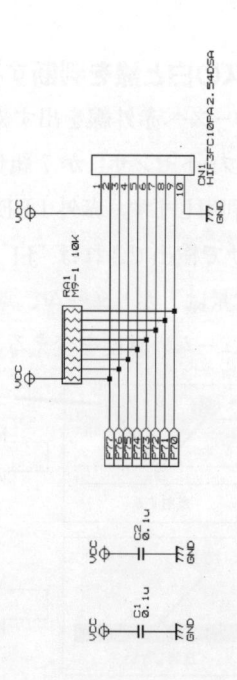

3.5.3 基板寸法

基板の取り付け用の穴として、左右 11 個、合計 22 個の穴があります。この穴を使ってセンサ基板を固定します。

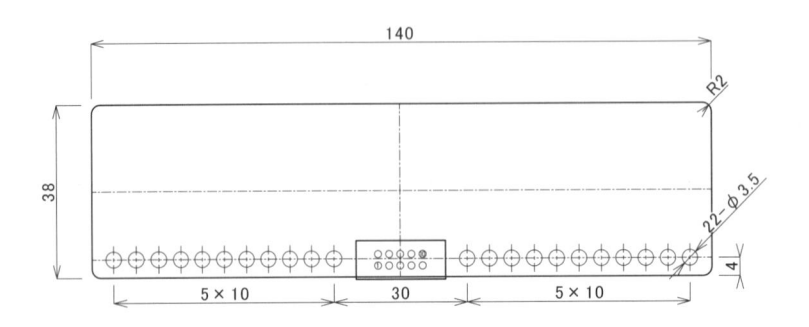

3.5.4 センサの位置

コースを見るセンサは、U1 ～ U3、U5 ～ U8 の 7 個あります。

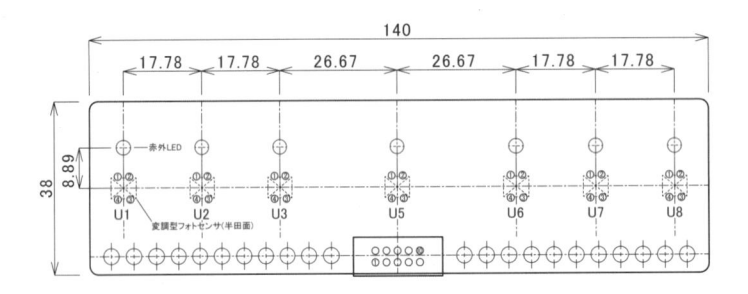

3.5.5 コースの白と黒を判断する仕組み

基板には、コースへ赤外線を出す素子である「赤外 LED」と、反射した赤外線を受ける素子である「変調型フォトセンサ」が 7 組付いています。原理は、「白は光を反射する」、「黒は光を吸収する」ことを利用します。赤外 LED を使って、コースへ赤外線を当てます。その赤外線が、変調型フォトセンサで検出できれば"白"、できなければ"黒"と判断します。

赤外線を出す量は、ボリュームで調整することができます。マイコンカーのコースには灰色がありますが、ボリュームの感度を変えることにより灰色を"白"と判断させるか、"黒"と判断させるか調整することができます。標準のプログラムは、灰色を白色と判断させると良いようになっています。

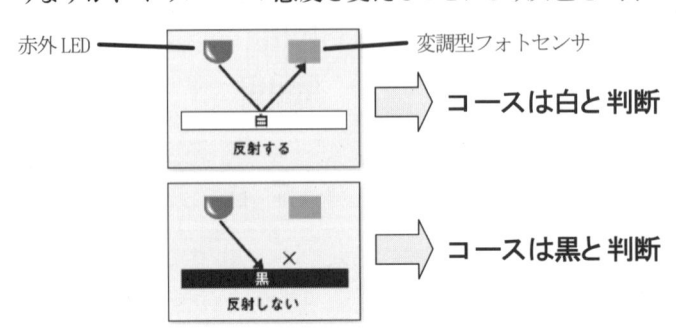

3.5.6 機能説明

基板の表

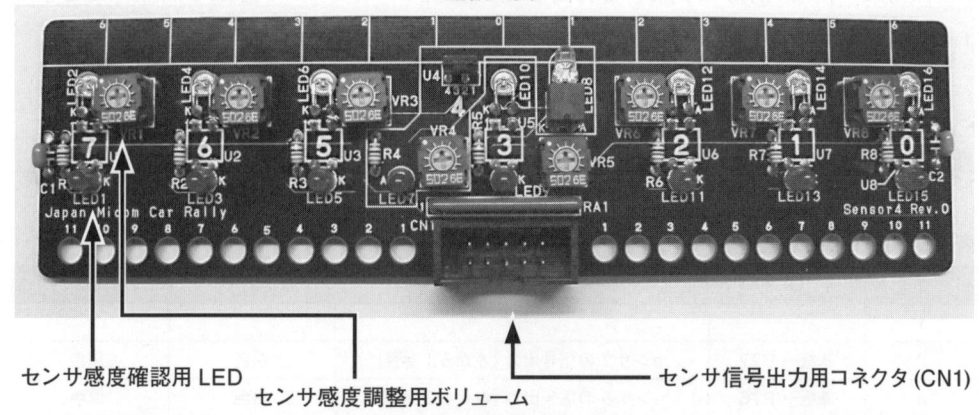

センサ感度確認用 LED
センサ感度調整用ボリューム
センサ信号出力用コネクタ (CN1)

基板の裏

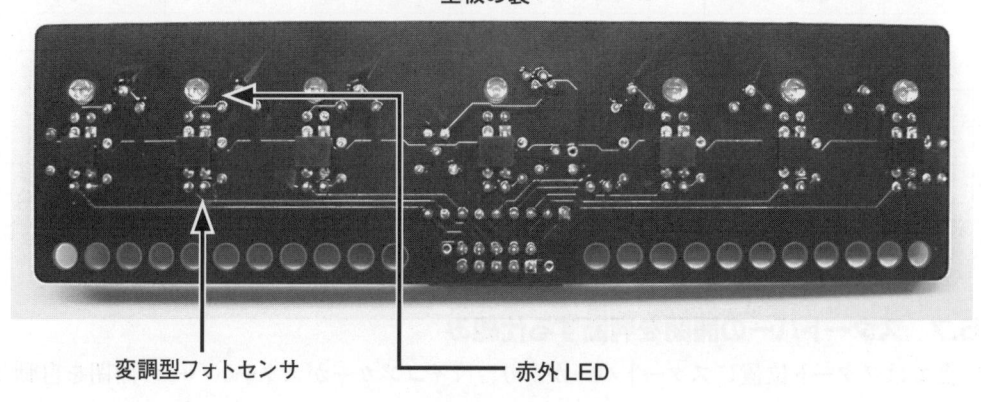

変調型フォトセンサ
赤外 LED

■赤外 LED

TLN119 という素子を使用しています。この素子から赤外線の光を出します。赤外線なので人間の目には見えません。7個あります。

■変調型フォトセンサ

浜松フォトニクス（株）の S7136 という素子を使用しています。赤外 LED が出した赤外線をこの素子で受けます。赤外線を受信することができればコースは白、できなければコースは黒と判断します。7個あります。

■センサ感度調整用ボリューム

赤外 LED から出力する光の量を調整します。マイコンカーのコースには、灰色の線があります。ボリュームで感度を変えることにより、灰色を"白"と判断させるか、"黒"と判断させるか調整することができます。標準のプログラムでは、"白"と判断させると良いようになっています。

■センサ感度確認用 LED

LED 点灯で"白"、消灯で"黒"と判断しています。ボリュームで感度を調整するときにこの LED を確認しながら調整します。

■センサ信号出力用コネクタ（CN1）

センサ信号がこのコネクタから出力されます（表 3.5）。

表 3.5　CN1 の出力信号

ピン番号	信号、方向※	詳細	"0"（0V）	"1"（5V）
1	―	+5V		
2	基板→P77	センサ 7 の信号出力（左から 1 番目）	白色	黒色
3	基板→P76	センサ 6 の信号出力（左から 2 番目）	白色	黒色
4	基板→P75	センサ 5 の信号出力（左から 3 番目）	白色	黒色
5	基板→P74	センサ 4 の信号出力（スタートバー）	バーあり	バーなし
6	基板→P73	センサ 3 の信号出力（中心）	白色	黒色
7	基板→P72	センサ 2 の信号出力（右から 3 番目）	白色	黒色
8	基板→P71	センサ 1 の信号出力（右から 2 番目）	白色	黒色
9	基板→P70	センサ 0 の信号出力（右から 1 番目）	白色	黒色
10	―	GND		

※「基板→ P7 ○」は、センサ基板からマイコンのポートへ信号が出力されます。

3.5.7　スタートバーの開閉を判断する仕組み

大会ではスタート位置にスタートバーがあり、マイコンカーがスタートバーの開閉を自動で判断させ、開くと同時にスタートさせます。センサ基板 Ver.4 は、発光素子である TLN119（赤外 LED）と受光素子である変調型フォトセンサ（S6846）を前方向に取り付けていて、センサの反射状況によって図 3.5 のように判断できます。赤外 LED が出す光の量は、ボリュームで調整することができます。

スタートバーが閉じているとき　　　　　　スタートバーが開いているとき

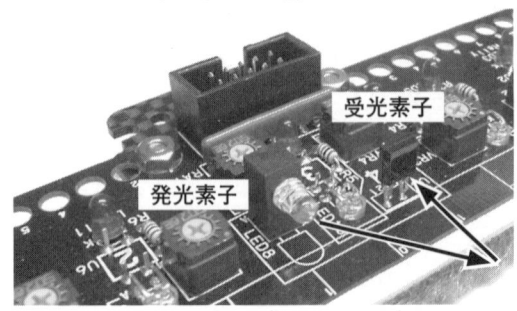

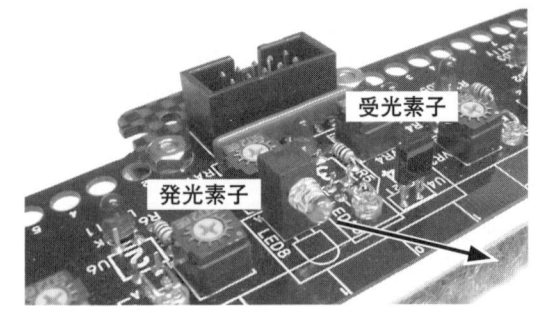

受光素子　　発光素子　　　　　　　　　　受光素子　　発光素子

反射あり→スタートバーあり　　　　　　　反射無し→スタートバーなし

図 3.5　センサの反射状況とスタートバーの関係

3.6 モータドライブ基板

マイコンカーキット Ver.4 に付属のモータドライブ基板は、「モータドライブ基板 Vol.3」です。

3.6.1 仕様

表 3.6 に、モータドライブ基板 Vol.3 を含めた過去のモータドライブ基板の仕様を示します。

表 3.6　モータドライブ基板の仕様

名称	モータドライブ基板 Vol.1	モータドライブ基板 Vol.2	モータドライブ基板 Vol.3
略称	ドライブ基板1	ドライブ基板2	ドライブ基板3
販売開始時期	1998年ごろ（販売終了）	2002年4月（販売終了）	2005年4月 （2008/6 現在販売中）
モータの動作	正転、逆転、ブレーキ	正転、フリー、ブレーキ	正転、逆転、ブレーキ
CPU ボード※との接続	ポート B	ポート A	ポート B
PWM	リセット同期 PWM モード使用	1チャネルごとの PWM 使用	リセット同期 PWM モード使用
周期	モータ：16ms サーボ：16ms 個別設定不可	モータ：1ms サーボ：16ms 個別設定可能	モータ：16ms サーボ：16ms 個別設定不可
使用する FET	4AM12 × 2 個	4AM12 × 1 個	2SJ530 × 4 個、 2SK2869 × 4 個
制御系電圧	DC5.0V ± 10%	DC5.0V ± 10%	DC5.0V ± 10%
駆動系電圧	5V	5～15V	5～15V
サーボ用三端子レギュレータ	回路的に電圧を上げられない	基板外に外付け	基板 LM350 を取り付け
標準プログラム	tmc4.c	kit2.c または kit04.c	kit05.c または kit06.c または kit07.c
寸法	最大 W76 × D49 × H15mm（実測）	最大 W80 × D50 × H15mm（実測）	最大 W80 × D65 × H20mm（実測）

※ CPU ボードは、RY3048Fone ボードです。

ドライブ基板1ではリセット同期 PWM モードというモードでモータ、サーボを制御していました。これはプログラムが比較的簡単なのですが、右モータ、左モータ、サーボに加える PWM 周期を同じにしかできないという制限がありました。サーボは 16[ms] の周期で動作すると規格で決まっているため、モータに加える PWM も 16[ms] となります。しかし、モータ制御に周期 16[ms] では間隔が長すぎ、モータがガクガクした動きとなってしまいました。

ドライブ基板2では、1チャネルごとのPWMを使用して、右モータ、左モータの周期を1[ms]、サーボの周期を 16[ms] と、それぞれ独立して周期を設定できるようにしました。モータの制御は滑らかになりましたが、プログラムが複雑になってしまい非常に理解しづらくなってしまいました。

そこで、ドライブ基板3は、リセット同期 PWM モードに戻しました。ドライブ基板1の説明のとおり、モータの動きがガクガクしてしまいます。しかし、サーボの周期は規格では 16[ms] ですが、周期を短くしても動作するサーボがあることが分かりました。そこで、どうしてもガクガクが気に

なる場合は、サーボが動作する範囲内で周期を短くして対応します。

3.6.2 回路図

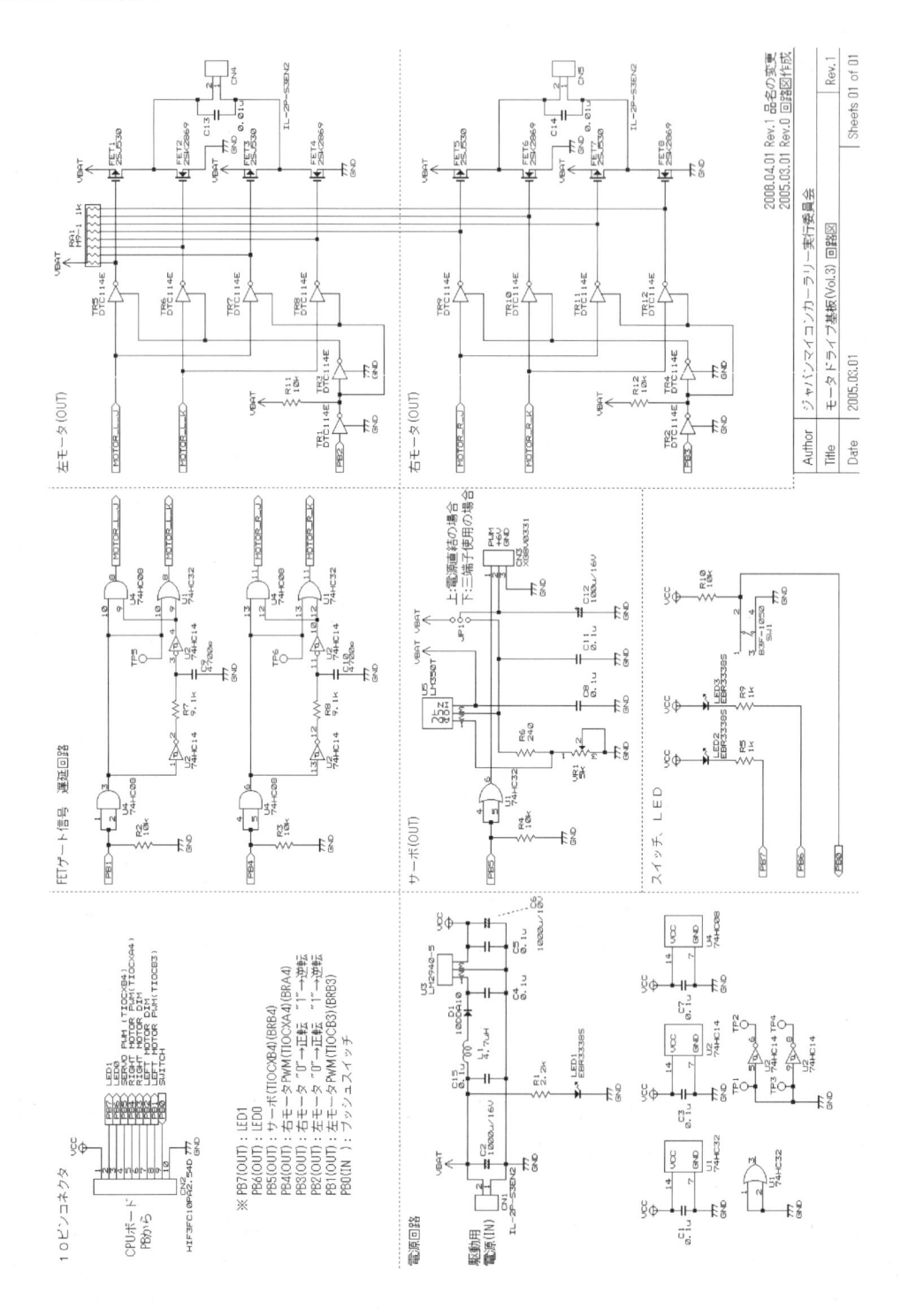

3.6.3　基板寸法

基板の取り付け用の穴として、6つあります。キットでは図3.6の太い○の4つの穴を使用してキットと基板を固定します。

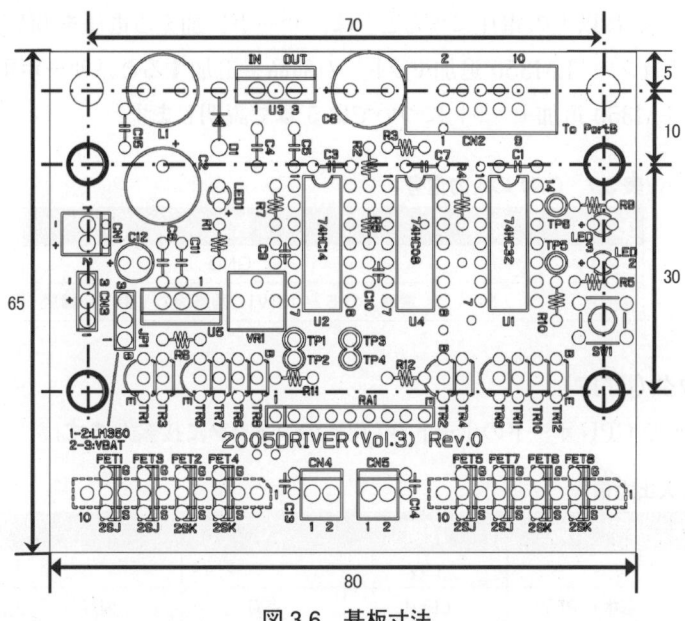

図3.6　基板寸法

3.6.4　機能説明

モータドライブ基板 Vol.3 は、図3.7のような機能があります。

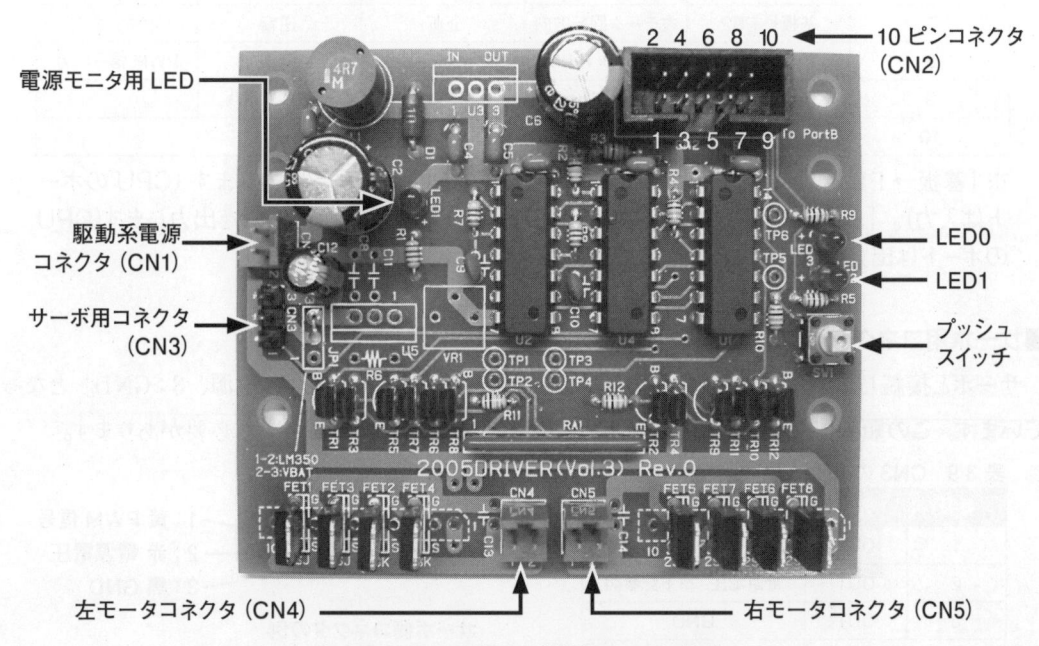

図3.7　モータドライブ基板 Vol.3 の機能

■駆動系電源コネクタ（CN1）

モータとサーボに供給する電源です。HD74HC08、HD74HC14、HD74HC32 などの制御系部品は、10 ピンコネクタから供給される 5[V] で動作します。標準キットでは入力電圧 6[V] までに対応していますが、それ以上の電圧にするときは、サーボに加える電圧を 6[V] 一定にする必要があります。オプションの「LM350 追加セット」の部品を追加すると、サーボ電圧を一定にすることができます。「LM350 追加セット」については 5 章で説明します。

表 3.7　CN1 の入力信号

ピン番号	方向	詳細
1	−	GND
2	IN	電源入力 5 〜 15[V]　回路図の VBAT に接続

■10 ピンコネクタ（CN2）

フラットケーブルで CPU ボードのポート B（J3）のコネクタに接続します。

表 3.8　CN2 の入出力信号

ピン番号	信号、方向※	詳細	"0"	"1"	備考
1	−	+5V			
2	基板←PB7	LED1	点灯	消灯	
3	基板←PB6	LED0	点灯	消灯	
4	基板←PB5	サーボ信号	PWM 信号	PWM 信号出力	
5	基板←PB4	右モータ PWM	停止	動作	PWM 信号出力
6	基板←PB3	右モータ回転方向	正転	逆転	
7	基板←PB2	左モータ回転方向	正転	逆転	
8	基板←PB1	左モータ PWM	停止	動作	PWM 信号出力
9	基板→PB0	プッシュスイッチ	押された	押されてない	
10	−	GND			

※「基板→ PB ○」 は、モータドライブ基板から CPU へ信号を出力します（CPU のポートは入力）。「基板← PB ○」 は、CPU からモータドライブ基板へ信号を出力します（CPU のポートは出力）。

■サーボ用コネクタ（CN3）

サーボと接続します。3 ピンで信号の順番が、「 1：サーボ信号、2：＋電源、3：GND」となっています。この順番でないメーカのサーボは、サーボ側のピンを入れ替える必要があります。

表 3.9　CN3 の出力信号

番号	方向	詳細
1	OUT	PWM 信号出力
2	OUT	電源電圧　※下記参照
3	OUT	GND

※ 2 ピンの電源は、JP1 で切り替えます。

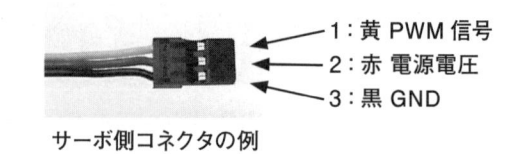

1：黄 PWM 信号
2：赤 電源電圧
3：黒 GND

サーボ側コネクタの例

表3.10 JP1とCN3の2ピンから出力される電圧の関係

JP1	詳細
1-2間ショート	駆動系電源電圧が6V以上の場合 LM350を通して6V一定にした電圧が出力されます。(LM350追加セットの部品を追加する必要あり)
2-3間ショート	駆動系電源電圧が6V以下の場合 駆動系電源と直結されます。

■左モータコネクタ（CN4）、右モータコネクタ（CN5）

左モータ、右モータと接続します。

表3.11 モータの状態とCN5の関係

状態	ピン番号1の出力	ピン番号2の出力
正転	0V	VBAT
逆転	VBAT	0V
ブレーキ	0V	0V

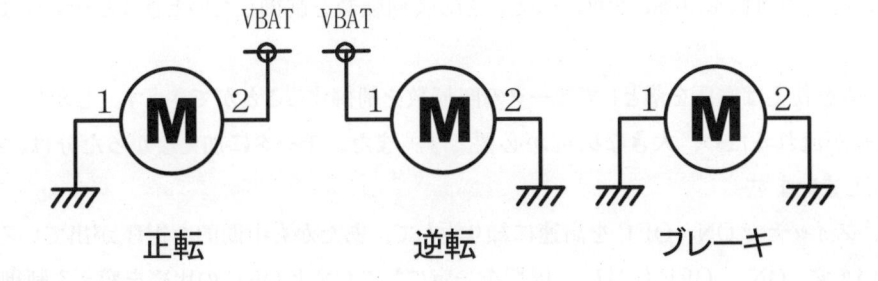

■電源用モニタLED

電源コネクタに電圧が供給されていると光ります。

■LED0

10ピンコネクタに接続したCPUボードのポートBのbit6と接続されています。このbitを出力用に設定して、LED0を点灯／消灯させます。

■LED1

10ピンコネクタに接続したCPUボードのポートBのbit7と接続されています。このbitを出力用に設定して、LED1を点灯／消灯させます。

■プッシュスイッチ

10ピンコネクタに接続したCPUボードのポートBのbit0と接続されています。このbitを入力用に設定して、状態を読み込むことによりスイッチが押されているかどうかチェックします。

3.6.5　モータドライブ基板の役割

モータドライブ基板は、マイコンからの命令によってモータを動かします。マイコンからの「モータを回せ、止めろ」という信号は非常に弱く、その信号線に直接モータをつないでもモータは動きません。この弱い信号を、モータが動くための数百～数千mAという大きな電流が流せる信号に変換します（図3.8）。

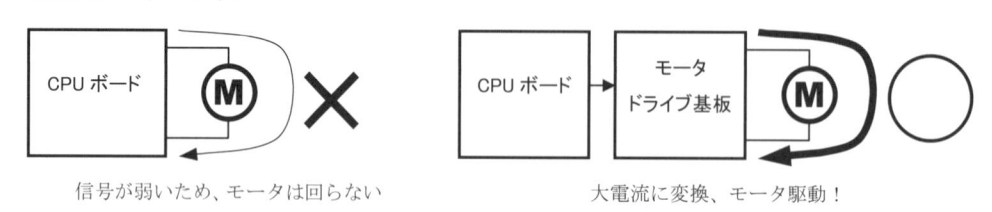

信号が弱いため、モータは回らない　　　　　大電流に変換、モータ駆動！

図3.8　モータドライブモータドライブ基板の役割

3.6.6　スピード制御の原理

モータを回したければ、電圧を加えれば回ります。止めたければ加えなければよいだけです。では、その中間の回転や10%、20%…など、細かく回転数を制御したいときはどうすればよいのでしょう。

ボリュームを使えば電圧を落としてモータの回転数を制御することができます。しかし、モータには大電流が流れるため、大きな抵抗が必要です。また、モータに加えなかった分は、抵抗の熱となってしまいます。

そこで、スイッチでON、OFFを高速に繰り返して、あたかも中間的な電圧が出ているような制御を行います。ON／OFF信号は、周期を一定にしてONとOFFの比率を変える制御を行います（図3.9）。これを、「パルス幅変調」と呼び、英語では「Pulse Width Modulation」、略して**PWM制御**といいます。パルス幅に対するONの割合のことをデューティ比といいます。周期に対するON幅を50%にするとき、デューティ比50%といいます。他にもPWM50%とか、単純にモータ50%といいます。

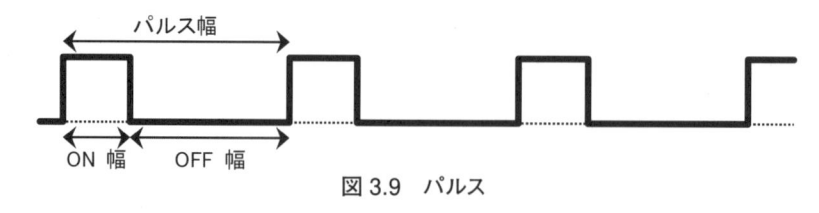

図3.9　パルス

　　　デューティ比 ＝ ON幅／パルス幅（ON幅＋OFF幅）

です。例えば、100[ms]のパルスに対して、ON幅が60[ms]なら、

　　　デューティ比＝ 60ms/100ms ＝ 0.6 ＝ 60%

となります。すべてONなら、100%、すべてOFFなら0%となります。

「PWM」と聞くと、何か難しく感じてしまいますが図3.10のように手でモータと電池の線を「繋

ぐ」、「離す」の繰り返し、それも PWM と言えます。繋いでいる時間が長いとモータは速く回ります。離している時間が長いとモータは少ししか回りません。人なら「繋ぐ」、「離す」動作をコンマ数秒くらいでしか行えませんがマイコンなら数ミリ秒（またはそれ以下）で行えます。

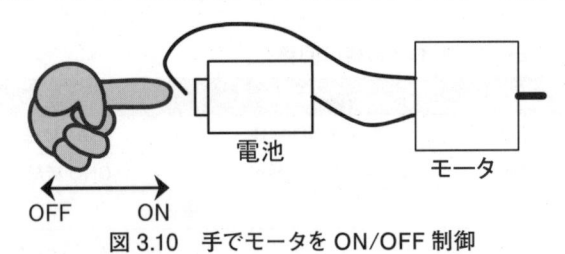

図 3.10　手でモータを ON/OFF 制御

図 3.11 のように、0V と 5V を出力するような波形で考えてみます。1 周期に対して ON の時間が長ければ長いほど平均化した値は大きくなります。すべて 5V なら平均化しても 5V、これが最大の電圧です。ON の時間を半分の 50% にするとどうでしょうか。平均化すると 5V × 0.5 = 2.5V と、あたかも電圧が変わったようになります。

このように ON にする時間を 1 周期の 90%, 80%…0% にすると徐々に平均した電圧が下がっていき最後には 0V になります。

この信号をモータに接続すれば、モータの回転スピードも少しずつ変化させることができ、微妙なスピード制御が可能です。LED に接続すれば、LED の明るさを変えることができます。CPU は ON、OFF 作業を 1 秒間に数千～数万回行うことができます。このオーダでの制御になると、非常にスムーズなモータ制御が可能です。

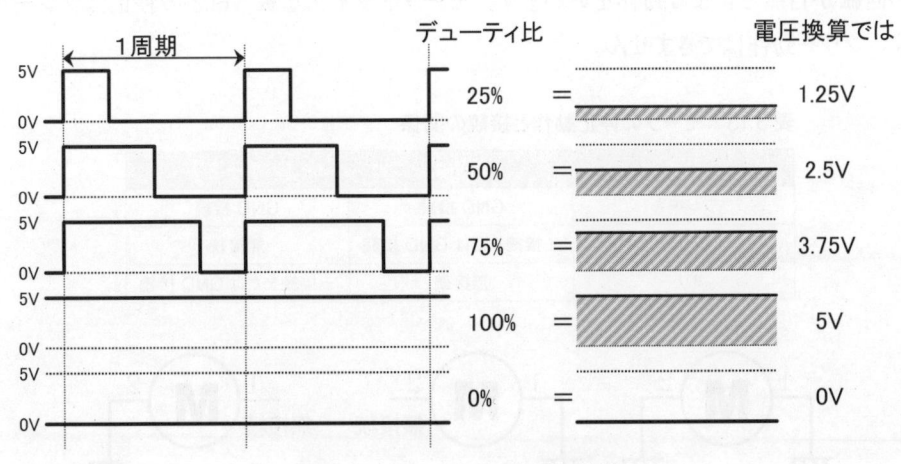

図 3.11　デューティ比を電圧換算

なぜ電圧制御ではなくパルス幅制御でモータのスピードを制御するのでしょうか。CPU は "0"（0V）か "1"（5V）かのデジタル値の取り扱いは大変得意ですが、何 V というアナログ的な値の取り扱いは不得意です。そのため、"0" と "1" の幅を変えて、あたかも電圧制御しているように振る舞います。これが PWM 制御です。

3.6.7 モータの回し方(電圧と動作の関係)

マイコンカーを制御するには、モータを「正転、逆転、停止」させる必要があります。これらの状態は、表3.12のようにモータの端子に加える電圧を変えることにより行います。

表3.12 モータの動作と接続の関係

動作	端子1	端子2
正転	GND接続	VBAT接続
逆転	VBAT接続	GND接続
停止	後述	

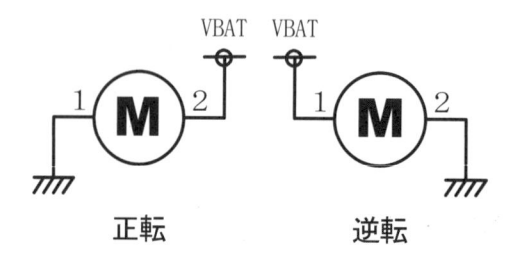

停止には、ブレーキとフリーの2種類あります(表3.13)。

ブレーキは、端子間をショートさせモータの発電作用(逆起電圧)を利用しモータを素早く止める方法です。

フリーは、モータの端子1、または端子2のどちらか(または両方)を無接続にすることにより、モータの回転が自然と止まる動作をいいます。モータドライブ基板Vol.3の停止はブレーキ動作のみです。フリー動作はできません。

表3.13 モータの停止動作と接続の関係

動作	端子1	端子2
ブレーキ	GND接続	GND接続
フリー	＋接続またはGND接続	無接続
フリー	無接続	＋接続またはGND接続

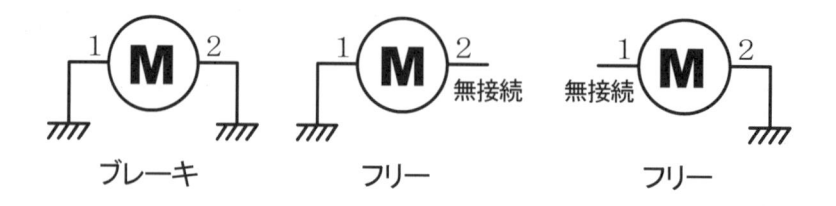

正転からブレーキ動作にしたときと、正転からフリー動作にしたときのスピードの落ち方の違いを図3.12に示します。

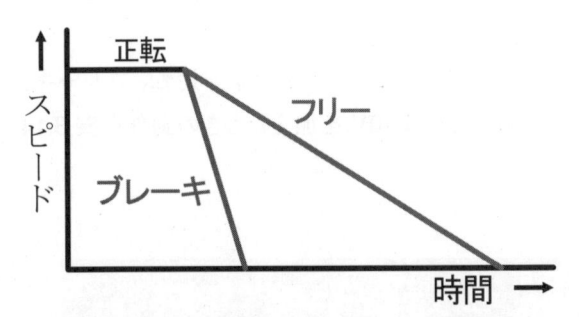

図 3.12　フリーとブレーキのスピードの落ち方

フリーはブレーキと比べ、スピードの減速が緩やかです。フリーは、スピードをゆっくり落としたい場合や負荷を何もかけたくない場合などに使用します。

3.6.8　Hブリッジ回路

モータを正転、逆転、ブレーキ、フリーにするにはどうすればよいのでしょうか。図 3.13 のように、モータを中心として H 型に 4 つのスイッチを付けます。その形から「H ブリッジ回路」と呼ばれています。

この 4 つのスイッチをそれぞれ ON ／ OFF することにより、正転、逆転、ブレーキ、フリー制御を行います。

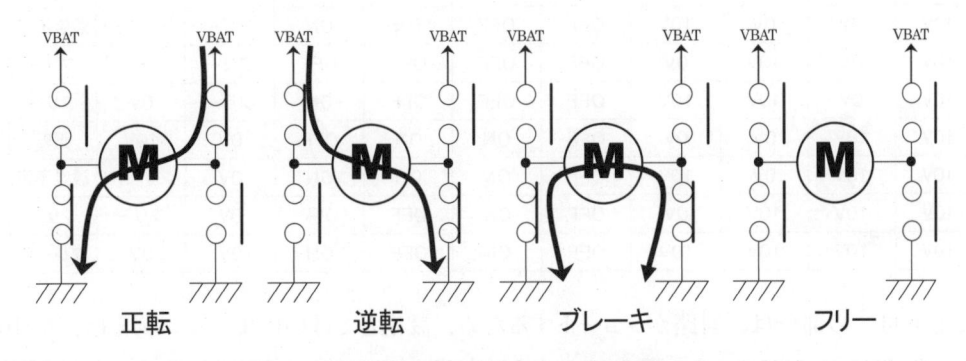

図 3.13　スイッチとモータの関係

3.6.9　スイッチを FET にする

実際の回路では、前記のスイッチ部分に FET を使います（図 3.14）。電源のプラス側に P チャネル FET（2SJ タイプ）、マイナス側に N チャネル FET（2SK タイプ）を使用します。

P チャネル FET は、V_G（ゲート電圧）＜ V_S（ソース電圧）のとき、D-S（ドレイン-ソース）間に電流が流れます。

N チャネル FET は、V_G（ゲート電圧）＞ V_S（ソース電圧）のとき、D-S（ドレ

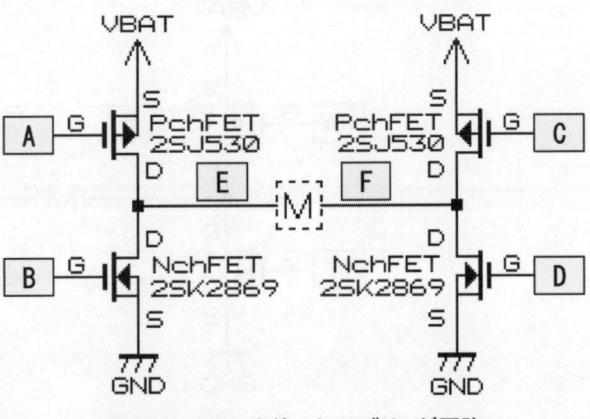

図 3.14　FET を使った H ブリッジ回路

イン-ソース）間に電流が流れます。

　これら4つのFETのゲートに加える電圧を変えることにより、モータは正転、逆転、ブレーキ、フリーの動作を行います。FET A～Dのゲートに0Vまたは10Vを加えたときの動作を表3.14に示します。

表3.14　FETのゲート・電圧とモータ動作

A	B	C	D	FET A の動作	FET B の動作	FET C の動作	FET D の動作	Eの電圧	Fの電圧	モータ動作
0V	0V	0V	0V	ON	OFF	ON	OFF	10V	10V	ブレーキ
0V	0V	0V	10V	ON	OFF	ON	ON	10V	ショート！	設定不可
0V	0V	10V	0V	ON	OFF	OFF	OFF	10V	フリー	フリー
0V	0V	10V	10V	ON	OFF	OFF	ON	10V	0V	逆転
0V	10V	0V	0V	ON	ON	ON	OFF	ショート！	10V	設定不可
0V	10V	0V	10V	ON	ON	ON	ON	ショート！	ショート！	設定不可
0V	10V	10V	0V	ON	ON	OFF	OFF	ショート！	フリー	設定不可
0V	10V	10V	10V	ON	ON	OFF	ON	ショート！	0V	設定不可
10V	0V	0V	0V	OFF	OFF	ON	OFF	フリー	10V	フリー
10V	0V	0V	10V	OFF	OFF	ON	ON	フリー	ショート！	設定不可
10V	0V	10V	0V	OFF	OFF	OFF	OFF	フリー	フリー	フリー
10V	0V	10V	10V	OFF	OFF	OFF	ON	フリー	0V	フリー
10V	10V	0V	0V	OFF	ON	ON	OFF	0V	10V	正転
10V	10V	0V	10V	OFF	ON	ON	ON	0V	ショート！	設定不可
10V	10V	10V	0V	OFF	ON	OFF	OFF	0V	フリー	フリー
10V	10V	10V	10V	OFF	ON	OFF	ON	0V	0V	ブレーキ

　「設定不可」の部分は、回路がショートするため、設定してはいけません。例えば、A=10V、B=0V、C=0V、D=10Vのとき、図3.15のように右側のPチャネルFETとNチャネルFETがVBAT（＋側）から0[V]まで直接つながり、ショートと同じ状態になってしまいます。

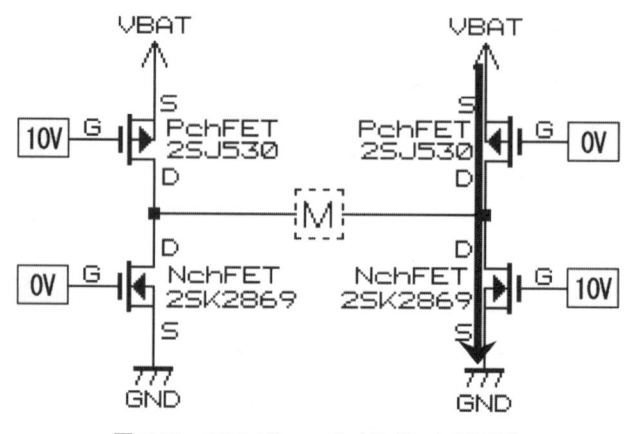

図3.15　FETがショートするゲート電圧例

3.6.10 スピード制御

正転するスピードを変えたい場合、「正転→ブレーキ→正転→ブレーキ…」を高速に繰り返します。今回のサンプルプログラムは、「正転→ブレーキ」の1周期を16[ms]間で行い、正転とブレーキの割合を変えることでスピードを変えます。

正転とブレーキを繰り返すときの4つのFETのゲート電圧を表3.15に、電流の流れを図3.16に示します。

表 3.15 FET のゲート電圧とブレーキ、正転動作

A	B	C	D	FET A の動作	FET B の動作	FET C の動作	FET D の動作	E の電圧	F の電圧	モータ動作
0V	0V	0V	0V	ON	OFF	ON	OFF	10V	10V	ブレーキ
10V	10V	0V	0V	OFF	ON	ON	OFF	0V	10V	正転

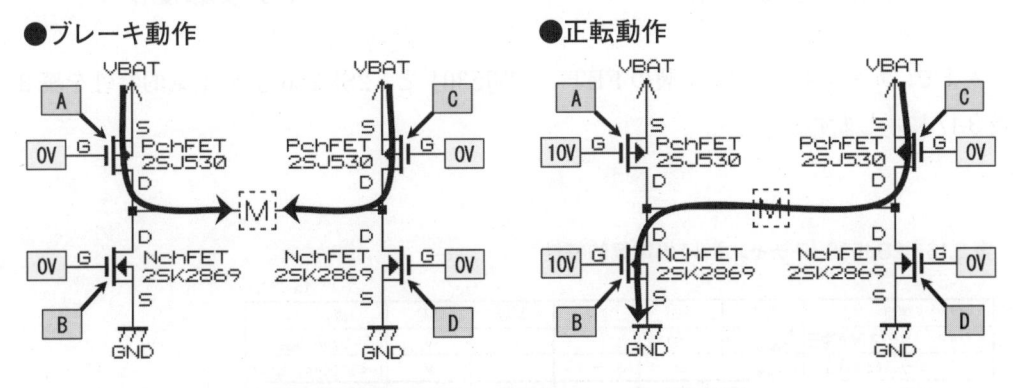

●ブレーキ動作　　　　　　　　　　●正転動作

図 3.16 FET のゲート電圧とブレーキ、正転動作

表3.15よりFET AとFET Bのゲート電圧を、0[V]と10[V]に変えればよいことが分かります。

3.6.11 正転とブレーキの切り替え時にショートしてしまう

前記の回路を実際に組んで動作させると、FETが非常に熱くなりました。どうしてでしょうか。

FETのゲートへ信号を加えて、ドレイン・ソース間がON／OFFするとき図3.17のように、PチャネルFETとNチャネルFETが反応してブレーキと正転がスムーズに切り替わるように思えます。しかし、実際にはすぐには動作せず遅延時間があります。この遅延時間はFETがOFF→ONのときより、ON→OFFのときの方が長くなっています。そのため、図3.18のように、短い時間ですが両FETがON状態となり、ショートと同じ状態になってしまいます。

ONしてから実際に反応し始めるまでの遅延を「ターン・オン遅延時間」、ONになり初めてから実際にONするまでを「上昇時間」、OFFしてから実際に反応し始めるまでの遅延を「ターン・オフ遅延時間」、OFFになり初めてから実際にOFFするまでを「下降時間」といいます。

実際にOFF→ONするまでの時間は「ターン・オン遅延時間+上昇時間」、ON→OFFする

までの時間は「ターン・オフ遅延時間+下降時間」となります。図3.18に出ている遅れの時間は、これらの時間のことです。

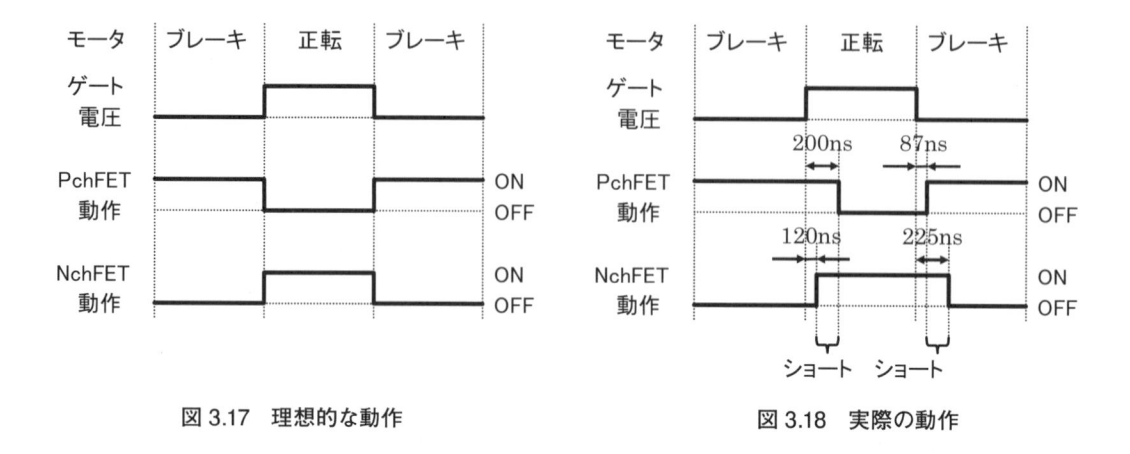

図3.17 理想的な動作

図3.18 実際の動作

参考までにルネサス テクノロジ製のFET「2SJ530」と「2SK2869」の電気的特性を表3.16と表3.17に示します。

表3.16 2SJ530（Pチャンネル）の電気的特性

(Ta=25℃)

項目	記号	Min	Typ	Max	単位	測定条件
ドレイン・ソース破壊電圧	$V_{(BR)DSS}$	-60	—	—	V	$I_D = -10mA, V_{GS} = 0$
ゲート・ソース破壊電圧	$V_{(BR)GSS}$	±20	—	—	V	$I_G = ±100μA, V_{DS} = 0$
ドレイン遮断電流	I_{DSS}	—	—	-10	μA	$V_{DS} = -60V, V_{GS} = 0$
ゲート遮断電流	I_{GSS}	—	—	±10	μA	$V_{GS} = ±16V, V_{DS} = 0$
ゲート・ソース遮断電圧	$V_{GS(off)}$	-1.0	—	-2.0	V	$V_{DS} = -10V, I_D = -1mA$
順伝達アドミタンス	$|y_{fs}|$	6.5	11	—	S	$I_D = -8A, V_{DS} = -10V$ 注4
ドレイン・ソースオン抵抗	$R_{DS(on)}$	—	0.08	0.10	Ω	$I_D = -8A, V_{GS} = -10V$ 注4
ドレイン・ソースオン抵抗	$R_{DS(on)}$	—	0.11	0.16	Ω	$I_D = -8A, V_{GS} = -4V$ 注4
入力容量	Ciss	—	850	—	pF	$V_{DS} = -10V, V_{GS} = 0$
出力容量	Coss	—	420	—	pF	f = 1MHz
帰還容量	Crss	—	110	—	pF	
ターン・オン遅延時間	td(on)	—	12	—	ns	$V_{GS} = -10V, I_D = -8A$
上昇時間	tr	—	75	—	ns	$R_L = 3.75Ω$
ターン・オフ遅延時間	td(off)	—	125	—	ns	
下降時間	tf	—	75	—	ns	
ダイオード順電圧	V_{DF}	—	-1.1	—	V	$I_F = -15A, V_{GS} = 0$
逆回復時間	trr	—	70	—	ns	$I_F = -15A, V_{GS} = 0$ diF/dt = 50A/μs

注） 4．パルス測定

OFF → ON は 87ns 遅れる

ON → OFF は 200ns 遅れる

表 3.17 2SK2869（N チャネル）の電気的特性

(Ta=25℃)

項目	記号	Min	Typ	Max	単位	測定条件
ドレイン・ソース破壊電圧	$V_{(BR)DSS}$	60	—	—	V	$I_D = 10mA, V_{GS} = 0$
ゲート・ソース破壊電圧	$V_{(BR)GSS}$	±20	—	—	V	$I_G = ±100μA, V_{DS} = 0$
ドレイン遮断電流	I_{DSS}	—	—	10	μA	$V_{DS} = 60V, V_{GS} = 0$
ゲート遮断電流	I_{GSS}	—	—	±10	μA	$V_{GS} = ±16V, V_{DS} = 0$
ゲート・ソース遮断電圧	$V_{GS(off)}$	1.5	—	2.5	V	$V_{DS} = 10V, I_D = 1mA$
順伝達アドミタンス	$|y_{fs}|$	10	16	—	S	$I_D = 10A, V_{DS} = 10V$*1
ドレイン・ソースオン抵抗	$R_{DS(on)}$	—	0.033	0.045	Ω	$I_D = 10A, V_{GS} = 10V$*1
ドレイン・ソースオン抵抗	$R_{DS(on)}$	—	0.055	0.07	Ω	$I_D = 10A, V_{GS} = 4V$*1
入力容量	Ciss	—	740	—	pF	$V_{DS} = 10V, V_{GS} = 0$
出力容量	Coss	—	380	—	pF	f = 1MHz
帰還容量	Crss	—	140	—	pF	
ターン・オン遅延時間	td(on)	—	10	—	ns	$V_{GS} = 10V, I_D = 10A$
上昇時間	tr	—	110	—	ns	$R_L = 3Ω$
ターン・オフ遅延時間	td(off)	—	105	—	ns	
下降時間	tf	—	120	—	ns	
ダイオード順電圧	VDF	—	1.0	—	V	$I_F = 20A, V_{GS} = 0$
逆回復時間	trr	—	40	—	ns	$I_F = 20A, V_{GS} = 0$ diF/dt = 50A/μs

注) 1. パルス測定

OFF → ON は 120ns 遅れる

ON → OFF は 225ns 遅れる

3.6.12 短絡を防止する方法

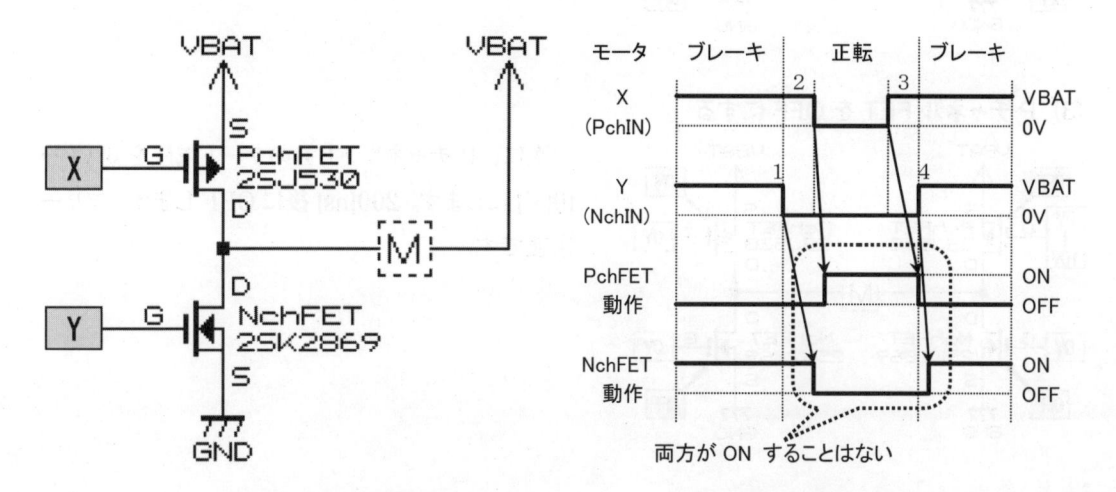

解決策としては、図 3.16 の回路図にある P チャネル FET と N チャネル FET を同時に ON、OFF するのではなく、少し時間をずらして ON、OFF させショートさせないようにします（図 3.19）。

図 3.19 P チャンネル FET と N チャンネル FET を別々に操作

(1) NチャネルFETをOFFにする

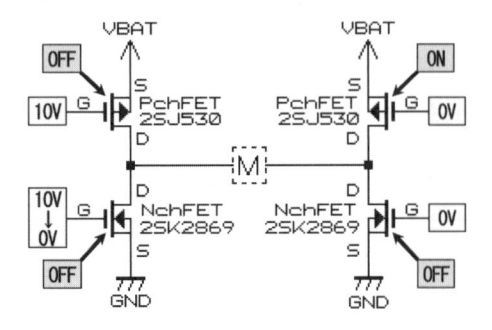

PチャネルFETをONするより先に、NチャネルFETのゲート電圧を10[V]→0[V]にします。225[ns]後にOFFになります。フリー状態です。

(2) PチャネルFETをONにする

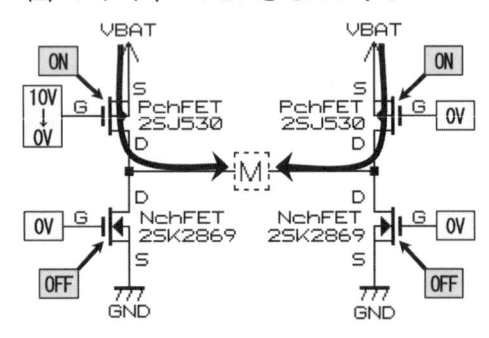

次に、PチャネルFETのゲート電圧を10[V]→0[V]にします。87[ns]後にONします。ブレーキ状態です。

(3) PチャネルFETをOFFにする

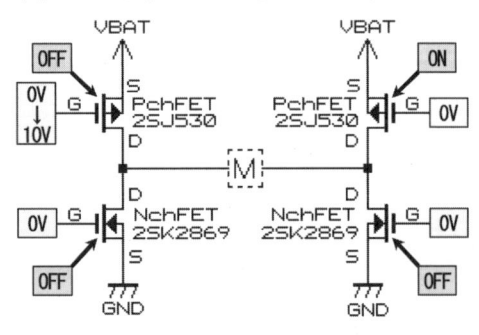

次に、PチャネルFETのゲート電圧を0[V]→10[V]にします。200[ns]後にOFFします。フリー状態です。

(4) NチャネルFETをONにする

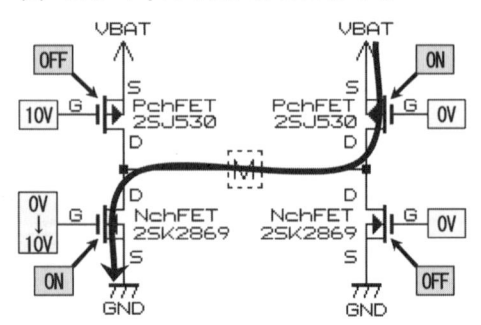

次に、NチャネルFETのゲート電圧を0[V]→10[V]にします。120[ns]後にONします。正転状態です。

3.6.13 PチャネルとNチャネルの短絡防止回路

モータドライブ基板 Vol.3 は、時間をずらす部分を積分回路で作ります（図 3.20）。積分回路については、多数の専門書があるので、そちらを参照して下さい。

遅延時間は、

$T = C \cdot R$ [s]

T: 時定数　C: コンデンサ [F]　R: 抵抗 [Ω]

で計算することができます。

今回は 9.1[kΩ]、4700[pF] なので、計算すると

$T = (9.1 \times 10^3) \times (4700 \times 10^{-12})$

$= 42.77 \times 10^{-9}$

$= 42.77$ [μs]

となります。

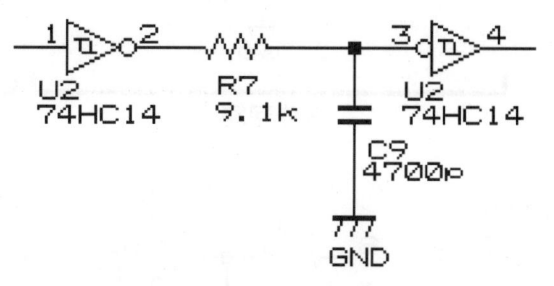

図 3.20　積分回路

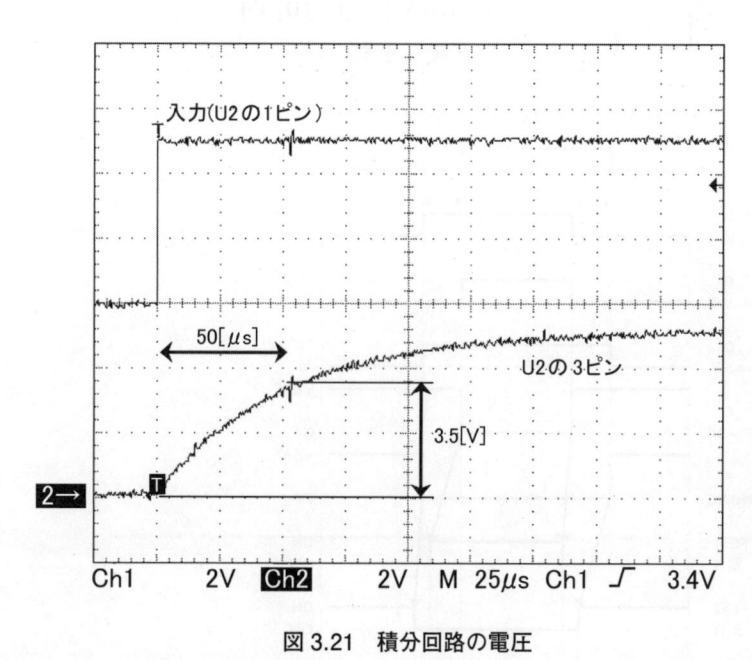

74HC シリーズは、3.5[V] 以上の入力電圧を"1"とみなします。

実際に波形を観測し、3.5[V] になるまでの時間を計ると約 50[μs] になりました（図 3.21）。

図 3.18 では最高でも 225[ns] のずれしかありませんが、積分回路では 50[μs] の遅延時間を作っています。これは、FET 以外にも、電圧変換用のデジタルトランジスタの遅延時間、FET のゲートのコンデンサ成分による遅れなどを含めたためです。

図 3.21　積分回路の電圧

積分回路とFETを合わせた回路は図3.22のようになります。

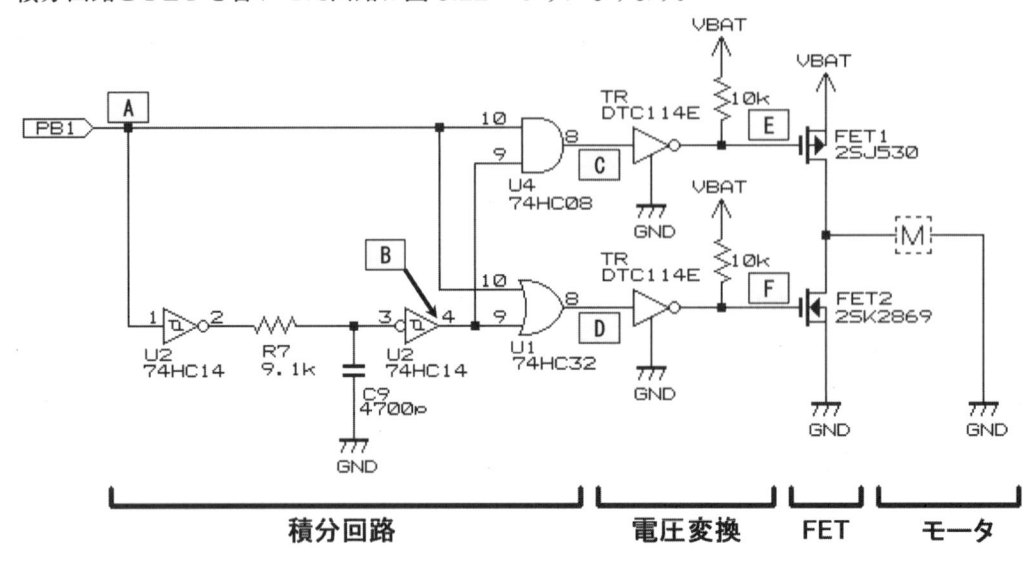

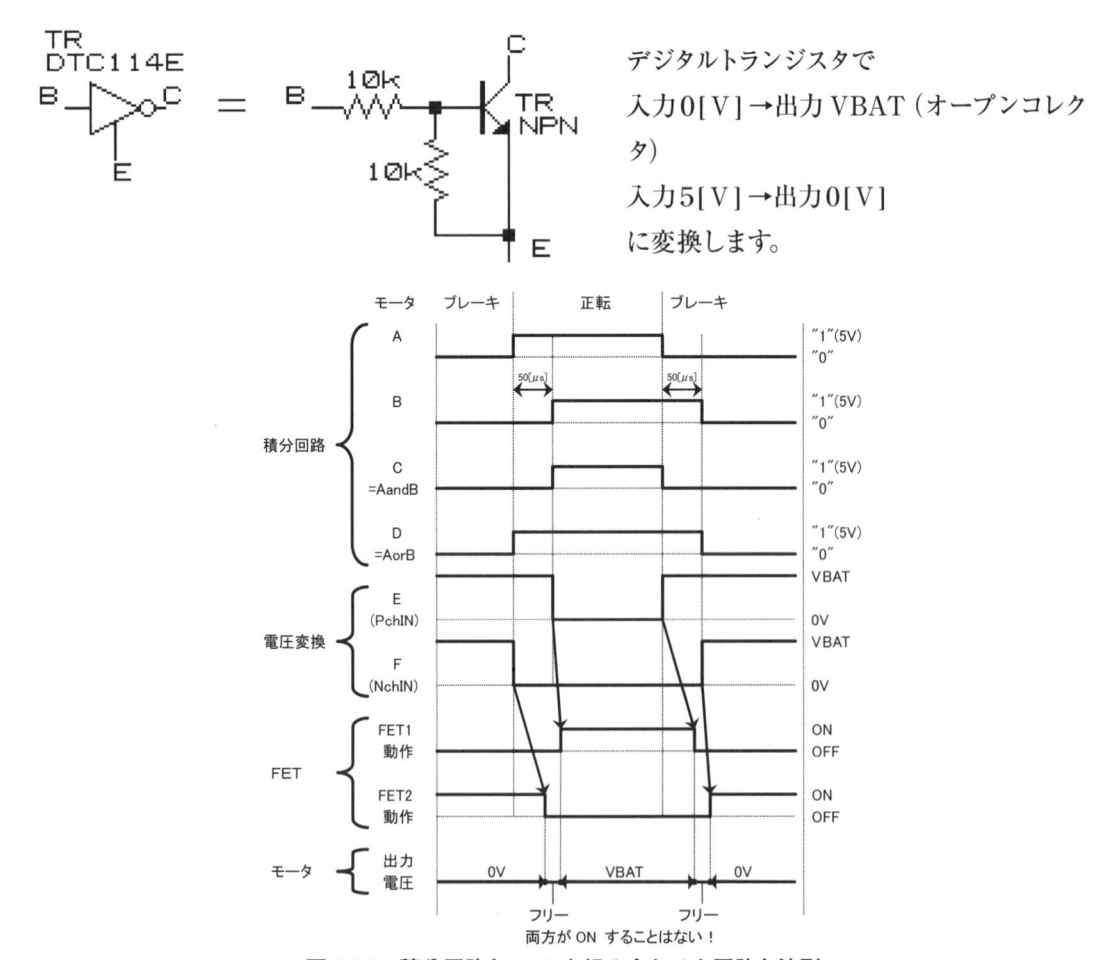

デジタルトランジスタで
入力0[V]→出力VBAT（オープンコレクタ）
入力5[V]→出力0[V]
に変換します。

両方がONすることはない！
図3.22 積分回路とFETを組み合わせた回路と波形

(a) ブレーキ→正転に変えるとき

1. A点の信号は"0"でブレーキ、"1"で正転です。A点の出力を"0"（ブレーキ）から"1"（正転）へ変えます。
2. B点は積分回路により、A点より$50[\mu s]$遅れた波形が出力されます。
3. C点は、A and Bの波形が出力されます。
4. D点は、A or Bの波形が出力されます。
5. E点は、C点の信号をデジタルトランジスタで電圧変換した信号が出力されます。C点の$0[V]-5[V]$信号が、E点ではVBAT－$0[V]$信号へと変換されます。
6. F点は、D点の信号をデジタルトランジスタで電圧変換した信号が出力されます。D点の$0[V]-5[V]$信号が、F点ではVBAT－$0[V]$信号へと変換されます。
7. F点、すなわちFET2のゲート電圧がVBAT→$0[V]$となりFET2はOFFになります。ただし、遅延時間があるため遅れてOFFになります。この時点では、FET1もFET2もOFF状態のため、モータはフリー状態となります。
8. A点の信号を変えてから$50[\mu s]$後、今度はFET1のゲート電圧がVBAT→$0[V]$となりONします。VBATがモータに加えられ正転します。

(b) 正転→ブレーキに変えるとき

1. A点の信号を"1"（正転）から"0"（ブレーキ）にかえると、FET1のゲート電圧が$0[V]$からVBATとなりFET1はOFFになります。ただし、遅延時間があるため遅れてOFFになります。この時点では、FET1もFET2もOFF状態のため、モータはフリー状態となります。
2. A点の信号を変えてから$50[\mu s]$後、今度はFET2のゲート電圧が0VからVBATとなりONします。$0[V]$がモータに加えられ、両端子$0[V]$なのでブレーキ動作になります。

このように、動作を切り替えるときはいったん、両FETともOFFのフリー状態を作って、短絡するのを防いでいます。

> **コラム**　オープンコレクタ出力とは

　プラス側が 5[V] として考えてみます。
　デジタル回路の出力は、0[V] か 5[V] を出力します。内部回路は、図 A のように NPN 型トランジスタ（2SC や 2SD タイプ）と PNP トランジスタ（2SA や 2SB タイプ）のトランジスタを組み合わせています。簡単にすると図 B のようにスイッチがあり、上段が ON だと 5[V]、下段が ON だと 0[V] が出力されます。

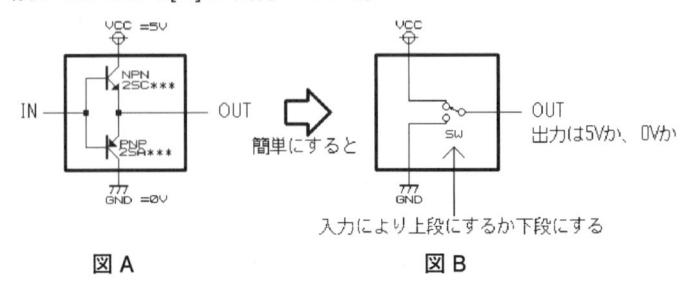

図 A　　　　　　　　　図 B

　この回路を OR 演算したいとします。片方が 5[V] 出力、片方が 0[V] 出力の場合、図 C のように出力同士を直接つなぐとショート状態になってしまいます。図 D のように論理回路の OR 素子を使う必要があります。

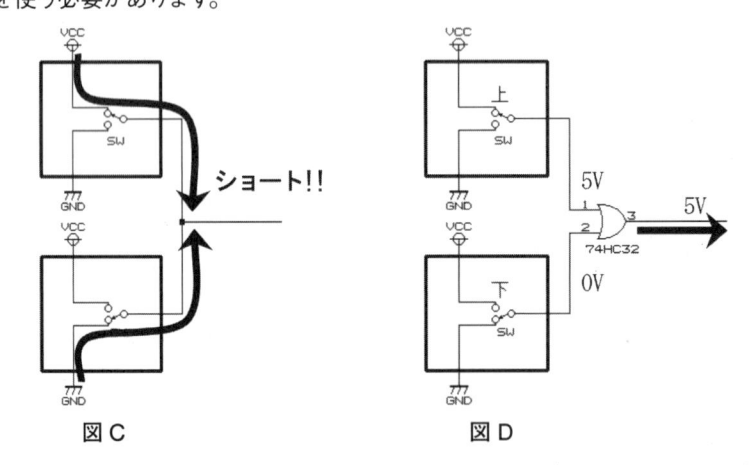

図 C　　　　　　　　　図 D

　もうひとつ、図 E のような回路があります。これは、NPN 型トランジスタだけを使った回路です。コレクタがオープン（開放）なため、オープンコレクタ出力と呼びます。簡単にすると図 F のようにスイッチがあり、ON だと 0[V]、OFF だと 0[V] でも 5[V] でもない状態、すなわち開放状態となります。デジタル回路は、"0"（0[V]）か "1"（5[V]）かを判別しますので、この回路では動作しません。

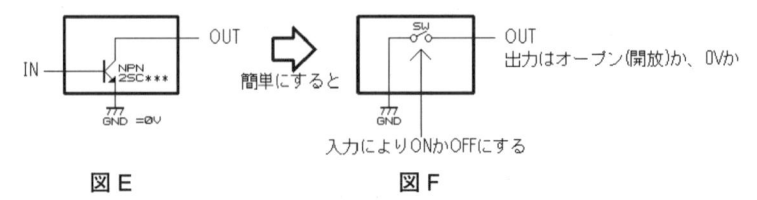

図 E　　　　　　　　　図 F

この回路をOR演算したいとします。出力同士を直接つなぎプルアップ抵抗を接続します。オープンコレクタ出力の場合、信号が出力された場合は0[V]、もう一つの状態は開放なので信号がぶつかることはありません。開放状態はデジタル出力ではあり得ないので、プルアップ抵抗を介して5[V]が出力されます。このように、オープンコレクタ出力は、並列接続するときに抵抗を1本追加するだけなので簡単にできます（図G）。

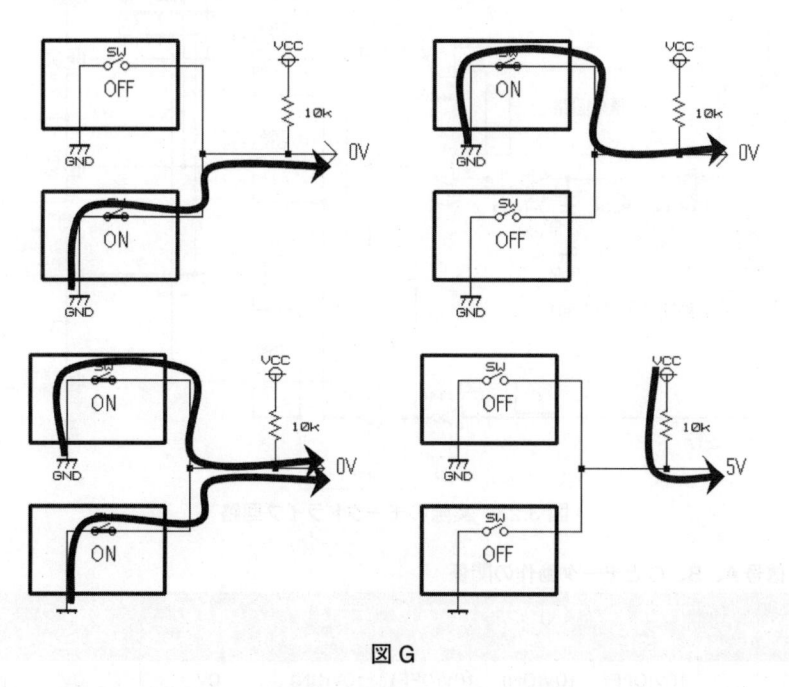

図G

　その他、電圧変換ができる、ノイズに比較的強いなどの特徴があります。欠点としては、オープンコレクタ信号が開放状態のとき、抵抗を介して5[V]が出力されるため、反応が遅くなります。
　オープンコレクタについては技術書やインターネットで多数の解説がありますので調べてみてください。

3.6.14 モータドライブ基板の回路

　実際の回路は、積分回路、ＦＥＴ回路の他、正転／逆転切り換え用回路が付加されています。図3.23の回路は、左モータ用の回路です。PB1がPWMを加える端子、PB2が正転／逆転を切り替える端子です。表3.18に信号A、B、Cとモータ動作の関係を示します。

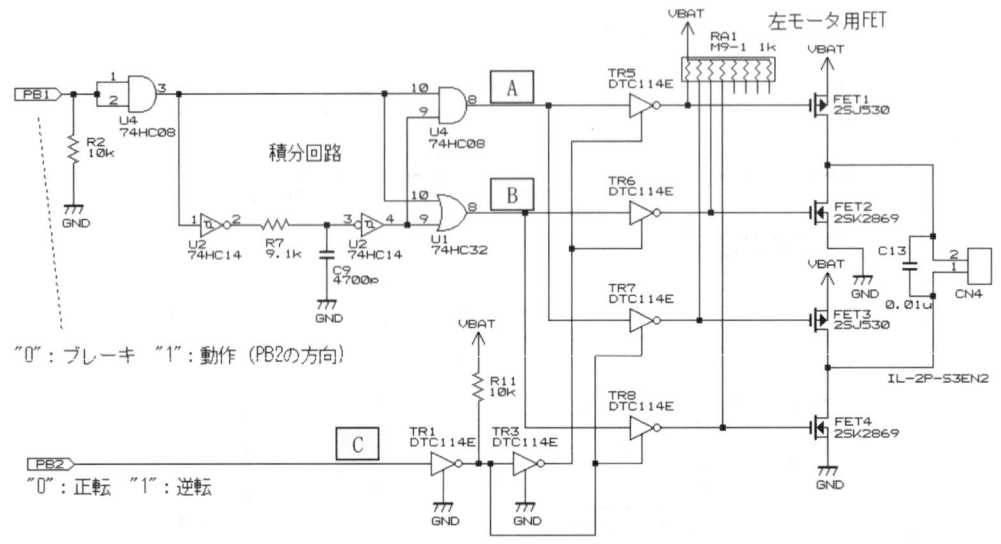

図3.23　実際のモータドライブ回路

表3.18　信号A、B、Cとモータ動作の関係

A	B	C	FET1の ゲート	FET2の ゲート	FET3の ゲート	FET4の ゲート	CN4の 2ピン	CN4の 1ピン	モータ 動作
0	0		10V(OFF)	10V(ON)	10V(OFF)	10V(ON)	0V	0V	ブレーキ
0	1		10V(OFF)	0V(OFF)	10V(OFF)	10V(ON)	フリー（開放）	0V	フリー
1	1	0	0V(ON)	0V(OFF)	10V(OFF)	10V(ON)	10V	0V	正転
0	1		10V(OFF)	0V(OFF)	10V(OFF)	10V(ON)	フリー（開放）	0V	フリー
0	0		10V(OFF)	10V(ON)	10V(OFF)	10V(ON)	0V	0V	ブレーキ
0	0		10V(OFF)	10V(ON)	10V(OFF)	10V(ON)	0V	0V	ブレーキ
0	1		10V(OFF)	10V(ON)	10V(OFF)	0V(OFF)	0V	フリー（開放）	フリー
1	1	1	10V(OFF)	10V(ON)	0V(ON)	0V(OFF)	0V	10V	逆転
0	1		10V(OFF)	10V(ON)	10V(OFF)	0V(OFF)	0V	フリー（開放）	フリー
0	0		10V(OFF)	10V(ON)	10V(OFF)	10V(ON)	0V	0V	ブレーキ

※ A,B,C："0"＝0[V]、"1"＝5[V]

※フリーについて

　フリーは、PチャネルFETとNチャネルFETのショートを避けるために積分回路で作っています。そのため、プログラムでフリーにすることはできません。モータドライブ基板Vol.3の停止はすべてブレーキです。

　ショートを避けるためのフリーの時間を変えたい場合は、積分回路のCとRの値を変えます。

3.6.15 サーボの動作原理

サーボは周期 16[ms] 固定のパルスを加え、パルスの ON 幅を変えることによって制御します。

サーボの回転角度とパルスの ON 幅の関係は、サーボのメーカや個体差によって多少の違いがありますが、ほとんどが図 3.24 のような関係になります。

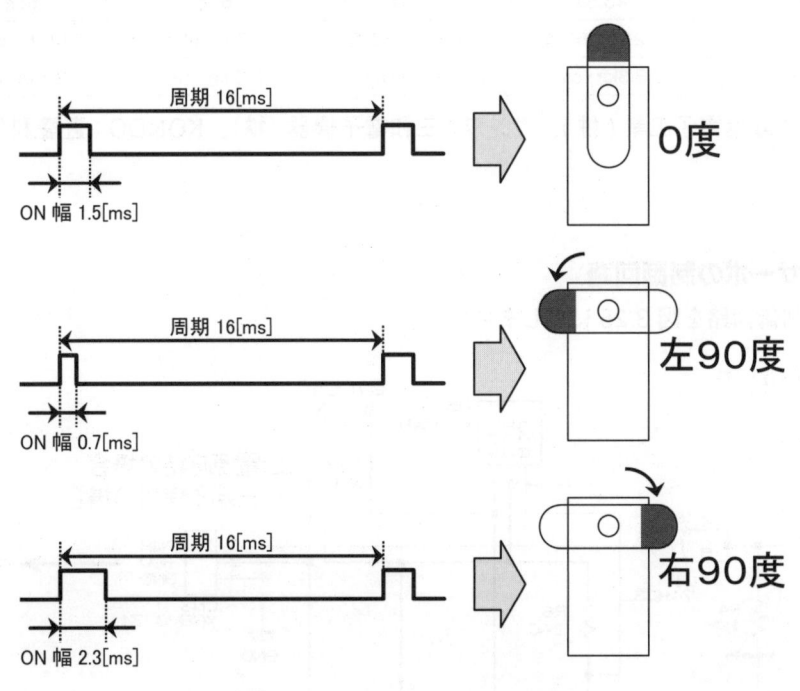

図 3.24　ON 幅とサーボ動作の関係

ポイント

- 周期は 16[ms] 固定
- 1.5[ms] の ON 幅の信号を加えると中心（0 度）になる
- 1.5 ± 0.8[ms] で ± 90 度のサーボ角度変化

H8 マイコンのリセット同期式 PWM モードで PWM 信号を生成して、サーボを制御します。

3.6.16 サーボの仕様

キットのサーボは、ハイテックマルチプレックスジャパン製（以下、ハイテック）の HS-425BB を使用しています。表 3.19 に仕様を示します。その他、値段は高いですが性能が良いサーボもいっしょに掲載します。

表 3.19　サーボの仕様

項目	ハイテック HS-425BB 4.8[V] 時	フタバ S9451 6.0[V] 時	サンワ ERG-RZ 6.0[V] 時	KONDO PDS-2123FET 7.2[V] 時
外形	40×20×36mm	40×20×36.6mm	39×20×37.4mm	41×20×38mm
重さ	45.5g	56g	60g	55g
スピード	0.21秒/60度	0.10秒/60度	0.07秒/60度	0.06秒/60度
トルク	3.3kg・cm	8.7kg・cm	8.0kg・cm	9.5kg・cm

※フタバ：双葉電子工業(株)、サンワ：三和電子機器（株）、KONDO：近藤科学（株）
の略です

3.6.17　サーボの制御回路

サーボの制御回路を図 3.25 に示します。

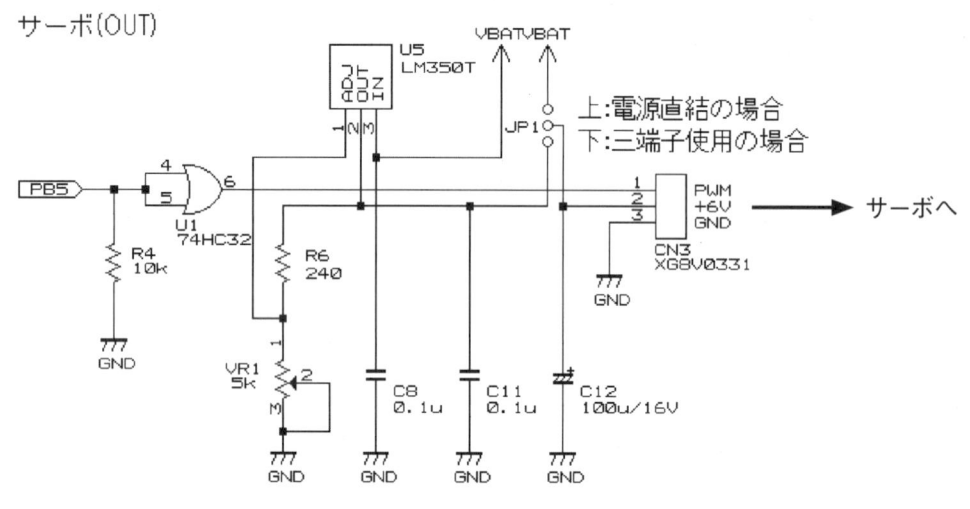

図 3.25　サーボの制御回路

1. H8/3048F-ONE の PB5 端子から PWM 信号を出力し、サーボの角度を制御します。
2. ポートと CN3（サーボコネクタ）の1ピンの間に OR 回路（74HC32）を入れてバッファとします。PB5 端子と CN3 の1ピンが直結の場合、CN3 の1ピンに誤って変な信号をつないでしまったときに PB5 端子が壊れてしまいます。間に 74HC32 などのバッファを入れておけば、万が一壊れてしまっても 74HC32 を交換するだけで済みます。
3. CN3 の2ピンは、サーボ用電源です。駆動系電源が電池4本の場合、JP1 の上側をショートして電源と直結します。それ以上の電圧の場合、サーボの定格を超えるので LM350 という 3[A] 電流を流せる三端子レギュレータを使って電圧を 6[V] 一定にします。JP1 は下側をショートさせます。

3.6.18 LEDの制御回路

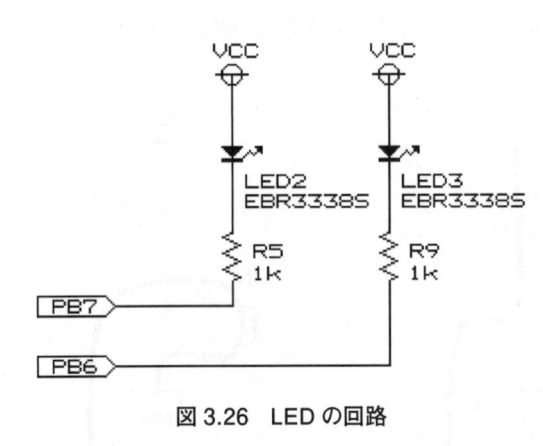

モータドライブ基板には3個のLEDが付いています。1個は電源を入れると点灯するLED、2個がマイコンで点灯・消灯できるLEDです（図3.26）。

LEDのカソードは、マイコンのポートに直結されています。ポートBは"0"出力のとき、10[mA]まで電流を流すことができます。ちなみに"1"出力のときは2[mA]しか流せません。

EBR3338Sは、データシートより順電圧1.7[V]、電流20[mA]流すことができます。

図3.26 LEDの回路

電流制限抵抗は、次の式で求めることができます。

$R = (V_{CC} - V_{LED}) / I \ [\Omega]$

R: 抵抗[Ω]　Vcc: 電源電圧[V]　V_LED:LEDに加える電圧[V]
I : LEDに流したい電流[A]

LEDに20[mA]の電流を流す場合、電流制限抵抗は、

$R = (5 - 1.7) / 20 \times 10^{-3}$
$= 165 [\Omega]$

となります。実際は、電池の消費電流を減らすのとポートの電流制限により、1[kΩ]の抵抗を接続しています。電流制限抵抗を求める式を改造して、電流を求めると、

$I = (V - V_{LED}) / R \ [A]$
$= (5 - 1.7) / 1 \times 10^{3}$
$= 3.3 [mA]$

となります。

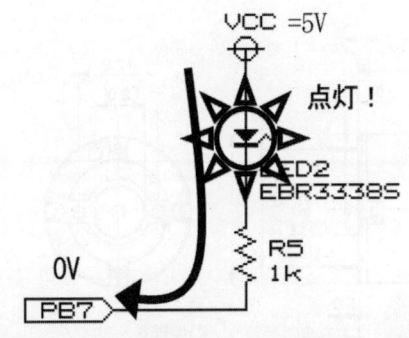

PB7に"0"を出力すると、LEDのカソード側が0[V]になり、電流が流れ、LEDは光ります。

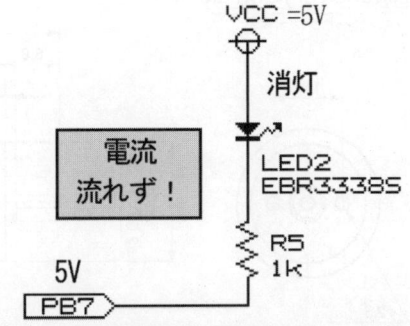

PB7に"1"を出力すると、LEDのカソード側が5[V]になり、LEDの両端の電位差は0[V]となり、LEDは光りません。

3.6.19　プッシュスイッチの制御回路

モータドライブ基板には、プッシュスイッチが1個付いています。図3.27に制御回路と動作を示します。

プッシュスイッチは、10[kΩ]でプルアップされ、PB0につながれています。

プッシュスイッチが押されていなければ、プルアップ抵抗を通して"1"がPB0に入力されます。

プッシュスイッチが押されると、GNDを通して"0"がPB0に入力されます。

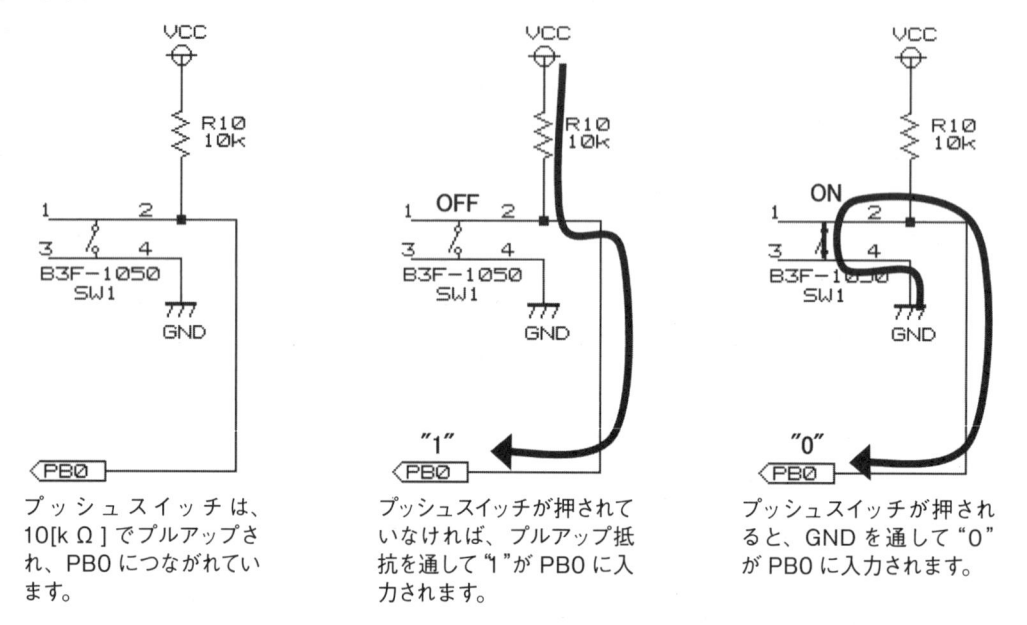

図3.27　プッシュスイッチの制御回路と動作

3.7　駆動モータ

高校生の2部門では、駆動部に「MCR」マークのある承認モータを使用しなければいけません。承認モータは、マブチモータ製の「RC-260RA-18130」です。高校生 Advanced Class の部では使用個数の制限はありませんが、高校生 Basic Class の部は必ず2個使用しなければいけません。

3.7.1　寸法

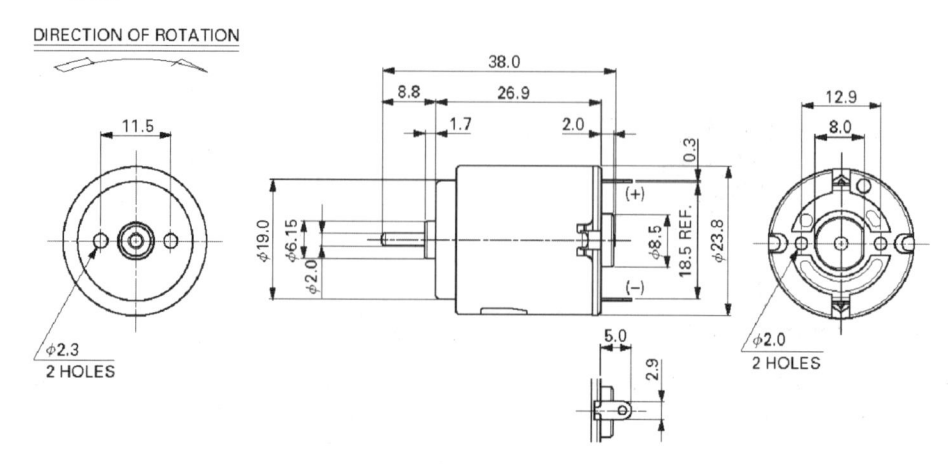

> **コラム** モータに空いている穴について
>
> モータの軸側に2個、端子側に2個の直径2[mm] 程度の穴が空いています。この穴にネジを入れて、モータを固定しているマイコンカーを見かけます。この穴の目的は空気通り穴で放熱の役割をします。できるだけこの穴をふさがないようにしましょう。

3.7.2 仕様

4.5[V] のデータは、データシートより転載しています。詳しくは後述しますが、回転数、トルク、電流は電圧に比例します。表 3.20 に各電圧時のモータの 4 点性能を示します。4.8[V] 時、6.0[V] 時、10.0[V] 時のデータは 4.5[V] を基に比例計算しています。

表 3.20　RC-260RA-18130 の 4 点性能

電圧[V]	無負荷時			最高出力時			停止時		
	回転数 No[rpm]	電流 Io[A]	トルク To[mN・m]	回転数 [rpm]	電流 [A]	トルク [mN・m]	回転数 Ns[rpm]	電流 Is[A]	トルク Ts[mN・m]
4.5	9800	0.14	0	4900	0.93	3.53	0	2.00	7.06
4.8	10450	0.14	0	5230	1.00	3.77	0	2.13	7.53
6.0	13000	0.14	0	6500	1.27	4.71	0	2.67	9.41
10	21700	0.14	0	10850	2.15	7.85	0	4.44	15.69

■モータ 4 点性能

モータ性能の次の 4 項目をモータの 4 点性能と呼びます。

・無負荷回転数 :No

モータに負荷がかかっていない状態で電圧を端子間に印可したときの、シャフトの回転数 [rpm] のことです。

・無負荷電流 :Io

モータに負荷がかかっていない状態で電圧を端子間に印可したときの、電流 [A] です。

・停動トルク：Ts

回転中のモータの負荷を増加させてモータの回転が停止したときの、トルク [mN・m] です。

・停動電流：Is

回転中のモータの負荷を増加させてモータの回転が停止したときの、電流 [A] です。

モータの性能線図は、
- 横軸にトルク
- 縦軸に回転数
- 縦軸に電流

をとったグラフとなります。

　モータの電圧のみが変化した場合、性能は電圧に比例します。無負荷電流はほぼ変わりません。元の電圧を V[V]、知りたい性能の電圧を V'[V] とすると、次のような計算式になります。

無負荷回転数　No' = No × V'/ V [rpm]

無負荷電流　　Io' ≒ Io [A]

停動トルク　　Ts' = Ts × V'/ V [mN・m]

停動電流　　　Is' = Is × V'/ V [A]

V=4.5[V]　V'=10.0[V] とすると、次のように求めることができます。図3.28 に 4.5[V] と 10.0[V] の性能線図を示します。

無負荷回転数　No' = 9800 × 10 / 4.5 = 21700 [rpm]

無負荷電流　　Io' ≒ Io = 0.14 [A]

停動トルク　　Ts' = 7.06 × 10 / 4.5 = 15.69 [mN・m]

停動電流　　　Is' = 2.00 × 10 / 4.5 = 4.44 [A]

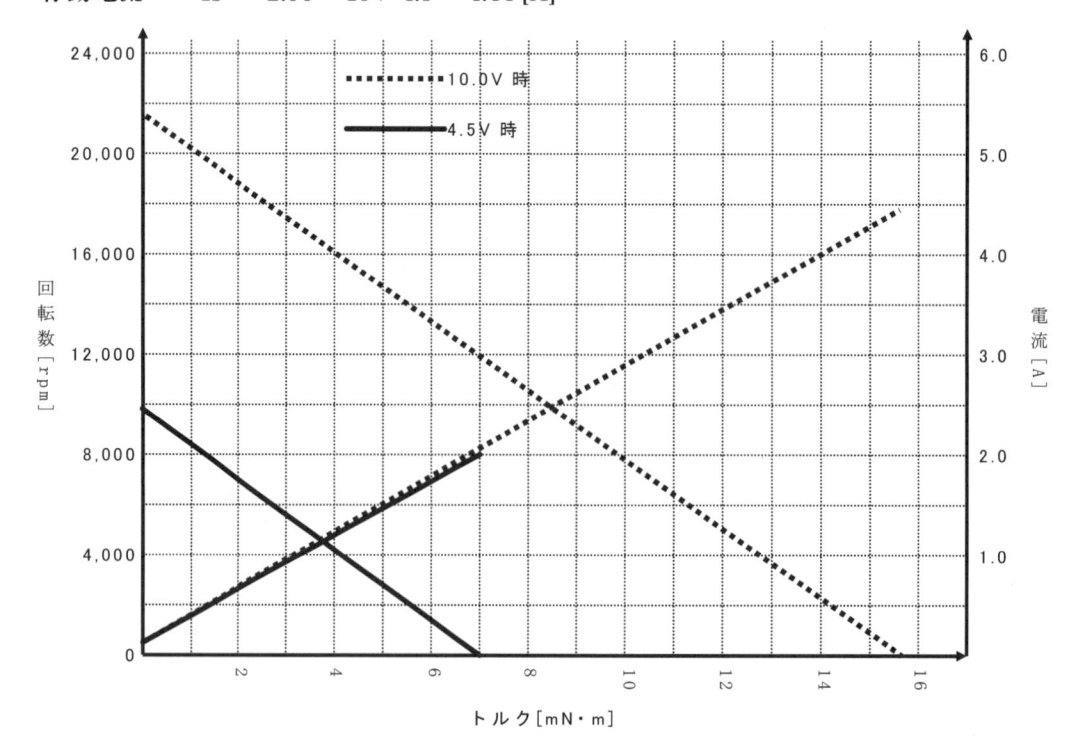

図3.28　RC-260RA-18130 の性能線図

■回転数

表3.20にある回転数は、1分間に何回転するかを表しています。単位は「回転／分」を英語にした「revolutions per minute」を省略し「rpm」で表します。9800[rpm]は、1分間に9800回転するということです。1秒間の回転数は、60で割ればよいので

  1秒間の回転数＝ 9800 ÷ 60 ＝約 163[rps] ※ rps = revolutions per second

となります。

■トルク

トルクは、日本語に訳すと「回転力」となります。トルクの説明の前に、「重さ」と「質量」の違いを理解する必要があります（図3.29）。

> 質量…物質固有の量で、宇宙のどこでも変わりません。単位は、[g]（グラム）、[kg]（キログラム）などを使います。地球でも月でも1[kg]の質量の物体は1[kg]です。
>
> 重さ…その物体にはたらく重力の大きさ（物体の質量に比例）です。単位は、[kgf]（キログラムじゅう、またはじゅうりょうキログラム）、[N]（ニュートン）などを使います。地球での質量1[kg]の物体の重さは1[kgf]です。月での質量1[kg]の物体の重さは約1/6[kgf]です。以後、特に断りがない場合は、地球での重さのこととします。

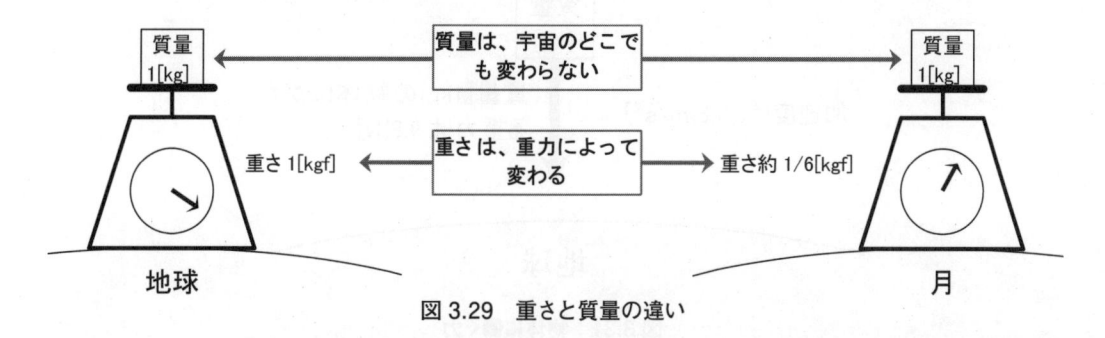

図3.29 重さと質量の違い

ちなみに「重さ」の単位は、「力」の単位でもあります。「10[kgf]で押す」などと普段から使っています（通常は[kg]と言っていますが厳密には[kgf]です）。

地球で質量1[kg]の物体の重さを1[kg]と決めているので、「重さ」と「質量」を混同しやすいですが、まったく別の単位です。混乱してしまった場合は、地球と月での重さ、質量の関係を思い出してください。

力を表す単位としてもうひとつ、[N]（ニュートン）があります。質量1[kg]の物質に1[m/s^2]の加速度を生じさせる力を1[N]といいます（図3.30）。このように力の単位を決めると、力、質量、加速度の間には次の関係式が成り立ちます。

  $F = m \cdot a$
  F: 力 [N] m: 質量 [kg] a: 加速度 [m/s^2]

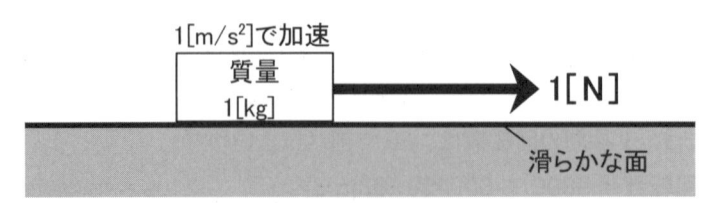

図3.30　1[N]の定義

ちなみに、物体には下向きの重力も働いていますが、面からも上向きに重力と同じ大きさの力が働いているのでこの二つの力が打ち消しあい、結局働いていないのと同じになります。

質量1[kg]の物体を高いところから手を離すと重力によって落ちます。このときの加速度は、9.8[m/s²]です（ただし空気抵抗は無視します）。これを重力加速度といいます。このときの力（重力）をF[N]とすると、

$F = m \cdot a = 1 \times 9.8 = 9.8[N]$

となります（図3.31）。地球では質量1[kg]の物体に約9.8[N]の重力が働いています。これは、質量m[kg]の物体には、9.8 × m [N]の重力がかかっているということです。

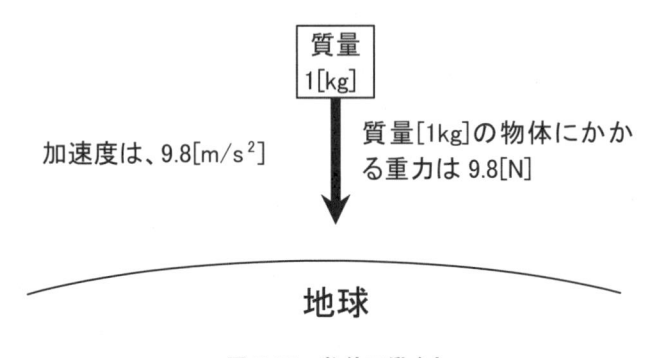

図3.31　物体に働く力

まとめると、質量、重さ、力の関係は次のようになります。

1[kg]の重さ = 1[kgf] = 9.8[N] 　　　（正確には9.80665）

話をモータに戻します。図3.32のように、回転軸からr[m]離れた重量m[kgf]の重り（通常m[kg]といっている）を持ち上げるときの回転力（トルク）は、

$T = F \cdot r = 9.8 \cdot m \cdot r$ 　（F = 重力加速度・m = 9.8・m）

T：トルク[N・m]（ニュートンメートル）　F：力[N]　m：重量[kgf]　r：半径[m]

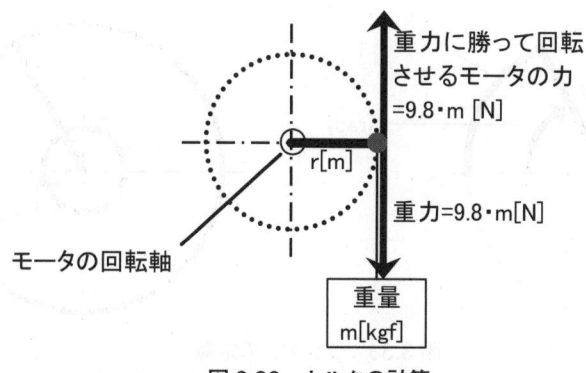

図 3.32　トルクの計算

　ちなみに、モータ特性表にあるトルクの単位 [mN・m] の最初の「m」は単位の接頭語で「ミリ」です。したがって、

　　　mN・m = 10⁻³ × N・m

です。4.5[V] 時の停止トルク 7.06[mN・m] は、

　　　7.06[mN・m] = 7.06 × 10⁻³ [N・m] = 0.00706 [N・m]

となります。電池で動くような小さいモータは、[mN・m] という単位を使うことが多いです。

　トルクが大きいモータほど、回す力が強いことになります。前記のとおりトルクは電圧に比例するので 4.5[V] のとき、停止トルクは 7.06[mN・m] なので、10[V] のときのトルクは、

$$7.06 \times \frac{10}{4.5} = 15.69 \, [mN・m]$$

となります。

■角速度

　角速度とは、回転の速さを表します。1 秒間の回転角はいくらかということです。角速度では、角度の単位に [度] は使いません。[rad]（ラジアン）という単位を使います。1[rad] は、半径 1 の円のとき、円周上も 1 の長さだけ進んだときの角度です（**図 3.33**）。円周 (1 周の長さ) は、

　　　円周＝ 2πr ＝ 2π×1 ＝ 2π

なので、1 周の角は、

　　　1 周の角＝ 360[度] ＝ 2π [rad]

となります。

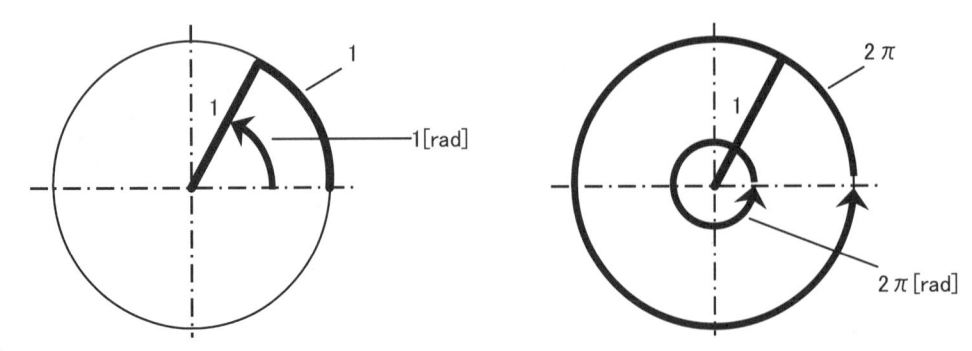

図 3.33 ラジアンの定義

　角速度はω（オメガ）と書き、単位は [rad/s]（ラジアンパー秒、またはラジアン毎秒）となります。1秒で1回転するときの角速度ωは、

　　　ω = 2π [rad/s]

となります。πは円周率の「パイ」です。数値に直すと、

　　　ω = 2π ≒ 2 × 3.14 = 6.28[rad/s]

となります。通常、πはそのままにしておきます。

　モータの回転数を表すとき、私達になじみのある [rpm] を使います。モータの性能計算では、[rad/s] をよく使います。n[rpm] をω [rad/s] に変換してみましょう。まず、n[rpm] で回転しているときの1秒間の回転数 [rps] は、

　　　n[rpm] = n/60[rps]

　1秒間に1回転のとき、角速度は 2π [rad/s] なので、

　　　ω = 2π × 1秒間の回転数
　　　　 = 2π × (n/60)
　　　　 = n・π /30 [rad/s]

となります。

■モータ出力

　モータ出力とは、1秒あたりにモータがいくら仕事をしたかで表します。単位は、[W]（ワット）です。仕事とは、「力」×「移動した距離」です。半径 r[m] の円周上をモータが力 F[N] を加えながら角速度ω [rad/s] で回転するとき、1秒間に円周上を進む距離は、rω [m] です。よって、この仕事は F × rω となります。F × r はトルク T ですから、このモータの出力 P は、

　　　P = T・ω

　　　P：出力 [W]　T：トルク [N・m]　ω：角速度 [rad/s]

　また、先ほどの [rad/s] と [rpm] の変換式より、

　　　P = T・n・π /30

　　　P：出力 [W]　T：トルク [N・m]　n：回転数 [rpm]

とも表せます。

モータ出力が最大になるときは、無負荷回転速度の約1/2の速度のときです。このときトルクは、停止トルクの1/2になります。表3.20のとき、6.0[V]時と10.0[V]時の出力を計算してみます。表は[mN・m]なので単位に気をつけます。

6.0V 時 → $P = T \cdot n \cdot \pi / 30 = 4.71 \times 10^{-3} \times 6500 \times 3.14 / 30 = 3.20$ [W]
10.0V 時 → $P = T \cdot n \cdot \pi / 30 = 7.85 \times 10^{-3} \times 10850 \times 3.14 / 30 = 8.91$ [W]

モータ出力は、電圧の2乗に比例します。電圧から電力を求めることもできます。例えば、6.0[V]のとき3.20[W]なら、10.0[V]のときのモータ出力は、

P = 6.0[V] 時の出力 × $(10/6)^2$
　 = $3.20 \times 100/36$
　 ≒ 8.89 [W]

となります。

3.8 ギヤボックス、タイヤ

ギヤボックスは、タミヤ製の「ハイスピードギヤボックスＨＥ」を使用しています。ギヤ比が11.6：1と18：1の2種類あり、組み立て時に選ぶことができます（図3.34）。

| 11.6：1のときのギヤ比 | 18：1のときのギヤ比 |

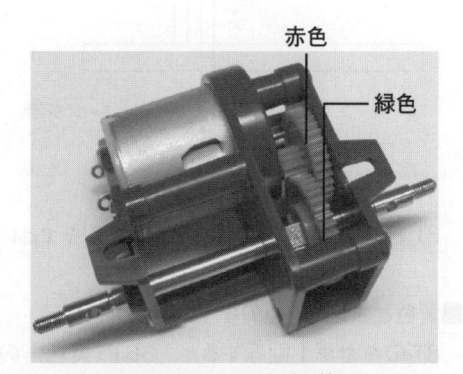

図3.34　ハイスピードギヤボックスのギヤ比

ギヤは、力を強くするために使います。ただし、反比例して回転が遅くなります。
ギヤ比 11.6:1 は「モータ1の力に対して、ギヤボックスの軸は11.6倍の力を出すことができる」ことです。その代わり、回転数が1/11.6回転になります。ギヤ比 18:1も同様の考え方です。

どちらのギヤ比にするかは、皆さんの自由です。一般的な考え方を表3.21に示します。

表3.21 ギヤ比と加減速、速度の関係

ギヤ比	加速	減速	最高速度
低い (11.6:1) ↕ 高い (18:1)	ゆっくり加速 ↕ すばやく加速	ゆっくり減速 ↕ すばやく減速	速い ↕ 遅い

図3.35にギヤ比とスピードの関係を示します。

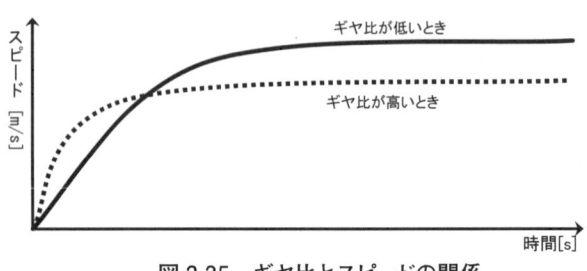

図3.35 ギヤ比とスピードの関係

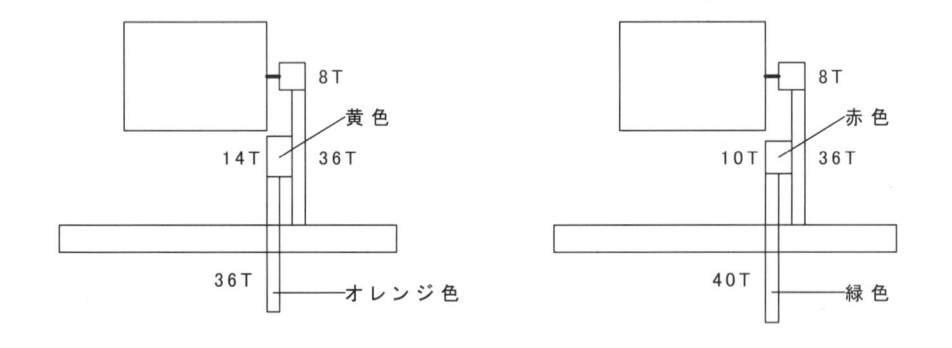

> **コラム** ハイスピードギヤHEのギヤ比の計算
>
> 8Tとは、ギザギザの数が8個あるギヤという意味です。
>
> ■黄色とオレンジ色のギヤの場合
> 　8Tのギヤが1回転すると、36T（黄色）のギヤのギザギザ8個分動きます。これは8Tのギヤが1回転すると、36Tのギヤが8/36回転するということです。
> 　14Tのギヤが1回転すると、36T（オレンジ色）のギヤのギザギザ14個分動きます。これは14Tのギヤが1回転すると、36Tのギヤが14/36回転するということです。
>
> 　二つを合わせると、
>
> $$\frac{8}{36} \times \frac{14}{36} = \frac{112}{1296} = \frac{1}{11.5714\cdots} \rightarrow 11.5714\cdots : 1$$

となります。ハイスピードギヤボックスHEの説明書に書いてある「11.6：1」は、正確には「11.5714…：1」と割り切れない値となります。小数第二位で四捨五入して、「11.6：1」と表記しています。

■赤色と緑色のギヤの場合

8Tのギヤが1回転すると、36T（赤色）のギヤのギザギザ8個分動きます。これは8Tのギヤが1回転すると、36Tのギヤが8/36回転するということです。

10Tのギヤが1回転すると、40T（緑色）のギヤのギザギザ10個分動きます。これは10Tのギヤが1回転すると、40Tのギヤが10/40回転するということです。

二つを合わせると、

$$\frac{8}{36} \times \frac{10}{40} = \frac{80}{1440} = \frac{1}{18.000} \rightarrow 18:1$$

となります。ハイスピードギヤボックスHEの説明書に書いてある「18：1」と実際の計算値は一致します。

タイヤは、タミヤ製の「スポーツタイヤセット」を使用しています（図3.36）。直径約54mm、幅約25mmです。キットでは、スポーツタイヤを1輪1個、合計4個使用しています。ギヤボックスは、後輪タイヤに左右1個ずつ、合計2個使用しています。

図3.36　スポーツタイヤセット

図3.37　シャフトの穴

タイヤを付けるシャフトには穴が空いています（図3.37）。

穴にスプリングピンを差し込みます。この部分にスポーツタイヤセットのホイールハブを差し込み、ギヤボックスの軸が回転しても空回りしないようにしています（図3.38）。

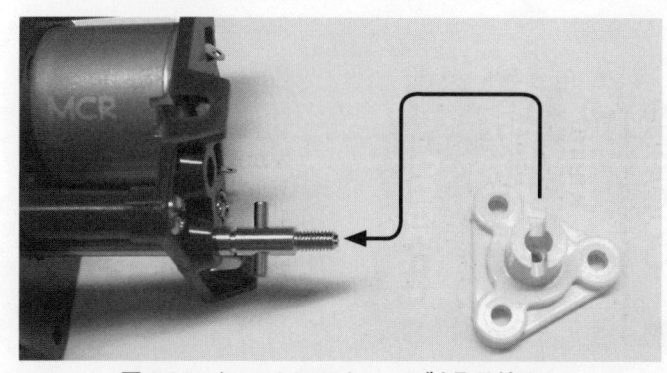

図3.38　シャフトにホイールハブを取り付ける

3.9 電池

マイコンカーでは、次の電池を使用することができます。
・単三アルカリ電池
・単三2次電池（充電電池）

ルール上は混在可能ですが、電池メーカの注意書きに「混在不可」という記述があるので混在して使いません。電池の使い方は、参加部門により異なります（表3.22）。

表3.22 部門と電池の使い方

部門	電池の使い方
高校生 Advanced Class の部	8本以内で使用します。
高校生 Basic Class の部	駆動用に4本、制御用に4本、合計8本使用しなければいけません。
一般の部	8本以内で使用します。

3.9.1 電池の特徴

電池の特徴を表3.23に示します。

表3.23 電池の特徴

一次電池	アルカリ電池	公称電圧は1.5[V]です。新品の電池はおおむね、1.6〜1.7[V]あります。使い切りで、電圧が低下するともう使えません。 マイコンカーキットは、電池4本を直列にして制御系（CPUなど）、駆動系に供給しています。アルカリ電池4本を直列にすると6.0[V]以上となり、CPUボードの上限である5.5[V]を超えてしまいます。制御系にアルカリ電池は使えません。
二次電池	ニカド電池	ニカドはニッケルカドミウムを省略した名称です。 公称電圧は1.2[V]です。電圧が低下しても充電して繰り返し使える電池です。放電容量は500〜1000[mAh]（ミリアンペアアワー）くらいの電池が多いです。最近は、ニッケル水素電池の方が性能が高く、またニッケルカドミウムは公害であるため、ほとんど使われません。
	ニッケル水素電池	公称電圧は1.2[V]です。電圧が低下しても充電して繰り返し使える電池です。放電容量は2000〜2700[mAh]（ミリアンペアアワー）くらいの電池が多いです。単三型の二次電池としては現在主流です。

左から1〜3本がアルカリ電池、4〜6本目がニッケル水素電池、7本目がニカド電池

3.9.2 放電容量

放電容量は、電池の容量のことです。単位は、[mAh]（ミリアンペアアワー）です。

W＝I・t

W: 放電容量 [mAh]　I: 放電時の電流 [mA]　t: 終止電圧に達するまでの時間 [h]

例えば、2000[mA] を1時間流し続けることができる電池の放電容量は次のようになります。

W＝I・t＝2000×1＝2000 [mAh]

放電容量が大きいと、電流を多く流せると勘違いしがちですがこれは間違いです。放電容量はどのくらいの時間、電流を流せるかということになります。電流を多く流せるかどうかは、次の説明の内部抵抗との関わりです。

3.9.3 内部抵抗

電池の中には必ず抵抗成分が入っています。これを内部抵抗といいます。図3.39では、rが内部抵抗です。

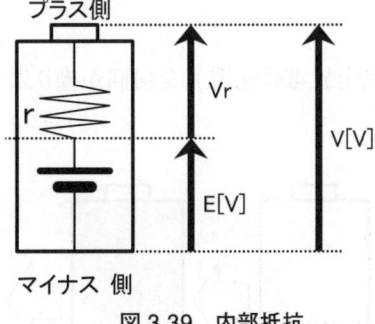

図3.39　内部抵抗

電池により内部抵抗rの大きさが違います。おおむね

　　　　アルカリ電池　＞＞　ニッケル水素電池　＞　ニカド電池

の関係です。充電電池とアルカリ電池を比べると、アルカリ電池の方が公称電圧は高いですが内部抵抗が大きいため、モータを回すなど大電流では電圧降下が大きくなります。充電電池は公称電圧は 1.2[V] とアルカリ電池より低いですが、大きい電流を流すことができるためマイコンカーでは充電電池が向いています。

内部抵抗だけを比較すればニカド電池がいちばん低く、マイコンカーではいちばんスピードが出せます。しかし、公害の問題はもとより、ニッケル水素電池と比べ放電容量が少ないため、決勝トーナメントなどで何度も走らせるときは、ニッケル水素電池の方が良いかもしれません。いろいろ試してみましょう。

3.9.4 メモリ効果

メモリ効果とは、ニカド電池やニッケル水素電池などに見られる、容量が減少したように振る舞う現象のことです。「容量が減少したように振る舞う」がポイントで、「容量が減少した」訳では

ありません。

　ニッケル水素電池はメモリ効果がないと思っている方がいるようですが、これは間違いです。ただし、ニカド電池に比べるとニッケル水素電池はメモリ効果は少なくなっています。

　容量がまだ残っている状態で充電を行うと、容量が残っていた部分が使われなくなってしまいます（図3.40）。

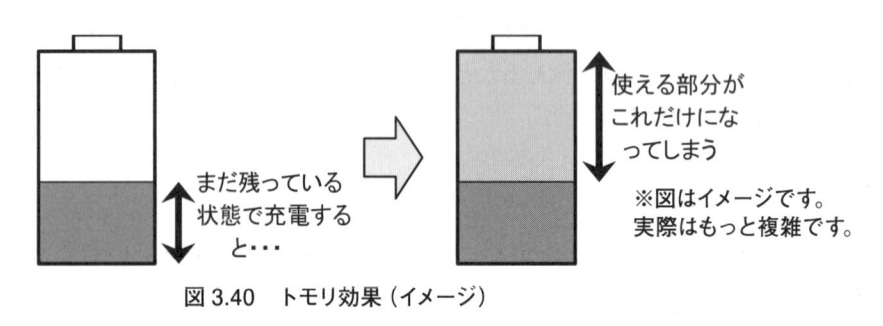

図3.40　トモリ効果（イメージ）

　メモリ効果を解消するには、「完全放電⇔充電」を何回か繰り返すことにより解消されます（図3.41）。

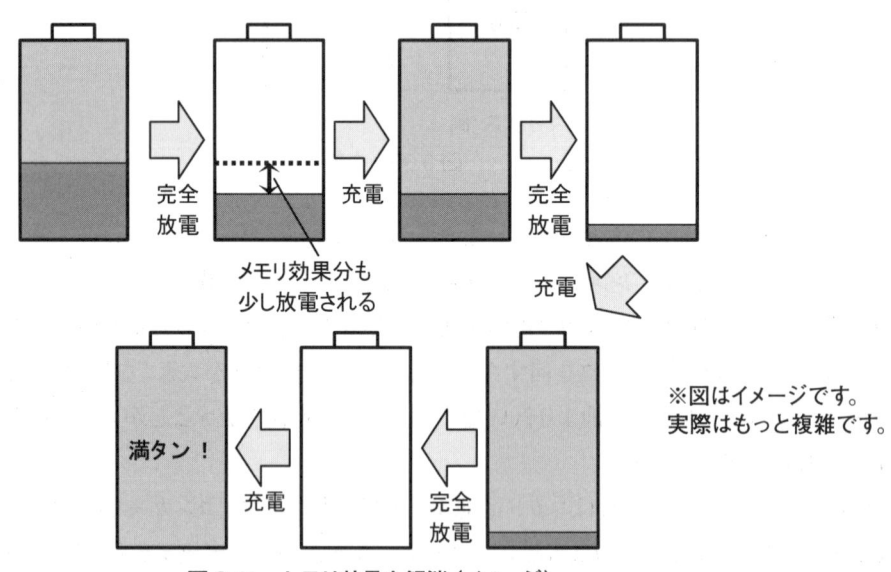

図3.41　トモリ効果を解消（イメージ）

　中途半端な放電状態で終わった場合、電球やセメント抵抗などで放電させるとメモリ効果を防止することができます。しかし、**電圧が低下して完全放電しているにも関わらず抵抗などの負荷を繋ぎっぱなしにすると過放電となり、電池の寿命が短くなったり、液漏れなどがおきることがあります。**目安としては、電圧が1.0[V]まで下がればこれ以上放電する必要はありません。

コラム　簡単な放電器の製作例

ここでは、リレー使った自動的に放電が終わる、簡単な放電器の製作例を紹介します。

■部品表（電池4本直接使用）

部品番号	名称	型式	メーカ	数量
	基板	100×70mm 程度		1
CN1	コネクタ			1
RY1	リレー	G5V-2	オムロン（株）	1
R1	セメント抵抗	5Ω 10W 程度		1
R2	抵抗	330Ω		1
LED1	LED	EBR3338S など	スタンレー電気（株）	1

■回路図（電池4本直接使用）

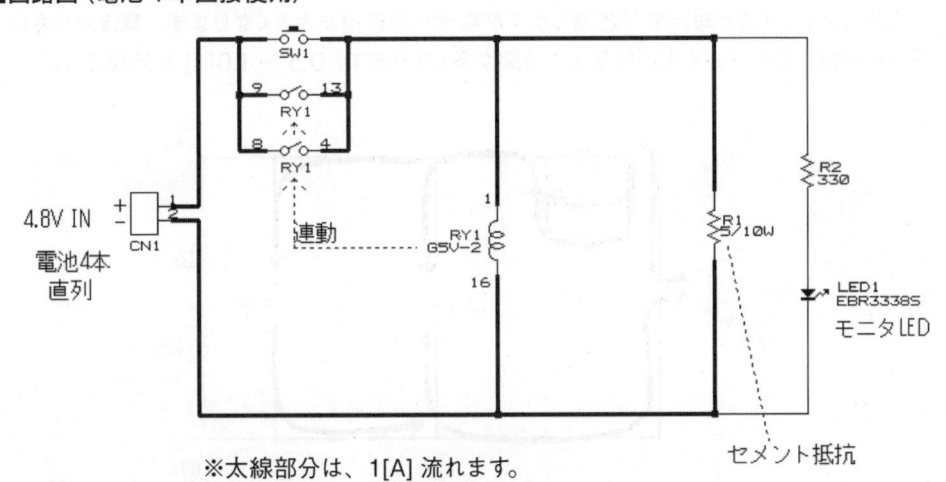

※太線部分は、1[A] 流れます。
0.5[mm²] 以上の線を使ってください。

■製作例

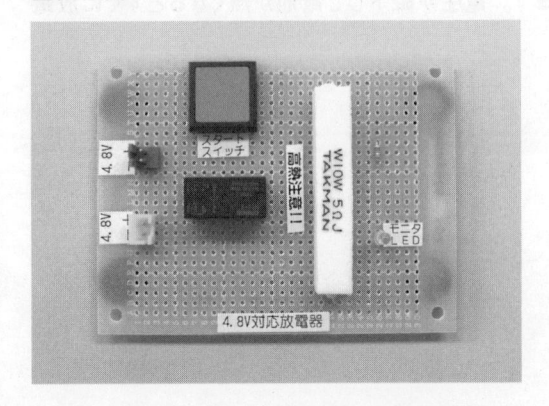

■動作原理

　SW1を押すと、リレーに電圧がかかり、リレーの接点がONになります。

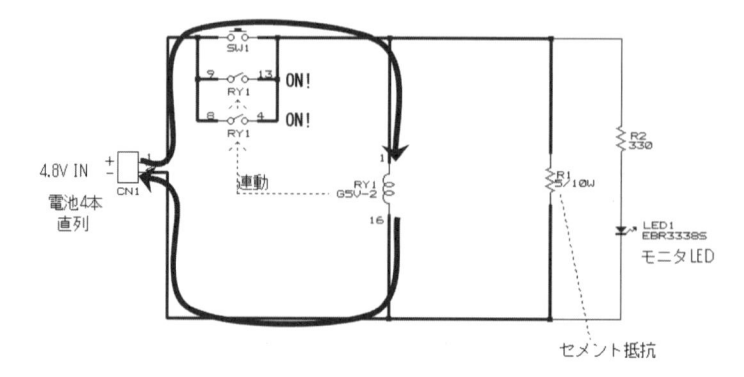

　SW1を離しても、リレーの接点がONになっているため、セメント抵抗に電流が流れ続けます。流れる電流は次のとおりです。

　　　　I = E/R = 4.8 / 5 = 約1[A]

　電流を大きくすると短時間で放電しますが電池への負担が大きくなります。電流が小さいと電池への負担は小さいですが放電する時間が多くなります。0.5～1.0[A]が無難でしょう。

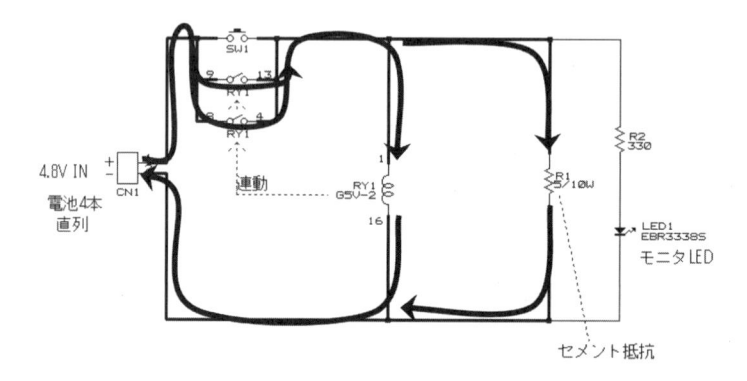

　電池の電圧が降下すると、リレーの接点がOFFになるので、自動的に放電が終了します。電池を放電しすぎると電池を痛めてしまいます。電圧が降下して電池が無くなるとすぐに放電をやめるのが理想です。

■部品表（電池8本直接使用）

部品番号	名称	型式	メーカ	数量
	基板	100×70mm 程度		1
CN1	コネクタ			1
RY1	リレー	G5V-2	オムロン（株）	1
R1	**セメント抵抗**	**10Ω 20W 程度**		1
R2	**抵抗**	**1KΩ**		1
LED1	LED	EBR3338S など	スタンレー電気（株）	1
D1～D8	**ダイオード**	**10DDA10 など**	**日本インター（株）**	8

※太字は 4.8V 時から変更、または追加の部品

■回路図（電池8本直接使用）

　電池8本の場合、セメント抵抗の抵抗値を 10[Ω] にして流れる電流は 1[A] にします。また、リレーの定格は 5[V] なので、ダイオードで電圧降下させてリレーにかかる電圧を 5[V] 程度になるようにします。ダイオードの数は、

　　　ダイオードの電圧降下分 ＝ 電源電圧 9.6[V] - リレーの定格 5[V] ＝ 4.6[V]

　ダイオード1個で約 0.6[V] 電圧降下するので、

　　　ダイオードの個数 ＝ 4.6 / 0.6 ＝ 7.67 ≒ 8 個

　よって、ダイオードを8個直列につなげます。または、12[V] 定格のリレーを使えば、ダイオードを入れる必要はありません。

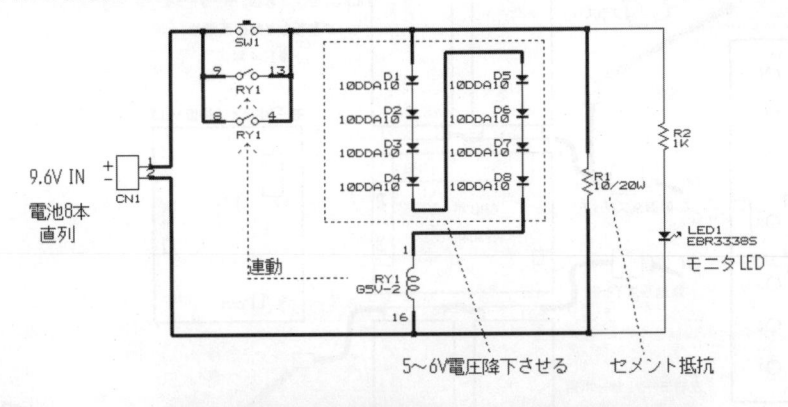

■製作例

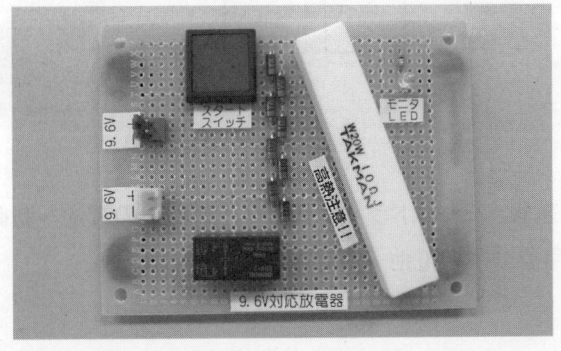

3.10 マイコンカーキットの接続確認

■電源のチェック

まだ、電池ボックスのコネクタは外しておきます。繋いでいない状態で、制御系スイッチ、駆動系スイッチを ON にしておきます。次に電池ボックスに電池を入れます。電池は

・制御系の電池として、充電電池 4 本
・駆動系の電池として、充電電池 4 本、またはアルカリ電池 4 本

をセットします。

制御系の電圧は、4.5 〜 5.5[V] の範囲にする必要があります。アルカリ電池の場合、6[V] 以上（1.5[V] × 4 本）となり、動作保証範囲外になるので、制御系電源にアルカリ電池は使えません。

次にスイッチを ON にしたときに、

・充電電池なら　　　　　1.2[V] × 4 = 4.8[V]（充電したてなら 5.2[V] 程度）
・単三アルカリ電池なら　1.5[V] × 4 = 6.0[V]（新品なら 6.5[V] 程度）

か確認します。電圧が出力されていなかったり、極性が逆の場合、直します。

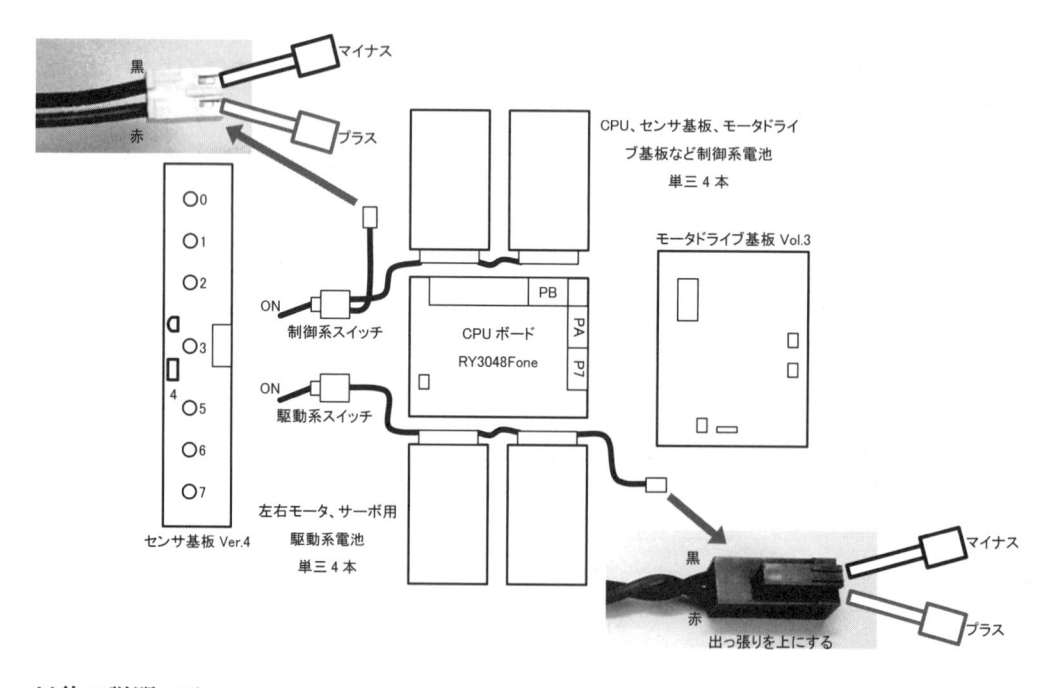

以後の説明では、

・CPU ボード、センサ基板、モータドライブ基板など制御系の電池→制御系電源
・左右モータ、サーボ用駆動系の電池→駆動系電源

と説明していきます。

第 3 章　マイコンカーキット Ver.4 のハードウェア

■ CPU ボードのチェック

　CPU ボードの赤いスイッチを外側（FWE 側）にします。その後、制御系電源のコネクタを接続します（制御系スイッチは ON のままです）。

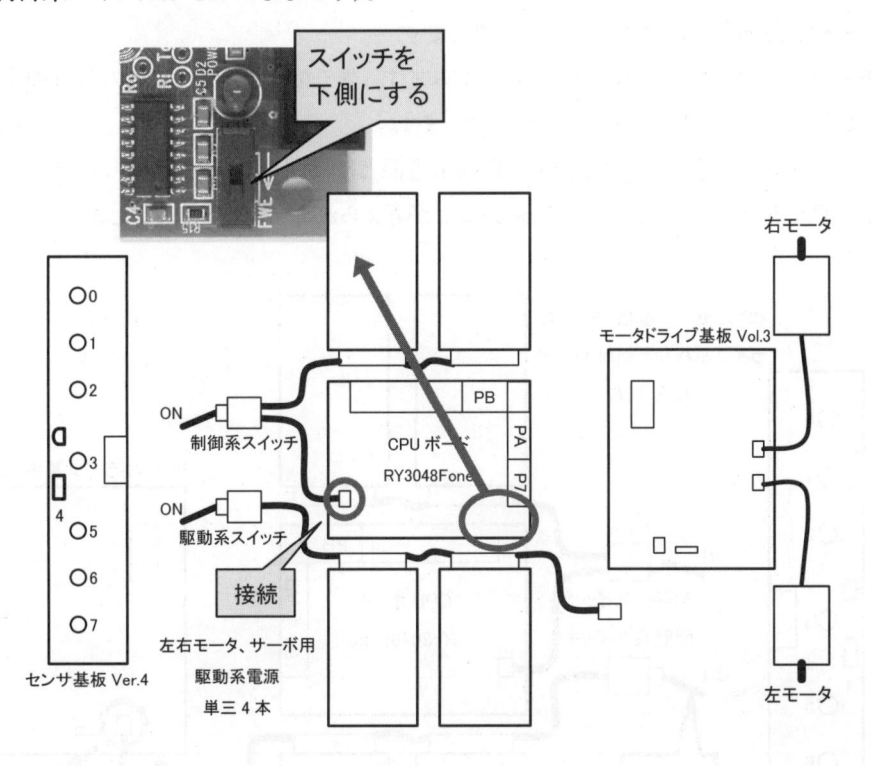

　このとき、CPU ボードの LED が点灯するかチェックします。点灯しなければ電源コネクタの接続ミスなどが考えられますのでチェックします。次に 20 ピンコネクタの 1 ピンにテスタのプラス側、20 ピンにテスタのマイナス側を接続して、電圧を測ります。制御系電源とほぼ同じ電圧なら正常です。これ以外の電圧の場合、電池が無いか、他の不具合が考えられますのでチェックします。

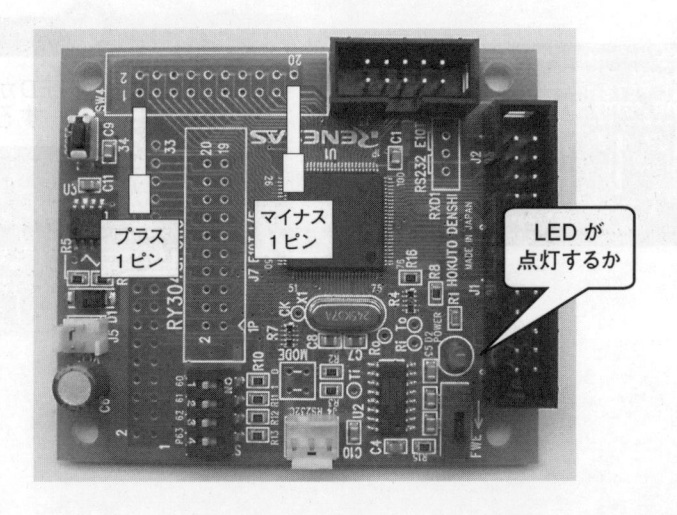

117

Micom Car Rally

■モータドライブ基板のチェック

駆動系電源のコネクタをモータドライブ基板に接続します（駆動系スイッチは ON のままです）。

モータドライブ基板の LED が点灯するか確認します。光っていない場合は、モータドライブ基板のショートなどが考えられますのでチェックします。

次に、モータドライブ基板の部品を手で触ってみます。熱くなっていたら部品の付け間違いなどが考えられますのですぐに電源を切ってチェックします。

次に、テスタで電圧をチェックします。駆動用電源とほぼ同じ電圧が出力されるかチェックします。電圧が低い場合は、部品の付け間違いなどが考えられますのでチェックします。

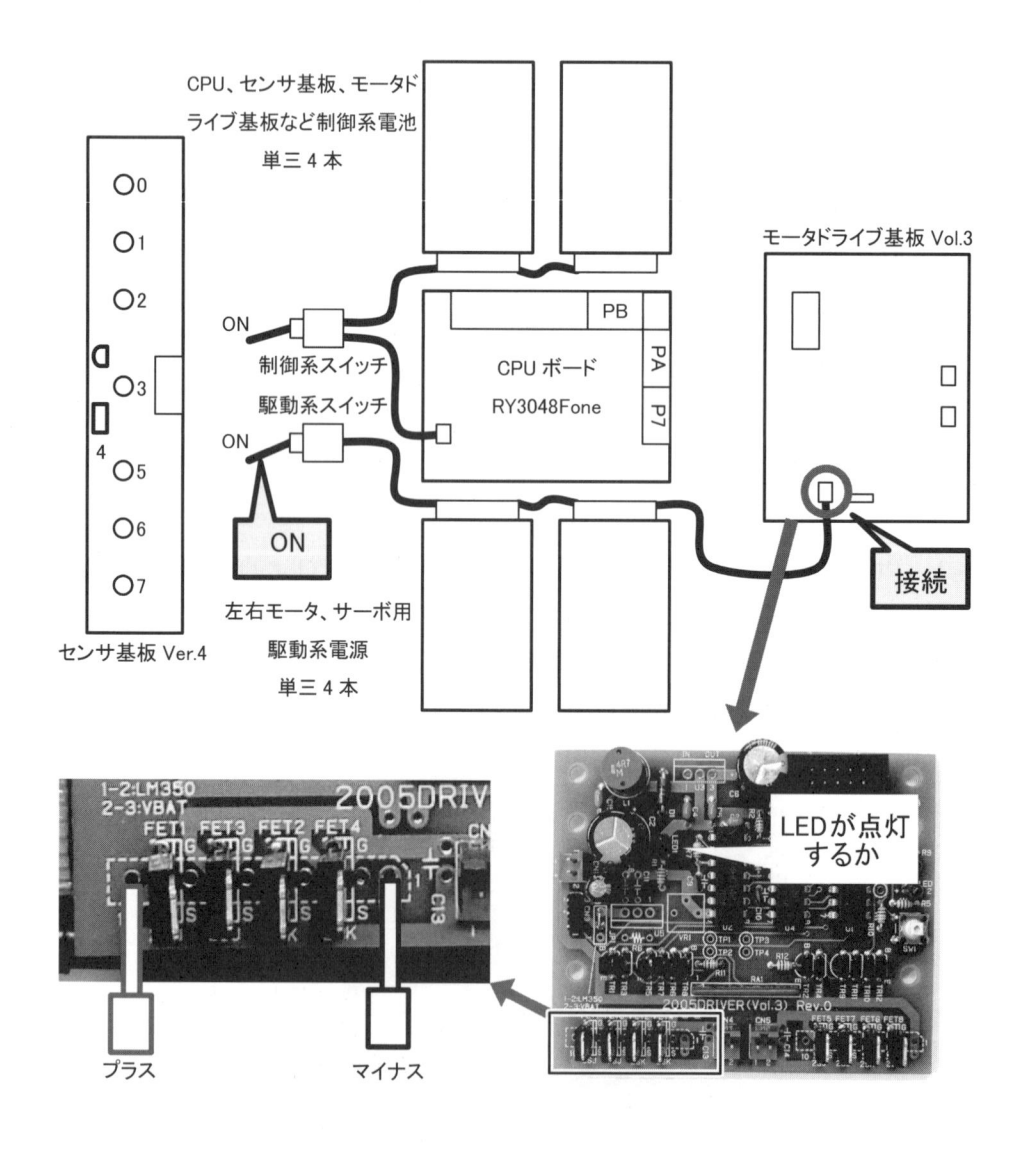

第3章　マイコンカーキット Ver.4 のハードウェア

■モータの接続チェック

　左モータ、右モータを接続します。次にCPUボードのポートBとモータドライブ基板の10ピンコネクタをフラットケーブルで接続します。モータが回らなければ正常です。モータが回った場合、部品の付け間違いなどが考えられますのでチェックします。

　次にモータドライブ基板のU1の14ピンにテスタのプラス側、7ピンにテスタのマイナス側を接続して電圧を測り、制御系電源の電圧とほぼ同じか確認します。

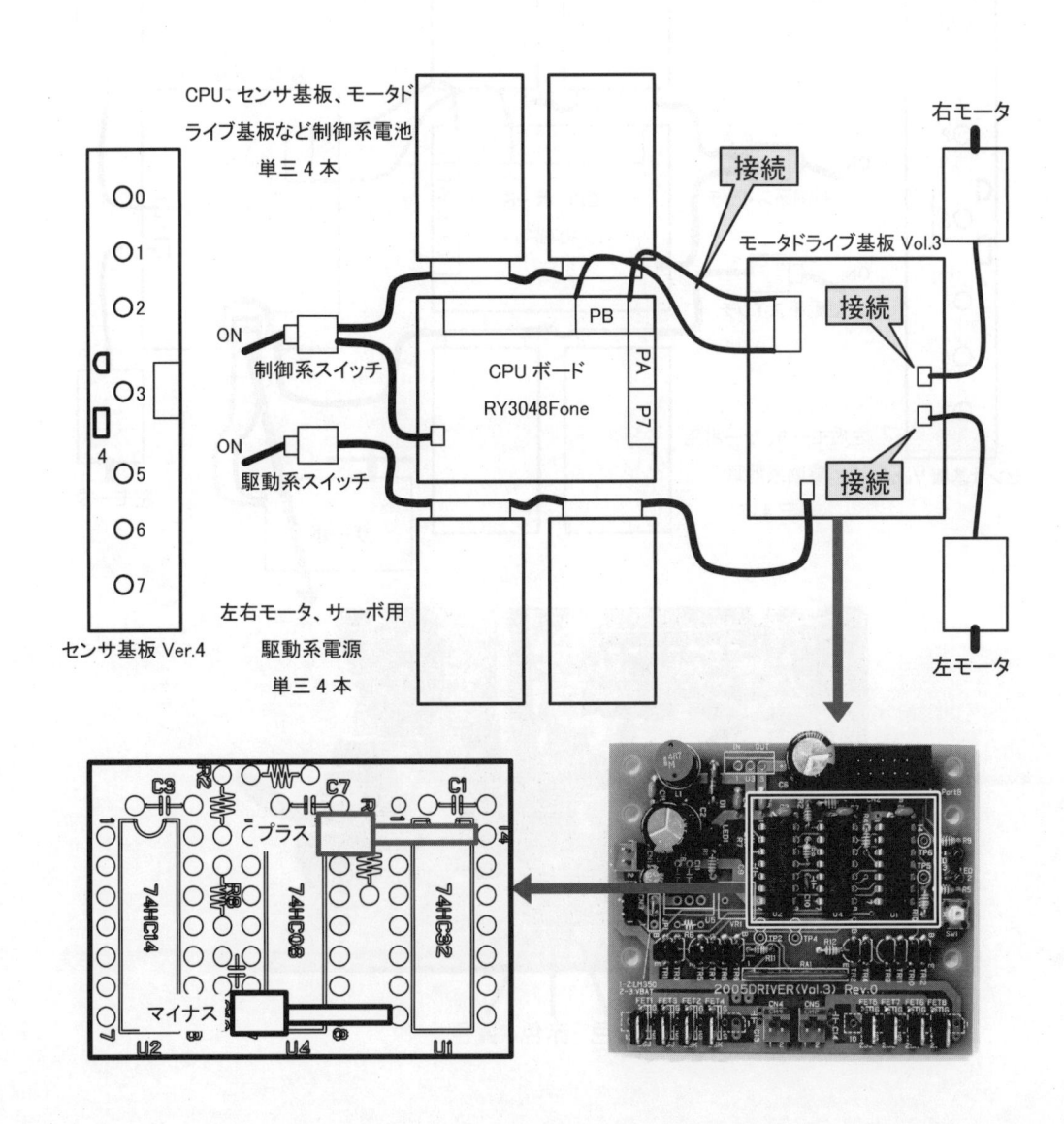

Micom Car Rally

■サーボの接続

　サーボをコネクタに差し込みます。向きがあるので気をつけます。サーボを差し込み、サーボが動かなければ正常です。サーボが動いた場合、コネクタの差し込む向きの間違いなどが考えられますのでチェックします。差し込んだときに一瞬動くことがありますが、これは問題ありません。

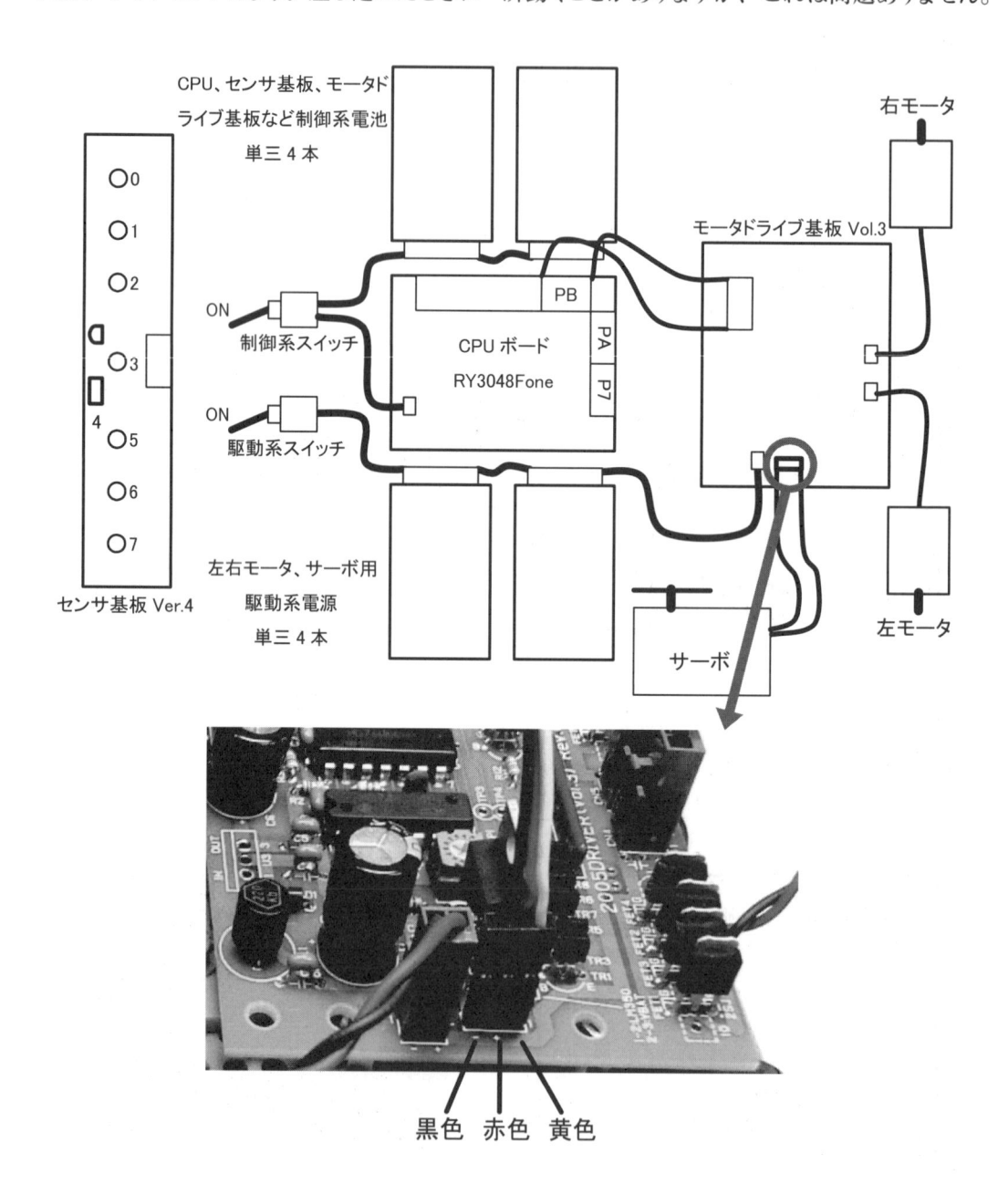

第 3 章　マイコンカーキット Ver.4 のハードウェア

■センサ基板 Ver.4 のチェック

センサ基板と CPU ボードのポート 7 をフラットケーブルで接続します。

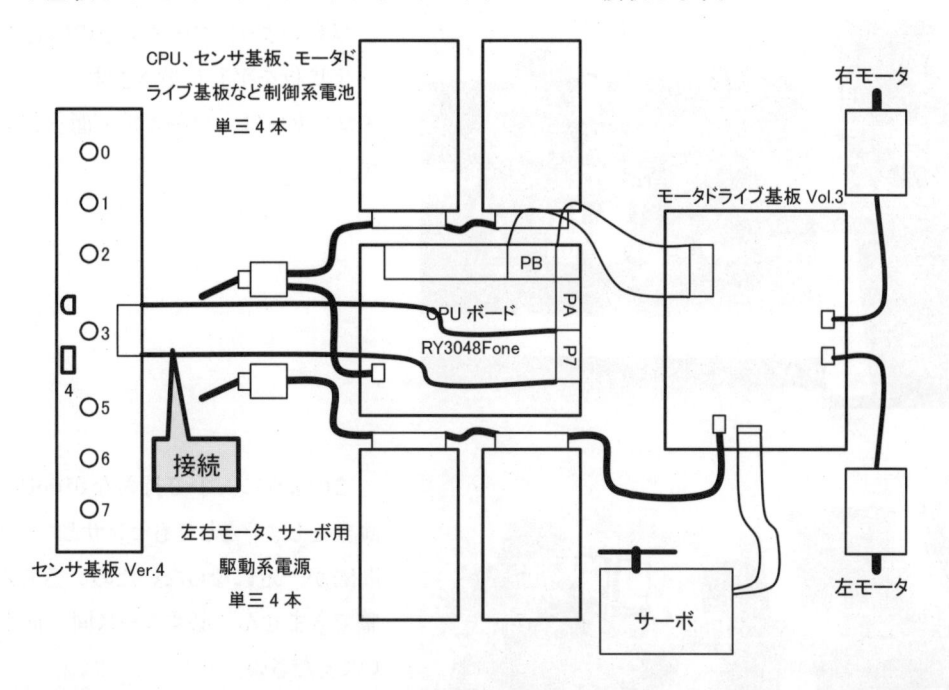

センサ基板のフォト IC の 2 ピンにテスタのプラス側、4 ピンにテスタのマイナス側を接続して、電圧を測ります。制御系電源の電圧と同じなら正常です。これ以外の電圧が出力された場合、フラットケーブルの圧着不良、部品の付け間違いなどが考えられますのでチェックします。

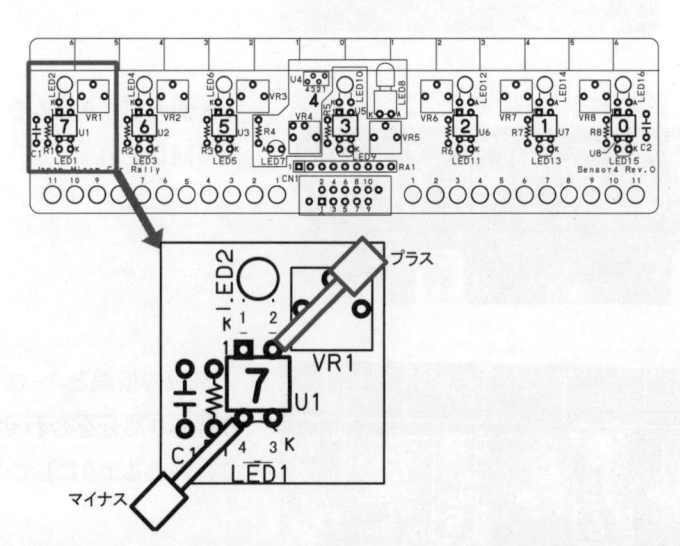

これで簡単ではありますが、主に電源関係のチェックは完了です。次は、マイコンカーラリーホームページに掲載されている「動作確認マニュアル マイコンカーキット Ver.4 版」を参照し、引き続き細かいチェックを行ってください。

3.11 センサの調整方法

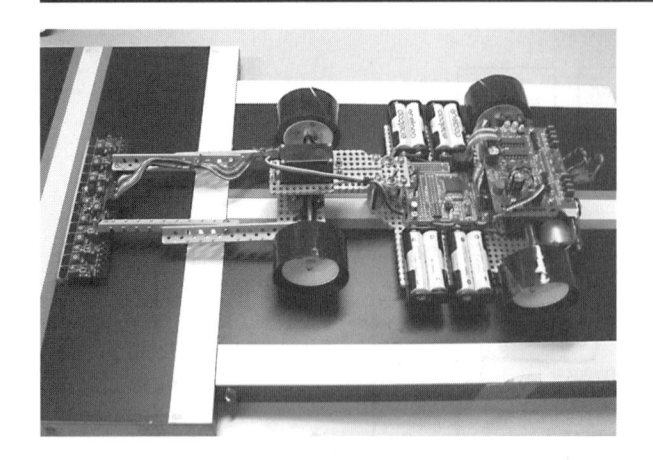

写真のようにコース中心の灰色線とセンサ基板を平行に置きます。このときマイコンカーは、コース同一面上に置きます。

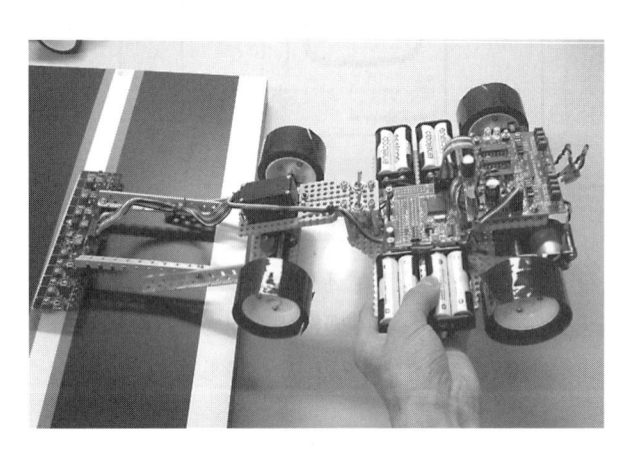

このように、手で持ちながらセンサの調整をしようとしてもセンサとコースとの間隔が一定にならないため、きちんと調整できません。必ずコース同一面上に置いてください。

8個のボリュームをすべて、反時計回りに回します。

基板の横線とコースの白色と灰色の切り替わり部分を合わせます。真上から見て合わせるようにしてください。

7個のボリュームを時計回りに回してLEDが点くようにします。一つ一つゆっくりと回して、LEDが点いた瞬間回すのを止めます。今回の調整で灰色も反応するように調整します。マイコンカーキットは、白色・灰色で反応するよう調整します。

7個のLEDが点きました。LED7はスタートバー用なのでここでは調整しません。

センサを少し下げます。LEDがすべて消えます。消えないLEDがある場合、ゆっくりと反時計回りに回して、LEDを消します。

再度センサを灰色の位置にゆっくりと平行に近づけます。他のLEDより先に点く場合、感度を下げます（反時計回り）。点かないLEDは感度を上げます（時計回り）。全てのLEDがほぼ同時に点くように何度も調整します。消えるときは、ばらつきがあっても問題ありません。

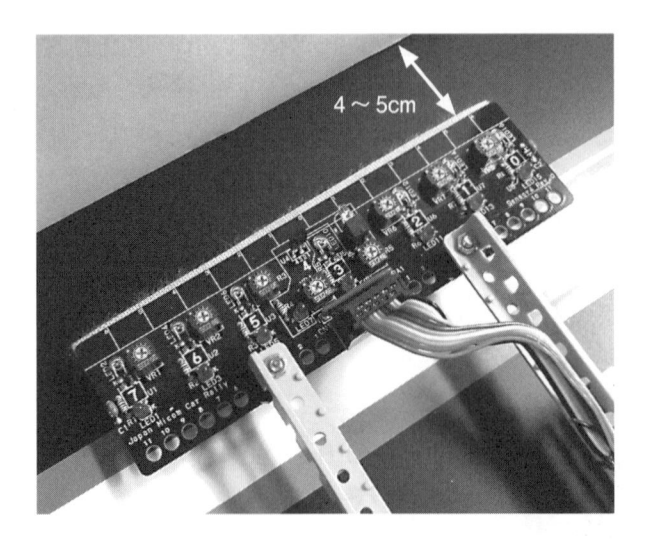

次に、スタートバーを検出するセンサの調整をします。

センサの先頭から4～5[cm]離れたところに白色の板か紙を立てておきます。スタートバーの変わりです（ルールは2～5[cm]離してセットします）。

○のVR4をゆっくりと時計回りに回し、LED7が点く位置で止めます。このとき、センサ下のコースの色は関係ありません。

板や紙などを外したときに、LEDが消えれば完了です。

3.12　シリコンシートの貼り方

マイコンカーでは、タイヤの表面に貼るとグリップが見違えるように良くなる材質があります。これをシリコンシートといいます。1枚約50×25[cm]のシートです。このシリコンシートをタイヤに貼るコツを解説します。

シリコンシートは、タイヤの表面に薄い保護シートが貼ってあります。これは走行時は必要ないのではがして使います。シリコンシートの裏は粘着性があり、最初は剥離紙で保護しています。タイヤに貼るときは、剥離紙をはがして使用します。

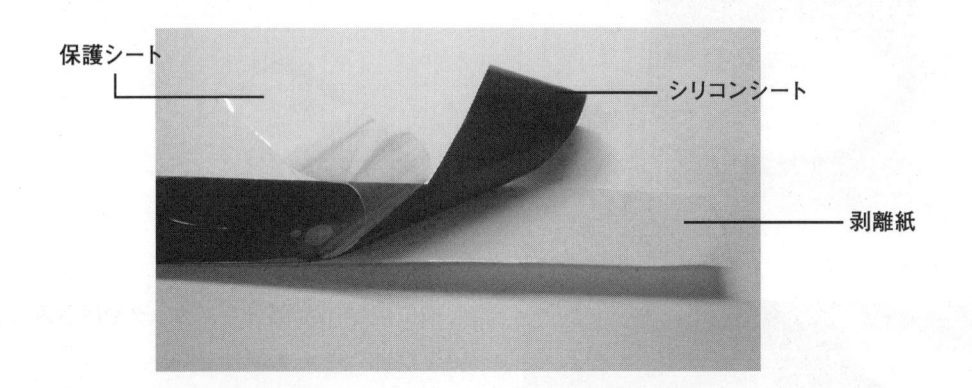

シリコンシートの粘着性はかなりあります。貼るときはよいのですが剥がすときにスポンジをちぎってしまうこともあります。そこでタイヤの表面に直接シリコンシートを貼らずに、間に粘着性の弱いテープを貼っておきます。写真は、パイロン製の「らくはる粘着テープ」というテープです。このテープを貼る例を説明します。

テープをタイヤ表面に貼ります。貼り終わりは 2～3[cm] 重ねて貼ります。

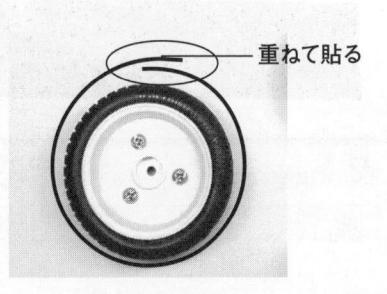

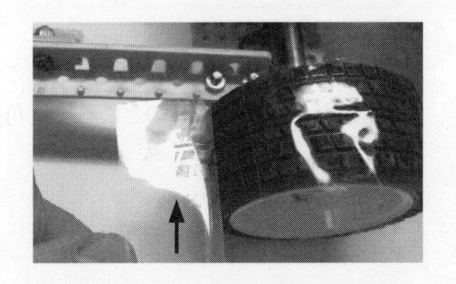

重なっている部分を剥がすと、後が残ります。

この継ぎ目部分の跡を目印にしてはさみで切れば、ぴったり1周で重ならないように切ることができます。

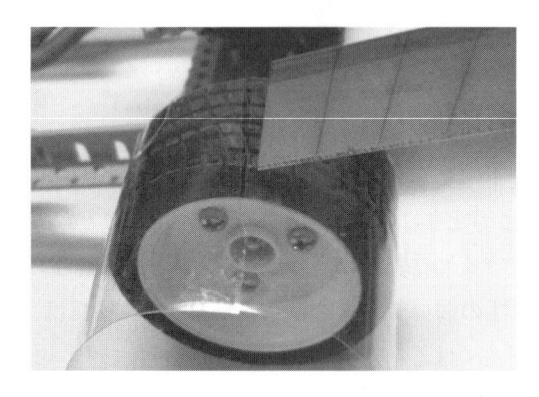

横に飛び出た部分を、カッタやはさみなどで切ります。

シリコンシートを切ります。長さはタイヤの円周 + 約 20[mm]、幅は、タイヤの幅 + 約 5[mm] くらいにします。

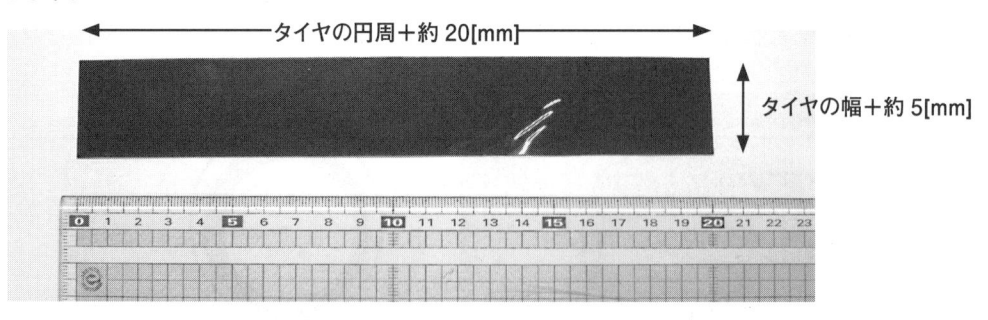

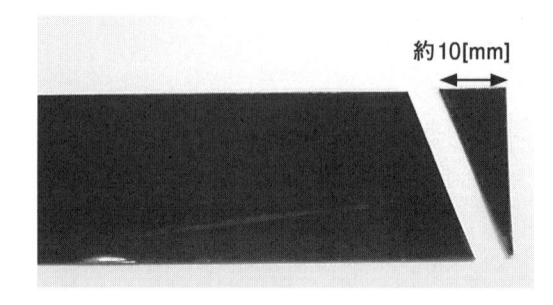

片側だけ約 10[mm] のところで直角三角形型に切ります。

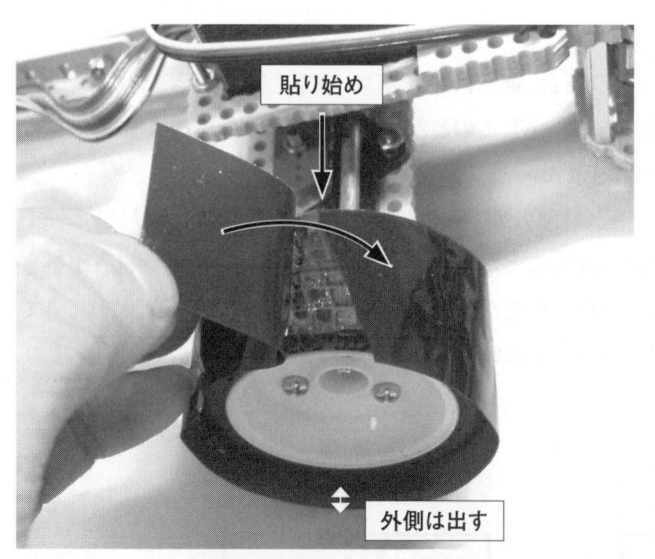

シリコンシートを、斜めの部分から張り始めます。張り終わりは上に重ねて張ります。重なっている部分は上から強く押してしっかり付けます（あとで簡単に剥がれます）。シリコンシートは、タイヤの幅より約5[mm]太く切りました。外側にはみ出させて、内側はタイヤのへりに合わせます。

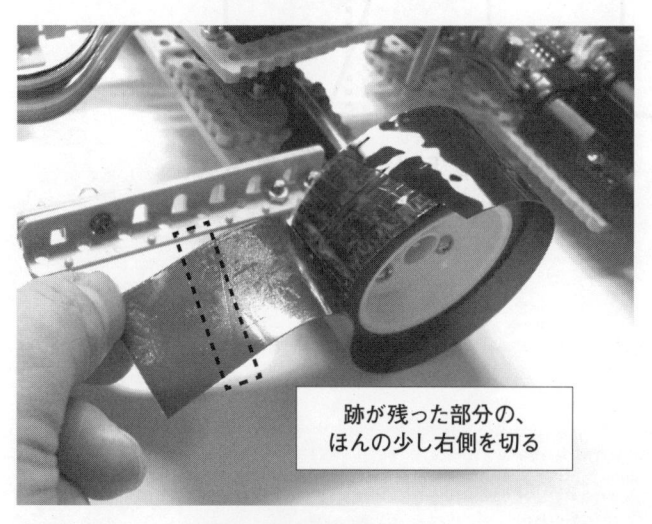

重なっている部分を剥がすと、重なりはじめの部分に跡が残ります。この部分のほんの少し右側をはさみなどで切ります。

再度貼ると、継ぎ目がほとんどなく貼り合わせることができます。この方法ですべてのタイヤにシリコンシートを貼ります。

Micom Car Rally

※なぜ斜めに切るのか

　継ぎ目がタイヤの進行方向に対して直角の場合、継ぎ目部分がコースに接したとき、シリコンシートが全く無い部分が出てくる可能性があります。もしこのとき、急カーブだったら… 一瞬ですがグリップが無くなり脱輪してしまうかもしれません。

　そこで、継ぎ目を斜めにすることで、継ぎ目部分がコースに接したときでも必ずシリコンシートの部分があるので継ぎ目の影響を最小限にすることができます。斜めの角度は大きいほうが継ぎ目が少なくなりますが、シリコンシートが余分に必要だったり、角が鋭くなりそこからめくれてきてしまします。どのくらい斜めにするのがよいか、いろいろ試してみましょう。

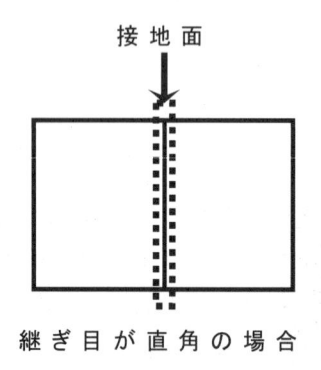

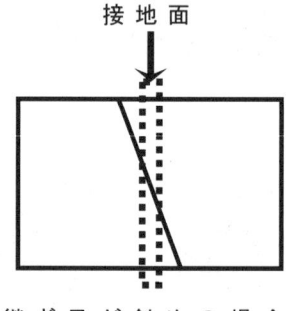

継ぎ目が直角の場合　　　継ぎ目が斜めの場合

第4章
マイコンカーキット Ver.4 のソフトウェア

4.1 ワークスペース

ルネサス統合開発環境を実行します。

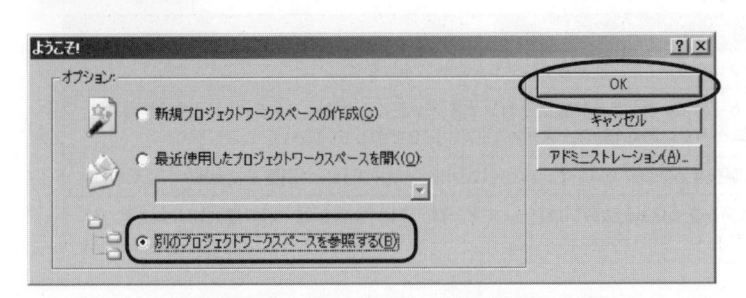

「別のプロジェクトワークスペースを参照する」を選択し、OKをクリックします。

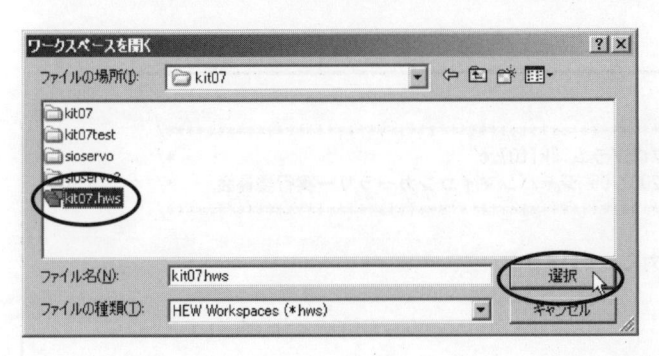

「Cドライブ→ Workspace → kit07」の「kit07.hws」を選択します。拡張子 hws ファイルがルネサス統合開発環境で開くファイルです。**選択**をクリックします。

「kit07」ワークスペースが開かれます。

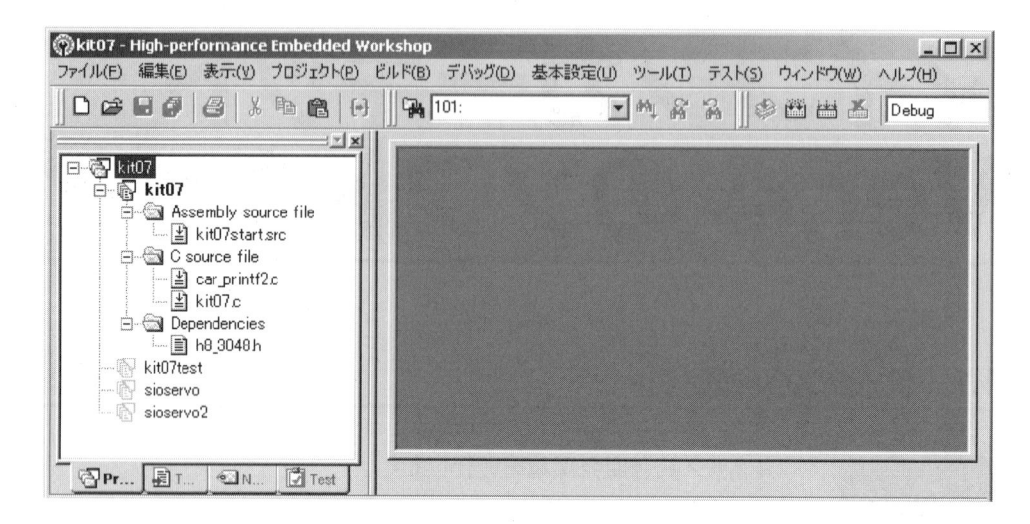

ワークスペース「kit07」には、4つのプロジェクトが登録されています（表4.1）。

表4.1　登録されているプロジェクト

プロジェクト名	内容
kit07	マイコンカー走行プログラムです。次からプログラムの解説をします。
kit07test	製作したマイコンカーのモータドライブ基板やセンサ基板が正しく動作するかテストします。詳しくはマイコンカーホームページにある「動作テストマニュアル」を参照してください。
sioservo	サーボのセンタを調整するプログラムです。詳しくは「4.0.0 サーボセンタ調整」を参照してください。
sioservo2	サーボの最大切れ角を見つけるためのプログラムです。詳しくは「4.0.0 サーボの最大切れ角を見つける」を参照してください。

4.2　プログラム「kit07.c」

```
 1: /***************************************************************/
 2: /* マイコンカートレース基本プログラム "kit07.c"                 */
 3: /*              2007.05 ジャパンマイコンカーラリー実行委員会    */
 4: /***************************************************************/
 5: /*
 6:  このプログラムは、下記基板に対応しています。
 7:  ・モータドライブ基板 (Vol.3)
 8:  ・センサ基板 Ver.4
 9:
10:  このプログラムは、下記レギュレーションに対応しています。
11:  ・レーンチェンジ
12:  ・スタートバーによるスタート方式
13: */
14:
15: /*======================================*/
16: /* インクルード                         */
```

```
17 : /*======================================*/
18 : #include    <machine.h>
19 : #include    "h8_3048.h"
20 :
21 : /*======================================*/
22 : /* シンボル定義                         */
23 : /*======================================*/
24 :
25 : /* 定数設定 */
26 : #define     TIMER_CYCLE     3071    /* タイマのサイクル 1ms         */
27 :                                     /* φ/8 で使用する場合、         */
28 :                                     /* φ/8 = 325.5[ns]              */
29 :                                     /* ∴TIMER_CYCLE =              */
30 :                                     /*     1[ms] / 325.5[ns]        */
31 :                                     /*              = 3072          */
32 : #define     PWM_CYCLE       49151   /* PWM のサイクル 16ms          */
33 :                                     /* ∴PWM_CYCLE =                */
34 :                                     /*     16[ms] / 325.5[ns]       */
35 :                                     /*              = 49152         */
36 : #define     SERVO_CENTER    5000    /* サーボのセンタ値             */
37 : #define     HANDLE_STEP     26      /* 1°分の値                    */
38 :
39 : /* マスク値設定 ×:マスクあり(無効) ○:マスク無し(有効) */
40 : #define     MASK2_2         0x66    /* ×○○××○○×              */
41 : #define     MASK2_0         0x60    /* ×○○×××××              */
42 : #define     MASK0_2         0x06    /* ××××××○○×              */
43 : #define     MASK3_3         0xe7    /* ○○○××○○○              */
44 : #define     MASK0_3         0x07    /* ×××××○○○              */
45 : #define     MASK3_0         0xe0    /* ○○○×××××              */
46 : #define     MASK4_0         0xf0    /* ○○○○××××              */
47 : #define     MASK0_4         0x0f    /* ××××○○○○              */
48 : #define     MASK4_4         0xff    /* ○○○○○○○○              */
49 :
50 : /*======================================*/
51 : /* プロトタイプ宣言                     */
52 : /*======================================*/
53 : void init( void );
54 : void timer( unsigned long timer_set );
55 : int  check_crossline( void );
56 : int  check_rightline( void );
57 : int  check_leftline( void );
58 : unsigned char sensor_inp( unsigned char mask );
59 : unsigned char dipsw_get( void );
60 : unsigned char pushsw_get( void );
61 : unsigned char startbar_get( void );
62 : void led_out( unsigned char led );
63 : void speed( int accele_l, int accele_r );
64 : void handle( int angle );
65 :
66 : /*======================================*/
67 : /* グローバル変数の宣言                 */
68 : /*======================================*/
69 : unsigned long   cnt0;           /* timer 関数用            */
70 : unsigned long   cnt1;           /* main 内で使用           */
71 : int             pattern;        /* パターン番号            */
72 :
73 : /*************************************************************/
74 : /* メインプログラム                                          */
75 : /*************************************************************/
```

```
 76 :    void main( void )
 77 :    {
 78 :        int     i;
 79 :
 80 :        /* マイコン機能の初期化 */
 81 :        init();                              /* 初期化              */
 82 :        set_ccr( 0x00 );                     /* 全体割り込み許可      */
 83 :
 84 :        /* マイコンカーの状態初期化 */
 85 :        handle( 0 );
 86 :        speed( 0, 0 );
 87 :
 88 :        while( 1 ) {
 89 :            switch( pattern ) {
 90 :
 91 :            /*****************************************************
 92 :            パターンについて
 93 :             0:スイッチ入力待ち
 94 :             1:スタートバーが開いたかチェック
 95 :            11:通常トレース
 96 :            12:右へ大曲げの終わりのチェック
 97 :            13:左へ大曲げの終わりのチェック
 98 :            21:1本目のクロスライン検出時の処理
 99 :            22:2本目を読み飛ばす
100 :            23:クロスライン後のトレース、クランク検出
101 :            31:左クランククリア処理　安定するまで少し待つ
102 :            32:左クランククリア処理　曲げ終わりのチェック
103 :            41:右クランククリア処理　安定するまで少し待つ
104 :            42:右クランククリア処理　曲げ終わりのチェック
105 :            51:1本目の右ハーフライン検出時の処理
106 :            52:2本目を読み飛ばす
107 :            53:右ハーフライン後のトレース
108 :            54:右レーンチェンジ終了のチェック
109 :            61:1本目の左ハーフライン検出時の処理
110 :            62:2本目を読み飛ばす
111 :            63:左ハーフライン後のトレース
112 :            64:左レーンチェンジ終了のチェック
113 :            *****************************************************/
114 :
115 :            case 0:
116 :                /* スイッチ入力待ち */
117 :                if( pushsw_get() ) {
118 :                    pattern = 1;
119 :                    cnt1 = 0;
120 :                    break;
121 :                }
122 :                if( cnt1 < 100 ) {              /* LED点滅処理          */
123 :                    led_out( 0x1 );
124 :                } else if( cnt1 < 200 ) {
125 :                    led_out( 0x2 );
126 :                } else {
127 :                    cnt1 = 0;
128 :                }
129 :                break;
130 :
131 :            case 1:
132 :                /* スタートバーが開いたかチェック */
133 :                if( !startbar_get() ) {
134 :                    /* スタート!! */
```

```c
135 :            led_out( 0x0 );
136 :            pattern = 11;
137 :            cnt1 = 0;
138 :            break;
139 :        }
140 :        if( cnt1 < 50 ) {              /* LED点滅処理              */
141 :            led_out( 0x1 );
142 :        } else if( cnt1 < 100 ) {
143 :            led_out( 0x2 );
144 :        } else {
145 :            cnt1 = 0;
146 :        }
147 :        break;
148 :
149 :    case 11:
150 :        /* 通常トレース */
151 :        if( check_crossline() ) {      /* クロスラインチェック     */
152 :            pattern = 21;
153 :            break;
154 :        }
155 :        if( check_rightline() ) {      /* 右ハーフラインチェック   */
156 :            pattern = 51;
157 :            break;
158 :        }
159 :        if( check_leftline() ) {       /* 左ハーフラインチェック   */
160 :            pattern = 61;
161 :            break;
162 :        }
163 :        switch( sensor_inp(MASK3_3) ) {
164 :            case 0x00:
165 :                /* センター→まっすぐ */
166 :                handle( 0 );
167 :                speed( 100 ,100 );
168 :                break;
169 :
170 :            case 0x04:
171 :                /* 微妙に左寄り→右へ微曲げ */
172 :                handle( 5 );
173 :                speed( 100 ,100 );
174 :                break;
175 :
176 :            case 0x06:
177 :                /* 少し左寄り→右へ小曲げ */
178 :                handle( 10 );
179 :                speed( 80 ,67 );
180 :                break;
181 :
182 :            case 0x07:
183 :                /* 中くらい左寄り→右へ中曲げ */
184 :                handle( 15 );
185 :                speed( 50 ,38 );
186 :                break;
187 :
188 :            case 0x03:
189 :                /* 大きく左寄り→右へ大曲げ */
190 :                handle( 25 );
191 :                speed( 30 ,19 );
192 :                pattern = 12;
193 :                break;
```

```
194 :                    case 0x20:
195 :                        /* 微妙に右寄り→左へ微曲げ */
196 :                        handle( -5 );
197 :                        speed( 100 ,100 );
198 :                        break;
199 :
200 :                    case 0x60:
201 :                        /* 少し右寄り→左へ小曲げ */
202 :                        handle( -10 );
203 :                        speed( 67 ,80 );
204 :                        break;
205 :
206 :                    case 0xe0:
207 :                        /* 中くらい右寄り→左へ中曲げ */
208 :                        handle( -15 );
209 :                        speed( 38 ,50 );
210 :                        break;
211 :
212 :                    case 0xc0:
213 :                        /* 大きく右寄り→左へ大曲げ */
214 :                        handle( -25 );
215 :                        speed( 19 ,30 );
216 :                        pattern = 13;
217 :                        break;
218 :
219 :                    default:
220 :                        break;
221 :                }
222 :                break;
223 :
224 :            case 12:
225 :                /* 右へ大曲げの終わりのチェック */
226 :                if( check_crossline() ) {        /* 大曲げ中もクロスラインチェック */
227 :                    pattern = 21;
228 :                    break;
229 :                }
230 :                if( check_rightline() ) {       /* 右ハーフラインチェック    */
231 :                    pattern = 51;
232 :                    break;
233 :                }
234 :                if( check_leftline() ) {        /* 左ハーフラインチェック    */
235 :                    pattern = 61;
236 :                    break;
237 :                }
238 :                if( sensor_inp(MASK3_3) == 0x06 ) {
239 :                    pattern = 11;
240 :                }
241 :                break;
242 :
243 :            case 13:
244 :                /* 左へ大曲げの終わりのチェック */
245 :                if( check_crossline() ) {        /* 大曲げ中もクロスラインチェック */
246 :                    pattern = 21;
247 :                    break;
248 :                }
249 :                if( check_rightline() ) {       /* 右ハーフラインチェック    */
250 :                    pattern = 51;
251 :                    break;
```

```
253 :            }
254 :            if( check_leftline() ) {        /* 左ハーフラインチェック   */
255 :                pattern = 61;
256 :                break;
257 :            }
258 :            if( sensor_inp(MASK3_3) == 0x60 ) {
259 :                pattern = 11;
260 :            }
261 :            break;
262 :
263 :        case 21:
264 :            /* １本目のクロスライン検出時の処理 */
265 :            led_out( 0x3 );
266 :            handle( 0 );
267 :            speed( 0 ,0 );
268 :            pattern = 22;
269 :            cnt1 = 0;
270 :            break;
271 :
272 :        case 22:
273 :            /* ２本目を読み飛ばす */
274 :            if( cnt1 > 100 ) {
275 :                pattern = 23;
276 :                cnt1 = 0;
277 :            }
278 :            break;
279 :
280 :        case 23:
281 :            /* クロスライン後のトレース、クランク検出 */
282 :            if( sensor_inp(MASK4_4)==0xf8 ) {
283 :                /* 左クランクと判断→左クランククリア処理へ */
284 :                led_out( 0x1 );
285 :                handle( -38 );
286 :                speed( 10 ,50 );
287 :                pattern = 31;
288 :                cnt1 = 0;
289 :                break;
290 :            }
291 :            if( sensor_inp(MASK4_4)==0x1f ) {
292 :                /* 右クランクと判断→右クランククリア処理へ */
293 :                led_out( 0x2 );
294 :                handle( 38 );
295 :                speed( 50 ,10 );
296 :                pattern = 41;
297 :                cnt1 = 0;
298 :                break;
299 :            }
300 :            switch( sensor_inp(MASK3_3) ) {
301 :                case 0x00:
302 :                    /* センター→まっすぐ */
303 :                    handle( 0 );
304 :                    speed( 40 ,40 );
305 :                    break;
306 :                case 0x04:
307 :                case 0x06:
308 :                case 0x07:
309 :                case 0x03:
310 :                    /* 左寄り→右曲げ */
311 :                    handle( 8 );
```

```
312 :                    speed( 40 ,35 );
313 :                    break;
314 :                case 0x20:
315 :                case 0x60:
316 :                case 0xe0:
317 :                case 0xc0:
318 :                    /* 右寄り→左曲げ */
319 :                    handle( -8 );
320 :                    speed( 35 ,40 );
321 :                    break;
322 :            }
323 :            break;
324 :
325 :        case 31:
326 :            /* 左クランククリア処理  安定するまで少し待つ */
327 :            if( cnt1 > 200 ) {
328 :                pattern = 32;
329 :                cnt1 = 0;
330 :            }
331 :            break;
332 :
333 :        case 32:
334 :            /* 左クランククリア処理  曲げ終わりのチェック */
335 :            if( sensor_inp(MASK3_3) == 0x60 ) {
336 :                led_out( 0x0 );
337 :                pattern = 11;
338 :                cnt1 = 0;
339 :            }
340 :            break;
341 :
342 :        case 41:
343 :            /* 右クランククリア処理  安定するまで少し待つ */
344 :            if( cnt1 > 200 ) {
345 :                pattern = 42;
346 :                cnt1 = 0;
347 :            }
348 :            break;
349 :
350 :        case 42:
351 :            /* 右クランククリア処理  曲げ終わりのチェック */
352 :            if( sensor_inp(MASK3_3) == 0x06 ) {
353 :                led_out( 0x0 );
354 :                pattern = 11;
355 :                cnt1 = 0;
356 :            }
357 :            break;
358 :
359 :        case 51:
360 :            /* １本目の右ハーフライン検出時の処理 */
361 :            led_out( 0x2 );
362 :            handle( 0 );
363 :            speed( 0 ,0 );
364 :            pattern = 52;
365 :            cnt1 = 0;
366 :            break;
367 :
368 :        case 52:
369 :            /* ２本目を読み飛ばす */
370 :            if( cnt1 > 100 ) {
```

```
371 :            pattern = 53;
372 :            cnt1 = 0;
373 :        }
374 :        break;
375 :
376 :    case 53:
377 :        /* 右ハーフライン後のトレース、レーンチェンジ */
378 :        if( sensor_inp(MASK4_4) == 0x00 ) {
379 :            handle( 15 );
380 :            speed( 40 ,31 );
381 :            pattern = 54;
382 :            cnt1 = 0;
383 :            break;
384 :        }
385 :        switch( sensor_inp(MASK3_3) ) {
386 :            case 0x00:
387 :                /* センター→まっすぐ */
388 :                handle( 0 );
389 :                speed( 40 ,40 );
390 :                break;
391 :            case 0x04:
392 :            case 0x06:
393 :            case 0x07:
394 :            case 0x03:
395 :                /* 左寄り→右曲げ */
396 :                handle( 8 );
397 :                speed( 40 ,35 );
398 :                break;
399 :            case 0x20:
400 :            case 0x60:
401 :            case 0xe0:
402 :            case 0xc0:
403 :                /* 右寄り→左曲げ */
404 :                handle( -8 );
405 :                speed( 35 ,40 );
406 :                break;
407 :            default:
408 :                break;
409 :        }
410 :        break;
411 :
412 :    case 54:
413 :        /* 右レーンチェンジ終了のチェック */
414 :        if( sensor_inp( MASK4_4 ) == 0x3c ) {
415 :            led_out( 0x0 );
416 :            pattern = 11;
417 :            cnt1 = 0;
418 :        }
419 :        break;
420 :
421 :    case 61:
422 :        /* １本目の左ハーフライン検出時の処理 */
423 :        led_out( 0x1 );
424 :        handle( 0 );
425 :        speed( 0 ,0 );
426 :        pattern = 62;
427 :        cnt1 = 0;
428 :        break;
429 :
```

```c
430 :        case 62:
431 :            /* 2本目を読み飛ばす */
432 :            if( cnt1 > 100 ) {
433 :                pattern = 63;
434 :                cnt1 = 0;
435 :            }
436 :            break;
437 :
438 :        case 63:
439 :            /* 左ハーフライン後のトレース、レーンチェンジ */
440 :            if( sensor_inp(MASK4_4) == 0x00 ) {
441 :                handle( -15 );
442 :                speed( 31 ,40 );
443 :                pattern = 64;
444 :                cnt1 = 0;
445 :                break;
446 :            }
447 :            switch( sensor_inp(MASK3_3) ) {
448 :                case 0x00:
449 :                    /* センタ→まっすぐ */
450 :                    handle( 0 );
451 :                    speed( 40 ,40 );
452 :                    break;
453 :                case 0x04:
454 :                case 0x06:
455 :                case 0x07:
456 :                case 0x03:
457 :                    /* 左寄り→右曲げ */
458 :                    handle( 8 );
459 :                    speed( 40 ,35 );
460 :                    break;
461 :                case 0x20:
462 :                case 0x60:
463 :                case 0xe0:
464 :                case 0xc0:
465 :                    /* 右寄り→左曲げ */
466 :                    handle( -8 );
467 :                    speed( 35 ,40 );
468 :                    break;
469 :                default:
470 :                    break;
471 :            }
472 :            break;
473 :
474 :        case 64:
475 :            /* 左レーンチェンジ終了のチェック */
476 :            if( sensor_inp( MASK4_4 ) == 0x3c ) {
477 :                led_out( 0x0 );
478 :                pattern = 11;
479 :                cnt1 = 0;
480 :            }
481 :            break;
482 :
483 :        default:
484 :            /* どれでもない場合は待機状態に戻す */
485 :            pattern = 0;
486 :            break;
487 :    }
488 : }
```

```c
489 :    }
490 :
491 :    /************************************************************/
492 :    /* H8/3048F-ONE 内蔵周辺機能　初期化                        */
493 :    /************************************************************/
494 :    void init( void )
495 :    {
496 :        /* I/O ポートの入出力設定 */
497 :        P1DDR = 0xff;
498 :        P2DDR = 0xff;
499 :        P3DDR = 0xff;
500 :        P4DDR = 0xff;
501 :        P5DDR = 0xff;
502 :        P6DDR = 0xf0;                        /* CPU 基板上の DIP SW       */
503 :        P8DDR = 0xff;
504 :        P9DDR = 0xf7;                        /* 通信ポート                */
505 :        PADDR = 0xff;
506 :        PBDR  = 0xc0;
507 :        PBDDR = 0xfe;                        /* モータドライブ基板 Vol.3  */
508 :        /* ※センサ基板の P7 は、入力専用なので入出力設定はありません */
509 :
510 :        /* ITU0 1ms ごとの割り込み */
511 :        ITU0_TCR = 0x23;
512 :        ITU0_GRA = TIMER_CYCLE;
513 :        ITU0_IER = 0x01;
514 :
515 :        /* ITU3,4 リセット同期 PWM モード 左右モータ、サーボ用 */
516 :        ITU3_TCR = 0x23;
517 :        ITU_FCR  = 0x3e;
518 :        ITU3_GRA = PWM_CYCLE;                /* 周期の設定                */
519 :        ITU3_GRB = ITU3_BRB = 0;             /* 左モータの PWM 設定       */
520 :        ITU4_GRA = ITU4_BRA = 0;             /* 右モータの PWM 設定       */
521 :        ITU4_GRB = ITU4_BRB = SERVO_CENTER;  /* サーボの PWM 設定         */
522 :        ITU_TOER = 0x38;
523 :
524 :        /* ITU のカウントスタート */
525 :        ITU_STR = 0x09;
526 :    }
527 :
528 :    /************************************************************/
529 :    /* ITU0 割り込み処理                                        */
530 :    /************************************************************/
531 :    #pragma interrupt( interrupt_timer0 )
532 :    void interrupt_timer0( void )
533 :    {
534 :        ITU0_TSR &= 0xfe;                    /* フラグクリア              */
535 :        cnt0++;
536 :        cnt1++;
537 :    }
538 :
539 :    /************************************************************/
540 :    /* タイマ本体                                               */
541 :    /* 引数    タイマ値 1=1ms                                   */
542 :    /************************************************************/
543 :    void timer( unsigned long timer_set )
544 :    {
545 :        cnt0 = 0;
546 :        while( cnt0 < timer_set );
547 :    }
```

```
548 :
549 : /****************************************************************/
550 : /* センサ状態検出                                                */
551 : /* 引数   マスク値                                              */
552 : /* 戻り値 センサ値                                              */
553 : /****************************************************************/
554 : unsigned char sensor_inp( unsigned char mask )
555 : {
556 :     unsigned char sensor;
557 :
558 :     sensor  = ~P7DR;
559 :     sensor &= 0xef;
560 :     if( sensor & 0x08 ) sensor |= 0x10;
561 :
562 :     sensor &= mask;
563 :
564 :     return sensor;
565 : }
566 :
567 : /****************************************************************/
568 : /* クロスライン検出処理                                          */
569 : /* 戻り値 0: クロスラインなし 1: あり                            */
570 : /****************************************************************/
571 : int check_crossline( void )
572 : {
573 :     unsigned char b;
574 :     int ret;
575 :
576 :     ret = 0;
577 :     b = sensor_inp(MASK3_3);
578 :     if( b==0xe7 ) {
579 :         ret = 1;
580 :     }
581 :     return ret;
582 : }
583 :
584 : /****************************************************************/
585 : /* 右ハーフライン検出処理                                        */
586 : /* 戻り値 0: なし 1: あり                                        */
587 : /****************************************************************/
588 : int check_rightline( void )
589 : {
590 :     unsigned char b;
591 :     int ret;
592 :
593 :     ret = 0;
594 :     b = sensor_inp(MASK4_4);
595 :     if( b==0x1f ) {
596 :         ret = 1;
597 :     }
598 :     return ret;
599 : }
600 :
601 : /****************************************************************/
602 : /* 左ハーフライン検出処理                                        */
603 : /* 戻り値 0: なし 1: あり                                        */
604 : /****************************************************************/
605 : int check_leftline( void )
606 : {
```

```
607 :        unsigned char b;
608 :        int ret;
609 :
610 :        ret = 0;
611 :        b = sensor_inp(MASK4_4);
612 :        if( b==0xf8 ) {
613 :            ret = 1;
614 :        }
615 :        return ret;
616 :    }
617 :
618 :    /************************************************************/
619 :    /* ディップスイッチ値読み込み                                    */
620 :    /* 戻り値 スイッチ値 0～15                                     */
621 :    /************************************************************/
622 :    unsigned char dipsw_get( void )
623 :    {
624 :        unsigned char sw;
625 :
626 :        sw  = ~P6DR;                    /* ディップスイッチ読み込み */
627 :        sw &= 0x0f;
628 :
629 :        return  sw;
630 :    }
631 :
632 :    /************************************************************/
633 :    /* プッシュスイッチ値読み込み                                    */
634 :    /* 戻り値 スイッチ値 ON:1 OFF:0                                */
635 :    /************************************************************/
636 :    unsigned char pushsw_get( void )
637 :    {
638 :        unsigned char sw;
639 :
640 :        sw  = ~PBDR;                    /* スイッチのあるポート読み込み */
641 :        sw &= 0x01;
642 :
643 :        return  sw;
644 :    }
645 :
646 :    /************************************************************/
647 :    /* スタートバー検出センサ読み込み                                 */
648 :    /* 戻り値 センサ値 ON(バーあり):1 OFF(なし):0                    */
649 :    /************************************************************/
650 :    unsigned char startbar_get( void )
651 :    {
652 :        unsigned char b;
653 :
654 :        b  = ~P7DR;                     /* スタートバー信号読み込み */
655 :        b &= 0x10;
656 :        b >>= 4;
657 :
658 :        return  b;
659 :    }
660 :
661 :    /************************************************************/
662 :    /* LED制御                                                  */
663 :    /* 引数　スイッチ値 LED0:bit0 LED1:bit1 "0":消灯 "1":点灯      */
664 :    /* 例)0x3 → LED1:ON LED0:ON  0x2 → LED1:ON LED0:OFF          */
665 :    /************************************************************/
```

```c
666 : void led_out( unsigned char led )
667 : {
668 :     unsigned char data;
669 :
670 :     led = ~led;
671 :     led <<= 6;
672 :     data = PBDR & 0x3f;
673 :     PBDR = data | led;
674 : }
675 :
676 : /************************************************************/
677 : /* 速度制御                                                  */
678 : /* 引数   左モータ:-100～100 , 右モータ:-100～100           */
679 : /*       0で停止、100で正転100%、-100で逆転100%              */
680 : /************************************************************/
681 : void speed( int accele_l, int accele_r )
682 : {
683 :     unsigned char   sw_data;
684 :     unsigned long   speed_max;
685 :
686 :     sw_data  = dipsw_get() + 5;         /* ディップスイッチ読み込み */
687 :     speed_max = (unsigned long)(PWM_CYCLE-1) * sw_data / 20;
688 :
689 :     /* 左モータ */
690 :     if( accele_l >= 0 ) {
691 :         PBDR &= 0xfb;
692 :         ITU3_BRB = speed_max * accele_l / 100;
693 :     } else {
694 :         PBDR |= 0x04;
695 :         accele_l = -accele_l;
696 :         ITU3_BRB = speed_max * accele_l / 100;
697 :     }
698 :
699 :     /* 右モータ */
700 :     if( accele_r >= 0 ) {
701 :         PBDR &= 0xf7;
702 :         ITU4_BRA = speed_max * accele_r / 100;
703 :     } else {
704 :         PBDR |= 0x08;
705 :         accele_r = -accele_r;
706 :         ITU4_BRA = speed_max * accele_r / 100;
707 :     }
708 : }
709 :
710 : /************************************************************/
711 : /* サーボハンドル操作                                        */
712 : /* 引数   サーボ操作角度:-90～90                             */
713 : /*       -90で左へ90度、0でまっすぐ、90で右へ90度回転        */
714 : /************************************************************/
715 : void handle( int angle )
716 : {
717 :     ITU4_BRB = SERVO_CENTER - angle * HANDLE_STEP;
718 : }
719 :
720 : /************************************************************/
721 : /* end of file                                              */
722 : /************************************************************/
```

4.3 関数一覧

「kit07.c」プログラムで宣言されている関数を下記に示します。

■ init 関数

書式	void init（void）;
内容	H8/3048F-ONE の内蔵周辺機能を初期化する関数です。
例	init();　　　// 初期化

■ timer 関数

書式	void timer（unsigned long timer_set）;
内容	時間稼ぎをする関数です。
引数	時間稼ぎをする時間 [ms] 単位
例	timer(2000);　　// 2000ms の時間稼ぎ

■ check_crossline 関数

書式	int check_crossline（void）;
内容	クロスラインがあるかどうかチェックする関数です。クロスラインかどうかは、センサ中心2個を除く6個中、6個とも"1"ならクロスラインと判断します。
戻り値	クロスラインあり :1　クロスラインなし :0

例	if(check_crossline() == 1) a = 1;　// クロスラインなら a=1
	if(check_crossline()) ret = 1;　　　// クロスラインなら ret=1
	if(!check_crossline()) ret = 0;　　// クロスラインでないなら ret=0

■ check_rightline 関数

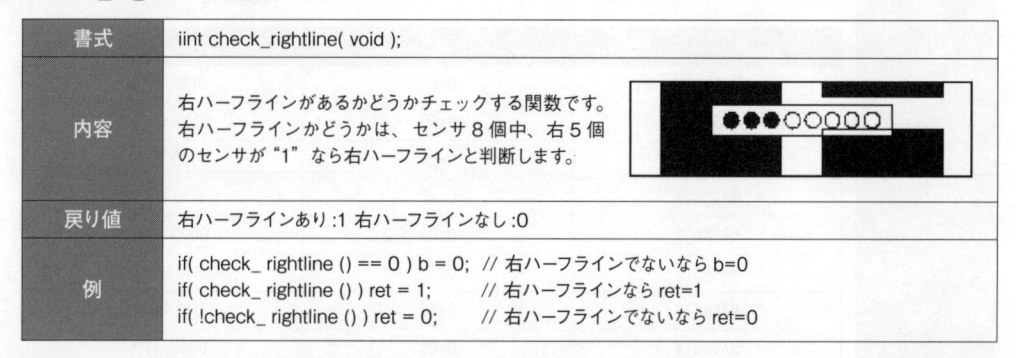

書式	iint check_rightline(void);
内容	右ハーフラインがあるかどうかチェックする関数です。右ハーフラインかどうかは、センサ8個中、右5個のセンサが"1"なら右ハーフラインと判断します。
戻り値	右ハーフラインあり :1　右ハーフラインなし :0

例	if(check_ rightline () == 0) b = 0;　// 右ハーフラインでないなら b=0
	if(check_ rightline ()) ret = 1;　　　// 右ハーフラインなら ret=1
	if(!check_ rightline ()) ret = 0;　　// 右ハーフラインでないなら ret=0

■ check_leftline 関数

書式	int check_leftline (void) ;
内容	左ハーフラインがあるかどうかチェックする関数です。左ハーフラインかどうかは、センサ8個中、左5個のセンサが"1"なら左ハーフラインと判断します。
戻り値	左ハーフラインあり :1　左ハーフラインなし :0

例	if(check_ leftline () != 0) c = 1;　　// 左ハーフラインなら c=1
	if(check_ leftline ()) ret = 1;　　　 // 右ハーフラインなら ret=1
	if(!check_ leftline ()) ret = 0;　　　// 右ハーフラインでないなら ret=0

■ sensor_inp 関数

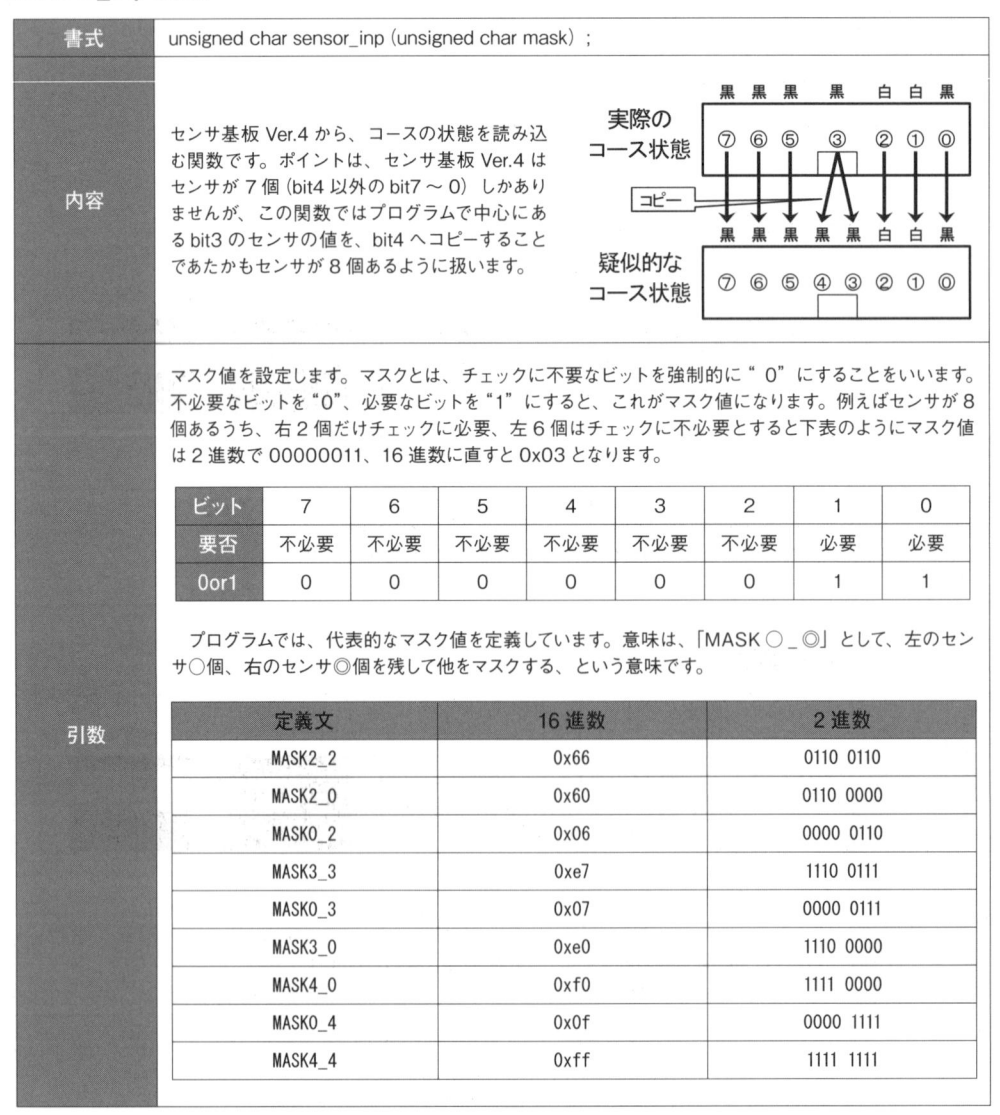

書式	unsigned char sensor_inp (unsigned char mask) ;
内容	センサ基板 Ver.4 から、コースの状態を読み込む関数です。ポイントは、センサ基板 Ver.4 はセンサが7個 (bit4 以外の bit7 〜 0) しかありませんが、この関数ではプログラムで中心にある bit3 のセンサの値を、bit4 へコピーすることであたかもセンサが8個あるように扱います。
引数	マスク値を設定します。マスクとは、チェックに不要なビットを強制的に "0" にすることをいいます。不必要なビットを "0"、必要なビットを "1" にすると、これがマスク値になります。例えばセンサが8個あるうち、右2個だけチェックに必要、左6個はチェックに不必要とすると下表のようにマスク値は2進数で 00000011、16進数に直すと 0x03 となります。

ビット	7	6	5	4	3	2	1	0
要否	不必要	不必要	不必要	不必要	不必要	不必要	必要	必要
0or1	0	0	0	0	0	0	1	1

プログラムでは、代表的なマスク値を定義しています。意味は、「MASK○_◎」として、左のセンサ○個、右のセンサ◎個を残して他をマスクする、という意味です。

定義文	16進数	2進数
MASK2_2	0x66	0110 0110
MASK2_0	0x60	0110 0000
MASK0_2	0x06	0000 0110
MASK3_3	0xe7	1110 0111
MASK0_3	0x07	0000 0111
MASK3_0	0xe0	1110 0000
MASK4_0	0xf0	1111 0000
MASK0_4	0x0f	0000 1111
MASK4_4	0xff	1111 1111

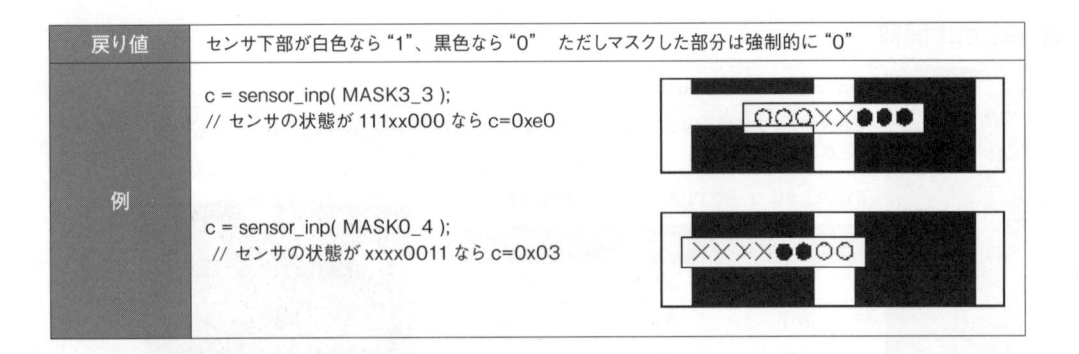

戻り値	センサ下部が白色なら"1"、黒色なら"0"　ただしマスクした部分は強制的に"0"

例	c = sensor_inp(MASK3_3);
	// センサの状態が 111xx000 なら c=0xe0
	
	c = sensor_inp(MASK0_4);
	// センサの状態が xxxx0011 なら c=0x03

■ dipsw_get 関数

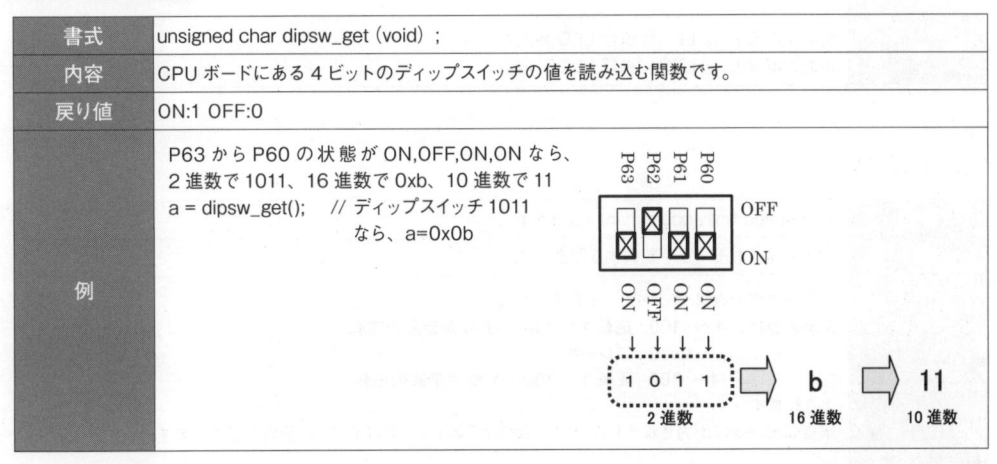

書式	unsigned char dipsw_get (void) ;
内容	CPU ボードにある 4 ビットのディップスイッチの値を読み込む関数です。
戻り値	ON:1 OFF:0
例	P63 から P60 の状態が ON,OFF,ON,ON なら、 2 進数で 1011、16 進数で 0xb、10 進数で 11 a = dipsw_get();　// ディップスイッチ 1011 　　　　　　　　　なら、a=0x0b

■ pushsw_get 関数

書式	unsigned char pushsw_get (void) ;
内容	モータドライブ基板のプッシュスイッチの状態を読み込む関数です。
戻り値	プッシュスイッチが押された:1　押されていない:0
例	a = pushsw_get();　// プッシュスイッチが押されていれば a=1 　　　　　　　　　// 押されていなければ a=0

■ startbar_get 関数

書式	unsigned char startbar_get (void) ;
内容	センサ基板 Ver.4 からのスタートバー検出信号を読み込む関数です。
戻り値	スタートバーあり:1 スタートバーなし:0
例	a = startbar_get();　// スタートバーがあれば a=1、無ければ a=0

MICOM CAR RALLY

■ led_out 関数

書式	void led_out (unsigned char led) ;
説明	モータドライブ基板 Vol.3 に付いている 3 個の LED のうち、2 個の LED はマイコンで点灯／消灯することができます。
引数	下記のように 0 ～ 3 の値で、LED を制御します。 | LED1	LED0	引数
---	---	---
消灯	消灯	0
消灯	点灯	1
点灯	消灯	2
点灯	点灯	3	

例	led_out(0); // LED1: 消灯 LED0: 消灯
	led_out(2); // LED1: 点灯 LED0: 消灯

■ speed 関数

書式	void speed (int accele_l, int accele_r) ;
内容	左モータ、右モータを制御する関数です。
引数	左モータの PWM 値 , 右モータの PWM 値 PWM 値は、-1 ～ -100：逆転 1 ～ 100% -100 が最高の逆転 　　　　　　　　0：ブレーキ 　　　　　　　　1 ～ 100：正転 1 ～ 100% 100 が最高の正転 となります。 実際にモータに出力される PWM は、次のようにディップスイッチの割合が含まれます。 実際に左モータに出力される PWM = 左モータの PWM 値 × $\dfrac{ディップスイッチの値 (0 ～ 15) +5}{20}$ 実際に右モータに出力される PWM = 右モータの PWM 値 × $\dfrac{ディップスイッチの値 (0 ～ 15) +5}{20}$ 正転、または逆転以外の時間はブレーキ動作です。例えば、計算値が 90% であれば、90% は正転、残りの 10% はブレーキとなります。時間にすると、サンプルプログラムは、1 周期 16[ms] なので、次の時間になります。 正転　90% = 1 周期 16[ms] × 90/100 = 14.4[ms] ブレーキ 10% = 1 周期 16[ms] × 10/100 = 1.6[ms]

例	speed(50, -80); // ディップスイッチが 12 とすると
	　　　　　　　　　// 左モータの実際の回転は、50 × (12+5) ÷ 20 = 42.5 ≒ 42
	　　　　　　　　　// 右モータの実際の回転は、-80 × (12+5) ÷ 20 = -68

■ handle 関数

書式	void handle(int angle);
内容	サーボのハンドル角度を制御する関数です。
戻り値	角度を指定 　　－1 ～－45 ： 左へ何度曲げるか指定 　　　　　　0 ： ハンドルはまっすぐ(0度) 　　　 1 ～ 45 ： 右へ何度曲げるか指定
例	handle(5);　// 右へ5度曲げる

コラム　ディップスイッチの値とモータ出力

speed 関数に100%を設定したとき、ディップスイッチの値により実際の出力がどう変わるか、下記に示します。

ディップスイッチ				10進数	計算	モータスピードの割合
P63	P62	P61	P60			
0	0	0	0	0	5/20	25%
0	0	0	1	1	6/20	30%
0	0	1	0	2	7/20	35%
0	0	1	1	3	8/20	40%
0	1	0	0	4	9/20	45%
0	1	0	1	5	10/20	50%
0	1	1	0	6	11/20	55%
0	1	1	1	7	12/20	60%
1	0	0	0	8	13/20	65%
1	0	0	1	9	14/20	70%
1	0	1	0	10	15/20	75%
1	0	1	1	11	16/20	80%
1	1	0	0	12	17/20	85%
1	1	0	1	13	18/20	90%
1	1	1	0	14	19/20	95%
1	1	1	1	15	20/20	100%

コラム　sensor_inp 関数の戻り値

　sensor_inp 関数の戻り値は、bit4 と bit3 の値が同じ値となります。ただし、マスク値によっては sensor_inp 関数の戻り値の bit4 と bit3 が異なる場合があります。sensor_inp 関数のマスク値にも気をつけてプログラムしてください。

```
if( sensor_inp(MASK4_4) == 0x1f ) {
    プログラム
}
```
●●●○○○○○　あり得る

```
if( sensor_inp(MASK4_4) == 0x07 ) {
    プログラム
}
```
●●●●●○○○　あり得る

```
if( sensor_inp(MASK4_4) == 0x0f ) {
    プログラム
}
```
●●●●○○○○　0x0f はあり得ない

```
if( sensor_inp(MASK4_4) == 0xf8 ) {
    プログラム
}
```
○○○○○●●●　あり得る

```
if( sensor_inp(MASK4_4) == 0xe0 ) {
    プログラム
}
```
○○○●●●●●　あり得る

```
if( sensor_inp(MASK4_4) == 0xf0 ) {
    プログラム
}
```
○○○○●●●●　0xf0 はあり得ない

```
if( sensor_inp(MASK0_4) == 0x0f ) {
    プログラム
}
```
××××○○○○　マスク値によっては 0x0f はあり得る！

```
if( sensor_inp(MASK4_0) == 0xf0 ) {
    プログラム
}
```
○○○○××××　マスク値によっては 0xf0 はあり得る！

4.4 パターン

4.4.1 パターン方式とは

kit07.c では、パターン方式という方法でプログラムを実行します。

仕組みは、あらかじめプログラムを細かく分けておきます。例えば、「スイッチ入力待ちの処理を行うプログラム」、「スタートバーが開いたかチェックする処理を行うプログラム」、などです。

次に、pattern(パターン) という変数を作ります。この変数に設定した値により、どのプログラムを実行するか選択します。

例えば、パターン変数が 0 のときはスイッチ入力待ちの処理、パターン変数が 1 のときはスタートバーが開いたかチェックする処理... などです。

この方式を使うと、パターンごとに処理を分けられるため、プログラムが見やすくなります。パターン方式は、「プログラムのブロック化」と言うこともできます。

4.4.2 プログラムの作り方

パターン方式を C 言語で行うには、switch 文で分岐させます。フローチャートは図 4.1 のようになります。

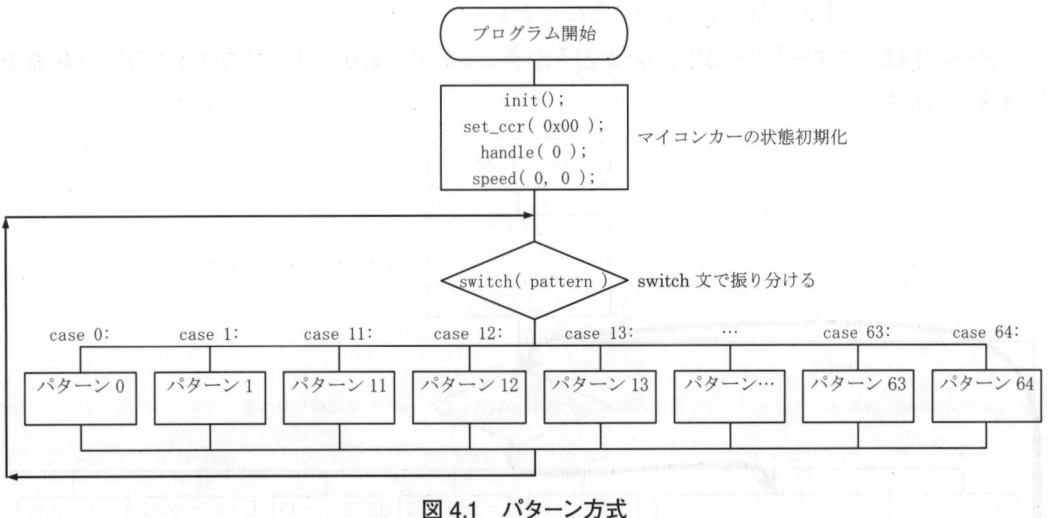

```
           プログラム開始
                │
        ┌───────▼───────┐
        │ init();       │
        │ set_ccr(0x00);│ マイコンカーの状態初期化
        │ handle(0);    │
        │ speed(0, 0);  │
        └───────┬───────┘
                │
        ┌───────▼───────┐
        │ switch(pattern)│ switch 文で振り分ける
        └───────┬───────┘
  case 0: case 1: case 11: case 12: case 13: ... case 63: case 64:
  パターン0 パターン1 パターン11 パターン12 パターン13  パターン… パターン63 パターン64
```

図 4.1　パターン方式

マイコンの電源投入時、pattern 変数は 0 です。switch 文により case 0 部分のプログラム「パターン 0 プログラム」を実行し続けます。詳しくは後述しますが、パターン 0 はスイッチ入力待ちです。スイッチが押されると、「pattern=1」が実行されます。プログラムの実行状態を図 4.2 に示します。

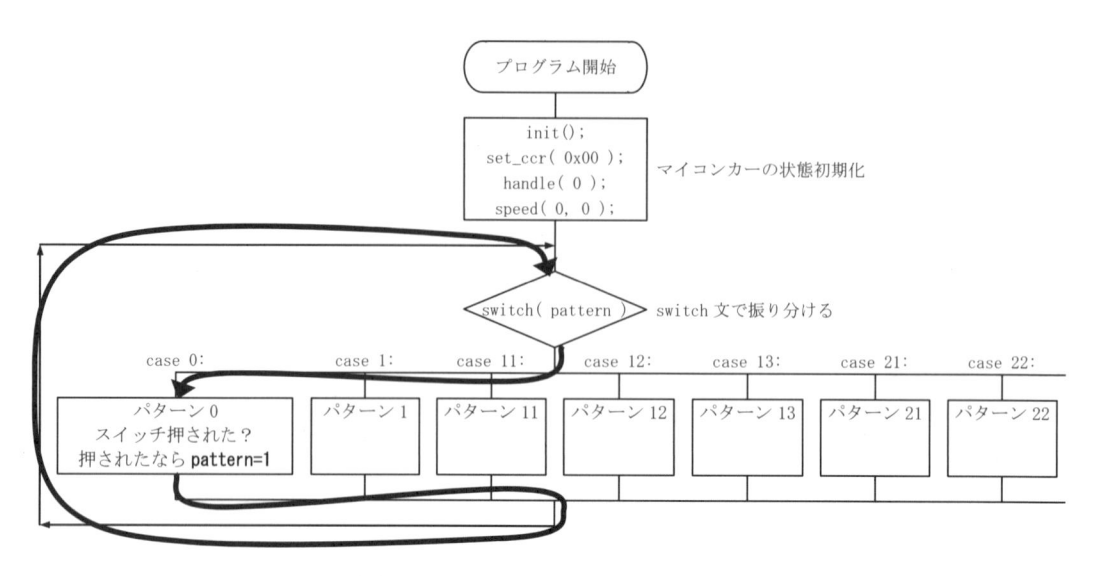

```
                    ┌─────────────┐
                    │ プログラム開始 │
                    └──────┬──────┘
                    ┌──────┴──────┐
                    │   init();        │
                    │ set_ccr( 0x00 ); │  マイコンカーの状態初期化
                    │   handle( 0 );   │
                    │  speed( 0, 0 );  │
                    └──────┬──────┘
                       ◇ switch( pattern ) ◇  switch 文で振り分ける
```

図4.2　pattern＝0のときの実行内容

　次にswitch文を実行したとき、pattern変数の値が1になっているので、case 1部分にある「パターン1プログラム」が実行されます。本書では、switch(pattern)のcase 1で実行されるプログラムを、パターン1を実行すると言うことにします。

　パターン1は、スタートバーが開いたかどうかチェックする部分です。プログラムの実行状態を図4.3に示します。

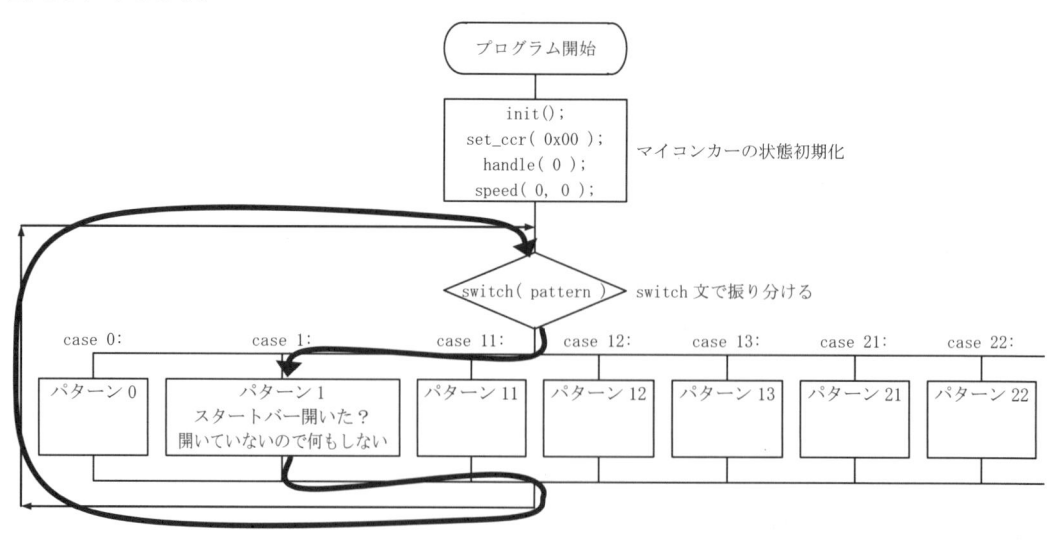

図4.3　pattern＝1のときの実行内容

　このように、プログラムをブロック化します。ブロック化したプログラムでは、「スタートスイッチが押されたか」、「スタートバーが開いたか」など簡単なチェックを行い、条件を満たすとパターン番号（pattern変数の値）を変えます。

4.4.3 パターンの内容

kit07.c のパターン番号と、プログラムの処理内容、パターンが変わる条件は表 4.2 のようになっています。

表 4.2 パターン番号と処理内容

現在のパターン	処理内容	パターンが変わる条件
0	スイッチ入力待ち	●スイッチを押したらパターン 1 へ
1	スタートバーが開いたかチェック	●スタートバーが開いたことを検出したらパターン 11 へ
11	通常トレース	●右大曲げになったらパターン 12 へ ●左大曲げになったらパターン 13 へ ●クロスラインを検出したらパターン 21 へ ●右ハーフラインを検出したらパターン 51 へ ●左ハーフラインを検出したらパターン 61 へ
12	右へ大曲げの終わりのチェック	●右大曲げが終わったらパターン 11 へ ●クロスラインを検出したらパターン 21 へ ●右ハーフラインを検出したらパターン 51 へ ●左ハーフラインを検出したらパターン 61 へ
13	左へ大曲げの終わりのチェック	●左大曲げが終わったらパターン 11 へ ●クロスラインを検出したらパターン 21 へ ●右ハーフラインを検出したらパターン 51 へ ●左ハーフラインを検出したらパターン 61 へ
21	1本目のクロスライン検出時の処理	●サーボ、スピードの設定を終えたらパターン 22 へ
22	2本目を読み飛ばす	●100ms たったらパターン 23 へ
23	クロスライン後のトレース、クランク検出	●左クランクを見つけたらパターン 31 へ ●右クランクを見つけたらパターン 41 へ
31	左クランククリア処理安定するまで少し待つ	●200ms たったならパターン 32 へ
32	左クランククリア処理曲げ終わりのチェック	●左クランクをクリアしたならパターン 11 へ
41	右クランククリア処理安定するまで少し待つ	●200ms たったならパターン 42 へ
42	右クランククリア処理曲げ終わりのチェック	●右クランクをクリアしたならパターン 11 へ
51	1本目の右ハーフライン検出時の処理	●サーボ、スピードの設定を終えたらパターン 52 へ
52	2本目を読み飛ばす	●100ms たったならパターン 53 へ
53	右ハーフライン後のトレース	●中心線が無くなったならパターン 54 へ
54	右レーンチェンジ終了のチェック	●新しい中心線がセンサの中心に来たならパターン 11 へ
61	1本目の左ハーフライン検出時の処理	●サーボ、スピードの設定を終えたらパターン 62 へ
62	2本目を読み飛ばす	●100ms たったならパターン 63 へ
63	左ハーフライン後のトレース	●中心線が無くなったならパターン 64 へ
64	左レーンチェンジ終了のチェック	●新しい中心線がセンサの中心に来たならパターン 11 へ

4.5 フローチャート

4.5.1 パターン0：スイッチ入力待ち

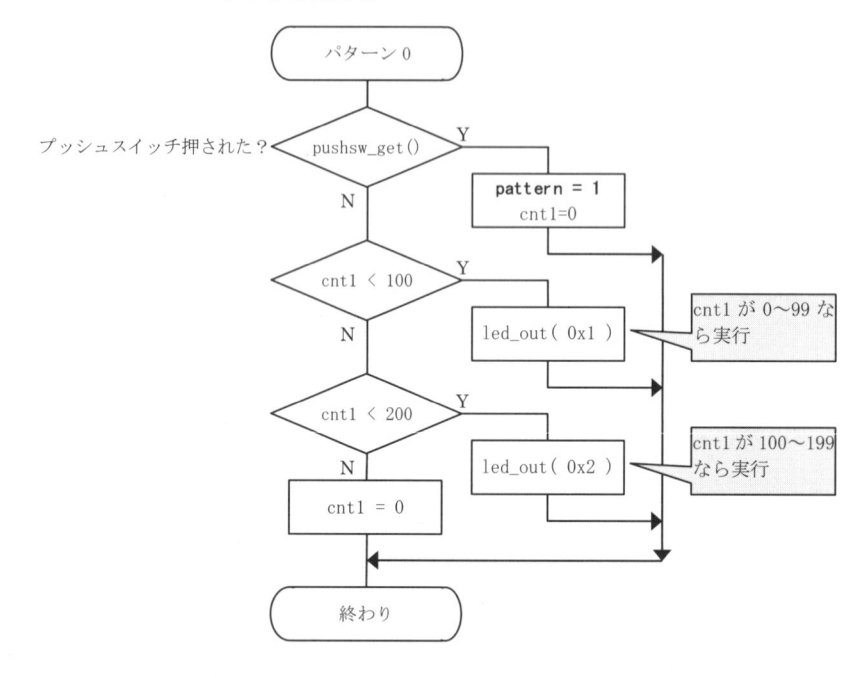

```
              ┌─────────┐
              │ パターン0 │
              └────┬────┘
                   │
       ┌───────────┴───────────┐
       │   pushsw_get()   │──Y──┐
プッシュスイッチ押された？└───────┬───────┘     │
                   N           │
                   │     ┌─────┴─────┐
                   │     │ pattern = 1│
                   │     │  cnt1=0    │
                   │     └─────┬─────┘
       ┌───────────┴───────────┐     │
       │    cnt1 < 100    │──Y──┤       ┌──────────────┐
       └───────┬───────┘     │       │ cnt1が0～99な │
                   N           │   ┌───│ら実行         │
                   │     ┌─────┴─────┐ │ └──────────────┘
                   │     │led_out(0x1)│─┤
                   │     └─────┬─────┘ │
       ┌───────────┴───────────┐     │
       │    cnt1 < 200    │──Y──┤       ┌──────────────┐
       └───────┬───────┘     │       │cnt1が100～199│
                   N           │   ┌───│なら実行       │
                   │     ┌─────┴─────┐ │ └──────────────┘
                   │     │led_out(0x2)│─┤
                   │     └─────┬─────┘ │
              ┌────┴────┐           │
              │ cnt1 = 0 │           │
              └────┬────┘           │
                   ├─────────────────┘
              ┌────┴────┐
              │  終わり  │
              └─────────┘
```

- cnt1が0～99なら実行
- cnt1が100～199なら実行

4.5.2 パターン1：スタートバーが開いたかチェック

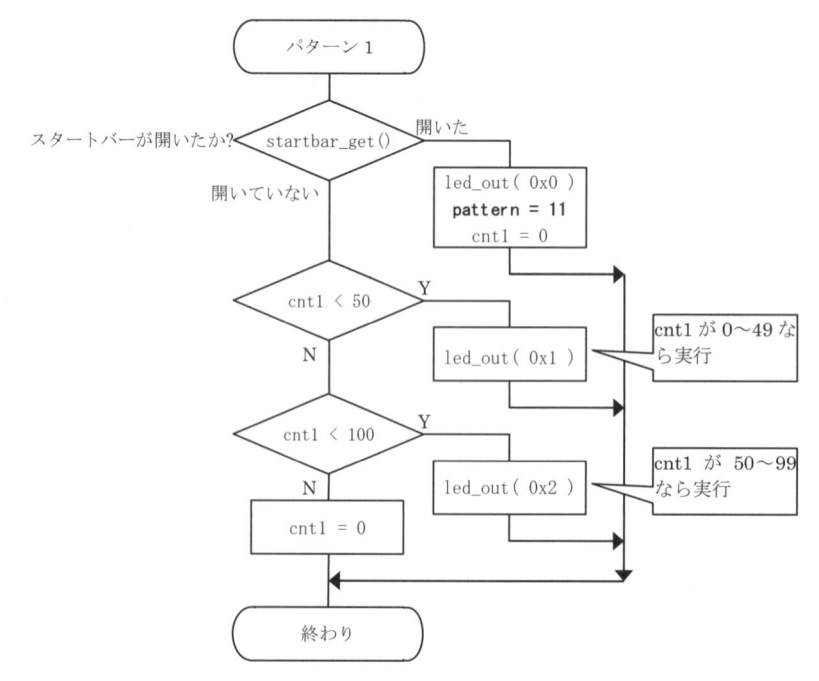

```
              ┌─────────┐
              │ パターン1 │
              └────┬────┘
                   │
       ┌───────────┴───────────┐  開いた
       │  startbar_get()  │──────┐
スタートバーが開いたか？└───────┬───────┘     │
                開いていない      │
                   │       ┌─────┴──────┐
                   │       │led_out(0x0)│
                   │       │pattern = 11│
                   │       │  cnt1 = 0  │
                   │       └─────┬──────┘
       ┌───────────┴───────────┐     │
       │    cnt1 < 50     │──Y──┤       ┌──────────────┐
       └───────┬───────┘     │       │cnt1が0～49な │
                   N           │   ┌───│ら実行         │
                   │     ┌─────┴─────┐ │ └──────────────┘
                   │     │led_out(0x1)│─┤
                   │     └─────┬─────┘ │
       ┌───────────┴───────────┐     │
       │    cnt1 < 100    │──Y──┤       ┌──────────────┐
       └───────┬───────┘     │       │cnt1が50～99 │
                   N           │   ┌───│なら実行       │
                   │     ┌─────┴─────┐ │ └──────────────┘
                   │     │led_out(0x2)│─┤
                   │     └─────┬─────┘ │
              ┌────┴────┐           │
              │ cnt1 = 0 │           │
              └────┬────┘           │
                   ├─────────────────┘
              ┌────┴────┐
              │  終わり  │
              └─────────┘
```

- cnt1が0～49なら実行
- cnt1が50～99なら実行

4.5.3　パターン11：通常トレース

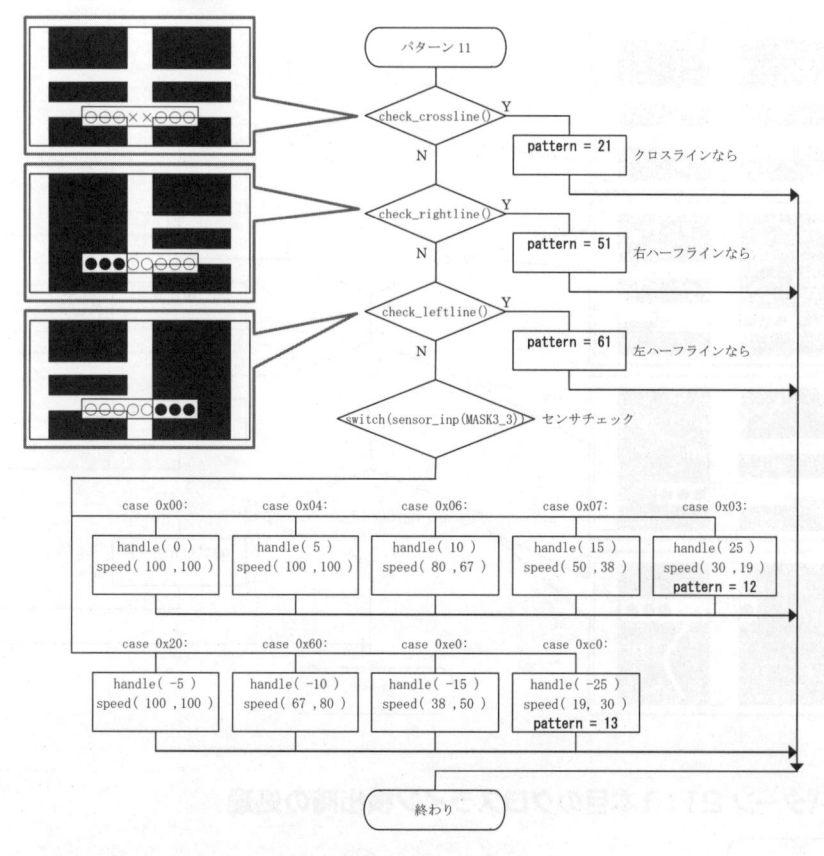

4.5.4　パターン12：右へ大曲げの終わりのチェック

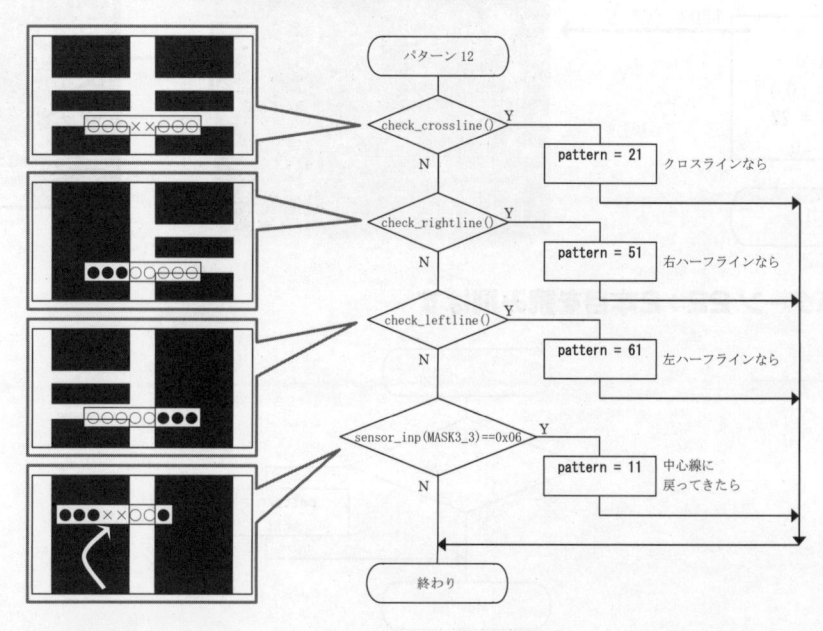

4.5.5　パターン 13：左へ大曲げの終わりのチェック

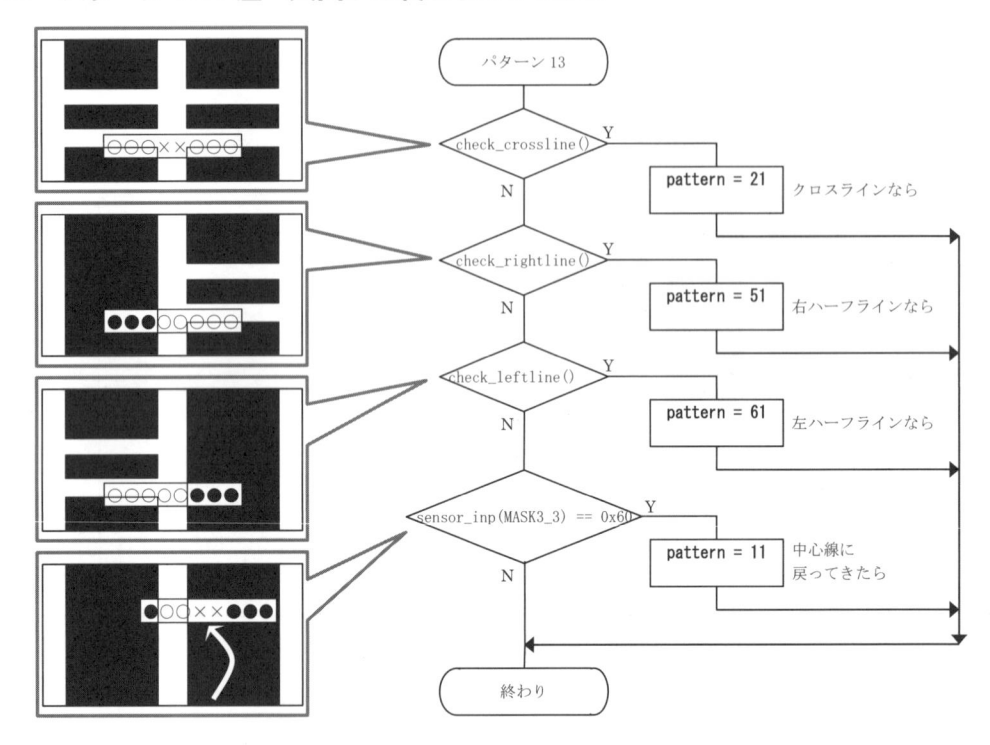

フローチャート：
- パターン13
- check_crossline() → Y: pattern = 21 （クロスラインなら）
- N → check_rightline() → Y: pattern = 51 （右ハーフラインなら）
- N → check_leftline() → Y: pattern = 61 （左ハーフラインなら）
- N → sensor_inp(MASK3_3) == 0x60 → Y: pattern = 11 （中心線に戻ってきたら）
- N → 終わり

4.5.6　パターン 21：1本目のクロスライン検出時の処理

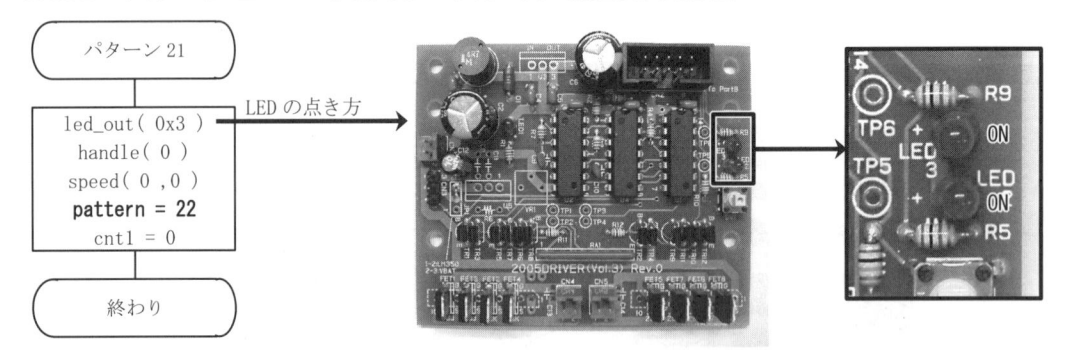

パターン21
```
led_out( 0x3 )
handle( 0 )
speed( 0 ,0 )
pattern = 22
cnt1 = 0
```
終わり

LED の点き方

4.5.7　パターン 22：2本目を読み飛ばす

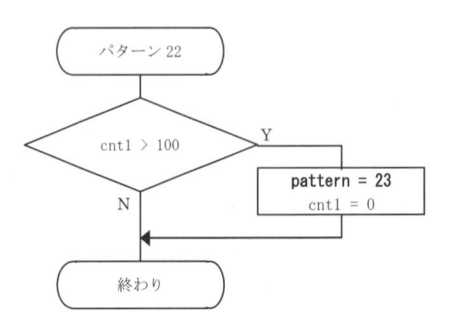

パターン22
- cnt1 > 100 → Y: pattern = 23, cnt1 = 0
- N → 終わり

4.5.8 パターン23：クロスライン後のトレース、クランク検出

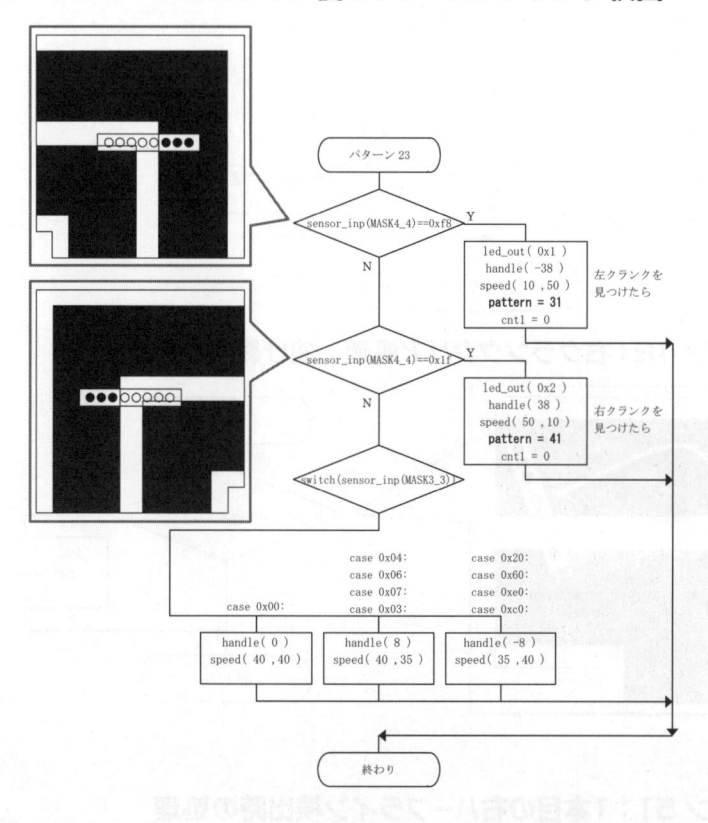

```
                    パターン 23
                        │
            ┌───────────┴───────────┐
          sensor_inp(MASK4_4)==0xf8 ──Y──┐
                        │N               │
                        │          led_out( 0x1 )
                        │          handle( -38 )      左クランクを
                        │          speed( 10 ,50 )    見つけたら
                        │          pattern = 31
                        │          cnt1 = 0
                        │                │
          sensor_inp(MASK4_4)==0x1f ──Y──┤
                        │N               │
                        │          led_out( 0x2 )
                        │          handle( 38 )       右クランクを
                        │          speed( 50 ,10 )    見つけたら
                        │          pattern = 41
                        │          cnt1 = 0
                        │                │
          switch(sensor_inp(MASK3_3))    │
            │         │         │        │
         case 0x04: case 0x20:            │
         case 0x06: case 0x60:            │
         case 0x07: case 0xe0:            │
   case 0x00: case 0x03: case 0xc0:       │
        │         │         │             │
   handle( 0 ) handle( 8 ) handle( -8 )   │
   speed(40,40) speed(40,35) speed(35,40) │
        │         │         │             │
        └─────────┴─────────┴─────────────┤
                                          │
                                       終わり
```

4.5.9 パターン31：左クランククリア処理　安定するまで少し待つ

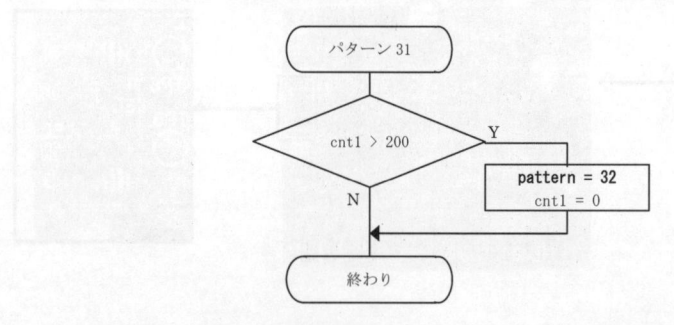

```
          パターン 31
              │
         cnt1 > 200 ──Y──┐
              │N      pattern = 32
              │       cnt1 = 0
              ├──────────┘
           終わり
```

4.5.10 パターン32：左クランククリア処理　曲げ終わりのチェック

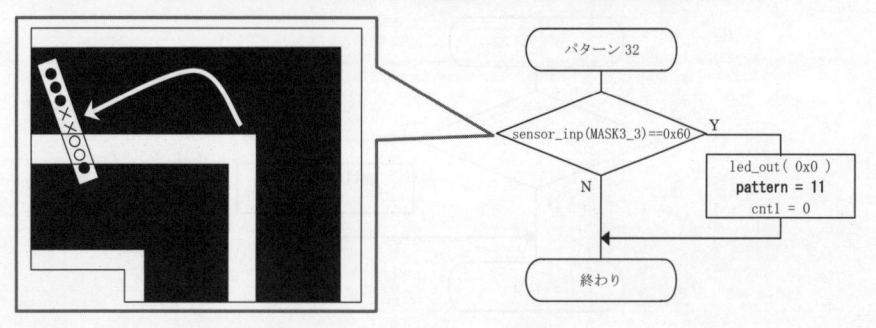

```
          パターン 32
              │
      sensor_inp(MASK3_3)==0x60 ──Y──┐
              │N              led_out( 0x0 )
              │               pattern = 11
              │               cnt1 = 0
              ├───────────────────┘
           終わり
```

4.5.11　パターン41：右クランククリア処理　安定するまで少し待つ

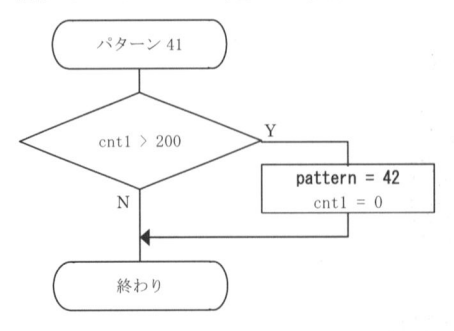

```
       パターン41
          │
      ┌───◇───┐ Y    ┌──────────────┐
      │cnt1>200├─────┤ pattern = 42 │
      └───┬───┘      │ cnt1 = 0     │
          │N         └──────┬───────┘
          ├←───────────────┘
       ┌──┴──┐
       │終わり│
       └─────┘
```

4.5.12　パターン42：右クランククリア処理　曲げ終わりのチェック

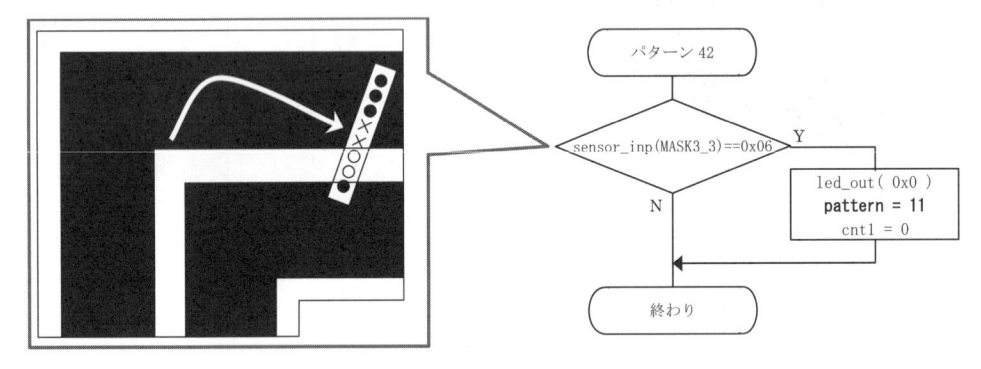

```
                パターン42
                   │
            ┌──────◇──────┐ Y    ┌──────────────────┐
            │sensor_inp(MASK3_3)│──────┤ led_out( 0x0 )   │
            │   ==0x06    │      │ pattern = 11     │
            └──────┬──────┘      │ cnt1 = 0         │
                   │N            └────────┬─────────┘
                   ├←────────────────────┘
                ┌──┴──┐
                │終わり│
                └─────┘
```

4.5.13　パターン51：1本目の右ハーフライン検出時の処理

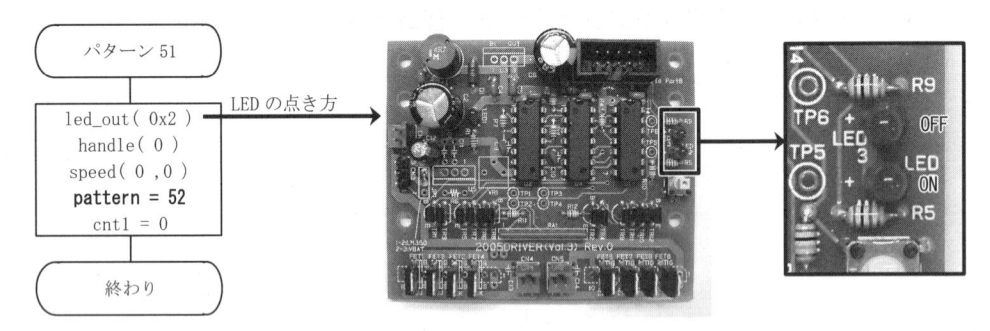

```
    パターン51
       │
┌──────┴──────┐
│led_out( 0x2 )│      LEDの点き方
│handle( 0 )  │  ───→
│speed( 0 ,0 )│
│pattern = 52 │
│cnt1 = 0     │
└──────┬──────┘
    ┌──┴──┐
    │終わり│
    └─────┘
```

4.5.14　パターン52：2本目を読み飛ばす

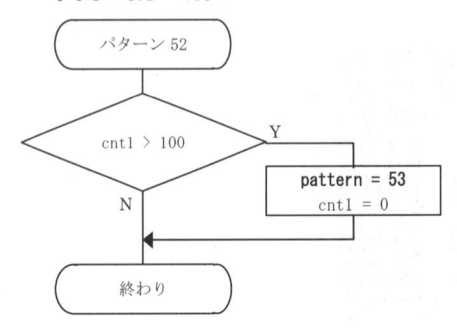

```
       パターン52
          │
      ┌───◇───┐ Y    ┌──────────────┐
      │cnt1>100├─────┤ pattern = 53 │
      └───┬───┘      │ cnt1 = 0     │
          │N         └──────┬───────┘
          ├←───────────────┘
       ┌──┴──┐
       │終わり│
       └─────┘
```

4.5.15　パターン53：右ハーフライン後のトレース

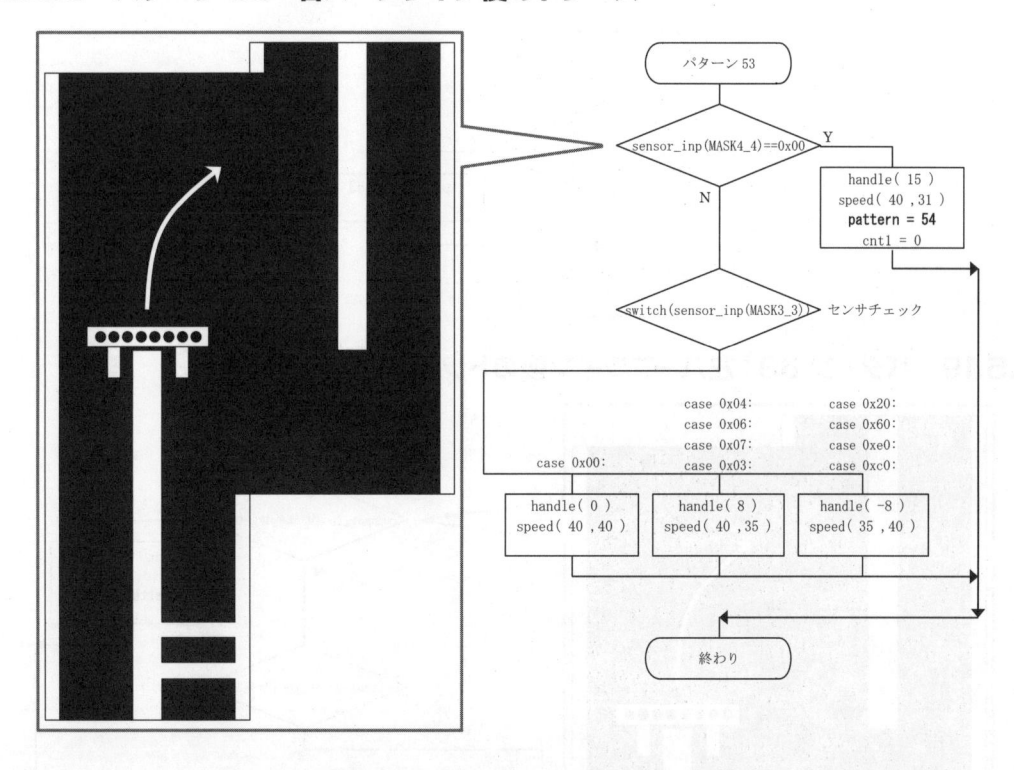

```
                    パターン53
                       │
            ┌──────────◇ sensor_inp(MASK4_4)==0x00 ─Y─┐
            │          N                              │
            │                                    handle( 15 )
            │                                    speed( 40 ,31 )
            │                                    pattern = 54
            │                                    cnt1 = 0
            │          │
            │     switch(sensor_inp(MASK3_3))  センサチェック
            │          │
   ┌────────┼──────────┼──────────┐
case 0x00: case 0x04:  case 0x20:
           case 0x06:  case 0x60:
           case 0x07:  case 0xe0:
           case 0x03:  case 0xc0:
 handle( 0 ) handle( 8 )  handle( -8 )
 speed(40,40) speed(40,35) speed(35,40)
```

終わり

4.5.16　パターン54：右レーンチェンジ終了のチェック

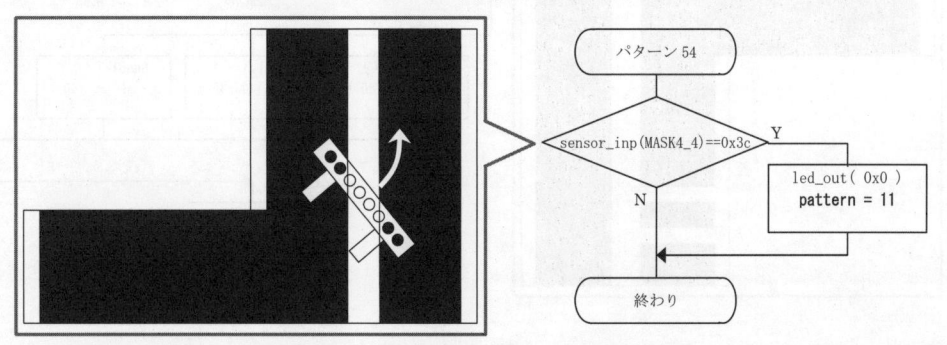

```
      パターン54
         │
    ◇ sensor_inp(MASK4_4)==0x3c ─Y─┐
         N                          │
                               led_out( 0x0 )
                               pattern = 11
         │                          │
         └──────────────┬───────────┘
                      終わり
```

4.5.17　パターン61：1本目の左ハーフライン検出時の処理

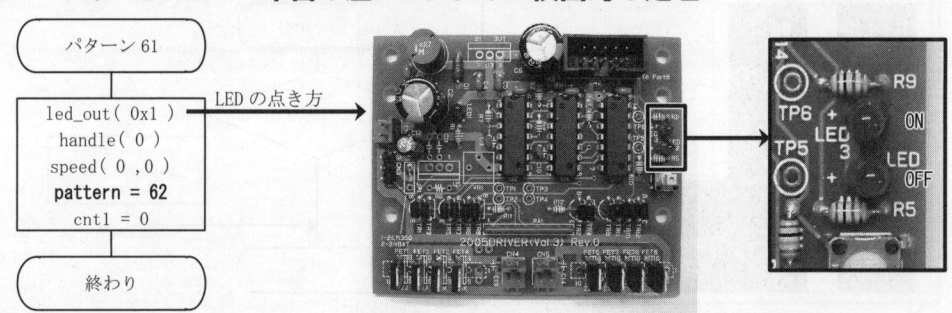

```
  パターン61
      │
 led_out( 0x1 )      LEDの点き方
 handle( 0 )
 speed( 0 ,0 )
 pattern = 62
 cnt1 = 0
      │
    終わり
```

Micom Car Rally

4.5.18 パターン62：2本目を読み飛ばす

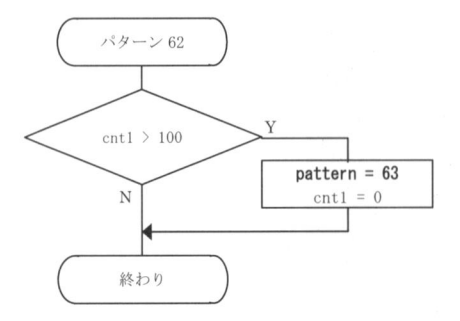

```
        パターン62
           │
      ┌────┴────┐
      │cnt1>100 │──Y──┐
      └────┬────┘     │
           N      ┌───┴────────┐
           │      │pattern = 63│
           │      │cnt1 = 0    │
           │      └───┬────────┘
           ├──────────┘
        終わり
```

4.5.19 パターン63：左ハーフライン後のトレース

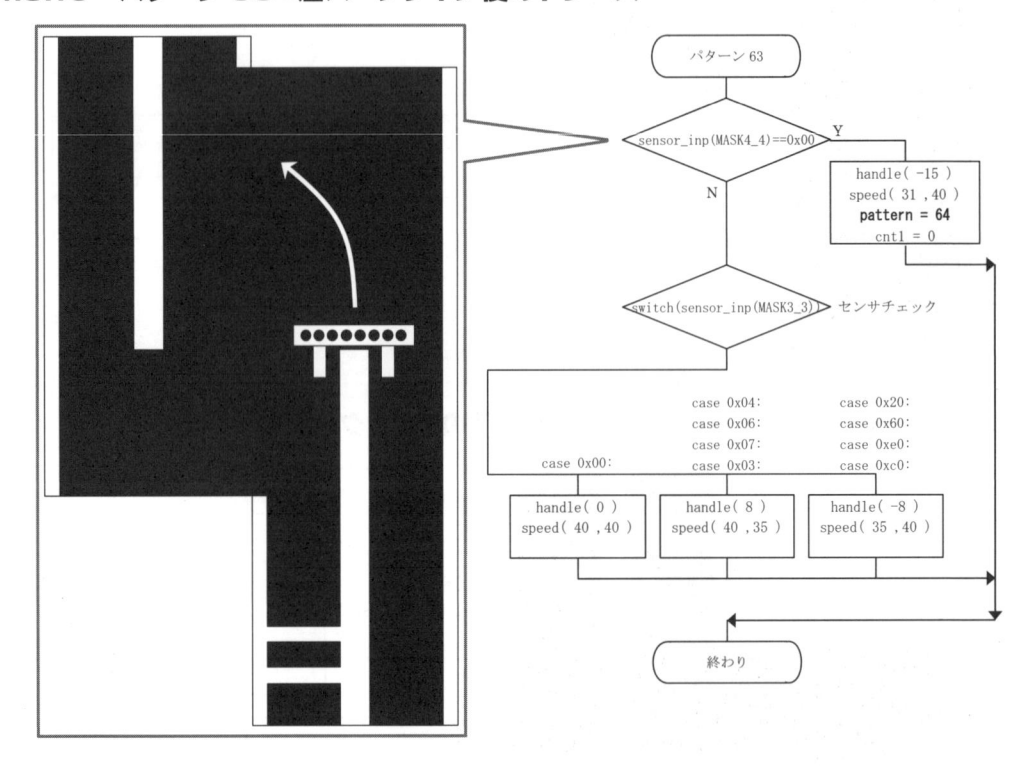

```
                    パターン63
                       │
              ┌────────┴─────────┐
              │sensor_inp(MASK4_4)│──Y──┐
              │     ==0x00        │    │
              └────────┬──────────┘    │
                       N          ┌────┴──────┐
                       │          │handle(-15)│
                       │          │speed(31,40)│
                       │          │pattern = 64│
                       │          │cnt1 = 0   │
                       │          └────┬──────┘
              ┌────────┴──────────┐    │
              │switch(sensor_inp  │ センサチェック
              │    (MASK3_3))     │    │
              └────────┬──────────┘    │
                       │               │
     ┌──────────┬──────┴──────┬────────┤
  case 0x04:  case 0x20:              │
  case 0x06:  case 0x60:              │
  case 0x07:  case 0xe0:              │
case 0x00:  case 0x03:  case 0xc0:    │
  ┌────────┐ ┌────────┐ ┌─────────┐   │
  │handle(0)│ │handle(8)│ │handle(-8)│ │
  │speed(40,40)│speed(40,35)│speed(35,40)│
  └────┬───┘ └────┬───┘ └────┬────┘   │
       └──────────┴──────────┴────────┤
                                  終わり
```

4.5.20 パターン64：左レーンチェンジ終了のチェック

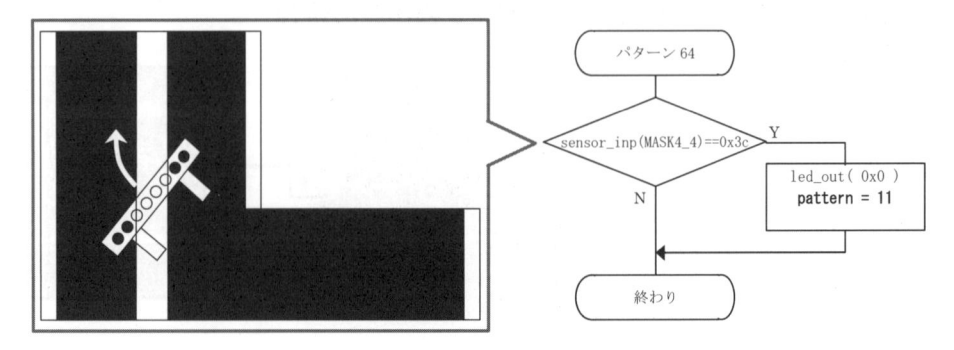

```
              パターン64
                 │
        ┌────────┴──────────┐
        │sensor_inp(MASK4_4)│──Y──┐
        │     ==0x3c        │    │
        └────────┬──────────┘    │
                 N          ┌────┴──────┐
                 │          │led_out(0x0)│
                 │          │pattern = 11│
                 │          └────┬──────┘
                 ├───────────────┘
              終わり
```

第 4 章 マイコンカーキット Ver.4 のソフトウェア

4.6 通信ソフトをインストールする

　Windows 標準でハイパーターミナルという通信ソフトが入っていますが、ここではフリーソフトの「Tera Term Pro」を使用します。

4.6.1 Tera Term Pro のインストール

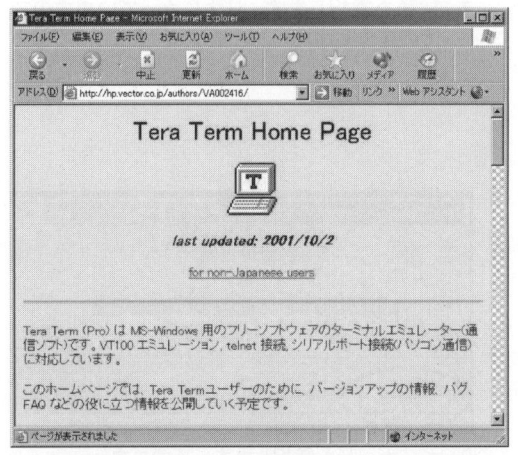

1. まず、ソフトをダウンロードします。インターネットブラウザで
   http://hp.vector.co.jp/authors/VA002416/
   を開きます。

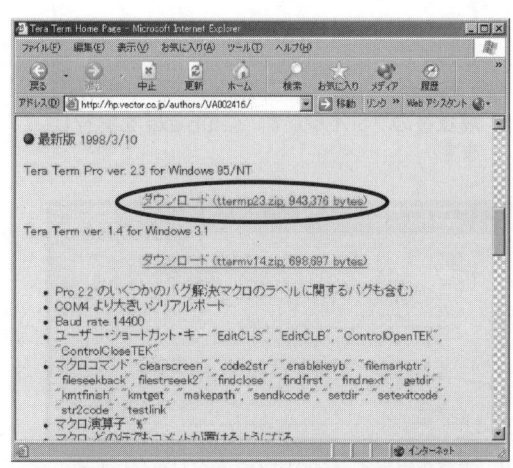

2. 下の方に「ダウンロード（ttermp23.zip; 943,376 bytes）」とあるので、クリックして保存します。

3. 保存は何処でも良いですが、ここではディスクトップに保存します。

4. 保存されました。

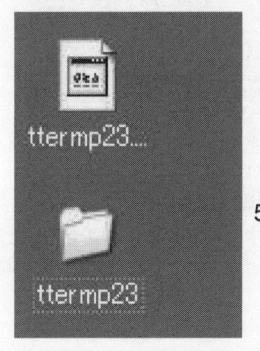

5. ttermp23.zip は ZIP 形式で圧縮された形式なので、解凍します。解凍ソフトは、フリーソフトでたくさんありますので、インターネットなどで探してください。画面は、ttermp23 というフォルダに解凍したところです。

159

Micom Car Rally

6. 解凍後のファイルです。setup.exe を実行します。

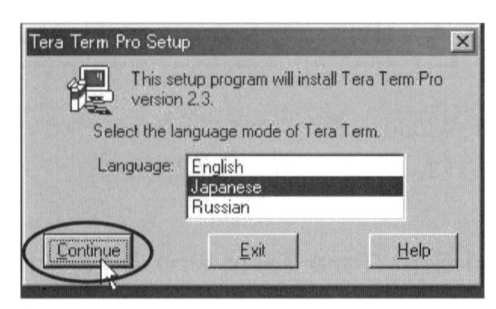

7. 言語を選択します。日本になっていますのでそのまま Continue（続ける）をクリックします。

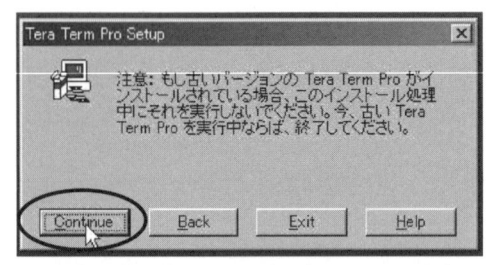

8. 注意が出ます。Continue をクリックします。

9. キーボードを選択します。そのまま Continue をクリックします。

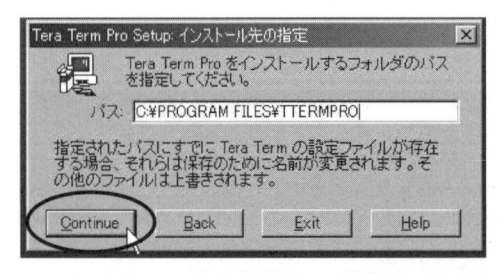

10. インストール先を確認して、問題なければ Continue をクリックします。インストールが開始されます。

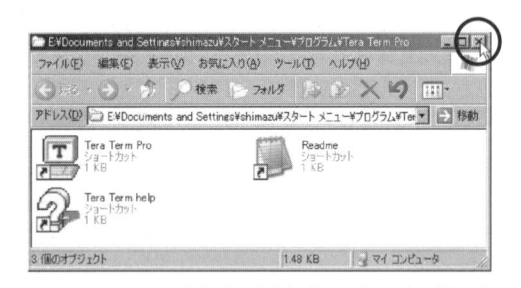

11. メニューが立ち上がります。×をクリックして閉じます。

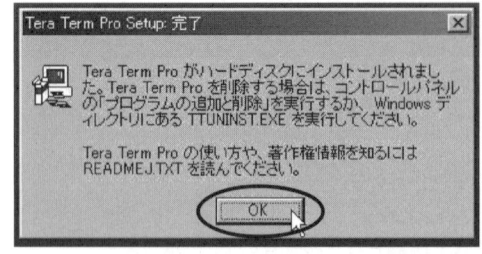

12. OK をクリックして、インストールを完了します。

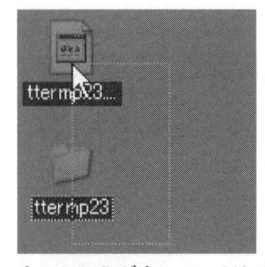

13. インターネットからダウンロードしたファイルはもう使いませんので、削除しましょう。

第 4 章 マイコンカーキット Ver.4 のソフトウェア

　これから、Tera Term Pro を使っていきますが、標準では COM（通信）ポートが 1 ～ 4 までしか選択できません。USB-RS232C 変換ケーブルを使ったときなど、通信ポートの番号が COM5 以上になることがあります。そのため、COM5 以上も選択できるように設定を変えておきましょう。

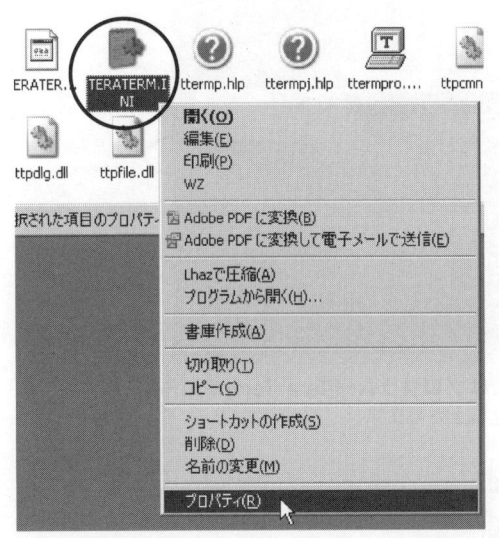

14.「C ドライブ→ Program Files → TTERMPRO → TERATERM.INI」を右クリック、「プロパティ」を選択します。

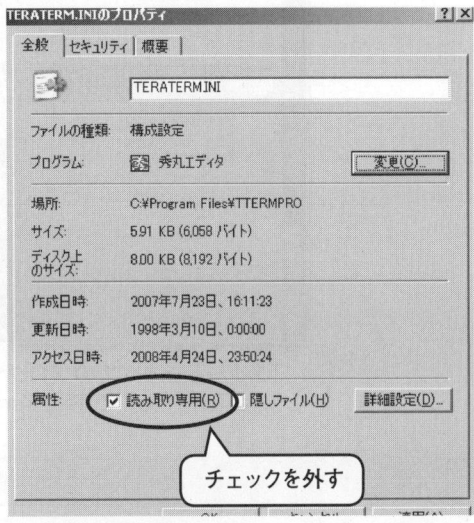

15.「読み取り専用」のチェックが付いている場合、チェックを外します。

16. 再度、「TERATERM.INI」を右クリックし、今度はファイルを開きます。

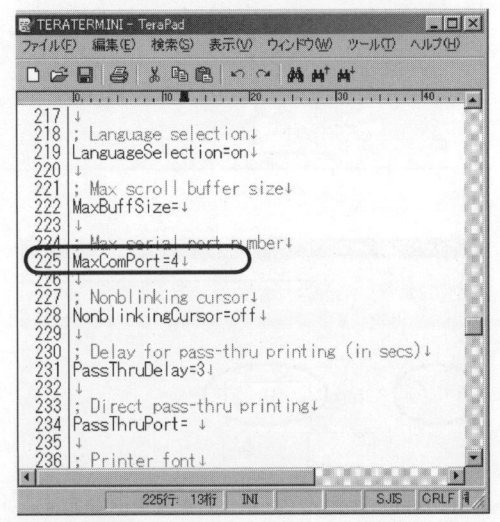

17. 225 行に

　　　MaxComPort=4

とあります。この「4」という数字が COM 番号の最大値です。
この数値を「16」に書き換えておきましょう。COM16 まで開くことができます
(TeraTermPro は 16 が最大です)。
上書き保存して、完了です。

4.6.2 Tera Term Pro の使い方
■立ち上げ方

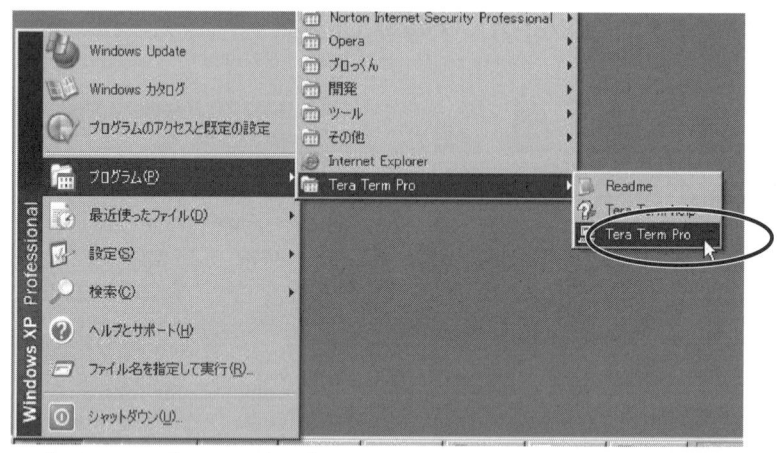

1. 「スタート→すべてのプログラム、またはプログラム→ Tera Term Pro → Tera Term Pro」で Tera Term Pro が立ち上がります。

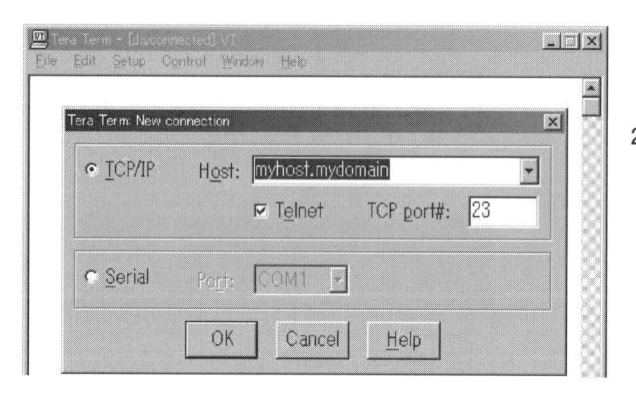

2. 最初、どこに接続するか選択する画面が出てきます。

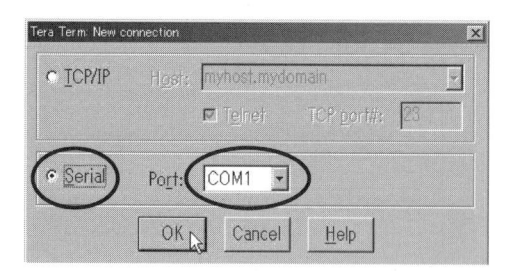

3. 「Serial」を選んで、ポート番号を選びます。選択後、OK をクリックします。

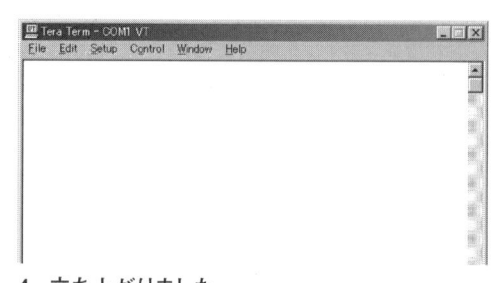

4. 立ち上がりました。

■通信ポートの詳細設定

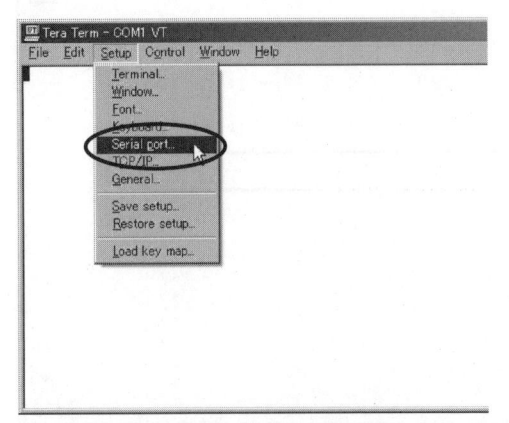

1.「Setup → Serial port」を選択します。

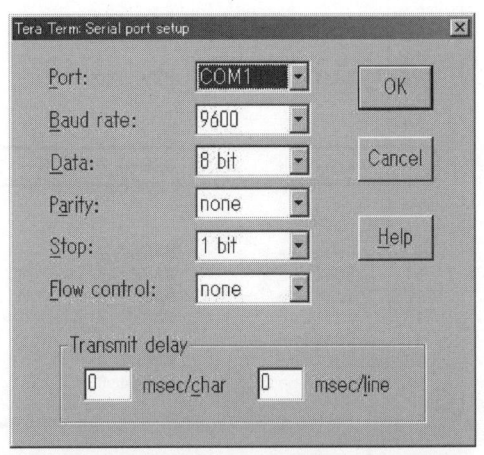

2. 通信設定を確認します。画面のように設定して、OK をクリックします。「Port」は、それぞれの通信ポートの番号に合わせてください。

■一時的な切断、再接続

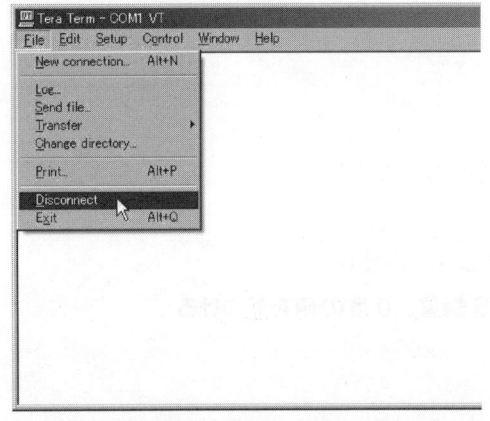

1. 一時的な切断は、「File → Disconnect」で切断できます。

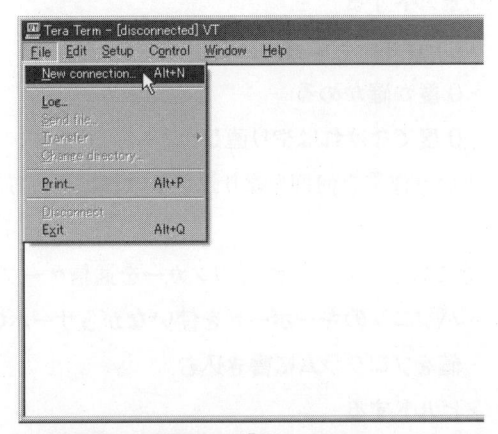

2. 再接続する場合は、「File → New connection」で接続できます。

4.7 サーボセンタ調整、サーボ最大切れ角を見つける

4.7.1 概要

ワークスペース「kit07」のプロジェクト「kit07」をビルド後、プログラムを書き込んでマイコンカーの電源を入れると、ハンドルが 0 度になっていません。これは、人の指紋が一人一人違うのと同じで、サーボを「まっすぐにしなさい」という数値がサーボ 1 個 1 個違うためです。

そこで、サーボセンタの調整を行います。「kit07.c」の 36 行

```
27                                    /* φ/8で使用する場合、      */
28                                    /* φ/8 = 325.5[ns]         */
29                                    /* ∴TIMER_CYCLE =          */
30                                    /*      1[ms] / 325.5[ns]  */
31                                    /*                  = 3072 */
32   #define     PWM_CYCLE    49151   /* PWMのサイクル 16ms       */
33                                    /* ∴PWM_CYCLE =            */
34                                    /*      16[ms] / 325.5[ns] */
35                                    /*                 = 49152 */
36   #define     SERVO_CENTER 5000    /* サーボのセンタ値         */
37   #define     HANDLE_STEP  20      /* 1度分の値                */
38
39   /* マスク値設定  ×：マスクあり(無効)  ○：マスク無し(有効) */
40   #define     MASK2_2      0x66    /* ×○○××○○×            */
41   #define     MASK2_0      0x60    /* ×○○×××××             */
42   #define     MASK0_2      0x06    /* ×××××○○×             */
43   #define     MASK3_3      0xe7    /* ○○○××○○○             */
44   #define     MASK0_3      0x07    /* ×××××○○○             */
45   #define     MASK3_0      0xe0    /* ○○○×××××             */
46   #define     MASK4_0      0xf0    /* ○○○○××××            */
```

kit07.c

が、サーボセンタの値です。調整は、

・ずれに応じて値を調整する（1度あたり26、値を減らすと左へ、増やすと右へサーボが動きます）

・ビルドする

・CPU ボードに書き込む

・0 度か確かめる

・0 度でなければやり直し

という作業を何回も繰り返さなければきっちとした中心になりません。

そこで、パソコンとマイコンカーを通信ケーブルで繋ぎます。調整は、

・パソコンのキーボードを使いながらサーボのセンタを調整、0 度の値を見つける

・値をプログラムに書き込む

・ビルドする

・CPU ボードに書き込む

という作業のみで OK です。先ほどより、簡単になりました。今回は、パソコンのキーボードを調整用として使い、

・サーボセンタの値を簡単に調整しましょう

・最大切れ角もいっしょに見つけましょう

というのが内容です。

第 4 章　マイコンカーキット Ver.4 のソフトウェア

4.7.2　サーボのセンタ調整

ワークスペース「kit07」を開きます。

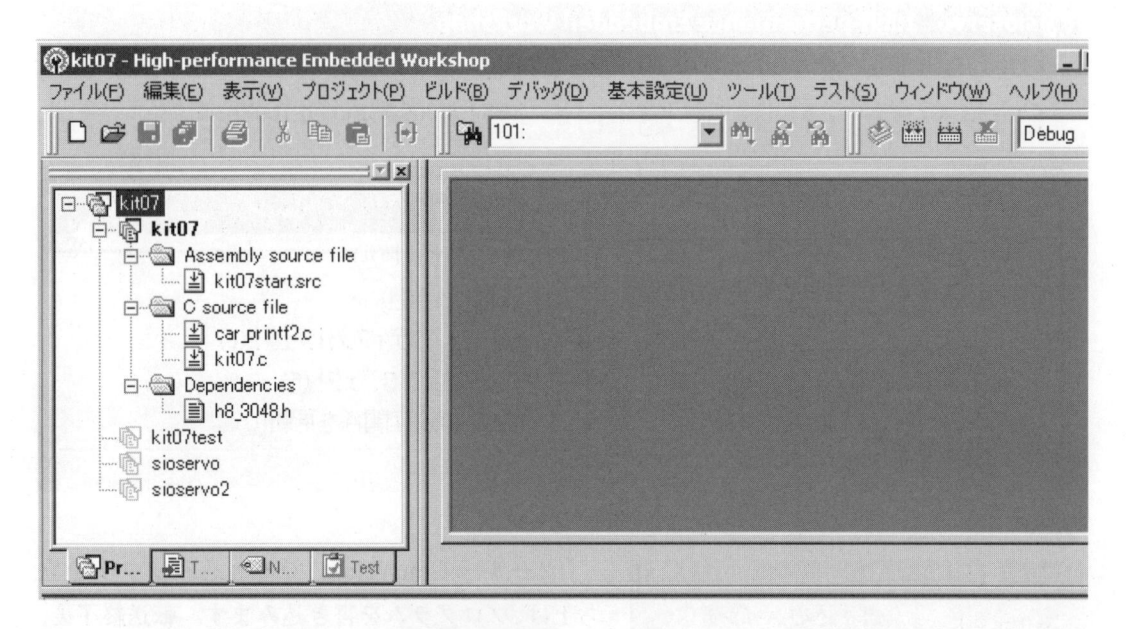

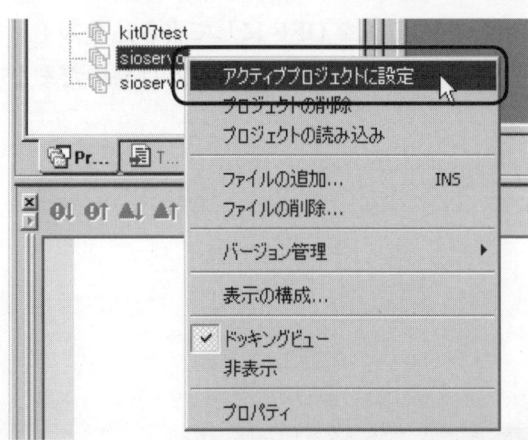

プロジェクト「sioservo」をアクティブプロジェクトに設定します。

165

MICOM CAR RALLY

「ビルド→ビルド」でビルドします。MOT ファイルが作成されます。

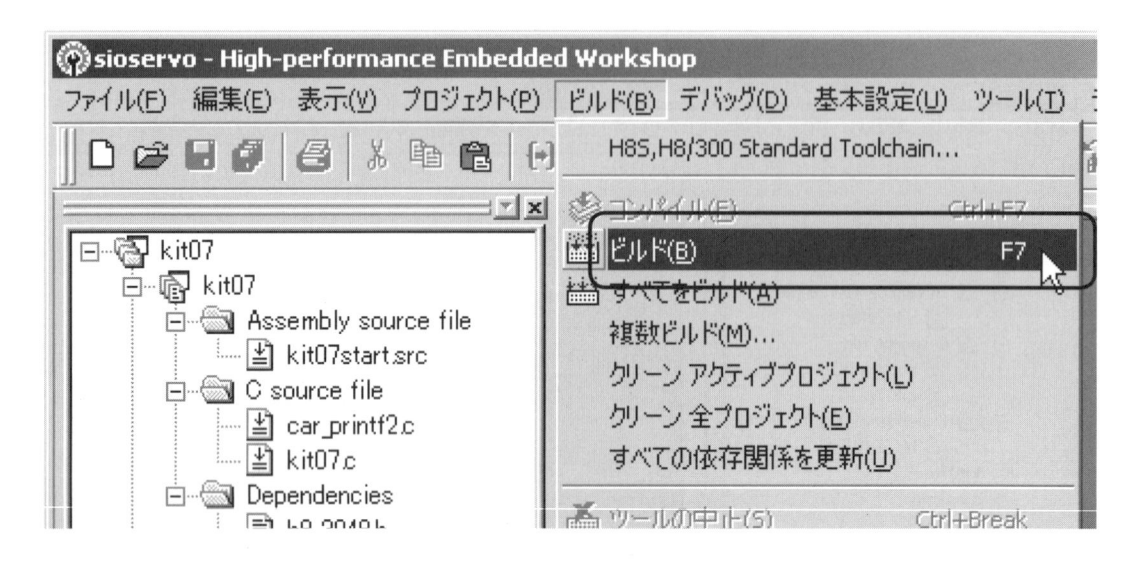

「ツール→ CpuWrite」で書き込みソフトを立ち上げ、プログラムを書き込みます。転送終了後、CPU ボードの電源を OFF にして書き込みスイッチを内側にしておきます。ケーブルは繋いだままです。

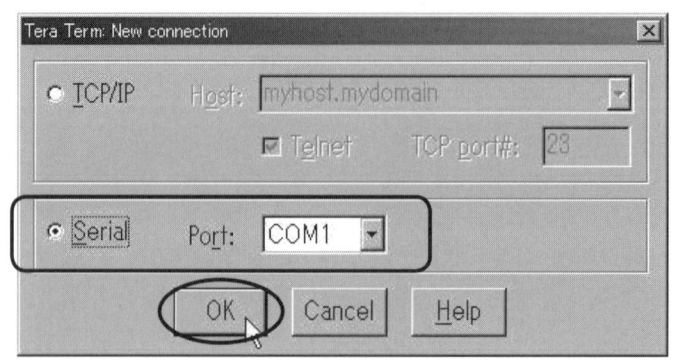

1.「スタート→プログラム→ Tera Term Pro → Tera Term Pro」で Tera Term Pro を立ち上げます。Serial を選択して、ポートを書き込みポートの番号に合わせます。設定できたら OK をクリックします。

第4章 マイコンカーキット Ver.4 のソフトウェア

RS232C ケーブル

通信ソフト

Tera Term Pro

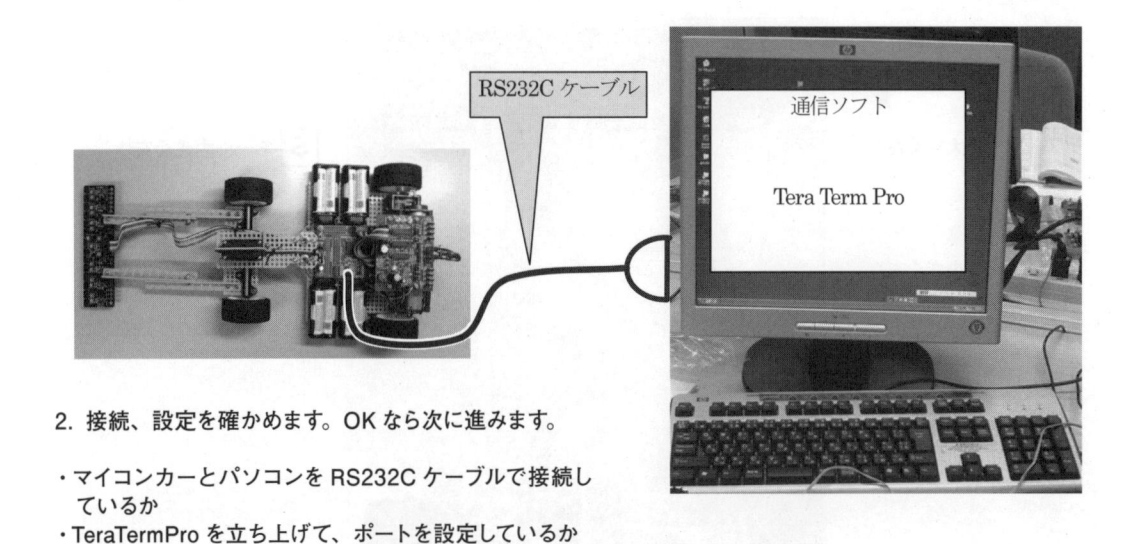

2. 接続、設定を確かめます。OK なら次に進みます。

・マイコンカーとパソコンを RS232C ケーブルで接続しているか
・TeraTermPro を立ち上げて、ポートを設定しているか

```
Tera Term - COM1 VT
File  Edit  Setup  Control  Window  Help
Servo Center Adjustment Soft
'Z' key  : Center Value +1
'X' key  : Center Value -1

'A' key  : Center Value +10
'S' key  : Center Value -10

5000
```

3. マイコンカーの電源を入れるとメッセージが表示されます。表示されない場合は、ケーブルの接続やマイコンカーの電池、書き込みスイッチを戻したか、通信ポートの番号、書き込んだプログラムが本当にプロジェクト「sioservo」の sioservo.mot かどうか確かめてください。

ポイント

TeraTermPro を立ち上げてから、一番最後にマイコンカーの電源を入れます。メッセージは電源を入れた瞬間にマイコンカーに出力されるので、その後に TeraTermPro を立ち上げても何も表示されません。表示内容は、マイコンカーから送られてきます。

167

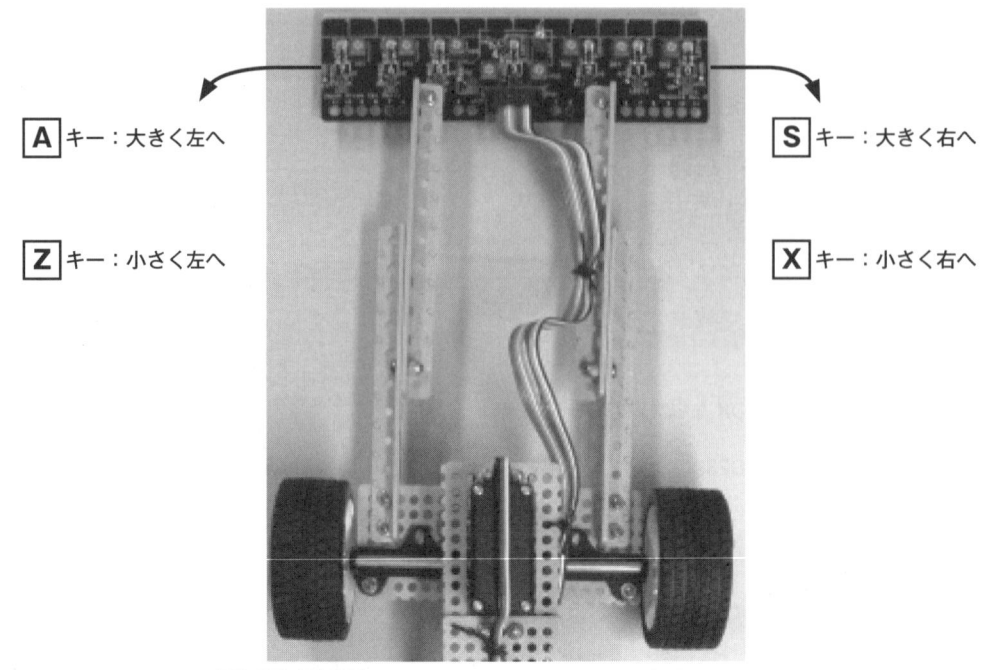

A キー：大きく左へ
S キー：大きく右へ
Z キー：小さく左へ
X キー：小さく右へ

4. A S Z X キーをそれぞれ押し続けるとサーボが動きます。キーを使ってサーボがまっすぐ向く角度に調整してください。

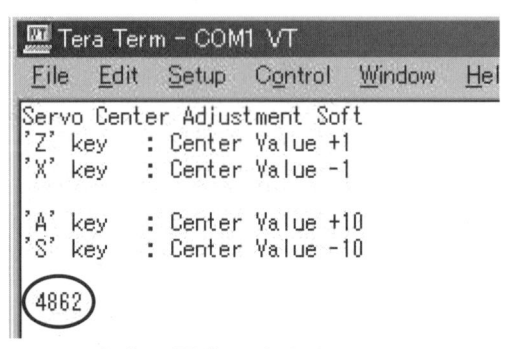

```
Servo Center Adjustment Soft
'Z' key   : Center Value +1
'X' key   : Center Value -1

'A' key   : Center Value +10
'S' key   : Center Value -10

4862
```

5. まっすぐに調整できたら、Tera Term Pro の数字を見ます。今回は「4862」とでました。これがこのマイコンカーのサーボセンタ（SERVO_CENTER）の値です。メモしておきます。

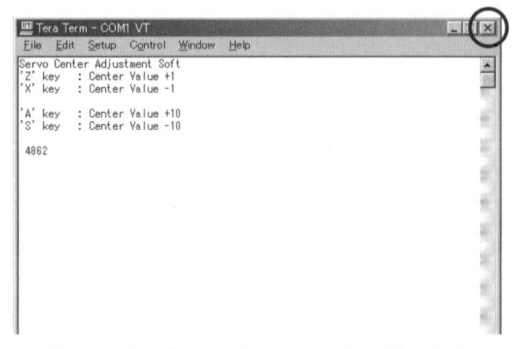

6. 次は、プロジェクト「sioservo2」に進みます。☒をクリックして TeraTermPro を終了しておきます。マイコンカーの電源も切ります。

4.7.3 サーボの最大切れ角を見つける

次は、サーボの最大切れ角を見つけます。プロジェクト「sioservo2」をアクティブプロジェクトに設定します。

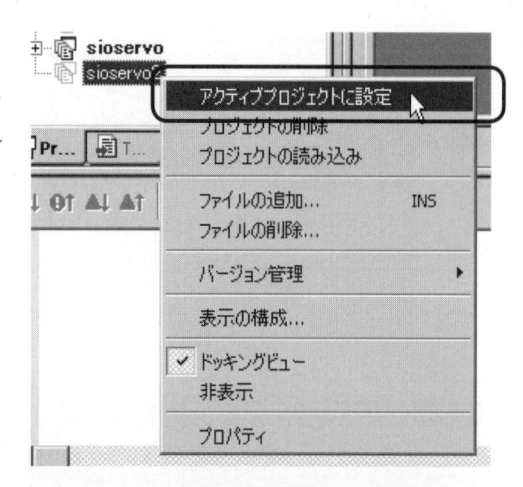

「sioservo2.c」をダブルクリックしてエディタウィンドウを開きます。

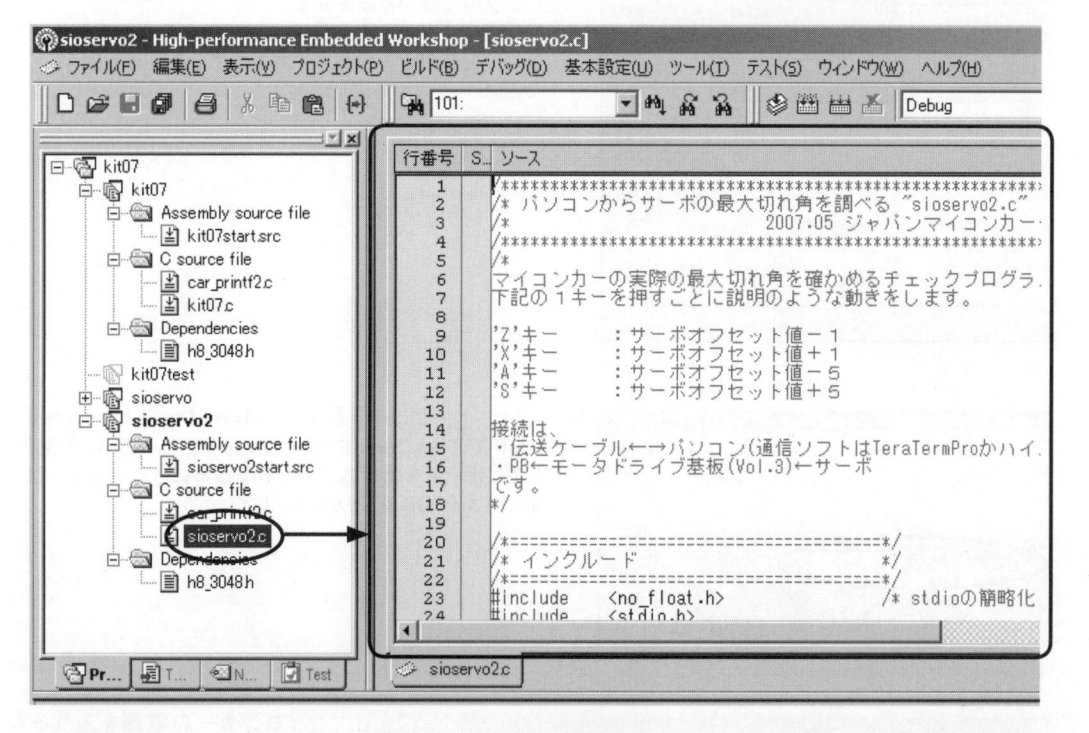

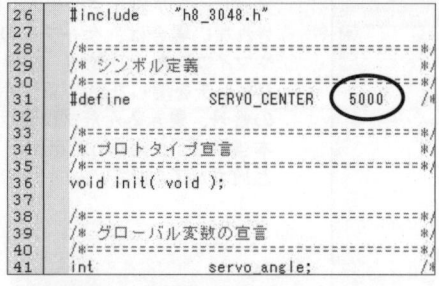

1. 31行に
   SERVO_CENTER 5000
   という記述があります。

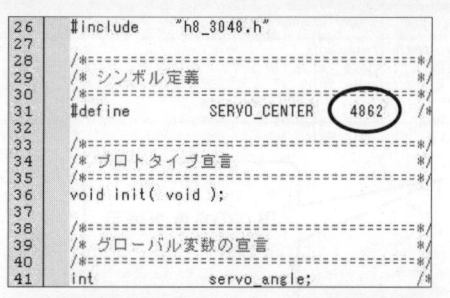

2. 先ほど見つけたサーボセンタ値に書き換えます。画面は、例として「4862」に書き換えています。

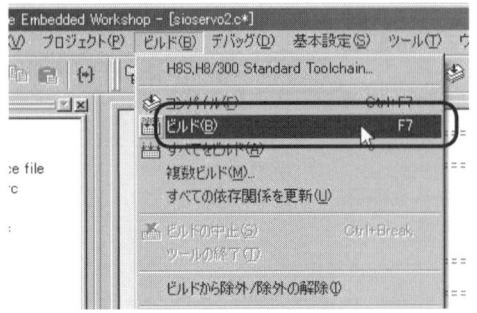

3. 「ビルド→ビルド」で MOT ファイルを作成します。

4. 「ツール→ CpuWrite」で書き込みソフトを立ち上げ、プログラムを書き込みます。転送終了後、CPU ボードの電源を OFF にして書き込みスイッチを内側にしておきます。ケーブルは繋いだままです。
※書き込みができない場合、TeraTermPro が立ち上がっている可能性があります。終了させて再度書き込んでください。

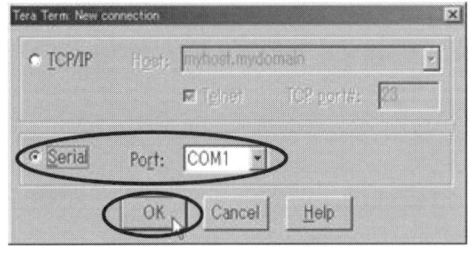

5. 「スタート→プログラム→ Tera Term Pro → Tera Term Pro」で Tera Term Pro を立ち上げます。Serial を選択して、ポートを書き込みポートの番号に合わせます。設定できたら OK をクリックします。

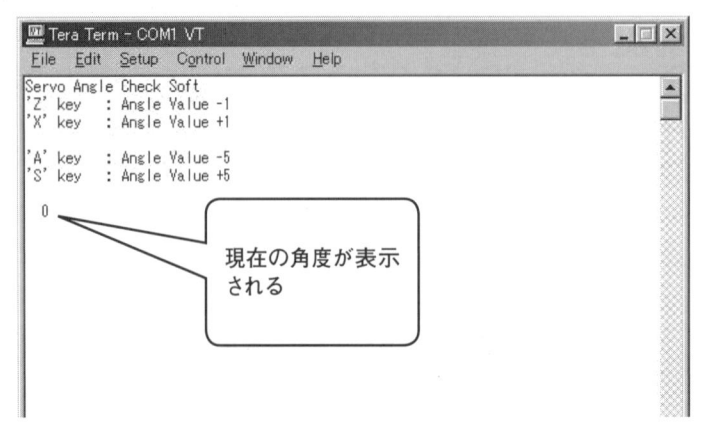

6. マイコンカーの電源を入れるとメッセージが表示されます。表示されない場合は、ケーブルの接続やマイコンカーの電池、書き込みスイッチを戻したか、通信ポートの番号、書き込んだプログラムが本当に「sioservo2.mot」かなど確かめてください。

現在の角度が表示される

第 4 章　マイコンカーキット Ver.4 のソフトウェア

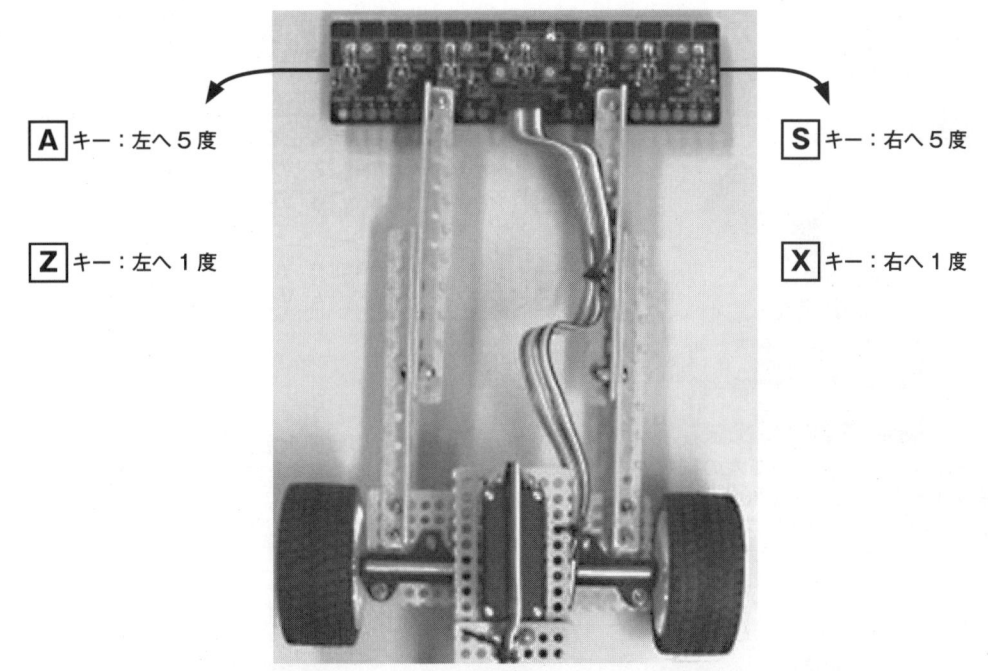

Aキー：左へ 5 度

Zキー：左へ 1 度

Sキー：右へ 5 度

Xキー：右へ 1 度

7. A S Z X キーをそれぞれ押すとサーボが動きます。右は何度まで
ハンドルを曲げることができるかを調べます。左も同様に調べます。

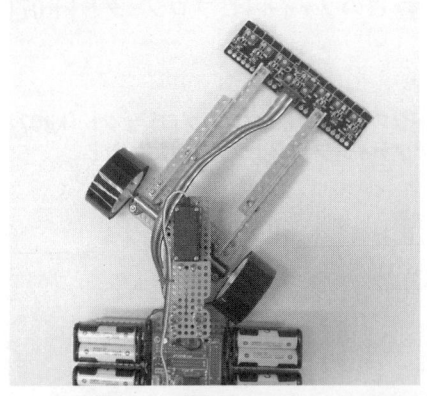

8. まず S キー、X キーで右の限界を見
つけます。タイヤを回してシャーシにぶ
つからないか確かめてください。シャー
シにぶつかるようなら Z キーでもう少
し小さくしてください。

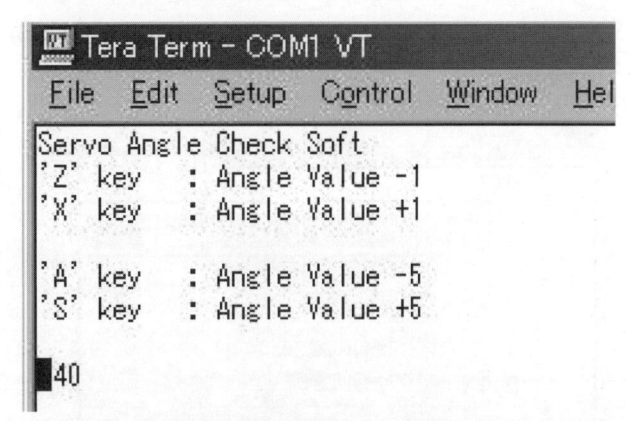

9. Tera Term Pro の数値を見ます。これが現在ハンドルを
右へ曲げている角度です。右へ 40 度曲げていると言うこ
とが分かりました。
右が 40 度だからといって左が -40 度とは限りません。必
ず左も確かめます。

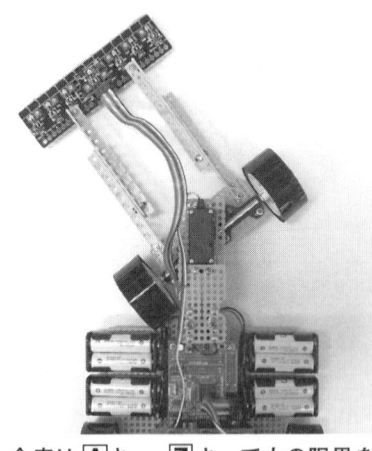

10. 今度は[A]キー、[Z]キーで左の限界を見つけます。こちらもタイヤを回してシャーシにぶつからないか確かめてください。シャーシにぶつかるようなら[X]キーでもう少し小さくしてください。

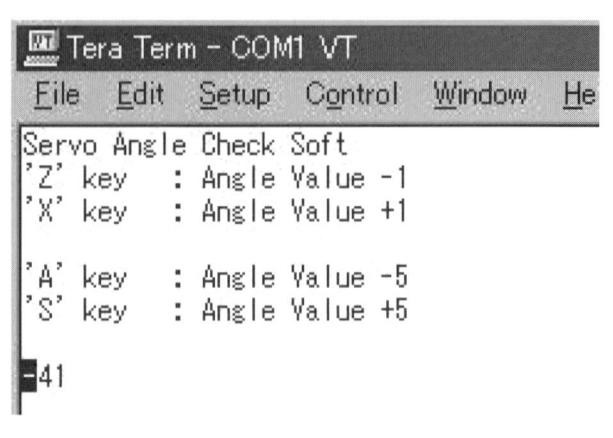

11. Tera Term Pro の数値を見ます。これが現在ハンドルを左へ曲げている角度です。左へ -41 度曲げていると言うことが分かりました。

4.7.4 「kit07.c」プログラムを書き換える

プロジェクト「sioservo」、「sioservo2」で3つの数値が分かりました。それらの数値をマイコンカーを走行させるプログラムである「kit07.c」へ書き込みます。このファイルは、プロジェクト「kit07」内にあります。

1. ワークスペース「kit07」のプロジェクト「kit07」をアクティブプロジェクトに設定します。

「kit07.c」をダブルクリックして、エディタウィンドウに表示させ、表 4.3 の内容を書き換えてください。

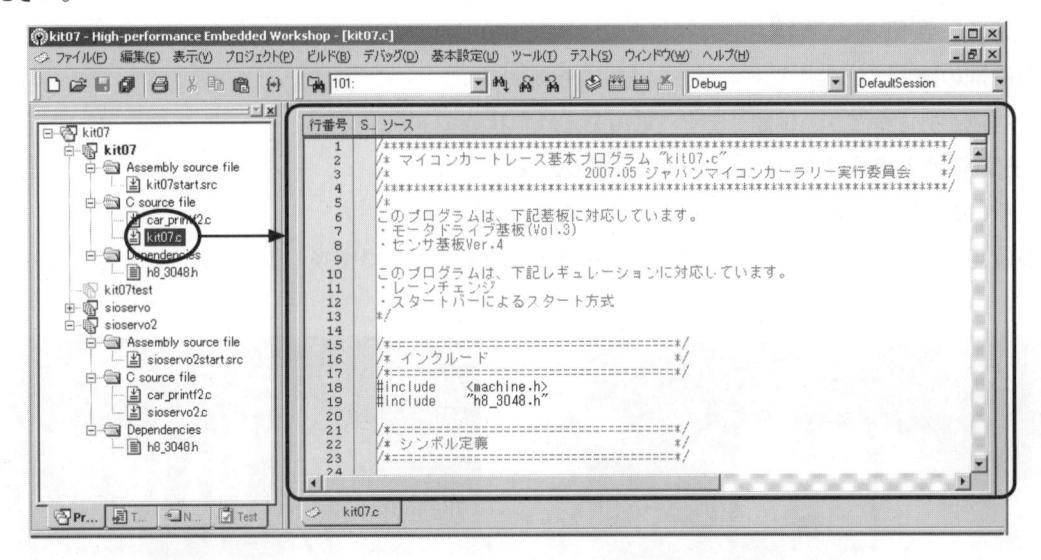

表 4.3 変更内容

内容	kit07.c で書き換える行番号	キットの標準値	今回の例の値
サーボセンタ	36 行	5000	4862
左の最大角度	285 行	-38	-41
右の最大角度	294 行	38	40

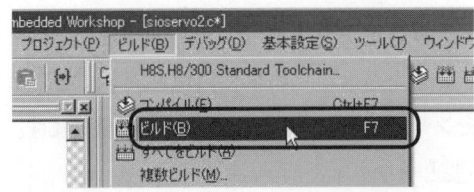

2. 書き換え後、「ビルド→ビルド」で MOT ファイルを作成します。

3. 「ツール→ CpuWrite」で書き込みソフトを立ち上げ、プログラムを書き込みます。転送終了後、CPU ボードの電源を OFF にして書き込みスイッチを内側にしておきます。
※書き込みができない場合、TeraTermPro が立ち上がっている可能性があります。終了させると書き込みできます。

これで、kit07c の調整、書き込みができました。
コースを走らせてみましょう！

4.8 走行させよう！

4.8.1 走行前の確認

■電池の確認

電池があるかどうか確認します。電源を入れた状態で、
- 充電電池の場合 1.25V 以上× 4 本＝ 5.0V 以上
- アルカリ電池の場合 1.5V 以上× 4 本＝ 6.0V 以上

か確認します。それ以下の電圧の場合、電池がありませんので交換しましょう。

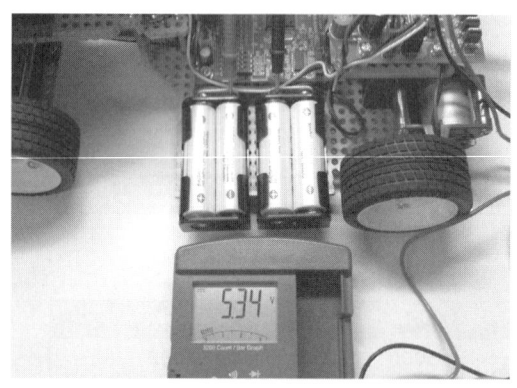

充電電池を測っているところ

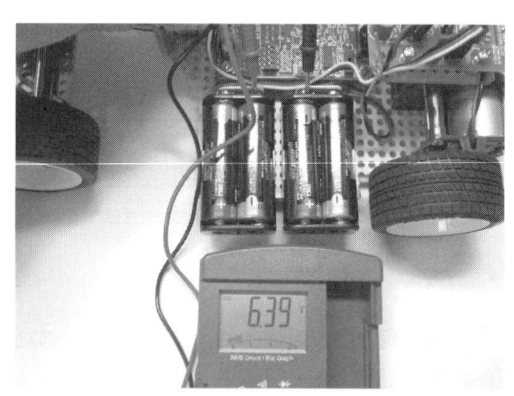

アルカリ電池を測っているところ

■センサの感度調整ができているか

大会などで移動したときは、最初に必ず「3.11 センサの調整方法」のセンサ感度調整を行います。いよいよ自分の順番になりコースにマイコンカーを乗せたときも、簡単に白色と灰色でLEDが光るか、黒色でLEDが消えるか確認しましょう。もしセンサが不調の場合は、手短に調整します。その際、当然ですがボリュームを調整するドライバが必要となります。

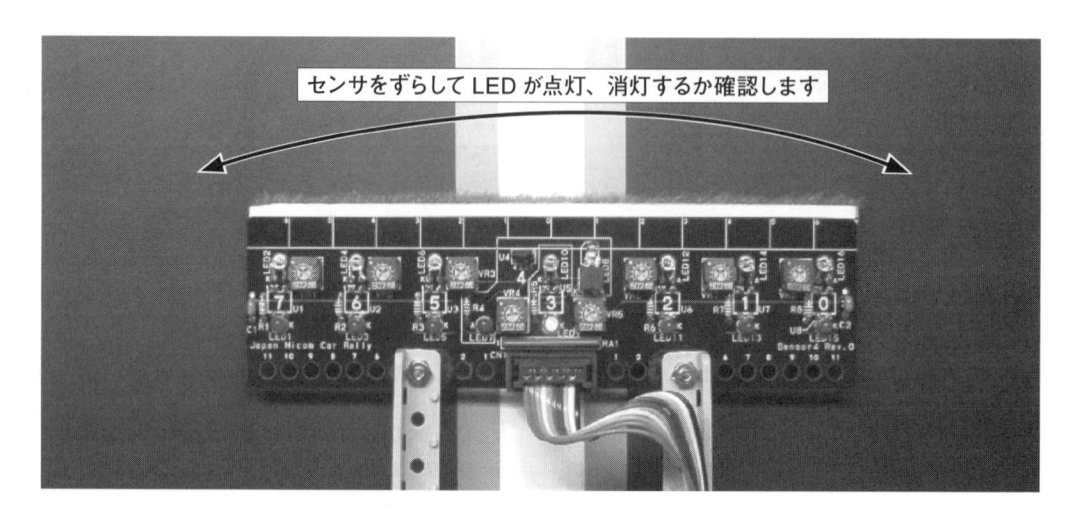

センサをずらしてLEDが点灯、消灯するか確認します

4.8.2 走行しよう！

■スピードの調整

走らせる前にディップスイッチで、走行スピードの調整を行います。ディップスイッチとスピードの関係は、「コラム－ディップスイッチの値とモータ出力」(P.147) を参照してください。

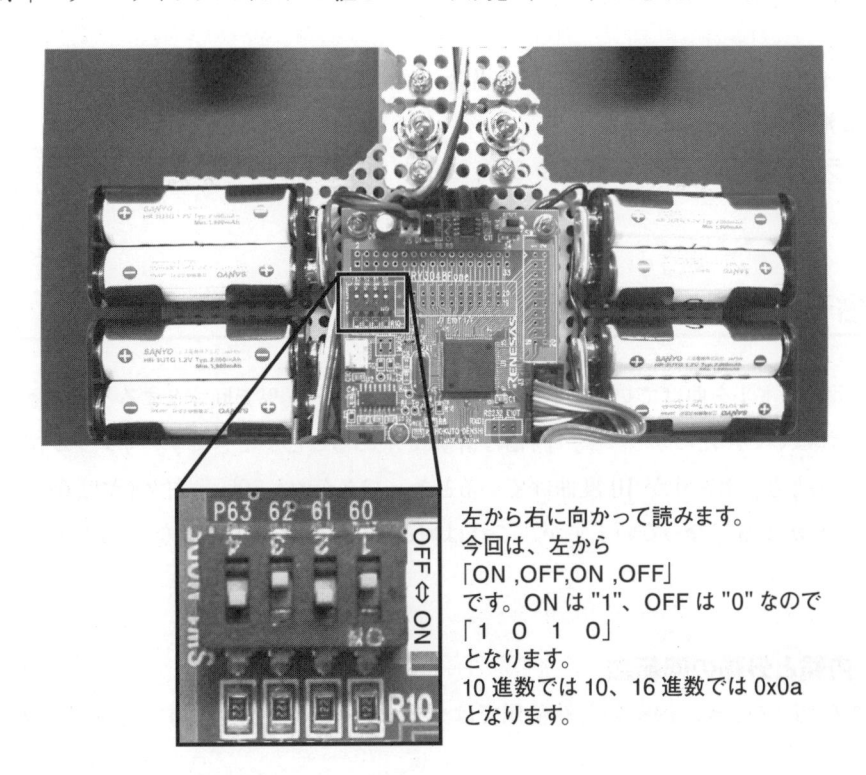

左から右に向かって読みます。
今回は、左から
「ON ,OFF,ON ,OFF」
です。ON は "1"、OFF は "0" なので
「１ ０ １ ０」
となります。
10 進数では 10、16 進数では 0x0a
となります。

■スタート！

電源を入れて、LED が交互に点滅している状態が、走行待機状態です。スタートスイッチを押し、スタートバー検出センサがスタートバーが開いたと判断すると、マイコンカーは走り出します。

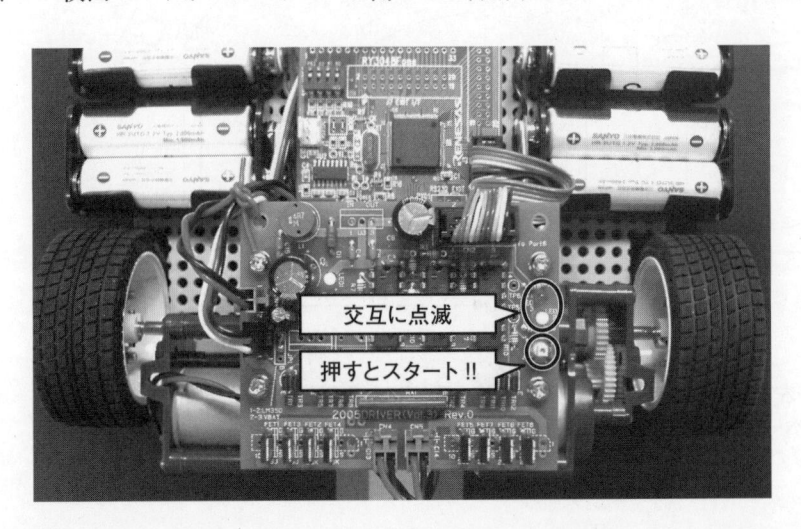

交互に点滅
押すとスタート!!

もし、LED が点滅しなければ、次のことを調べてみてください。
- CPU ボードの書き込みスイッチが内側（実行側）になっているか
- CPU ボードの電圧が 4.5 ～ 5.5[V] の範囲か
- モータのコネクタが接続されているか

もし、スイッチを押してもスタートしない場合、次のことを調べてみてください。
- 駆動系電池のスイッチは ON か
- モータドライブ基板の CN1 に電圧が 5[V] 以上がきているか

4.9　右モータ、左モータの回転差計算

　左に 30 度ハンドルを曲げているとき、外輪 (右タイヤ) を 80%で回すとすると、内輪（左タイヤ）は何%にすればいいんだろう・・・　内輪は計算で求めることができます。サンプルプログラムのパターン 11 のとき、センサが 10 度曲げているとき、左タイヤは 80％、右タイヤは 67％と、右タイヤの PWM 値が半端になっていますが、これは何となく合わせた訳ではなく、次の方法で計算しています。

4.9.1　内輪と外輪の回転数
　ハンドルを切ったとき、内輪側と外輪側ではタイヤの回転数が違います。その計算方法を解説します。

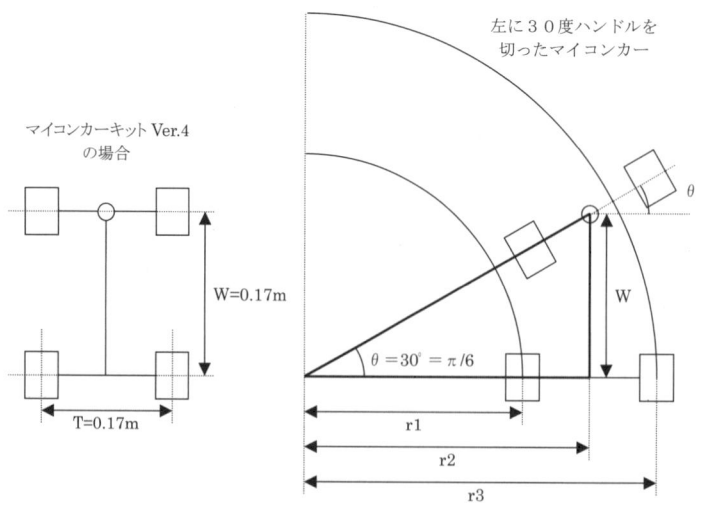

T＝トレッド…左右輪の中心線の距離…キットでは 0.17[m] です。
W ＝ホイールベース…前輪と後輪の間隔…キットでは 0.17[m] です。

図 4.4　左に 30 度ハンドルを切ったときのタイヤの軌跡

図4.4のように、底辺r2、高さW、角度θの三角形の関係は次のようです。

$$\tan\theta = \frac{W}{r2}$$

角度θ、Wが分かっていますので、r2が分かります。

$$r2 = \frac{W}{\tan\theta} = \frac{0.17}{\tan(\pi/6)} = 0.294 [m]$$

内輪の半径は、

$$r1 = r2 - \frac{T}{2} = 0.294 - 0.085 = 0.209$$

外輪の半径は、

$$r3 = r2 + \frac{T}{2} = 0.294 + 0.085 = 0.379$$

よって、外輪を100とすると内輪の回転数は、

$$\frac{r1}{r3} \times 100 = \frac{0.209}{0.379} \times 100 = 55$$

となります。

> 左に30°ハンドルを切ったとき、右タイヤ100に対して、左タイヤ55の回転となる。

　外輪が100%以外のときは、外輪と内輪は比例するので比例計算すればよいことになります。例えば、外輪を80%にした場合、

　　　内輪 = 100%時の内輪×外輪の割合 = 55 × 0.8 = 44%

プログラムを次のようにすると、内輪と外輪はロスのない回転になります。

```
handle( -30 );
speed( 44, 80 );
```

4.9.2　内輪を計算するエクセルシートのダウンロード

　前記の計算を毎回行うのは大変です。マイコンカーラリーホームページに内輪を計算するエクセルシートが掲載されています。このエクセルシートを使うと、簡単に内輪を計算することができます。

MICOM CAR RALLY

マイコンカーラリーサイト

「http://www.mcr.gr.jp/」にアクセスします。「技術情報→ダウンロード」を選択します。

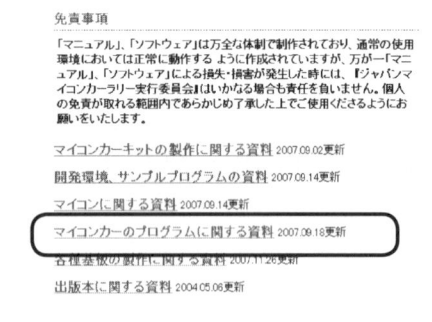

「マイコンカーのプログラムに関する資料」をクリックします。

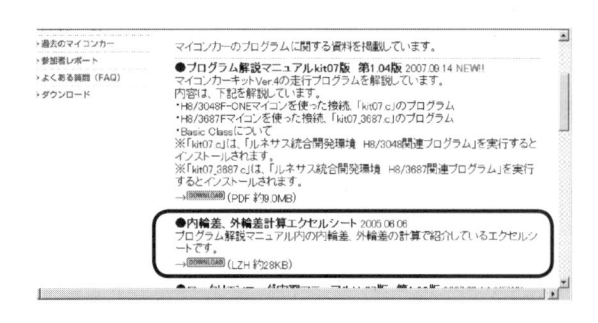

「内輪差、外輪差計算エクセルシート」のダウンロードをクリックし、ファイルをダウンロードします。

保存をクリックし、ファイルを保存します。

ダウンロードした「kakudo.lzh」は圧縮されていますので、解凍ソフトで解凍します。

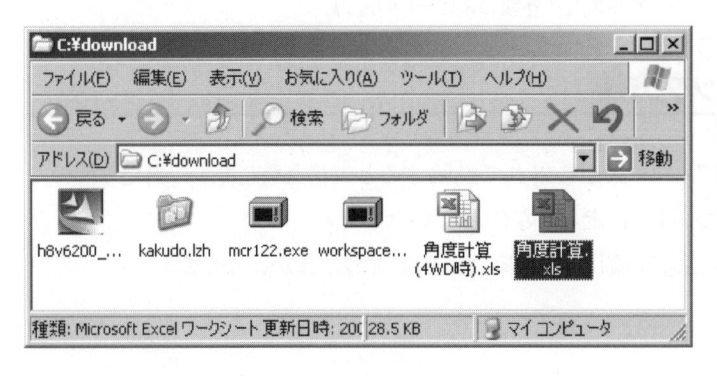

「角度計算.xls」と「角度計算(4WD時).xls」の2ファイルが解凍されました。今回は、「角度計算.xls」を使用します。

4.9.3 サンプルエクセルシートの使い方

ダウンロードした、「角度計算.xls」ファイルを開きます。まず、自分のマイコンカーのホイールベース、トレッドを入力します（図4.5）。

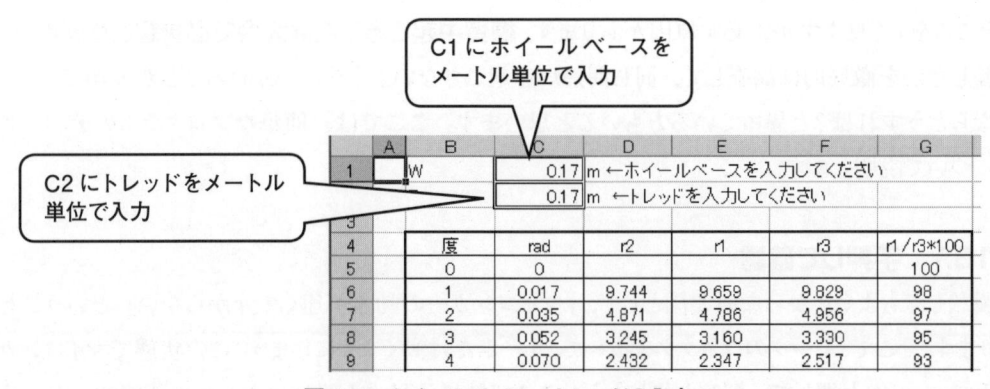

図4.5 ホイールベース、トレッドの入力

次に、設定したいハンドル角度と外輪のスピードを入力します（図4.6）。入力すると「プログラム例」部分に自動でハンドル角度とスピード値が入力されます。「kit07.c」の左右回転差計算もこのエクセルシートで行いました。

179

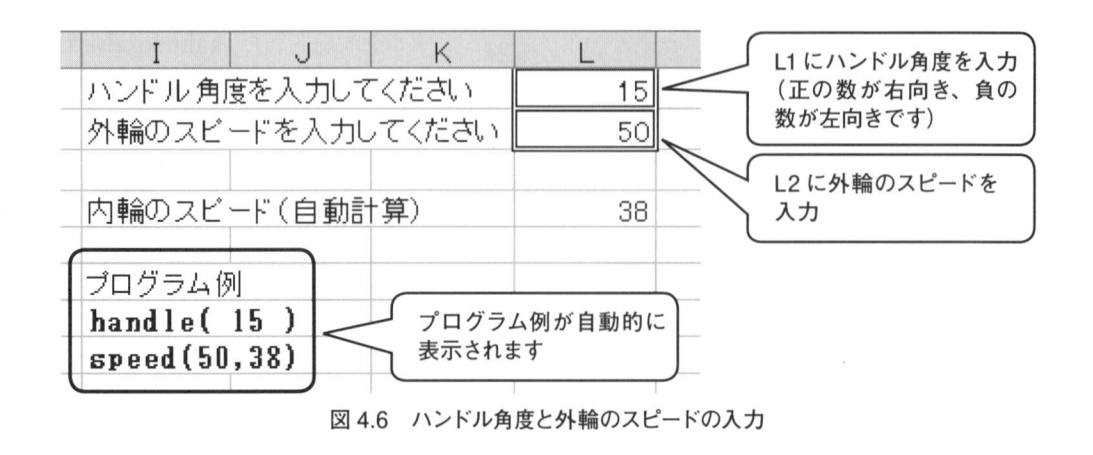

	I	J	K	L
	ハンドル角度を入力してください			15
	外輪のスピードを入力してください			50
	内輪のスピード（自動計算）			38

→ L1 にハンドル角度を入力（正の数が右向き、負の数が左向きです）

→ L2 に外輪のスピードを入力

```
プログラム例
handle( 15 )
speed(50,38)
```

← プログラム例が自動的に表示されます

図 4.6　ハンドル角度と外輪のスピードの入力

4.10　プログラムのデバッグ方法

　マイコンカーの大会では、1回でもコースから外れて脱輪すると失格となります。当たり前のことですが、マイコンカーは脱輪しないように走らせなければいけません。
　大会までの練習では、何度も何度も脱輪します。原因は必ず次のどれかになります。

・車体の構造に問題がある
・回路に問題がある
・プログラムに問題がある

　脱輪した場合、なぜ脱輪したか原因を究明し、その結果によって対策を行います。「脱輪したけどまぁいいか、もう一回走らせよう」と脱輪した原因究明を行わずに何の気なしに再走行しているところをよく見ますが、必ず原因があります。**練習中起こることは大会で必ず起こります。**なぜ脱輪したかを徹底的に調査して、同じ間違いを起こさないよう常に心がけることが大切です。
　ならどうすれば？と思っている方もいると思います。ここでは、簡単なプログラムのデバッグ方法について説明します。

4.10.1　手押しで確認

　脱輪してもよく分からない要因として、「マイコンカーの動きが速くて分からない」ということがあります。そこで、モータのコネクタを抜いて、サーボだけ動くようにします。この状態でマイコンカーを手でゆっくりと押して、観察しましょう。ここで特に注目する部分はセンサの値です。センサの状態が、プログラムと一致するか確認しましょう。
　また、サーボもきちんと動いているか確認します。サーボは指定した角度で固定されていなければいけません。指定した角度できびきび動かず、反応が遅かったりぐにゃぐにゃ動く場合は、サーボの不具合や駆動系の電池がないなど考えられますので確認しましょう。

4.10.2 LED にパターン表示しよう

　マイコンカーを見ていても、現在どのパターン番号のプログラムを実行しているのか分かりません。そこで、LED を 8 個追加して、パターン番号を表示させてみましょう。

■回路

　CPU ボードには 10 ピンコネクタが 3 個あり、ポート 7 はセンサ基板、ポート B はモータドライブ基板が接続されており、使っていないのはポート A だけです。そこでポート A を使用して LED を光らせます。ポート A は、1 端子 2.0[mA] までしか電流を流すことができません。よって、端子に繋ぐ LED の電流も 2.0[mA] までしか流せません。ここでは、センサ基板やモータドライブ基板で使用している EBR3338S を使います。この LED の順電圧 V_F は、1.7[V] です。LED の電流制限抵抗は次の式で求めることができます。

$$R = \frac{V_{CC} - V_F}{I}$$

$$R = \frac{5 - 1.7}{2 \times 10^{-3}} = 1650[\Omega]$$

R　：抵抗 [Ω]
V_{CC}　：電源電圧 [V]
V_F　：LED の順電圧 [V]
I　：LED に流す電流 [A]

　よって、電流制限抵抗には 1.65[kΩ] を使えばよいことになりますが細かい抵抗値は無いので、ここでは 2[kΩ] を使用します。ちょっと LED が暗いですが室内であれば問題ないと思います。または、高輝度の LED を使えば 2[mA] の電流でもかなりの明るさで光ります。高輝度 LED があるなら使ってみましょう。図 4.7 に回路図を示します。

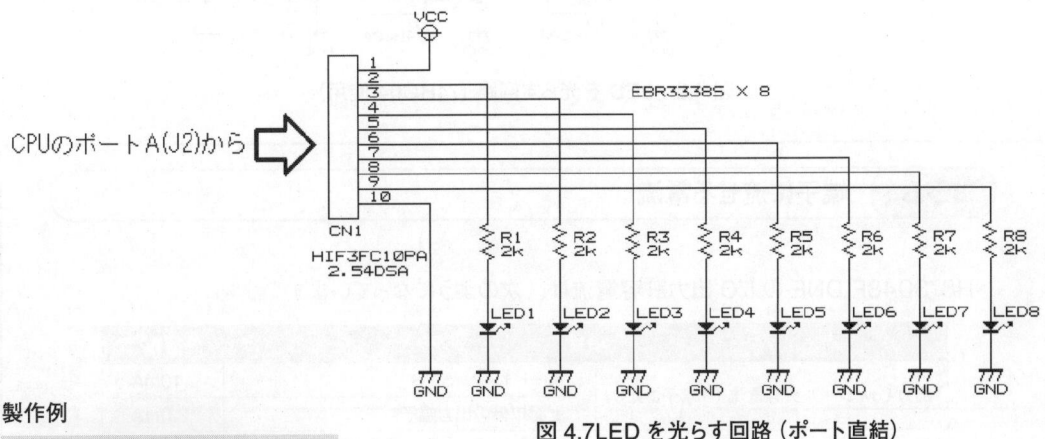

図 4.7 LED を光らす回路（ポート直結）

製作例

　どうしても電流をもっと流したい場合は、ポートの端子と LED の間にゲート回路を設けると、ゲート回路に流せる電流分まで LED に電流を流すことができます。ルネサステクノロジ製の HD74HC04 は 25[mA] の電流を流すことがで

きます。LEDは最大20[mA]までしか流せませんので、この電流が最大電流となります。ただし、20[mA]も流すと、8個のLEDがONなら160[mA]となり電池の消耗が激しいので、ここでは10[mA]にしておきます。このときの電流制限抵抗は次のようになります。

$$R = \frac{5 - 1.7}{10 \times 10^{-3}} = 330[\Omega]$$

図4.8に回路図を示します。

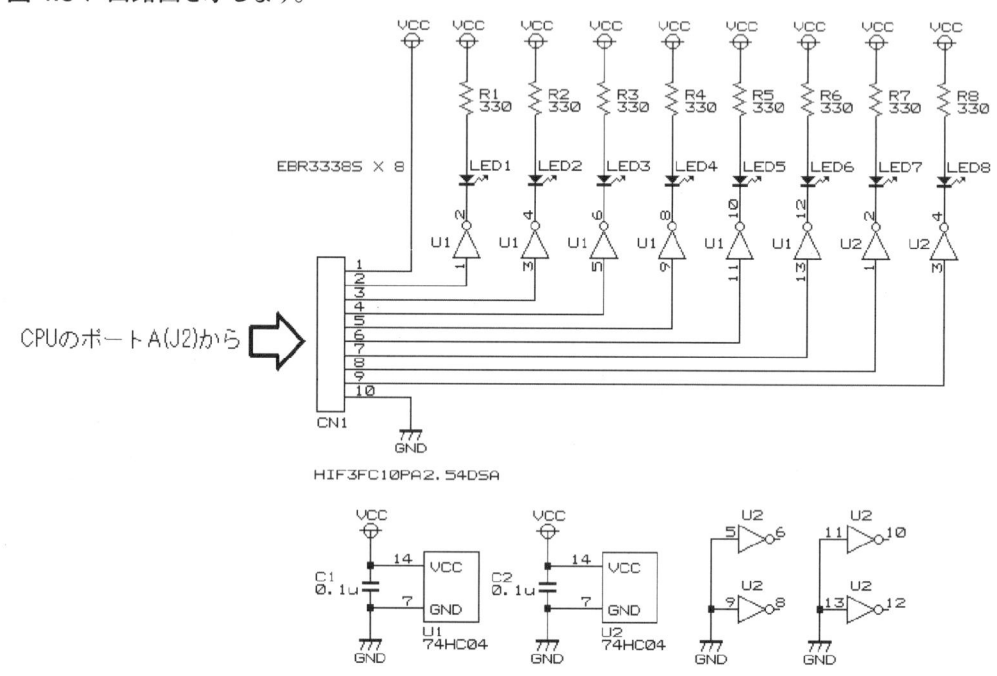

図4.8　LEDを光らす回路（74HC04使用）

> **コラム**　端子に流せる電流
>
> H8/3048F-ONEのI/O出力許容電流は、次のようになっています。
>
> | 項目 | | 許容電流 |
> |---|---|---|
> | 出力Lowレベル許容電流（1端子あたり） | ポート1、2、5、B | 10mA |
> | | 上記以外の出力端子 | 2.0mA |
> | 出力Lowレベル許容電流（総和） | ポート1、2、5、B、28端子の総和 | 80mA |
> | | 上記を含む、全出力端子の総和 | 120mA |
> | 出力Highレベル許容電流（1端子あたり） | 全出力端子 | 2.0mA |
> | 出力Highレベル許容電流（総和） | 全出力端子の総和 | 40mA |
>
> ※条件　Vcc=3.0〜3.6V、AVcc=3.0〜3.6V、VREF=3.0〜AVcc、Vss=AVss=0V または、Vcc=5.0±10%、AVcc=5.0±10%、VREF=4.5〜AVcc、Vss=AVss=0V

ポート1、2、5、Bは、0[V]出力のときだけ10[mA]の電流を流すことができます。5[V]出力のときは2[mA]までしか流せません。また全端子に流すことのできる合計電流は、0[V]時120[mA]（そのうちポート1,2,5,Bの合計電流は80[mA]）、5[V]時40[mA]までとなっています。許容電流を上回らないよう気をつけましょう。

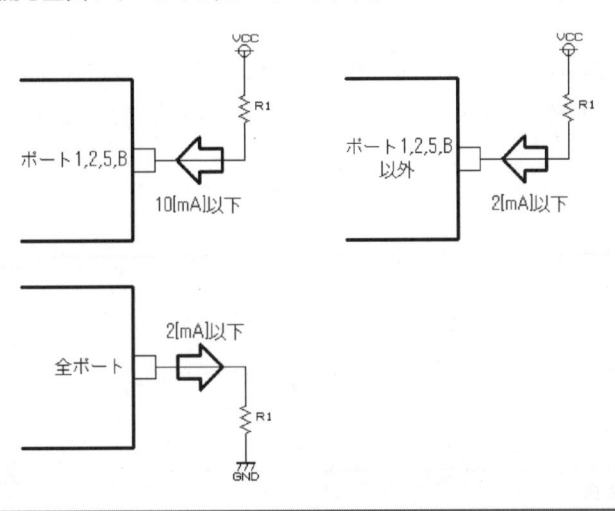

■**プログラム**

ポートAにパターン番号を出力しましょう。

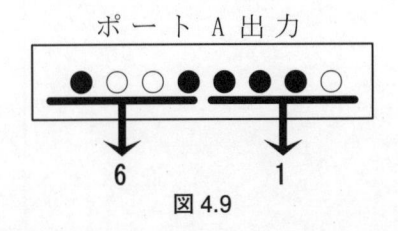

```
void main( void )
{
    int     i;

    /* マイコン機能の初期化 */
    init();                         /* 初期化                 */
    set_ccr( 0x00 );                /* 全体割り込み許可        */

    /* マイコンカーの状態初期化 */
    handle( 0 );
    speed( 0, 0 );

    while( 1 ) {

    PADR = pattern;        /* この行を追加 */

    switch( pattern ) {
```

ポートA出力

図4.9

例えば、pattern変数の値が61ならポートAの出力は、図4.9のようになれば、左4桁が10の桁、右4桁が1の桁となり、分かりやすいです。

※●:LED消灯　○:LED点灯　以下同様

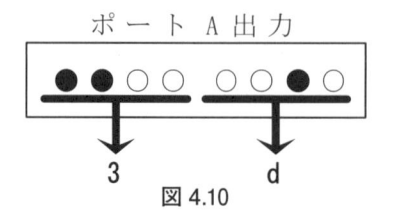

しかし、実際はそうなりません。実際は、10進数で61なので、16進数に直すと0x3dとなり図4.10のような出力となります。61とすぐに判断できません。

図4.10

そこで、BCDという表記を使います。BCDとは、「Binary-coded decimal」の略で、日本語にすると「2進化10進数」といいます。これは、10進数を2進数に直したとき、図4.11のように変換します。

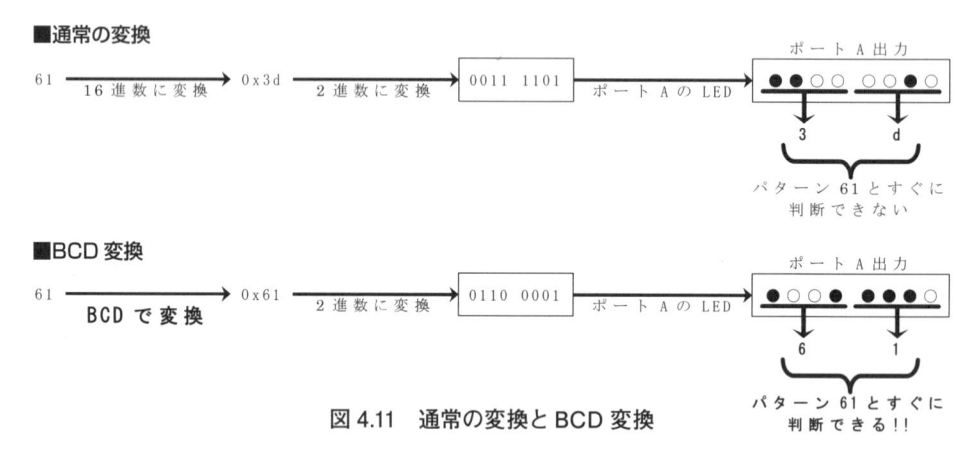

■通常の変換
61 →(16進数に変換)→ 0x3d →(2進数に変換)→ 0011 1101 →(ポートAのLED)→ ポートA出力 3 d パターン61とすぐに判断できない

■BCD変換
61 →(BCDで変換)→ 0x61 →(2進数に変換)→ 0110 0001 →(ポートAのLED)→ ポートA出力 6 1 パターン61とすぐに判断できる!!

図4.11 通常の変換とBCD変換

「BCDで変換」部分は、図4.12のように変換しています。

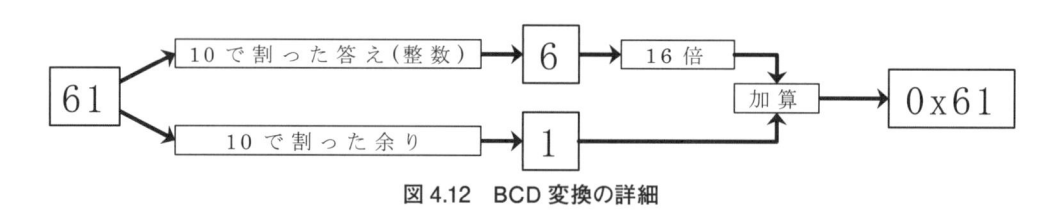

61 →(10で割った答え(整数))→ 6 →(16倍)→ 加算 → 0x61
61 →(10で割った余り)→ 1 →↗

図4.12 BCD変換の詳細

この変換をプログラムで行えばよいだけです。

```
void main( void )
{
    int     i;
    unsigned char b1, b2;           /* 作業用変数追加         */

    /* マイコン機能の初期化 */
    init();                         /* 初期化                 */
    set_ccr( 0x00 );                /* 全体割り込み許可       */

    /* マイコンカーの状態初期化 */
    handle( 0 );
    speed( 0, 0 );

    while( 1 ) {
```

```
b1 = pattern / 10;              /* 10の桁                  */
b2 = pattern % 10;              /*  1の桁                  */
PADR = b1 * 0x10 + b2;          /* BCD値出力               */

switch( pattern ) {
    :
```

4.10.3　7セグメントLEDにパターン表示しよう

先ほどはポートAにLEDを8個付けましたが、7セグメントLEDに交換します。ポートAと7セグメントLEDとの間には、BCDの値を7セグメントLEDの表示データに変換する74HC4511というロジックICを入れておきます。図4.13に回路図を示します。

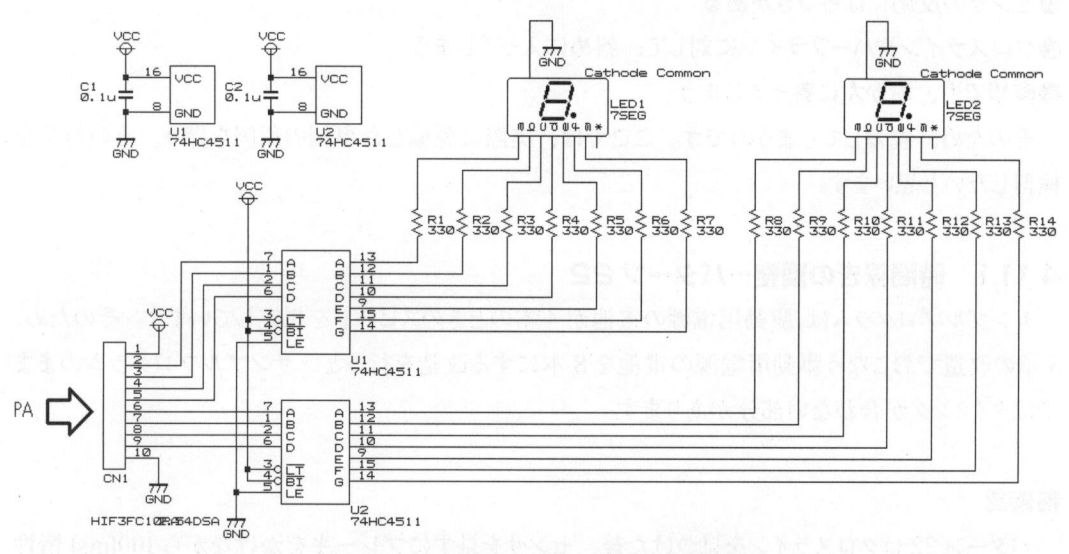

図4.13　7セグメントLEDを使った表示回路

■製作例

先ほどのLEDの回路を今回の7セグメントLED回路に置き換えるだけでプログラムの変更は必要ありません。これでpattern変数が61なら7セグメントLEDに"61"と表示され、一目見ただけで現在のパターンが分かります。

例えば、クロスラインを見つけた瞬間パターンは21、すぐにパターン22になり、100[ms]後はパターン23となります。もしクロスライン後にパターン53になっていたならば、「本当はクロスラインなのにマイコンカーは右ハーフラインと誤った判断をしてしまった」と7セグメントLEDを見ただけで分かります。

4.11 プログラムを改造しよう

kit07.c プログラムをビルド後、CPU ボードにプログラムを書き込み、マイコンカーを走らせます。サンプルプログラムを何も改造していないにも関わらず、ほとんどの場合は途中で脱輪してしまうと思います。

サンプルプログラムは、次の状態を想定して作成されています。

- ●コースが白色から黒色に変化したときのセンサ反応がすべて同じ感度になっている
- ●クロスラインやハーフラインに対してまっすぐに進入している
- ●直線はほぼ中心をトレースしている

しかし、ほとんどの場合、次のようになってしまいます。

- ●センサの反応にばらつきがある
- ●クロスラインやハーフラインに対して、斜めに入ってしまう
- ●直線でも、右か左に寄ってしまう

そのため、脱輪してしまうのです。ここでは、実際に脱輪した事例の原因を探り、その対策を検討したいと思います。

4.11.1 時間稼ぎの調整－パターン 22

サンプルプログラムは、駆動用電源の電池が 4 本のときのスピードを想定しています。そのため、5 章の改造でおこなう駆動用電源の電池を 8 本にする改造を行うと、サンプルプログラムのままではタイミングが合わない部分があります。

■確認

パターン 22 はクロスラインを見つけた後、センサを見ずにブレーキをかけながら 100[ms] 惰性で進んでいく状態です（図 4.14）。

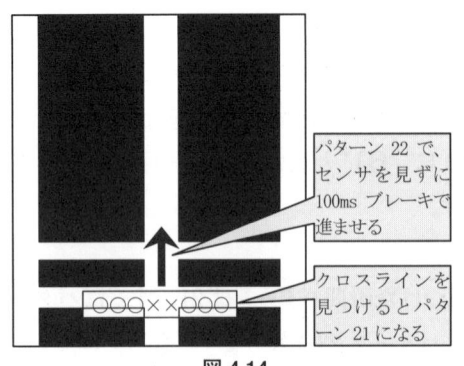

図 4.14

秒速 1[m/s] のとき、100[ms] 間で進む距離は、

距離 = 速さ×時間 =1 × 100=100[mm]

と、100[mm] 進みます。これは、1 本目のクロスラインを見つけてから 100[mm] はセンサを見ずに惰性で進むということになります。

第4章 マイコンカーキット Ver.4 のソフトウェア

■現象

スピードを上げて直線を秒速 3[m/s] で進ませたところ、クロスライン検出後、中心からずれて脱輪してしまいました（図 4.15）。

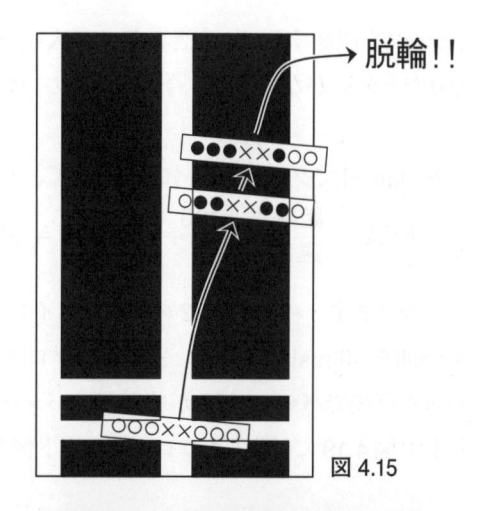

図 4.15

■解析結果

まず、秒速 3[m/s] で進んでいる場合、クロスラインを検出してからどれくらい進むのでしょうか。サンプルプログラムではクロスライン検出後 100[ms] 何もしないので

　距離 ＝ 速さ×時間
　　　 ＝3 × 100＝300[mm]

と、300[mm] も何もせずに進んでしまいます（図 4.16）。

もしクロスラインを斜めに侵入してしまった場合、どうでしょう。

秒速 3m/s なら、100ms でここまで進んでしまう

秒速 1m/s なら、100ms でクロスラインのすぐ後まで進む

図 4.16

同じ、100[ms] の時間でもスピードが速ければ速いほど進む距離が長くなるため、ずれが大きくなってしまいます（図 4.17）。100[ms] 後のトレースでずれを直しきれずに、脱輪したようです。

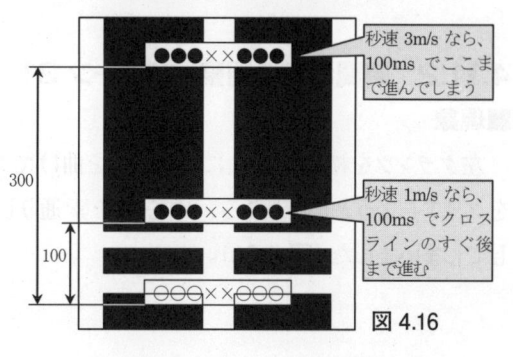

センサ4個分のずれ!!

センサ1個分のずれ

図 4.17

■解決例

1本目のクロスライン開始から、2本目のクロスライン終わりまでの距離は、（図 4.18）のように 70[mm] あります。よって、1本目のクロスラインを検出してから 70[mm] 進ませて、その後

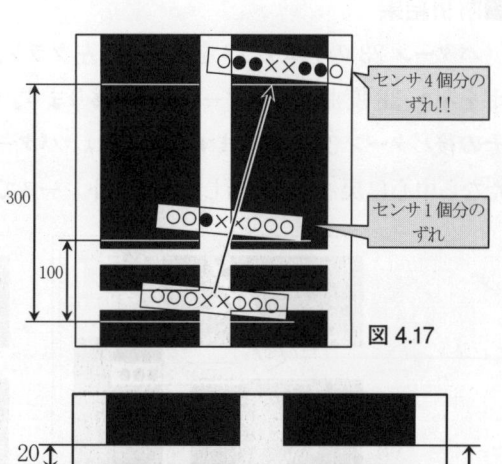

図 4.18　クロスライン

187

トレースを開始すれば、たとえ斜めに入ったとしてもずれが少なくなります。ただし、70[mm]ぴったりだと余裕がないので、今回はきりのいい100[mm]とします。

秒速3[m/s]でクロスラインに入るとして、100[mm]進むまでの時間は、

$$時間 = \frac{距離}{速さ} = \frac{100}{3} = 33.333 ≒ 30[ms]$$

となります。パターン22のクロスラインを読み飛ばす時間を30[ms]にすると、2本目のクロスラインが終わった直後でパターン22が終わり、パターン23へ移ります。図4.19に対応したフローチャート例を示します。

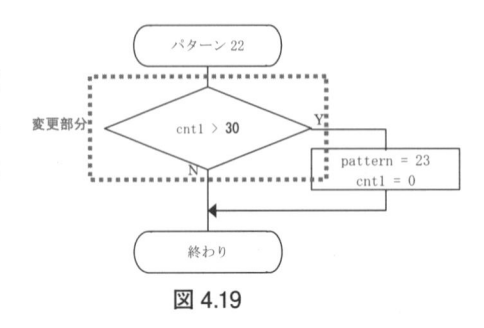

図4.19

4.11.2 時間稼ぎの調整－パターン31、パターン41

■現象

左クランクを検出後、左にハンドルを曲げてクランクをクリアしようとしたところ、中心線を素通りして脱輪してしまいました（図4.20）。

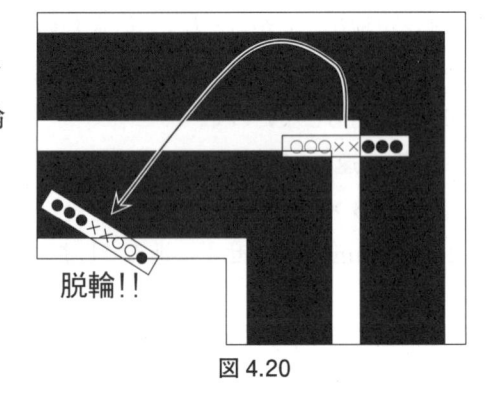

図4.20

■解析結果

パターン23のプログラムを実行中、左クランクを見つけると左モータ10%、右モータ50%、サーボを左へ38度曲げてパターン31へ移ります。パターン31は、200[ms]の間、何もせずに待ち、その後パターン32へ移ります（図4.21）。パターン32ではセンサの状態をチェックし、0x60になったなら中心に戻ったと判断して、通常トレースであるパターン11へ移ります（図4.22）。

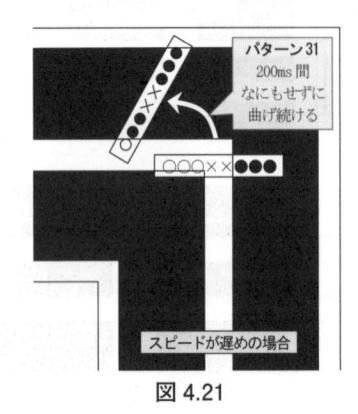

図4.21　　　図4.22

ただし、マイコンカーのスピードが速い場合、200[ms] 後のセンサ位置は、中心線をまたぐか越えた位置まで進んでしまうことがあります（図 4.23）。その後、パターン 32 ではセンサの状態をチェックし、0x60 になったなら中心に戻ったと判断して、通常トレースであるパターン 11 へ移ります（図 4.24）。しかし、それは中心線ではなく内側の路肩の白線です。このまま進むとコース端の白線を中心線と勘違いして、脱輪してしまいます！！

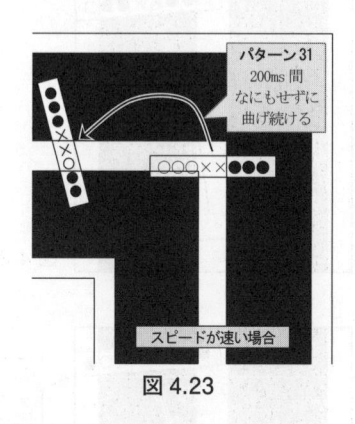

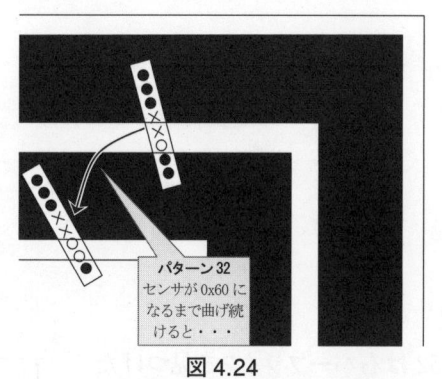

図 4.23

図 4.24

■解決例

パターン 32 は、センサの状態が 0x60 になったなら中心線と判断する部分です。パターン 32 の状態になったとき、すでに中心線を過ぎてしまっていると、次に 0x60 になるのは路肩の白線です。そのため、パターン 31 の時間を短くして、中心線が来る前にパターン 32 のチェックを開始すればよいことになります。時間を 50[ms] にしたときの様子を図 4.25 に示します。

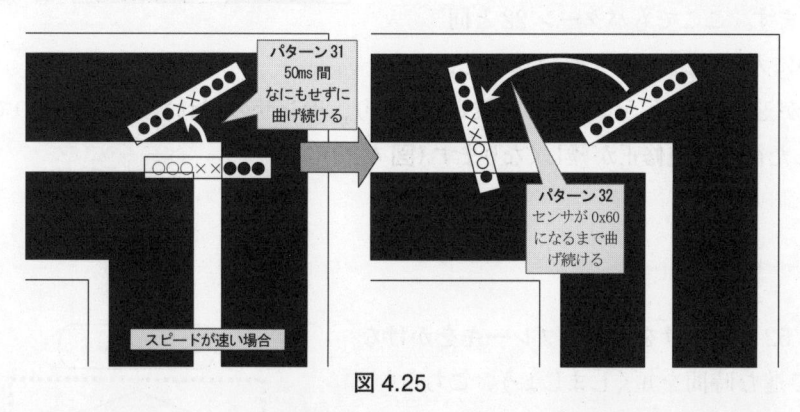

図 4.25

図 4.26 に、対応したフローチャート例を示します。パターン 41 は右クランク処理です。左右が逆になるだけでパターン 31 と考え方は同じです。

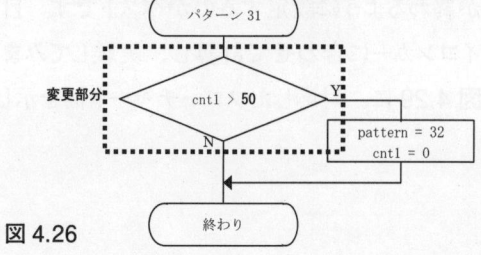

図 4.26

4.11.3　時間稼ぎの調整－パターン 52、パターン 62

■**現象**

スピードを上げて直線を秒速 3[m/s] で進ませたところ、右ハーフライン検出後、中心からずれて脱輪してしまいました（図 4.27）。

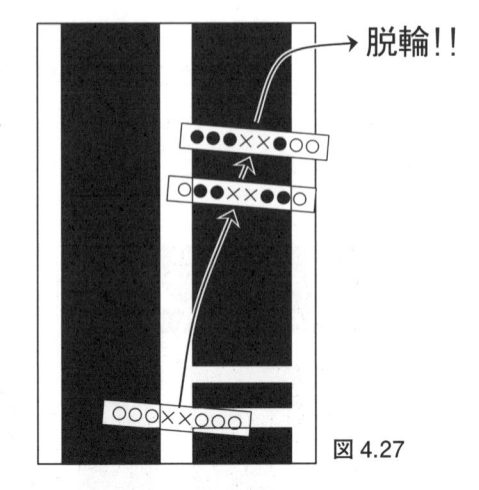

図 4.27

■**解析結果**

パターン 52 は右ハーフラインを見つけた後、センサを見ずにブレーキをかけながら 100[ms] 惰性で進んでいく状態です。秒速 1[m/s] で進んでいるなら 100[ms] で進む距離は、100[mm] です。もし、秒速 3[m/s] で進んでいるなら 100[ms] で 300[mm] も進んでしまいます。ここでもパターン 22 と同様に、斜めに入ってしまったらどうなるでしょうか。

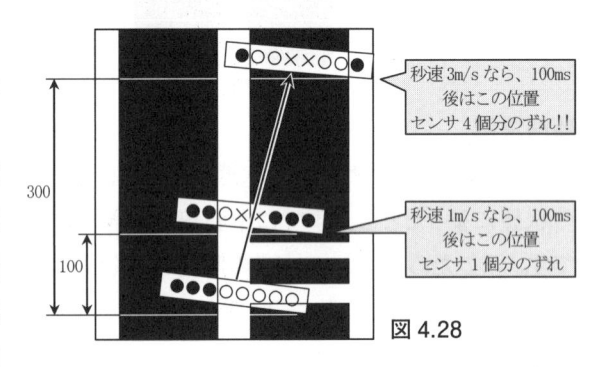

スピードが速ければ速いほど進む距離が長くなり、センサのずれも大きくなるので、パターン 52 が終わった後の軌道修正が難しくなります（図 4.28）。

図 4.28

■**解決例**

パターン 52 のセンサを見ずにブレーキをかけながら惰性で進む時間を短くしましょう。こちらも 2 本目の右ハーフラインが終わった直後にパターン 52 が終わるように設定するのがベストです。自分のマイコンカーに合わせて計算し、実験してみましょう。図 4.29 に、対応したフローチャート例を示します。

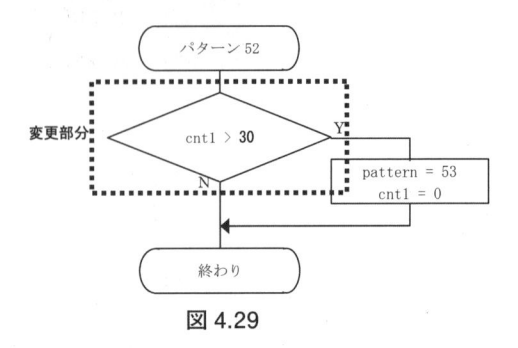

図 4.29

> **コラム** 「速さ、時間、距離」の『は・じ・き』
>
> 　速さ、時間、距離を計算するとき、次の『は・じ・き』表で覚えると便利です。縦の関係は割り算、横の関係はかけ算です。
>
> 1文字目のひらがなを抜きだす
>
> 距離／速さ｜時間　→　き／は｜じ
>
> 『は・じ・き』と覚える！
>
> 例）距離を知りたいとき　→　速さ×時間
>
> 例）速さを知りたいとき　→　距離÷時間

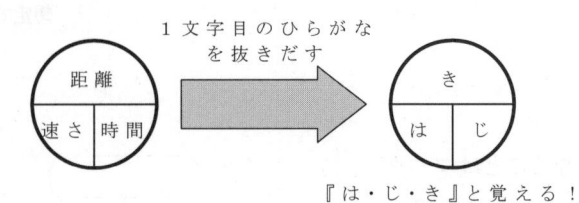

4.11.4 クロスラインの検出がうまくいかない

■現象

　クロスラインを検出後、クランクで曲がらずにそのまま進んで脱輪することがありました（図4.30）。

脱輪！！

図4.30

■解析結果

　センサの状態を詳しく調べてみると、クロスラインを検出する瞬間、センサの状態が想定の「0xe7」ではなく、「0x1f」になっていることが分かりました（図4.31）。

0x1f
00011111

図4.31

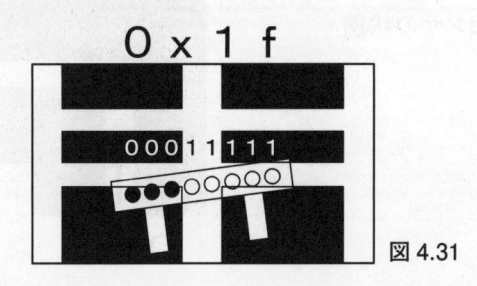

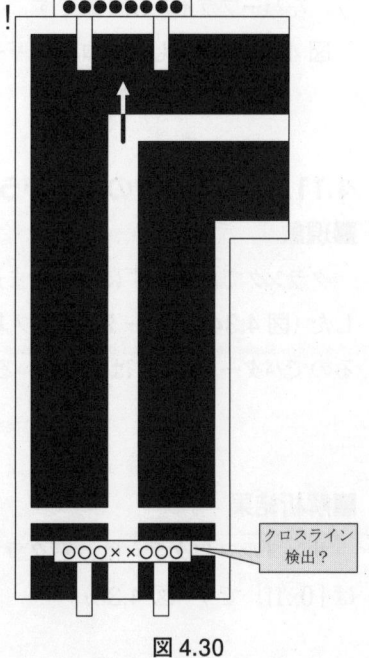

「0x1f」というセンサの反応は、どこかで見た状態です。右ハーフラインのセンサ検出は、8個のセンサをチェックして「0x1f」の時に右ハーフラインと判断します（図4.32）。

このように、本当はクロスラインなのに、右ハーフラインのセンサ検出状態と一致してしまい、誤動作していました。

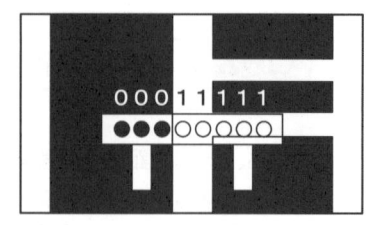

想定では、この状態が0x1fの状態

図 4.32

■解決例

センサが斜めになることはプログラムではどうしようもありません。サーボセンタ値を合わせたとしてもラインを検出する瞬間は、どうしても片側のみになってしまいます。解決例としては、右ハーフラインと判断しても少しの間はセンサのチェックを続けて、クロスラインの状態になったならクロスラインと判断し直すと良いでしょう。左ハーフラインも同様です。

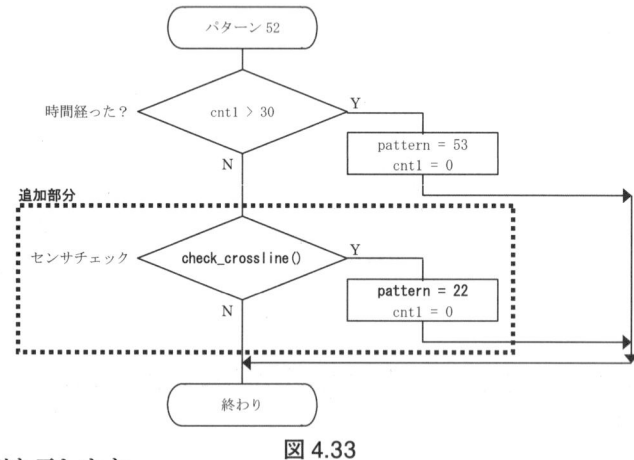

図4.33に対応したフローチャート例を示します。

図 4.33

4.11.5 クランクの検出がうまくいかない

■現象

クランクで曲がらずにそのまま進んで脱輪することがありました（図4.34）。モータドライブ基板のLEDは2個点いているのでパターン23には入っているようです。

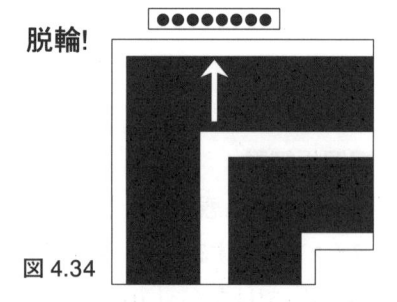

脱輪！

図 4.34

■解析結果

サンプルプログラムは、右クランクと判断するセンサの状態は「0x1f」です（図4.35）。

図 4.35　0x1f

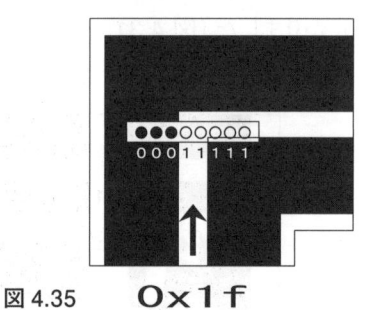

第4章 マイコンカーキット Ver.4 のソフトウェア

センサの状態を詳しく調べてみると、右クランクを検出する瞬間、「0x0f」、「0x3f」、「0x7f」になっていることが分かりました（図 4.36）。マイコンカーは、「0x1f ではない」ので、右クランクと判断せずそのまま進んで脱輪してしまいました。

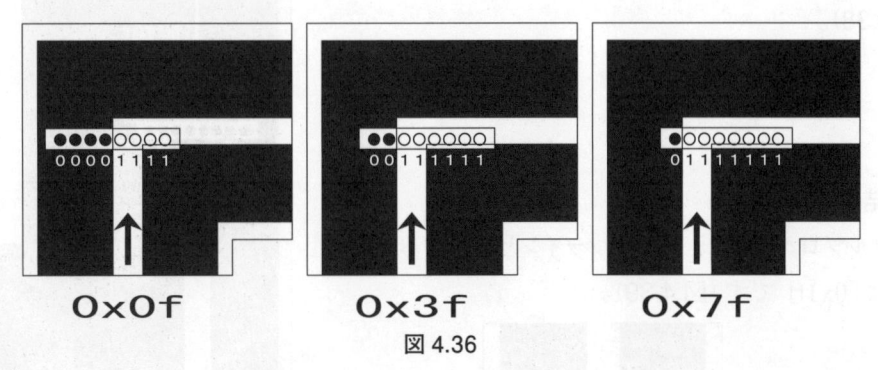

0x0f　　　**0x3f**　　　**0x7f**

図 4.36

■解決例

　右クランクで実際に反応したセンサ状態を追加しましょう。同様に、左クランクも誤動作することが考えられますので、センサ状態を追加しておきましょう。もしかしたら、先ほどの3つ以外にもまだあるかもしれません。実験してみましょう。ただし、センサ状態を追加しすぎると、右クランク以外にそのセンサ状態になってしまい誤動作することがあるので慎重に検証してください。

　図 4.37 に対応したフローチャート例を示します。

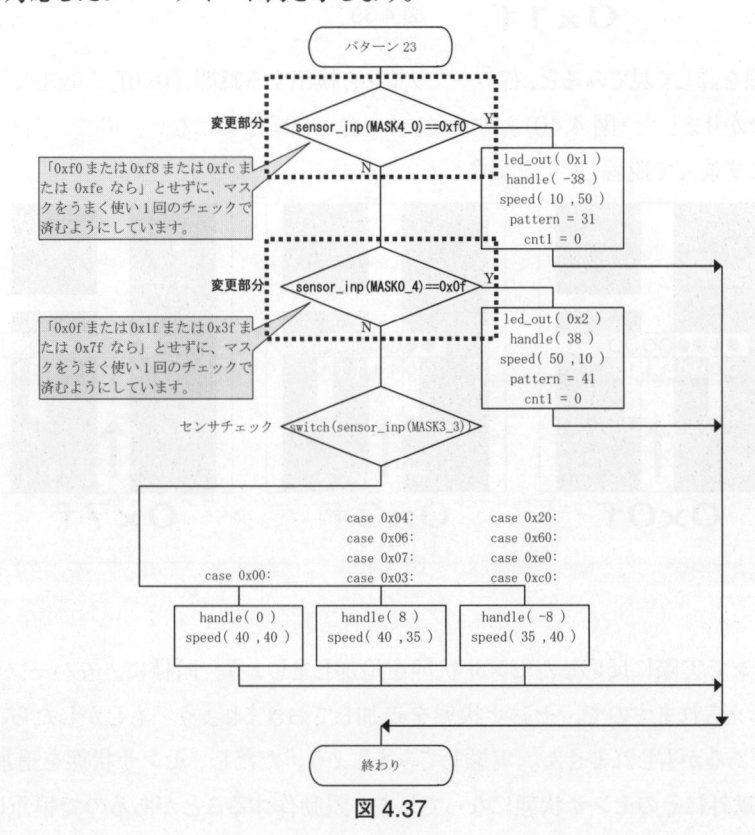

パターン 23

変更部分　sensor_inp(MASK4_0)==0xf0　Y→ led_out(0x1) / handle(-38) / speed(10 ,50) / pattern = 31 / cnt1 = 0

「0xf0 または 0xf8 または 0xfc または 0xfe なら」とせずに、マスクをうまく使い1回のチェックで済むようにしています。

変更部分　sensor_inp(MASK0_4)==0x0f　Y→ led_out(0x2) / handle(38) / speed(50 ,10) / pattern = 41 / cnt1 = 0

「0x0f または 0x1f または 0x3f または 0x7f なら」とせずに、マスクをうまく使い1回のチェックで済むようにしています。

センサチェック　switch(sensor_inp(MASK3_3))

case 0x00: → handle(0) / speed(40 ,40)

case 0x04: / case 0x06: / case 0x07: / case 0x03: → handle(8) / speed(40 ,35)

case 0x20: / case 0x60: / case 0xe0: / case 0xc0: → handle(-8) / speed(35 ,40)

終わり

図 4.37

4.11.6 ハーフラインの検出がうまくいかない

■現象

右レーンチェンジを、そのま直進して脱輪してしまいました（図 4.38）。

■解析結果

サンプルプログラムは、右ハーフラインと判断するセンサの状態は「0x1f」です（図 4.39）。

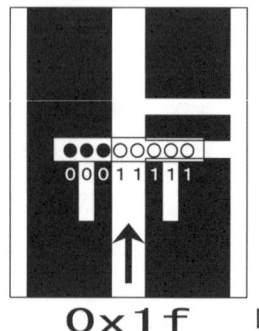

図 4.39

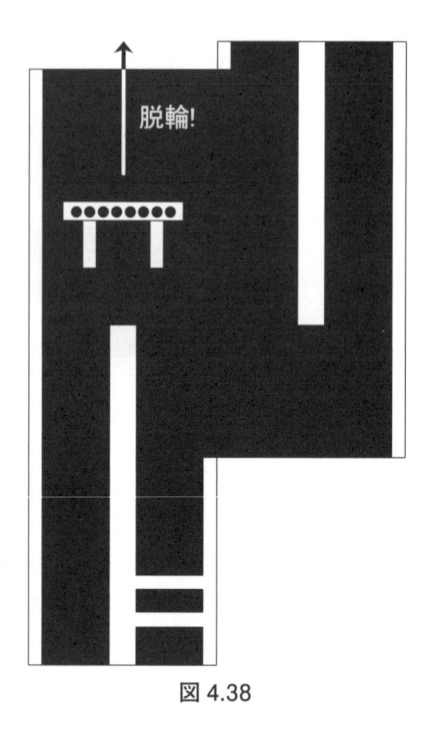

図 4.38

センサの状態を詳しく見てみると、右ハーフラインを検出する瞬間、「0x0f」、「0x3f」、「0x7f」になっていることが分かりました（図 4.40）。マイコンカーは、「0x1f ではない」ので、右ハーフラインと判断せずそのまま進んで脱輪してしまいました。

0x0f　　0x3f　　0x7f

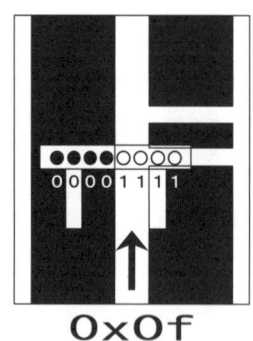

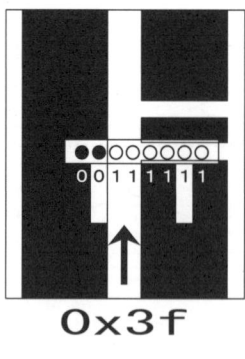

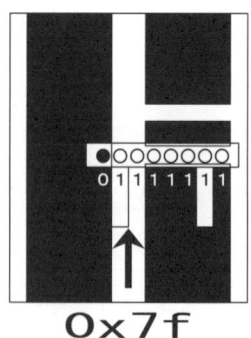

図 4.40

■解決例

右ハーフラインで実際に反応したセンサ状態を追加しましょう。同様に、左ハーフラインも誤動作することが考えられますので、センサ状態を追加しておきましょう。もしかしたら、先ほどの3つ以外にもまだあるかもしれません。実験してみましょう。ただし、センサ状態を追加しすぎると、右ハーフライン以外にそのセンサ状態になってしまい誤動作することがあるので慎重に検証してく

ださい。図 4.41 に対応したフローチャート例を示します。

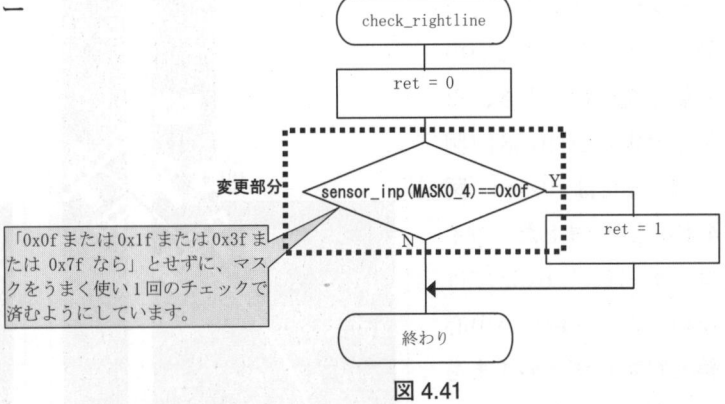

変更部分

check_rightline
ret = 0
sensor_inp(MASK0_4)==0x0f
ret = 1
終わり

「0x0f または 0x1f または 0x3f または 0x7f なら」とせずに、マスクをうまく使い1回のチェックで済むようにしています。

図 4.41

4.11.7　レーンチェンジ終了の判断ができない

■現象

右レーンチェンジを検出して、右にハンドルを切りました。新しい中心線を検出してそのラインでトレースしていくはずでしたが、そのまままっすぐに進んでしまい脱輪してしまいました（図 4.42）。

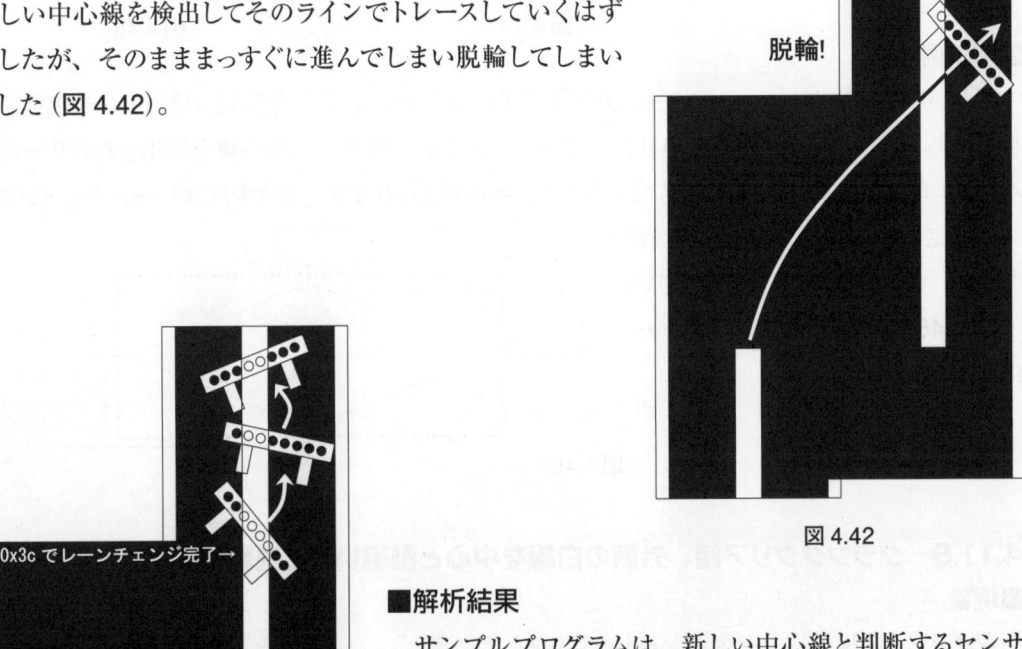

脱輪!

図 4.42

0x3c でレーンチェンジ完了→

■解析結果

サンプルプログラムは、新しい中心線と判断するセンサの状態は「0x3C」です（図 4.43）。このセンサ状態になるとパターン 11 の通常トレースモードへ移ります。

図 4.43

MICOM CAR RALLY

センサの状態を詳しく調べてみると、新しい中心線を見つけたとき、センサの状態が「0x38」（図4.44）、または「0x1c」（図4.45）となりました。マイコンカーは、「0x3cではない」ので、新しい中心線と判断せずそのまま進んで脱輪してしまいました。

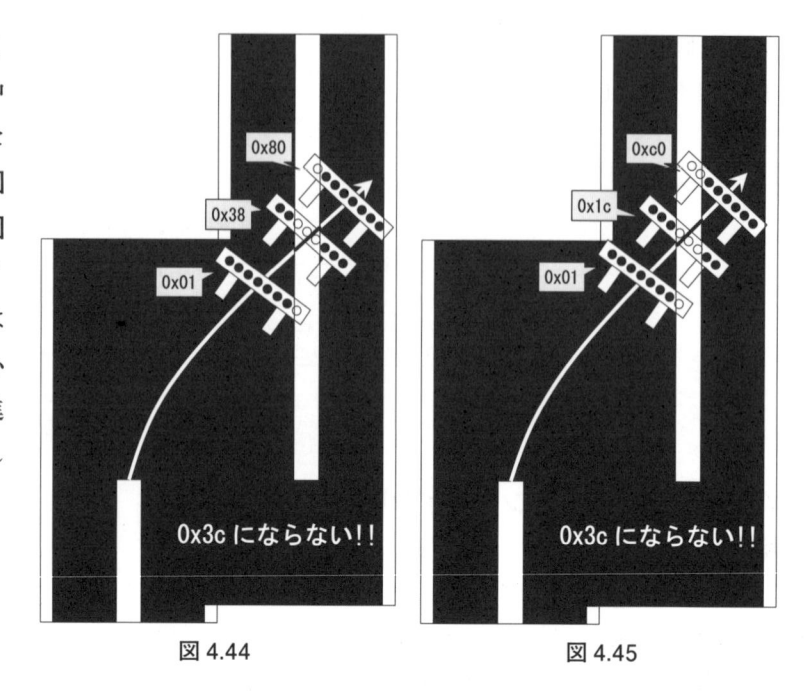

図 4.44　　　　　　　図 4.45

■解決例

新しい中心線を発見したときのセンサ状態を「0x3c」だけから、今回見つけたセンサ状態を追加します。他にも、センサの検出状態をまったく別な値に変える、中心線を検出したらサーボのハンドル角度を浅くしてさらに進んでいくなど、色々考えられます。どうすればレーンチェンジコースを安定して（さらには速く）走行できるか、いろいろ試してみてください。

図 4.46 に対応したフローチャート例を示します。

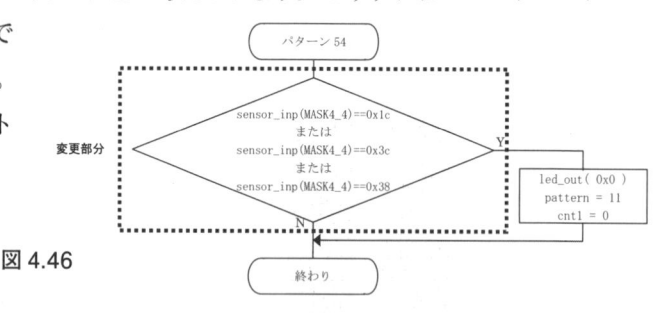

図 4.46

4.11.8　クランククリア時、外側の白線を中心と勘違いして脱輪してしまう

■現象

左クランクを検出し、左へハンドルを切りました。若干膨らみ気味に曲がりながら進んでいくと、外側の白線部分をトレースしながら進み脱輪してしまいました（図4.47）。

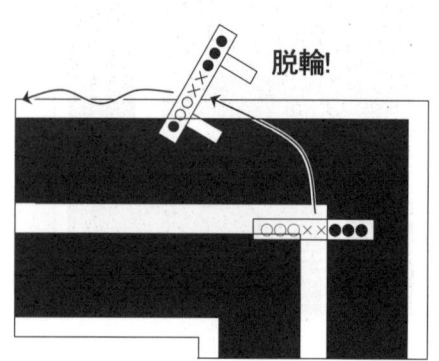

図 4.47

■解析結果

　左クランクを検出すると、左に 38 度、左モータ 10%、右モータ 50%にします。その状態をいつ終えて通常パターンに戻るのでしょうか。サンプルプログラムは、センサの状態が「0x60」になったときです。状態は、図 4.48 のように中心の白線を検出して終わることを想定しています。しかし、スピードが速すぎると曲がりきれずに外側に膨らんでしまい、図 4.49 のように外側の白線で「0x60」状態を検出してしまいます。この状態で通常パターンに戻るので脱輪してしまうのです。

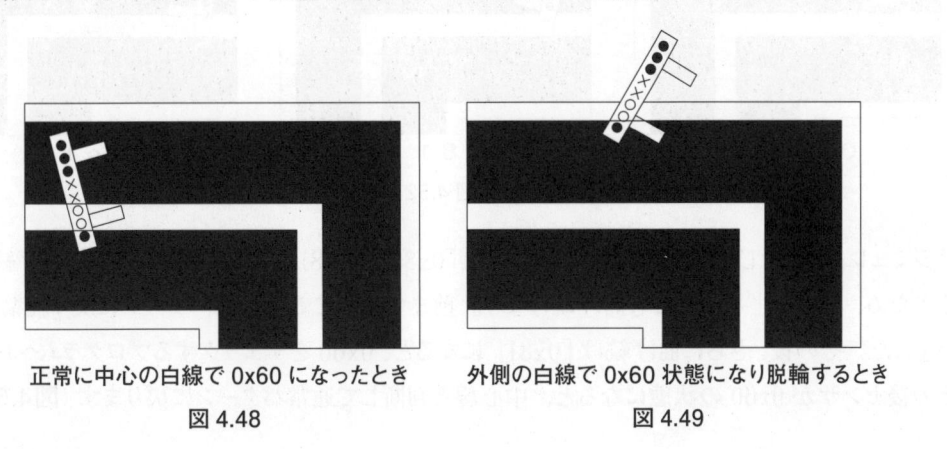

正常に中心の白線で 0x60 になったとき　　　　外側の白線で 0x60 状態になり脱輪するとき

図 4.48　　　　　　　　　　　　　　　　図 4.49

■解決例

　正常に中心線を見つけたときのセンサの移り変わりを確認します。「 0x00 → 0xc0 → 0x60 」のようにセンサの状態が変わり、通常走行に戻ります（**図 4.50**）。

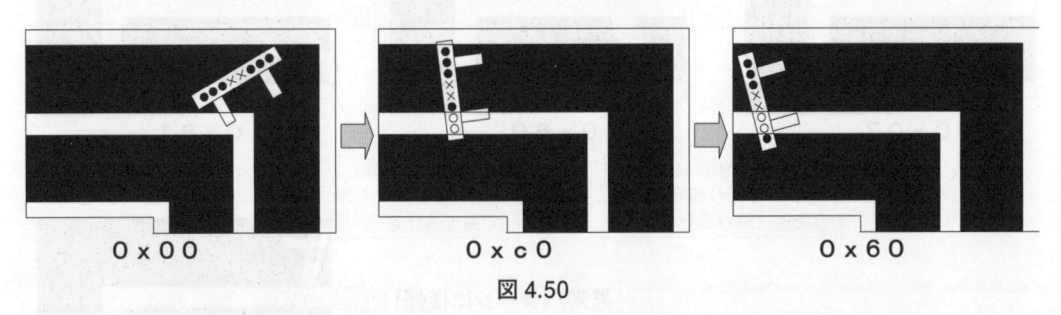

0x00　　　　　　　　　　0xc0　　　　　　　　　　0x60

図 4.50

　外側の白線を中心と勘違いしたときのセンサの移り変わりを確認します。「 0x07 → 0x00 → 0x60 」のようにセンサの状態が変わり、通常走行に戻ります（**図 4.51**）。

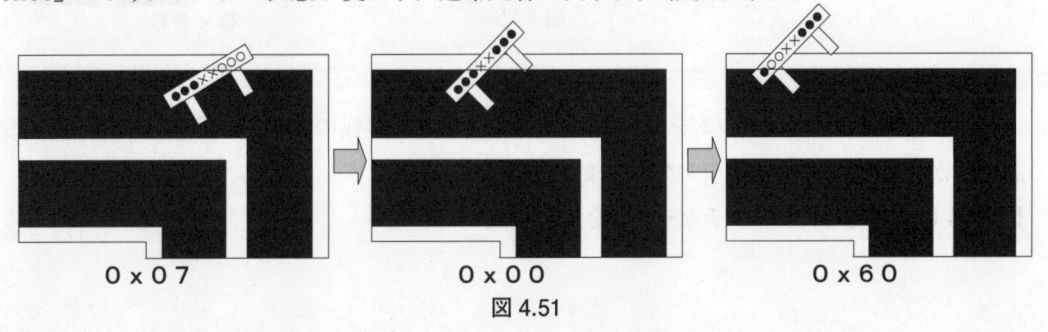

0x07　　　　　　　　　　0x00　　　　　　　　　　0x60

図 4.51

2通りを見比べると、誤動作するときはセンサの状態は「0x07になってから0x60になる」ということが分かりました。そこで、センサの状態が「0x07」になったら、「0x83か0x81か0xc1」になるまで曲げ続けるようにしたらどうでしょうか（図4.52）。

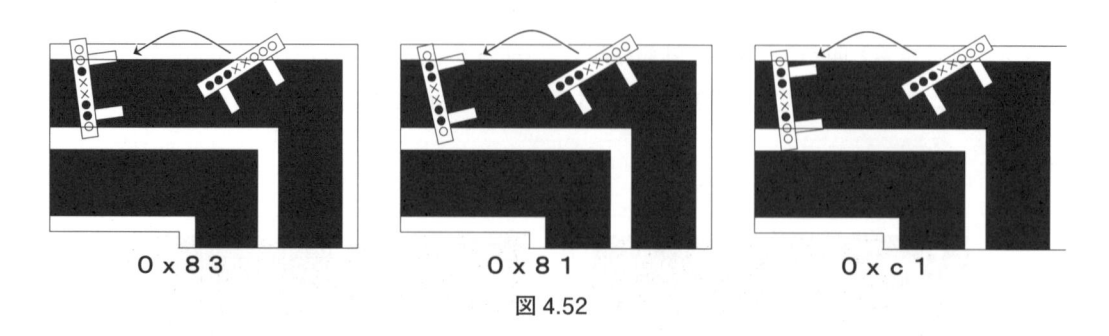

　　　　0x83　　　　　　　　　0x81　　　　　　　　　0xc1

図4.52

　シミュレーションしてみます。0x07になると、「0x83か0x81か0xc1」になるまで曲げ続けます。そのため、「0x60」になっても曲げ続けます。前までは、ここで通常パターンに戻り脱輪してしまいました。その後、さらに曲げ続け「0x81」になると、0x60をチェックするプログラムへ戻します。その後センサが0x60の状態になると、中心線と判断して通常パターンに戻ります（図4.53）。

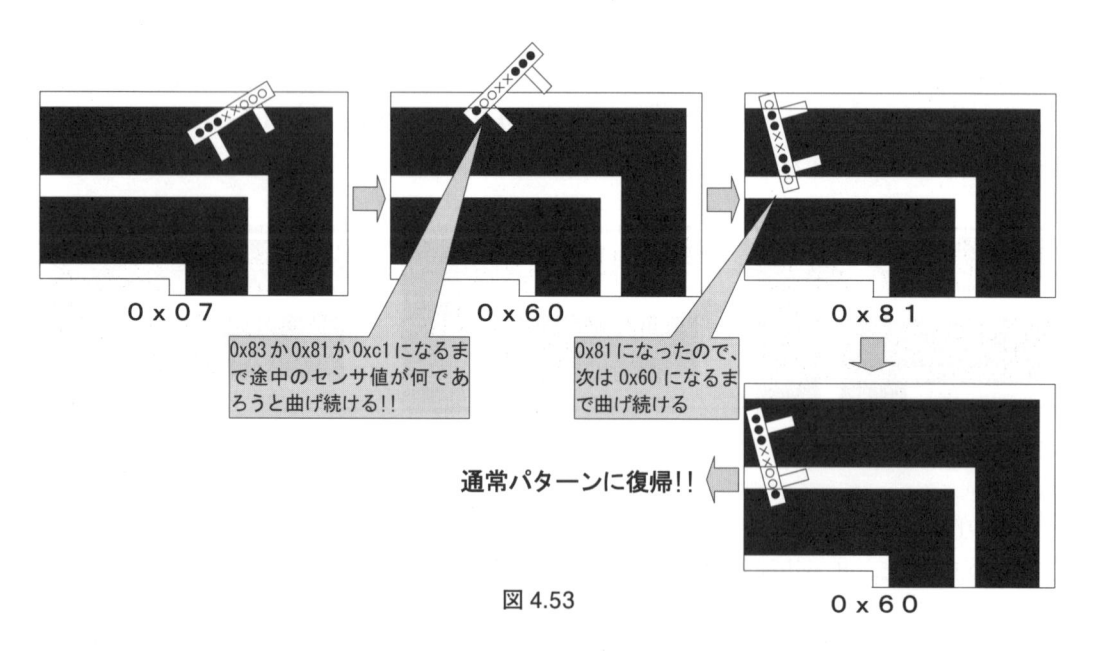

　　0x07　　　　　　　　　　0x60　　　　　　　　　　0x81

0x83か0x81か0xc1になるまで途中のセンサ値が何であろうと曲げ続ける!!

0x81になったので、次は0x60になるまで曲げ続ける

通常パターンに復帰!!

0x60

図4.53

　この考え方に基づきプログラムを作ってみましょう。これで外側の白線を中心線と間違ってしまう誤動作が無くなります。右クランクも同様です。
　図4.54に、対応したフローチャート例を示します。

```
パターン 32                          追加部分
                                   パターン 33
                                   b = sensor_inp(MASK3_3)
```

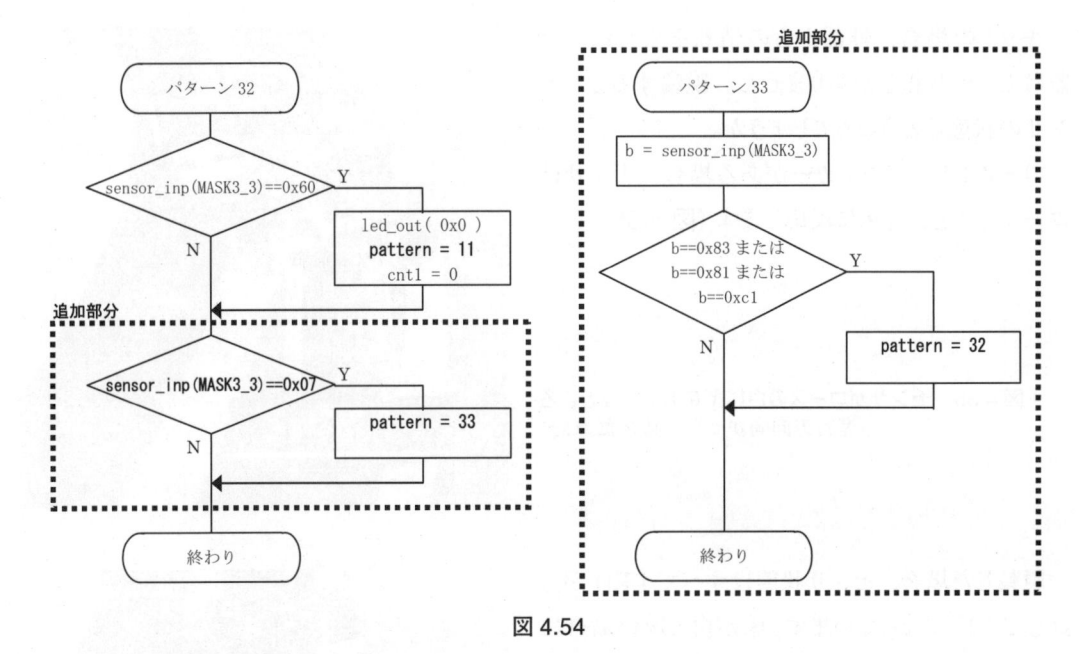

(フローチャート 図4.54)

対応したプログラム例を示します。

```
case 32:
        /* 左クランククリア処理　曲げ終わりのチェック */
        if( sensor_inp(MASK3_3) == 0x60 ) {
            led_out( 0x0 );
            pattern = 11;
            cnt1 = 0;
        }
        if( sensor_inp(MASK3_3) == 0x07 ) {
            pattern = 33;
        }
        break;

    case 33:
        /* 左クランククリア処理　外側の白線と見間違わないようにする */
        b =  sensor_inp(MASK3_3);
        if( b == 0x83 || b == 0x81 || b == 0xc1 ) {
            pattern = 32;
        }
        break;
```

※曲げ終わりチェック中の処理にセンサが 0x07 かどうかのチェックを追加

このまま追加しても、1 カ所エラーが出ることがあります。エラーの内容を確認して自分で解決してみましょう！

4.11.9 脱輪時自動停止

脱輪した後、どこまでも走り続けると壁などに激突してマイコンカーが壊れてしまいます。修理に半日かかることも珍しくありません。そこで、脱輪したら自動で停止するようにプログラムを改造してみましょう。

キットの場合、外部からの情報を得られる機器はセンサ基板しかありません。脱輪すると、センサの状態はどうなるでしょうか。

コース上にマイコンカーがある場合、センサはコースの白色、黒色に反応します（図4.55）。

図4.55　センサがコースの白に反応しているところ
（進行方向向かって右側2個点灯）

脱輪した場合、センサ状態はすべてLEDが点灯して"1"になっています（床が白っぽい場合に限ります）（図4.56）。

図4.56　脱輪したときのセンサ反応（すべて点灯）

コース上ですべてLEDが点灯する状態が1カ所あります。それはクロスラインの部分です。そのため、「すべてのLEDが点灯したら止まりなさい」というプログラムでは、クロスラインでも止まってしまいます。ただし、クロスラインの検出はほんの一瞬ですが、脱輪した場合はずっとLEDが点きっぱなしになります。この違いをプログラムで認識すれば、クロスラインと脱輪を見分けることができます。

もう少し考えてみると、クロスラインを検出した後、少し時間をおいてまだすべてのLEDが点灯していれば「最初はクロスラインと判断したけれども、実は脱輪だった」と考えることもできます。後者の内容をフローチャートにおこしてみます（図4.57）。

第4章 マイコンカーキット Ver.4 のソフトウェア

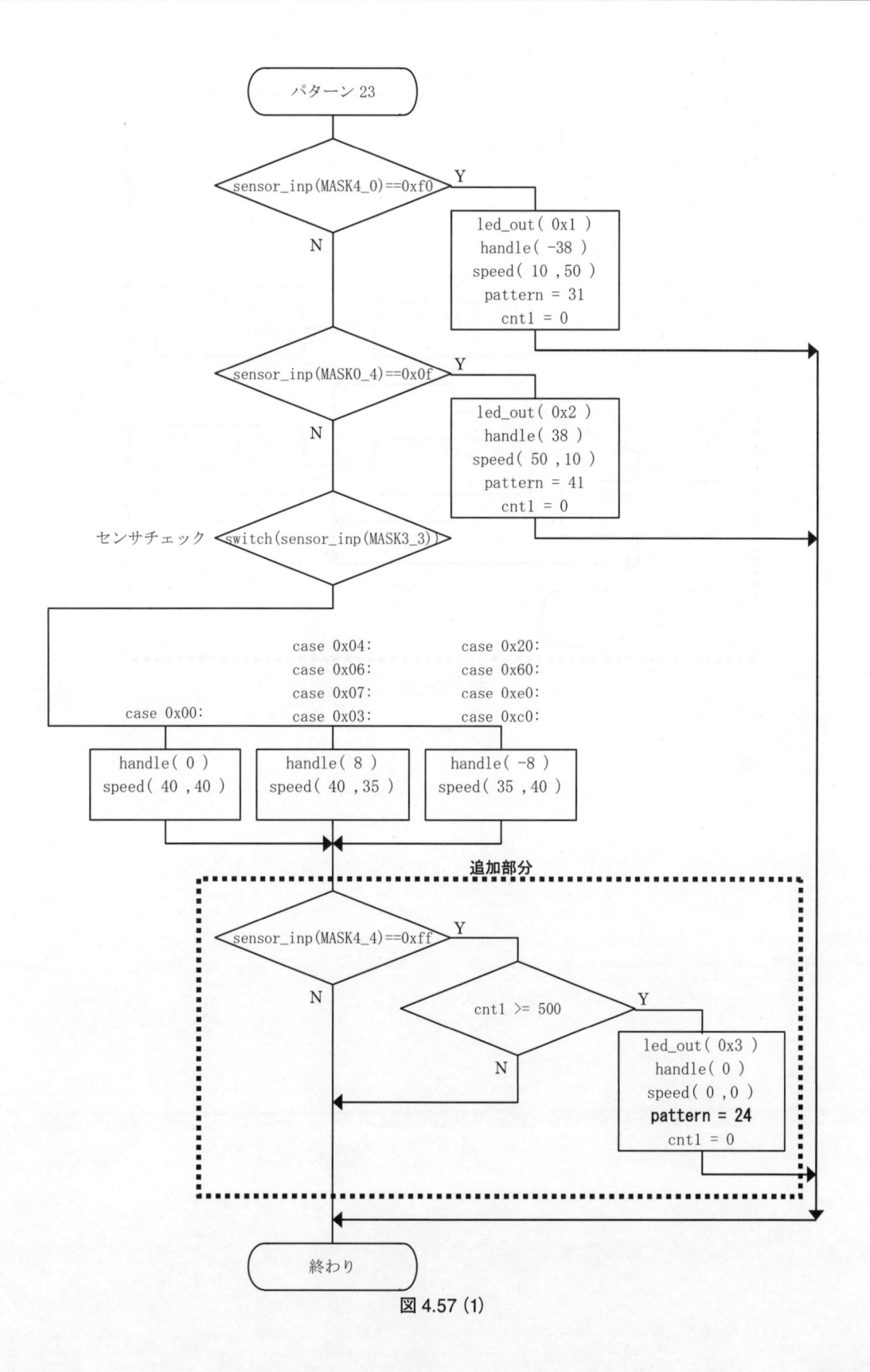

```
        ┌─────────────┐
        │  パターン 23  │
        └──────┬──────┘
               │
        ┌──────▼──────┐   Y    ┌──────────────────┐
        │sensor_inp(MASK4_0)├──────▶│  led_out( 0x1 )  │
        │   ==0xf0        │        │  handle( -38 )   │
        └──────┬──────┘          │  speed( 10 ,50 ) │
               │ N                │  pattern = 31    │
               │                  │  cnt1 = 0        │
               │                  └─────────┬────────┘
               │                            │
        ┌──────▼──────┐   Y    ┌──────────────────┐
        │sensor_inp(MASK0_4)├──────▶│  led_out( 0x2 )  │
        │   ==0x0f        │        │  handle( 38 )    │
        └──────┬──────┘          │  speed( 50 ,10 ) │
               │ N                │  pattern = 41    │
               │                  │  cnt1 = 0        │
               │                  └─────────┬────────┘
               │                            │
センサチェック ┌──────▼──────────────────┐
        │switch(sensor_inp(MASK3_3))│
        └─────────────┬─────────────┘
```

センサチェック

case 0x00:	case 0x04: case 0x06: case 0x07: case 0x03:	case 0x20: case 0x60: case 0xe0: case 0xc0:
handle(0) speed(40 ,40)	handle(8) speed(40 ,35)	handle(-8) speed(35 ,40)

追加部分

```
        ┌──────────────────┐   Y    ┌──────────────┐   Y    ┌──────────────┐
        │sensor_inp(MASK4_4)├──────▶│ cnt1 >= 500  ├──────▶│ led_out( 0x3 )│
        │   ==0xff         │        └──────┬───────┘        │  handle( 0 )  │
        └──────┬───────────┘               │ N              │  speed( 0 ,0 )│
               │ N                          │                │  pattern = 24 │
               │                            │                │  cnt1 = 0     │
               │                            │                └───────────────┘
```

        ┌─────────┐
        │ 終わり │
        └─────────┘

図 4.57 (1)

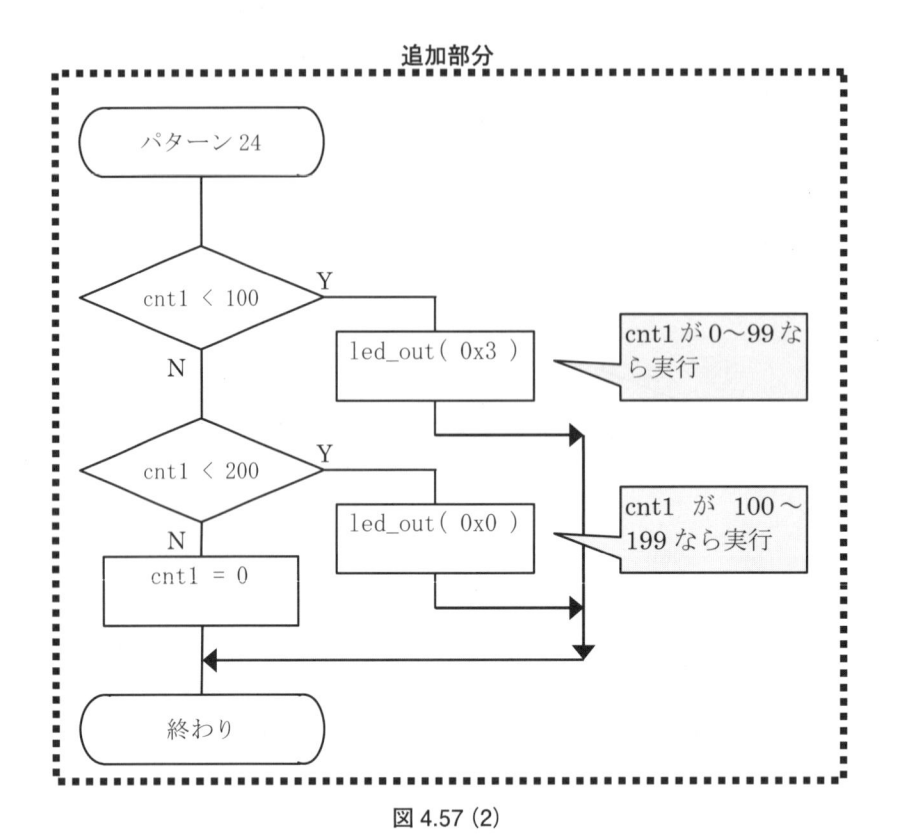

```
                追加部分
        ┌─────────────┐
        │  パターン 24 │
        └──────┬──────┘
               │
          ╱cnt1 < 100╲──Y──→ led_out( 0x3 )   ← cnt1 が 0〜99 な
          ╲          ╱                          ら実行
               │N
          ╱cnt1 < 200╲──Y──→ led_out( 0x0 )   ← cnt1 が 100〜
          ╲          ╱                          199 なら実行
               │N
          ┌─────────┐
          │ cnt1 = 0│
          └────┬────┘
               │
          ┌─────────┐
          │  終わり  │
          └─────────┘
```

図 4.57（2）

第5章
マイコンカーを自作しよう

　マイコンカーキット Ver.4 は、高校生 Basic Class の部のレギュレーション用としては最適ですが、高校生 Advanced Class の部に出場するにはちょっと物足りない内容です。そこで、マイコンカーを自作しましょう。すべて自分で作るとなると大変なので、センサ基板とモータドライブ基板はそのまま使います。また、本章ではラジコンサーボを使いマイコンカーを作ります。自作サーボのマイコンカーを作りたい場合は、「7.5 サーボを自作しよう」を参照してください。

5.1　電源

5.1.1　モータの電圧を上げる

　マイコンカーキットの電池は、「3.3 キットの電源構成」のように、8本中4本をCPUボードや回路の制御系電源、残りの4本をモータなどの駆動系電源に分けています。

　もっとスピードを上げたいときは、モータに加える電圧を上げれば速く走ることができます。それには、駆動系の電池を増やす必要があります。モータ電源用に6本の電池を使えば7.2[V]、8本なら9.6[V]となります。しかし、ルールで電池の使用本数は8本以内と決まっています。そこで、使っている電池8本すべてを直列接続して、制御系、駆動系電源を共通にします。このとき、モータには9.6[V]の電圧を加えても壊れませんが（定格は6[V]なのであまり好ましいことではありません）、CPUの動作保証電圧は4.5～5.5[V]なので5.5[V]を超えた電圧をかけると壊れてしまいます。サーボも同様に6[V]以上の電圧をかけられません。そのため、三端子レギュレータを取り付けCPUやサーボの電圧を定格にします。

　ただし、電池を共通にした場合、モータなどに大電流が流れて電圧が4.5[V]以下になるとCPUがリセット（動作停止）してしまいます。電池を共通化した場合、CPUがリセットしないように気をつけなければいけません。

　図5.1に、電池8本を直列接続したときの接続図を示します。

Micom Car Rally

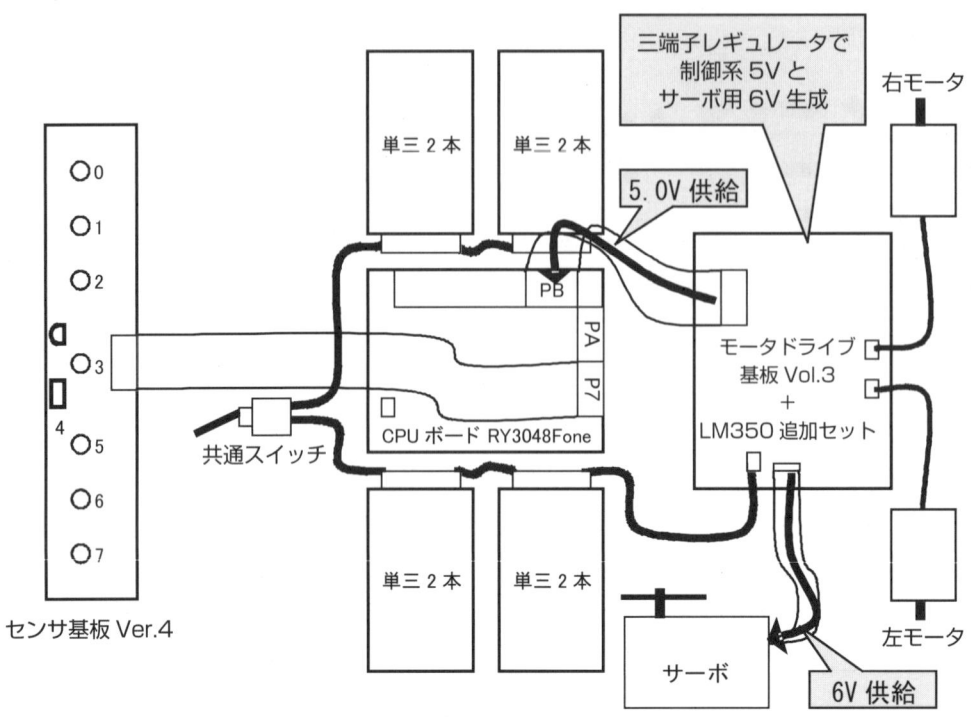

図 5.1 電池 8 本を直列接続したときの接続図

図 5.2 に、電源系の流れを示します。

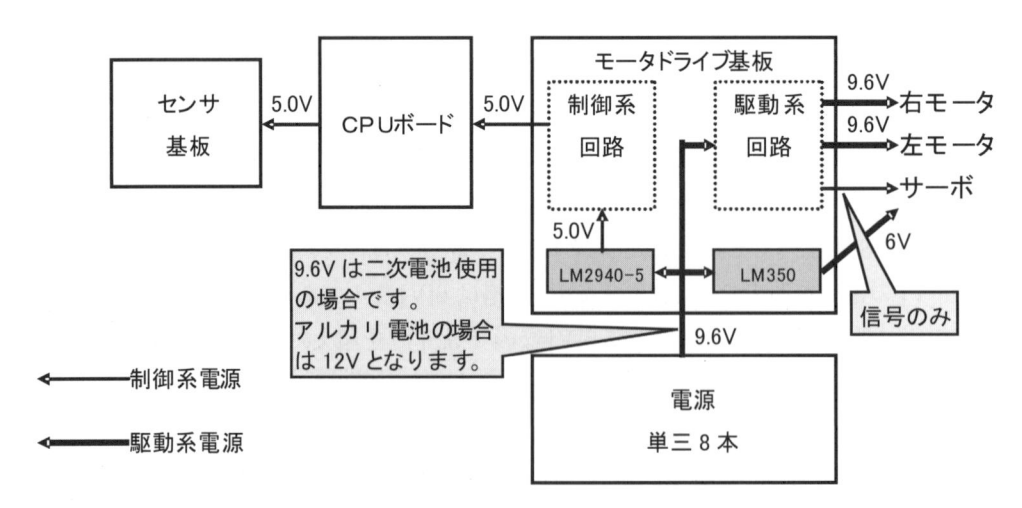

図 5.2 電池 8 本を直列接続したときの電源系の流れ

5.1.2 レギュレータについて

■ 7800 シリーズ、7900 シリーズ

モータドライブ基板 Vol.3 では、7800 シリーズ、7900 シリーズは使用していませんが、三端子レギュレータの基本中の基本ですので説明しておきます。

三端子レギュレータは、3 本の端子があるレギュレータです。ここでいうレギュレータは、正式にはシリーズレギュレータのことで、変動する電圧を一定の電圧に変換する回路のことです。シリーズレギュレータの他に、チョッパ制御電源、スイッチング制御電源などがあります。

三端子レギュレータの代表的な型式に 7800 シリーズ、7900 シリーズがあります。型式は表 5.1 のような意味です。

表 5.1　7800 シリーズ、7900 シリーズの型式の付け方

①	メーカによりアルファベットが入ります。ルネサステクノロジは HA です。
②	78 または 178：正の電圧を出力する三端子レギュレータ 79 または 179：負の電圧を出力する三端子レギュレータ
③	出力することのできる最大電流を表します。 なし：1[A] 　M　：500[mA] 　L　：100[mA] ただし、メーカにより異なることがありますので必ずデータシートで確認してください。
④	出力電圧を表します。 05：5[V] 06：6[V] 12：12[V] など

例）　HA78L05 → ルネサステクノロジ製の正電圧出力用で 5[V] 出力、最大出力電流 100[mA]
　　　7912　　→ メーカは何でも良く（または不明）、負電圧出力用で -12[V] 出力、最大出力電流 1[A]

図 5.3 に、三端子レギュレータの外形を示します。向かって左が 1 ピンです。一般的なピン番号と意味は図 5.3 の通りですが、違う場合もありますので必ずデータシートで確認してください。

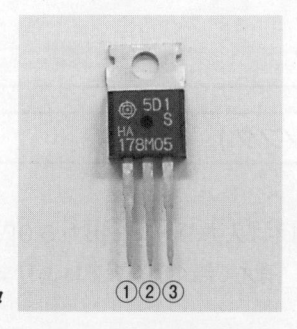

① 電圧入力
② GND
③ 電圧出力

図 5.3　三端子レギュレータ

図5.4 に、7805 を使った代表的な回路を示します。

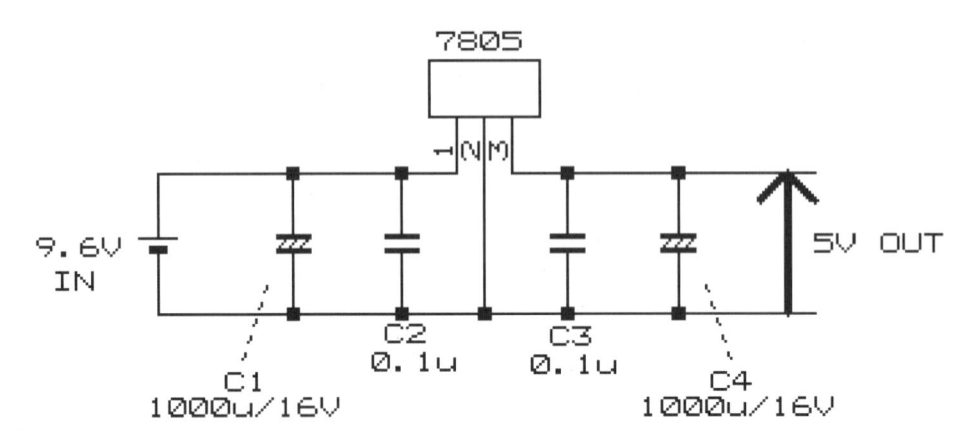

```
         7805
          IN

9.6V              C2       C3            5V OUT
 IN              0.1u     0.1u
       C1                        C4
    1000u/16V                 1000u/16V
```

図 5.4　7805 を使った回路

ポイントは、
①入力端子、出力端子のすぐ近くに発信防止用の積層セラミックコンデンサを接続 (C2,C3)
②入力端子、出力端子のできるだけ近くに電源安定用の電解コンデンサを接続 (C1,C4)
③最大入力電圧は 30[V] (メーカにより違うのでデータシートで確認してください)
④最小入力電圧は、出力電圧より約 2[V] 高い電圧を加える (メーカにより違うのでデータシートで確認してください)

④は、5[V] 出力するためには 7[V] 以上の電圧を入力しなければいけないということです。
・7[V] 以上の電圧なら、5[V] を出力
・7[V] 以下の電圧なら、入力電圧－ 2[V] の電圧を出力

例えば、入力電圧が 6.5[V] なら、「6.5 － 2＝出力電圧 4.5[V]」となります。4.5[V] は CPU がリセットする電圧です。マイコンカーが走行中、モータに大電流が流れて電圧が一瞬でも 6.5[V] 以下になった場合、7805 を使っていたら CPU がリセットしてマイコンカーが止まってしまいます。

コラム　放熱板 (ヒートシンク)

「入力電圧－出力電圧」の差、例えば入力 9.6[V]、出力 5.0[V] のとき、その差である 4.6[V] はどこで消費されるのでしょうか。消えて無くなる訳ではありません。三端子レギュレータは、

熱エネルギーとして消費します。すなわち、三端子レギュレータは熱くなります。マイコンカーのように、1回の走行が1分以下で消費電流も数百[mA]足らずであれば放熱はほとんど必要ありませんが、長時間使用する場合や入出力間の電圧差が大きい場合は、熱を逃がすために放熱板(ヒートシンク)を必ず取り付けてください。三端子レギュレータが熱くなりすぎると自分自身の熱で壊れてしまいます。放熱板は表面積を大きくするために、「ヨ」のような形をしたものが多いです。

▲ 放熱板と放熱板を取り付けた三端子レギュレータ (左)

■ LM2940-x

7800シリーズ、7900シリーズの他に、メーカ独自の三端子レギュレータが多数あります。LM2940-xはそのひとつで、ナショナル セミコンダクターというメーカから販売されている、7800シリーズ互換の三端子レギュレータです。「x」の部分には電圧が入ります。モータドライブ基板Vol.3では、制御系回路の電圧を一定にするために「LM2940-5」を使って5[V]を出力しています。図5.5に回路を示します。単純に7805を置き換えただけです。

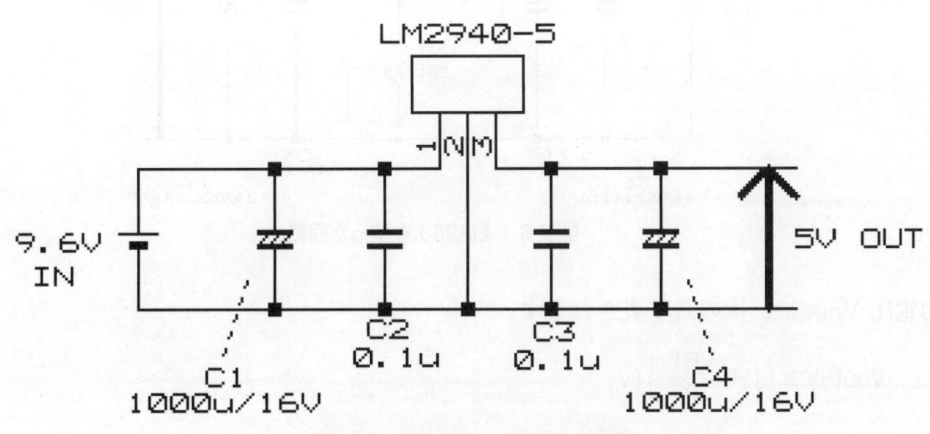

図5.5 LM2940-5を使った回路

LM2940-xは7800シリーズと何が違うかというと、最小入力電圧が小さいということです。データシートによると、平均0.5[V]、最悪1.0[V]です。最悪の場合を想定すると、

・6[V]以上の電圧なら、5[V]を出力

・6[V] 以下の電圧なら、入力電圧 − 1[V] の電圧を出力

ということになります。したがって、CPU がリセットする 4.5[V] を出力するには、5.5[V] 以上を入力すればよいことになります。出力電流は最大 1[A] です。7800 シリーズより電圧の入出力差が少ないので、モータドライブ基板で使用しています。

■ LM350

LM350 は、サーボの駆動電圧である 6[V] を出力します。LM350 は LM2940-x と同様、ナショナル セミコンダクター製です。特徴を次に示します。

・抵抗により、1.2 〜 35[V] を出力できる (もちろん出力電圧以上の入力電圧が必要です)
・3[A] 出力できる (電流が多いときは放熱板が必須です)
・最小入力電圧は、出力電圧 +1.25[V]

図 5.6 が回路図です。7800 シリーズの三端子レギュレータとはピン振りが全く違うので気をつけてください。

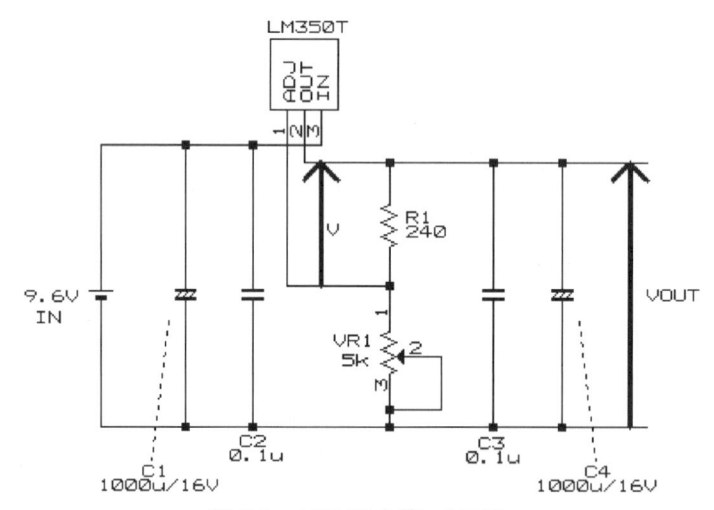

図 5.6　LM350 を使った回路

出力電圧 Vout は、次の式で表されます。

$$Vout = V \times \left(1 + \frac{VR1}{R1}\right) [V]$$

V は、LM350 の基準電圧で常に 1.25V になっています。モータドライブ基板は R1 に 240[Ω] を使っています。よって

$$Vout = 1.25 \times \left(1 + \frac{VR1}{240}\right) [V]$$

となります。

ボリュームが最小の 0[Ω] のとき

$$V_{out} = 1.25 \times \left(1 + \frac{0}{240}\right) = 1.25[V]$$

ボリュームが最大の 5[kΩ] のとき

$$V_{out} = 1.25 \times \left(1 + \frac{5000}{240}\right) = 27.29[V]$$

最小は 1.25[V] です。最大は約 27[V] ですが、入力電圧 − 1.25[V] が最大出力電圧なので入力が 9.6[V] なら出力は約 8.35[V] となります。

ボリューム VR1 を調整してサーボの電源電圧である 6[V] を出力します。サーボは 8〜9[V] 以上の電圧を加えると壊れることがありますので、LM350 の出力電圧をボリュームで調整してからサーボに接続してください。

5.1.3 LM350 追加セット

モータドライブ基板 Vol.3 のオプションとして「LM350 追加セット」という部品セットが販売されています。これらの部品を追加すると、電池 6 本、または 8 本直列の電圧から、LM2940-5 が CPU などの制御系で使用する電圧 5[V] を生成、LM350 がサーボで使用する電圧 6[V] を生成します。図 5.7 に部品の写真を示します。

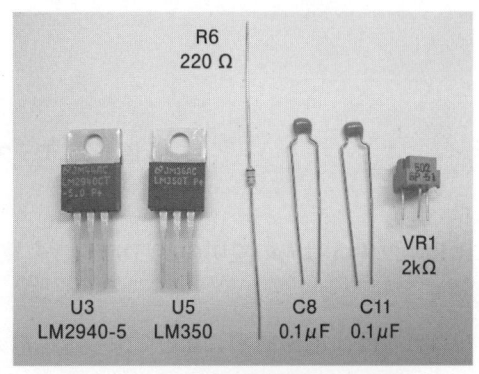

図 5.7　LM350 追加セットの内容

■モータドライブ基板に実装

モータドライブ基板 Vol.3 に LM350 追加セットの部品を実装した写真を図 5.8 に示します。JP1 は、1-2 間をショートします。詳しくは、マイコンカーラリー公式サイトにある「モータドライブ基板（Vol.3）製作マニュアル」を参照してください。

図 5.8　LM350 追加セットの実装

JP1 は 1-2 間をショートします

5.1.4　モータドライブ基板 Vol.3 の電源回路

モータドライブ基板の制御系の 5[V] を生成する回路を図 5.9 に示します。

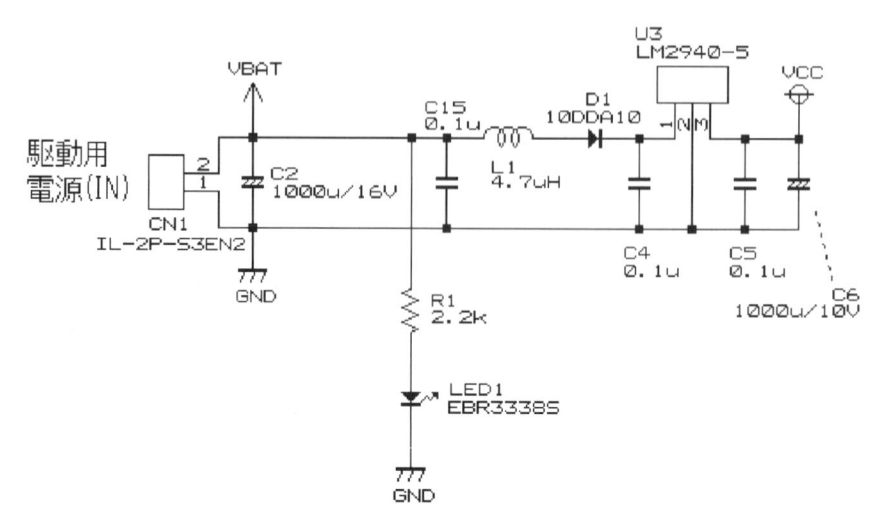

図 5.9　モータドライブ基板の電源回路

　LM2940-5 は先の説明のとおりですが、電池と LM2940-5 の間にコイル（L1）とダイオード（D1）が入っています。

　コイルは、電磁誘導によって生じる起電力をもとの磁束の変化を妨げるような方向に生じる性質があり、これをレンツの法則といいます。簡単に言うと電圧(電流)が流れようとすると、電圧(電流)を流すまいとし、電圧（電流）が減ると流し続けようとする性質です。これを利用して、電源電圧、電流の変動を少なくしています。

　ダイオードは、モータなどに大電流が流れ電源電圧が降下したときに、LM2940-5 の入力側の電圧が下がらないようにするためにいれています。なお、C4 と並列に 1000[μF] 程度（耐圧 16[V] 以上）を入れるとさらに効果的です。

5.1.5　電池ボックス

　マイコンカーキットでは、2 本 1 組のプラスチック製電池ボックスを 4 個使っています。その他、4 本 1 組の電池ボックスや金属製の電池ボックスなどあります。

　気をつけたいのは、電池を押しつけるバネの強さです。バネの押しつけが弱いと、マイコンカーのスピードの加減速によって、電池と電池ボックスの間に隙間ができて、CPU がリセットすることがあります。ただし、この現象は数〜数十 [ms] 以下の現象なので、確かめることは難しいです。

　また、電池ボックスとモータドライブ基板間の、線の太さも注意が必要です。細い線だと大電流が流れたとき、線の抵抗分の電圧降下で CPU の電圧が低くなってしまいます。

　よく「静電気で CPU がリセットした」という話を聞くことがありますが、電池ボックスの接触不

良や線が細いために起こる電圧降下などの原因もかなり多いと思われます。

電池ボックスは、バネのないがっちりと電池の接点に接触するタイプがお勧めです。図 5.10 に電池ボックスと電池スナップを示します。写真のいちばん左がバネのない電池ボックスで、秋月電子通商で販売されています。いちばん右が電池スナップです。電池スナップの線の太さにも気をつけてください。

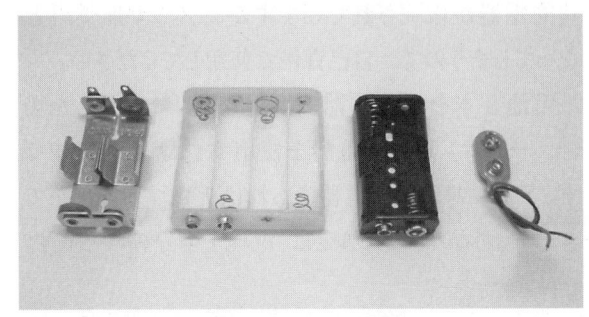

図 5.10　電池ボックスと電池スナップ

コラム　充電電池の半田付け

電池ボックスを使うと、電池ボックスと電池の間で接触抵抗が発生したり、振動や加減速で電池ボックスと電池が離れて CPU がリセットしてしまうなど、不具合が起こることがあります。そのため、電池のプラス極、マイナス極を直接半田付けして電池ボックスを使わないマイコンカーが最近見られます。ただし、次の理由によりメーカでは半田付けを禁止しています。
・電池に高熱を加えると、破損のおそれがあるため
・電池に高熱を加えると、電池の性能が劣化するため

万が一半田付けした場合は、自己責任となります。筆者もお勧めしません。どうしてもという場合は、「タブ付き」の充電電池を使いましょう。「タブ」と呼ばれる出っ張りが最初から付いている充電電池で、タブを半田付けすれば電池にダメージを与えません。

タブ付き電池については、インターネットで「タブ付__電池」(__はスペース) などの単語で検索すると出てきます。ただし、マイコンカーで使える電池は「単3型」、または「AA」と明記がある電池です。パッケージに何も書いていないような電池は車検で型式がチェックできないので使用できません。下記に電池のマイナス極にタブが付いている様子を示します。

5.1.6 電池の充電

充電器は、基本的には充電電池付属の充電器を使用します。1時間～数時間で充電できる急速充電器が販売されていますが、メーカ推奨外となってしまうので、自己責任で使用してください。

電池8本を直列に半田付けして1パックにした場合、ラジコン用の充電器を使用すれば充電可能です。8セル対応の充電器であれば充電することができます。ちなみに1セルとは、電池1本分のことです。

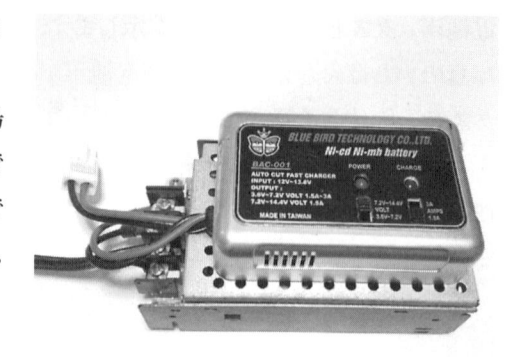

図5.11 充電器の例（下は電源、上が充電器）

5.2 サーボ

いろいろなメーカから多種多様なラジコン用サーボが販売されています。動作については、特別な注意事項があるサーボ以外は「3.6.15 サーボの動作原理」で説明した方法で制御することができます。

5.2.1 アナログサーボとデジタルサーボ

サーボには大きく分けてアナログサーボ、デジタルサーボの2種類あります。どちらもPWM信号を加えると、ONのパルス幅に応じた角度でサーボが動きます。制御方法はどちらも同じです。違いを表5.2に示します。

表5.2 アナログサーボとデジタルサーボの違い

内容	アナログサーボ	デジタルサーボ
制御の概要	サーボの内部回路は、アナログ信号で制御しています。	サーボの内部回路は、デジタル信号で制御しています。マイコンを内蔵している場合が多いです。
長所	安価なサーボがたくさんあります。	保持力、すなわち角度を維持する力が強いです。
短所	保持する力が比較的弱いです。	保持力が強い分、消費電流が大きい傾向があります。また、比較的高価です。
その他		専用のコントローラでサーボの特性をコントロールすることのできるサーボがあります。動きをアナログサーボのようにさせることもできるようです。

※筆者独自の解析結果です。サーボメーカに聞いたわけではありませんので細かい内容は違う場合もあります。

サーボの性能は、60度を何秒で動かせるかの動作速度とトルクがメーカから公表されています。アナログサーボの中には、デジタルサーボより速度やトルクが勝っているサーボもあります。アナ

ログはデジタルより劣っているという考えは間違いです。

マイコンカーでは、センサの反応によってハンドル角度を変えます。そのため、角度を保持する力が強い方が有利なので、ラジコンサーボを使っている上位入賞のマイコンカーはデジタルサーボをよく使っているようです。ただし、保持力が強すぎて角度を変えていないにもかかわらず小刻みに震える場合もあります。いろいろ試してみましょう。

5.2.2 サーボの電圧

多くのサーボは定格電圧が 6[V] ですが、ラジコンでは 7.2[V] のバッテリでサーボを動かしていますので、7.2[V] までは電圧を上げても大丈夫です。ただし、電池 8 本分の電圧を直接加えると壊れますので気をつけてください。

5.2.3 サーボの周期

サーボの周期は規格で 16[ms] と決まっていますが、実際はこれより短くしても動作するサーボがあります。表 5.3 にアナログサーボとデジタルサーボの周期について示します。

表 5.3　アナログサーボとデジタルサーボの周期

内容	アナログサーボ	デジタルサーボ
周期	最小 8[ms] 程度です。サーボによって違いますので動作するか必ず確かめてください。マイコンカーキット付属のサーボ「HS-425BB」は周期を短くすると誤動作することがあります。	マイコンで ON 幅を計測するため、短くても動作するサーボが多いです。5[ms] くらいまでは動作します。サーボによっては、3[ms] 以下でも動作するものもあるようです。

いずれにせよ、規格外で動かしているので実際に動作するか試してみる必要があります。一見動作していても負荷をかけたり大きく曲げたときにノーコン（ノーコントロール：制御不能）になることがあります。マイコンカーを走らせる前に、誤動作しないか確認してください。

なぜここまでして周期を短くする必要があるのでしょうか。サーボに曲げる角度を伝える手段は、パルスの ON 幅です。1 周期 16[ms] なら、16[ms] ごとにサーボに曲げる角度を伝えていると言うことです。もし、秒速 4[m/s] で走っていたとすると 16[ms] 間で進む距離は

$$距離 = 速さ \times 時間 = 4 \times 0.016 = 0.064[m] = 64[mm]$$

16[ms] で 64[mm] も進んでしまいます。これは 64[mm] 進むごとにサーボの角度を制御していると言うことです。カーブの場合、64[mm] 進むごとに角度を変えていたのでは、がくがくした動きになります (実際はカーブをここまで速く走ることは難しいですが)。そこで、周期を短くする、すなわちサーボに曲げる角度を細かく伝えると言うことになります。もし、周期 5[ms] で動作するサーボがあるなら、同様に 4[m/s] で走っていたとすると

$$距離 = 速さ \times 時間 = 4 \times 0.005 = 0.020[m] = 20[mm]$$

20[mm] 進むごとに角度を伝えることができます。サーボの周期を短くすることは、サーボの制御をきめ細かく行うということです。

サーボの制御周期が 16[ms] と、5[ms] の波形を図 5.12 に示します。5[ms] の方が 16[ms] の周期より 3 倍以上細かく制御していることが一目で分かります。

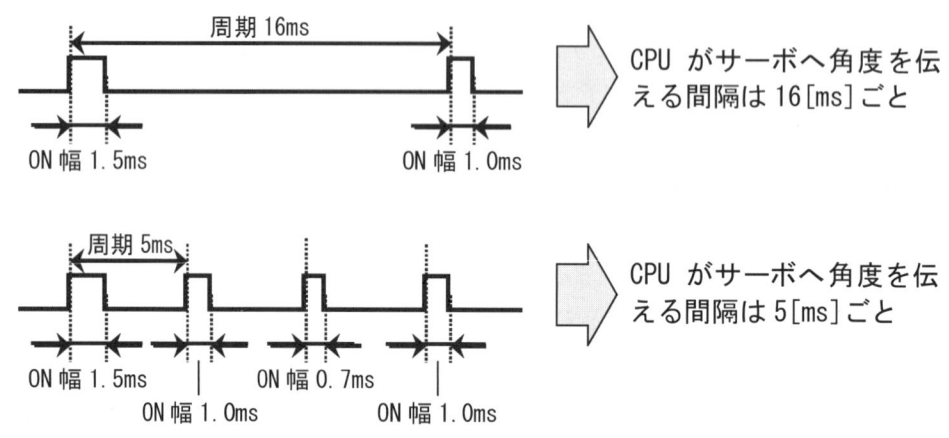

図 5.12 制御周期 16[ms] と 5[ms] の波形

5.2.4 サーボの中にあるギヤ

サーボの中にももちろんギヤが入っています。ギヤの種類として、プラスチックと金属があります。特徴を表 5.4 にまとめます。

表 5.4 サーボの中のギヤ

ギヤ	プラスチック	金属＋1個だけプラスチック	すべて金属
特徴	値段が安いです。ただし、外部から大きな力が加わった場合、ギヤがすぐにかけます (ギヤのギザギザがなめて無くなってしまいます)。	比較的高いです。1個だけプラスチックギヤが入っており、外部から大きな力が加わった場合、このプラスチックギヤが壊れ、他の部分が壊れないようにします。電気回路でいうヒューズのような役割です。予備のギヤがパーツショップで売っています。	値段は高いです。外部から大きな力が加わっても壊れづらいです。ただし、限界を超えた力が加わった場合、ケースが割れるなど永久破壊につながる場合があります。
写真	(すべてプラスチック)	(真ん中の下がプラスチック)	(すべて金属)

5.3 操舵の方式

5.3.1 センタピボット方式

センタピボット方式とは、図 5.13 のように前タイヤを含めたフロント部分全体が曲がるタイプです。マイコンカーキットはこのタイプです。ただし、ハンドルを大きく切ったとき、外輪側のホイールベースのが長くなるため、安定しません。

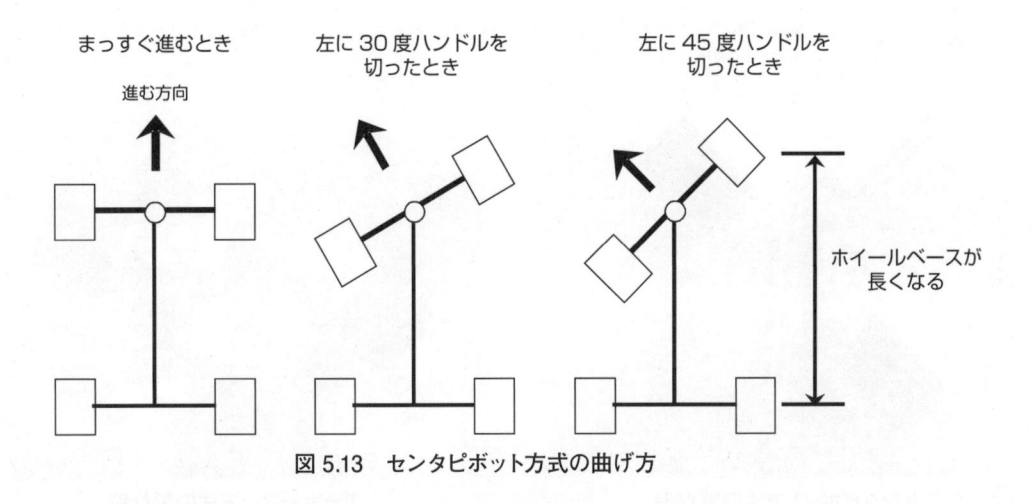

図 5.13 センタピボット方式の曲げ方

5.3.2 アッカーマン方式

アッカーマン方式とは、図 5.14 のように一般的な車と同じく前タイヤと機構部分が曲がるタイプです。ホイールベースはほとんど変わりませんが、製作が難しいです。

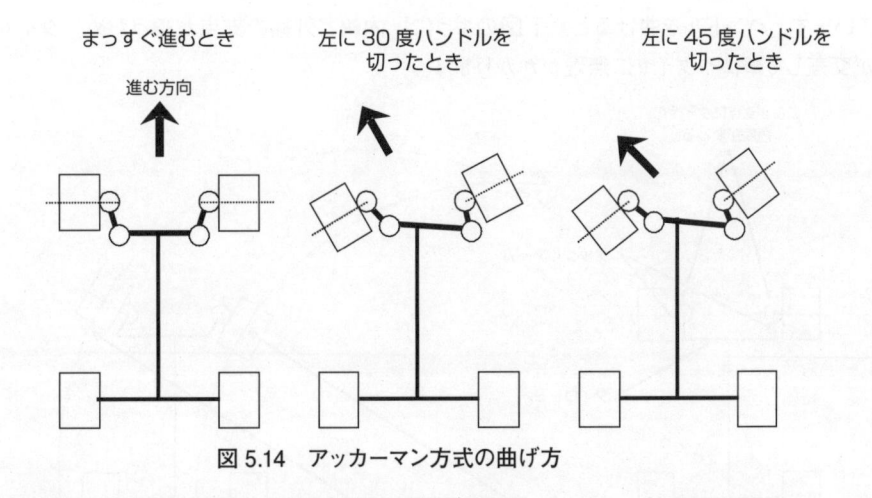

図 5.14 アッカーマン方式の曲げ方

5.3.3 特徴

センタピボット方式、アッカーマン方式の特徴を表 5.5 にまとめます。

表5.5 センタピボット方式、アッカーマン方式の違い

内容	センタピボット方式	アッカーマン方式
ホイールベース	タイヤを大きく曲げると外輪のホイールベースが長く、内輪のホイールベースが短くなってしまい、カーブなどで横Gがかかると不安定になります。	タイヤを大きく曲げてもホイールベースがほとんど変化しないため、安定しています。
ハンドルを曲げる力	フロント部分全体を動かすので、力が必要です。	タイヤと機構部分を動かすので、余り力が必要ありません。
ハンドル切れ角	大きくできます。	構造上、45°以上は難しいです。
製作の容易さ	簡単に製作できます。前輪も駆動させる場合でも比較的簡単に製作できます。	難しいです。前輪も駆動させる場合、特に難しいです。

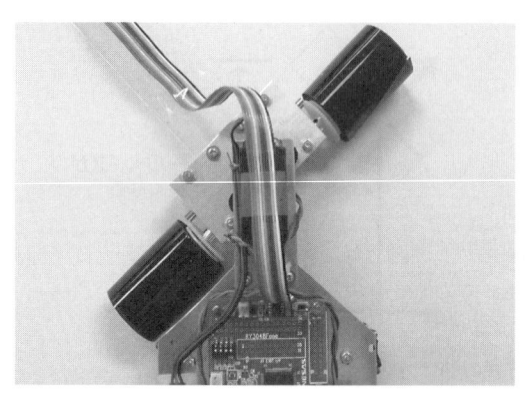

センタピボット方式の製作例

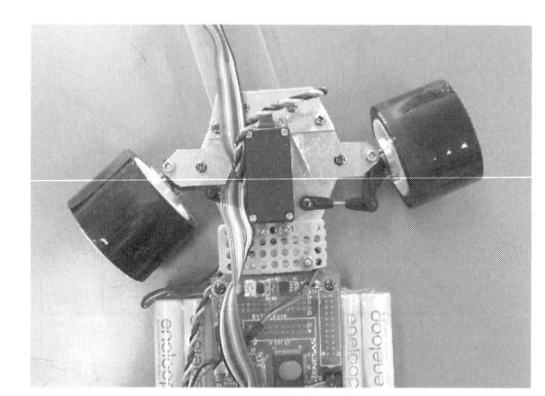

アッカーマン方式の製作例

コラム　ナックルアームについて

　アッカーマン方式のステアリング機構は、ナックルアームとタイロッドと呼ばれる部品からできています。ハンドルを曲げると、下図のように、内輪と外輪の支点が違うため、タイヤの軌跡が交差して車体やタイヤに無理がかかります。

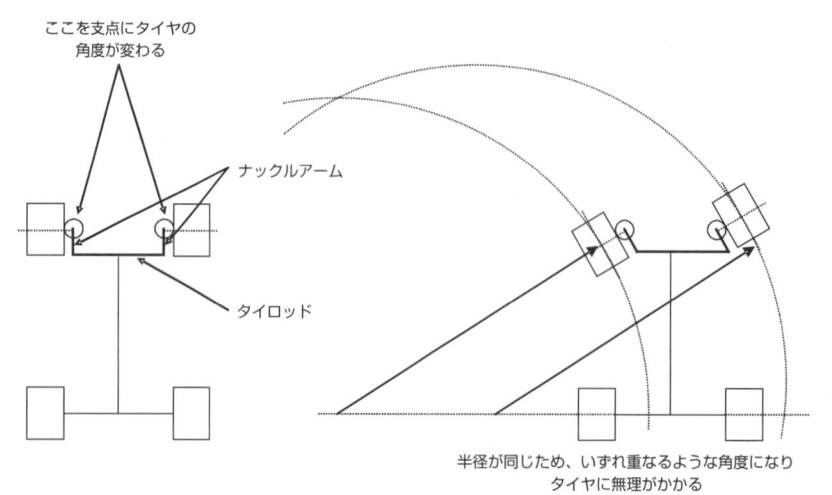

ここを支点にタイヤの角度が変わる

ナックルアーム

タイロッド

半径が同じため、いずれ重なるような角度になりタイヤに無理がかかる

▲タイヤの軌跡が交差するところ

そこで下図のようにナックルアームに開き角を付けます。そうすると、タイロッドが左右に動くとナックルアームの動きに差が出てコーナ内側のタイヤが大きな角度になり、内輪と外輪の軌跡が常に一定になります。この方式を考えたのが、ドイツ人のアッカーマン、及びフランス人のジャントで、この機構をアッカーマン・ジャント方式、または単にアッカーマン方式と呼びます。

ナックルアームの開き角度は、後ろタイヤの中心部分で交わるようにします。ホイールベース、トレッドにより変わってくるので、車体に合わせて角度を決める必要があります。

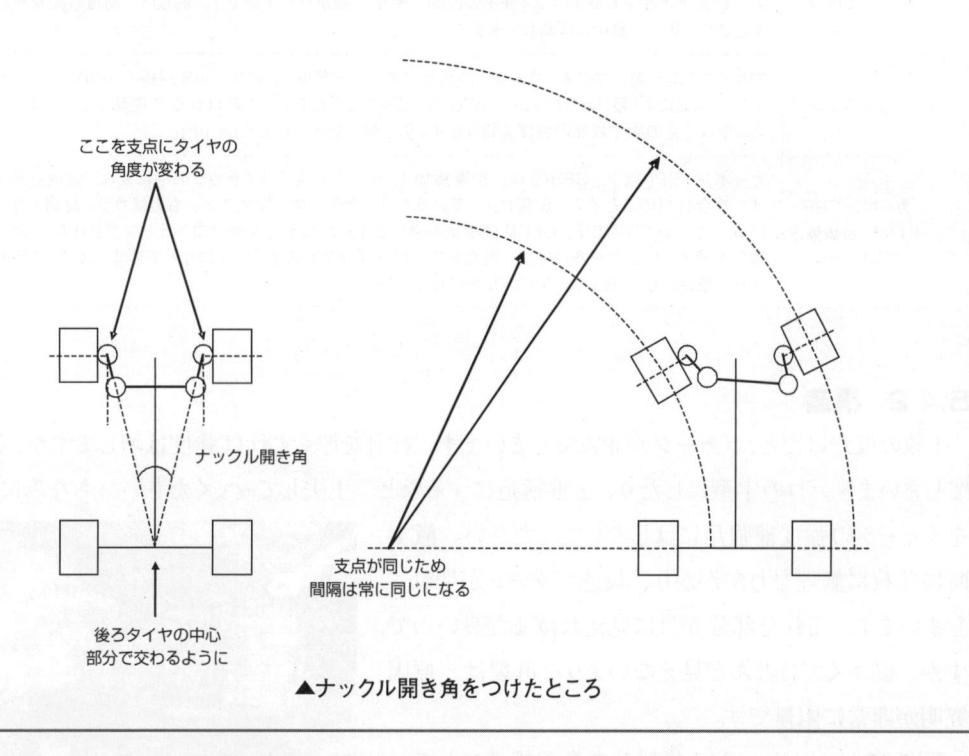

▲ナックル開き角をつけたところ

5.4 シャーシ

5.4.1 材質

マイコンカーキットはシャーシとして、ユニバーサルプレートというプラスチックの板を使っています。軟らかく加工しやすいですが、曲がりやすく割れやすいです。丈夫な材質に変更して、曲がりにくく割れづらい構造にしてみましょう。

マイコンカーのシャーシに使える材質例を表5.6に示します。どれを使うかは自由です。もしくは、ここに掲載されていない材質の方が良いかもしれません。いろいろな材質をシャーシに試してみましょう。

表5.6 シャーシに使える材質例

材質	内容
合板	薄く切った単板を互い違いに重ねて熱圧接着した、木質ボードのことです。日本では合板をベニヤ板と呼ぶことが多いですが、本来ベニヤとは単板を意味します。「木」ですので加工、穴開けが非常にしやすいです。
プラスチック	軟らかいため、加工しやすいです。衝撃で割れやすいです。キットはプラスチック製(ABS樹脂製)のユニバーサルプレートを使っています。
アルミニウム	比重が2.7と、金属の中ではマグネシウムに次いで軽い材質です。比較的軟らかいため、糸ノコなどで切断でき加工しやすいですがその反面、衝撃で曲がりやすいです。同じ所に何度も衝撃が加わるとひびが入り、最後には割れてきます。
ジェラルミン	アルミニウムと銅、マグネシウムなどの合金です。ジェラルミンには、JIS規格でA2017(ジュラルミン)、A2024(超ジュラルミン)、A7075(超々ジュラルミン)と呼ばれる3種類があります。アルミニウム合金の中で最高の強度を誇ります(引っ張り強度:約570N/m²)。
カーボンFRP ※FRP=繊維強化プラスチック	カーボンFRP(以下、CFRP)は、炭素繊維(カーボン)をプラスチックの中に入れて強度を向上させた複合材料のことです。炭素が入っているため、黒色です。黒色でないものはガラス繊維を使っている、ただのFRPです。CFRPは電気を通します。ただし、表面はコーティングされているため、電気を通さないことが多いです。表面を少し削れば導通します。糸ノコなどで非常にさくさく切れますが、細かい粉が出ます。すぐに刃が切れなくなります。

5.4.2 構造

1枚の板だけだと、シャーシが歪んでしまいます。材料を厚くすれば強度は増しますが、重くなってしまいます。コの字型にしたり、2重構造にするなど、工夫してみてください。ちなみに、基板をシャーシの強度補強用にはしないでください。激突時に基板に無理な力がかかり、最悪パターンが切れてしまいます。切れた部分が目に見えればまだ良いのですが、細かくてほとんど見えないような亀裂は、原因究明が非常に困難です。

図5.15は、シャーシの前部分を多重構造にしているマイコンカーです。

図5.15

5.5 センサバー

5.5.1 材質

センサバーは、上り坂の終わりや下り坂の始まり部分でもセンサが浮かないよう柔軟性が求められます。また、マイコンカーが脱輪して壁などにぶつかるとき、いちばん衝撃を受ける部分です。アルミ材なら曲がったり折れたりして、使いものになりません。そこで激突しても曲がらなかったり、曲がっても元に戻る材質を使います。表5.7に、センサバーに使える材質を示します。

表 5.7 センサバーに使える材質例

材質	内容
塩ビ板	塩化ビニール樹脂製の板です。軟らかいので激突しても曲がって衝撃を吸収します。衝撃が大きい場合は、割れてしまいます。
ポリカーボネート	透明なプラスチックです。略して「ポリカ」ともいいます。軟らかいので激突しても曲がって衝撃を吸収します。
FRP	シャーシの材質を参照してください。堅い材料でほとんど曲がりません。激突した場合、ショックを吸収しません。
バネ鋼（SUP）	その名称のとおりスプリング（バネ）用途の目的に開発された鋼のことです。薄い板だと、曲がりやすく激突しても衝撃を吸収します。大きな衝撃が加わっても割れません。
焼入れリボン鋼（SK5-CSPH）	みがき特殊帯鋼（SK材）を素材として、バネ用に冷間圧延して強度を高くした材料です。材料表面は青光りしてます。薄い板だと、バネ鋼のような特性です。

5.5.2 取り付け方

通常、センサは常にコースとの間隔を一定にしなければいけません。特に、上り坂の終わりや、下り坂の開始ではセンサが浮きやすいので、センサバーをコースに押しつける必要があります。図 5.16 は輪ゴムで、図 5.17 はバネでセンサバーを押しつけています。いろいろ試してみましょう。

図 5.16

図 5.17

5.6 ホイール、タイヤ

ホイール、タイヤの材質、タイヤの直径は、走行スピードやパワーを決める上で非常に重要です。高校生 Basic Class の部、高校生 Advanced Class の部、一般の部、どの部門も自由に選定可能です。

5.6.1 市販のホイール
■オフロードタイヤセット

オフロード用のタイヤ 2 本セットです。シャフトは、六角シャフトをホイールの軸に挿して使用し

ます。タイヤの直径は約 50mm、幅は約 30mm です。タイヤは、中が空洞のためほとんど使いません。ホイールは、使っている学校をよく見かけます。

■トラックタイヤセット

トラックやトレーラーなどの自動車工作に幅広く使えるタイヤ 4 本セットです。シャフトは、六角シャフトをホイールの軸に挿して使用します。タイヤの直径は約 36mm、幅は約 16mm です。

■ナロータイヤセット

幅が狭いタイヤ 2 本セットです。2 種類のホイールハブが付いているので、六角シャフトに挿して使用するかハイスピードギヤボックス HE と同じシャフトに挿して使用するか選べます。タイヤの直径は約 58mm、幅は約 16mm です。

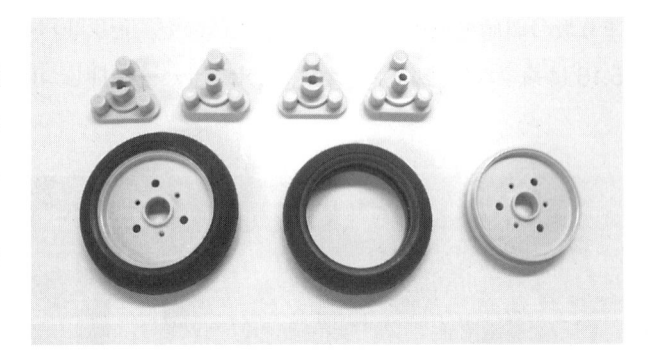

5.6.2　ホイールの自作

市販のホイールは手軽に利用できるのですが、自分の好みの直径や幅にすることができません。そこで、工作機械を使い自作してみましょう。

■市販のホイールを利用

市販のホイールをそのまま使うのではなく、改造して使用します。図 5.18 は、オフロードタイヤを 2 個つなげて幅を 2 倍にしたホイールです。

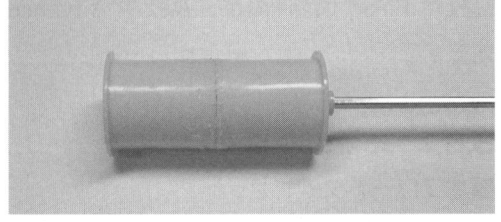

図 5.18　オフロードタイヤを 2 個つなげたホイール

■旋盤を使い製作

旋盤は、アルミ材などの材料をろくろを使って回転させ、バイトと呼ばれる刃で削っていく機械です（図5.19）。ホイールのように丸い材質の加工にはもってこいです。

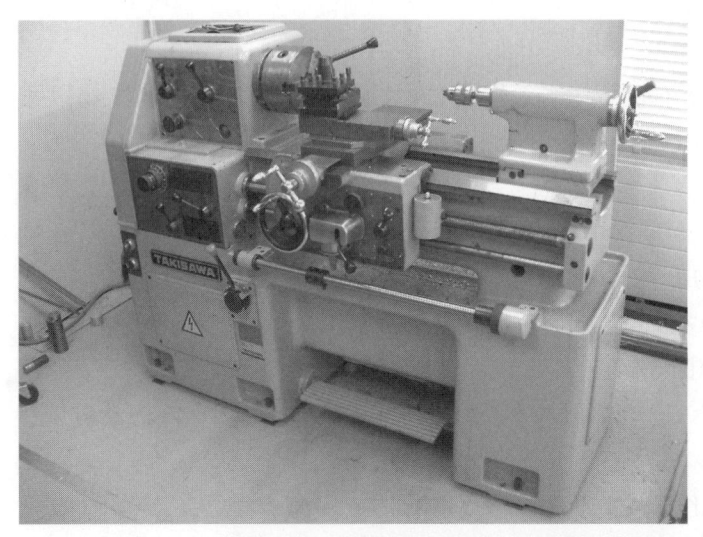

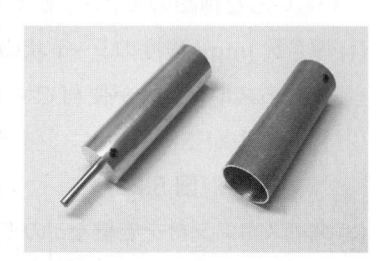

図5.19　旋盤（TSL-550D）と旋盤で加工したホイール

■CAMを使い製作

CAMとはコンピュータ支援製造（Computer Aided Manufacturing）の略語で、CADで作成された形状データを入力データとして、加工を行うことのできる工作機械です。簡単な加工しかできないCAMから、工業製品を作るマシニングセンタまで様々あります（図5.20）。CAMは、ホイールに限らず、シャーシやギヤボックスなど1/100～1/1000[mm]単位で加工ができます。

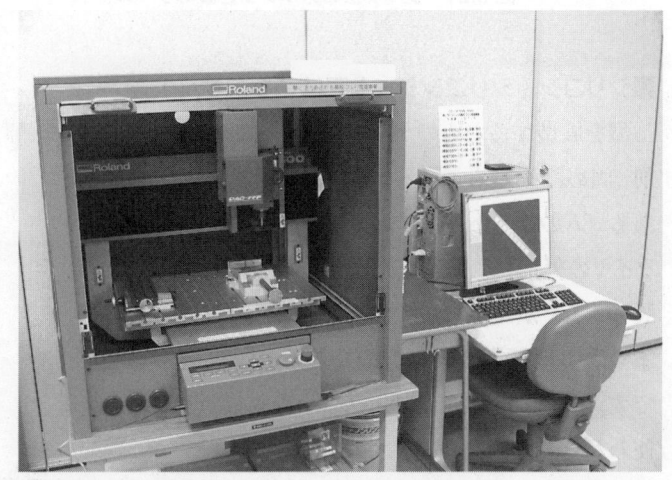

図5.20　マシニングセンタ（DT-C）と3D加工機（MDX-500）

5.6.3 タイヤの材質

タイヤの材質によって、ブレーキ性能やカーブでのスリップ性能などが決まります。非常に重要です。

■ゴム

厚さ数 [mm] 程度のゴムの板をホイールに巻いてタイヤにします。固さにより滑りやすさが決まります。

■スポンジ

いろいろな種類のスポンジがあります。

(1) 厚さ数 [mm] 程度のシート状のスポンジをホイールに巻いてタイヤにします。裏がシールになっているスポンジ材が便利です（図 5.21）。
(2) 筒状で中が空洞のスポンジをホイールに挿してタイヤにします（スポンジグリップなどと呼ばれています）（図 5.22）。
(3) 角のスポンジ材を旋盤などの工作機械で加工、タイヤにします。

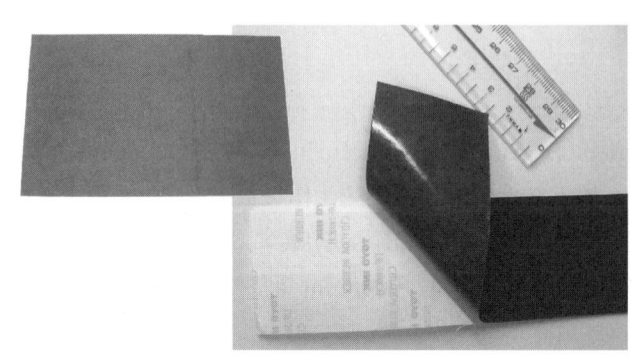

図 5.21　シート状のスポンジと裏のシール

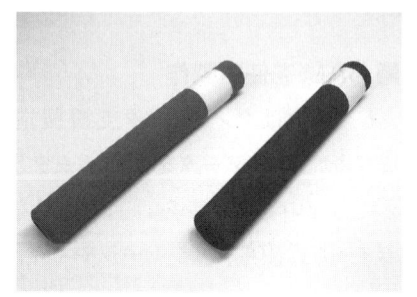

図 5.22　筒状のスポンジ（スポンジグリップ）

■シリコン (シリコンシートではありません)

型を成型するためのシリコンを使ってタイヤを作ります。原料のシリコンは最初液体ですが、溶剤（固める液）を加えると 24 時間程度で弾力性のあるゴムのような感じで固まります。液体の状態でタイヤの外形になぞらえた型に入れれば、シリコン製のタイヤができます（図 5.23）。自由な形ができますが、型の製作には旋盤などの工作機械が必要です。また、スポンジに比べ重いため最近はあまり使われていません。

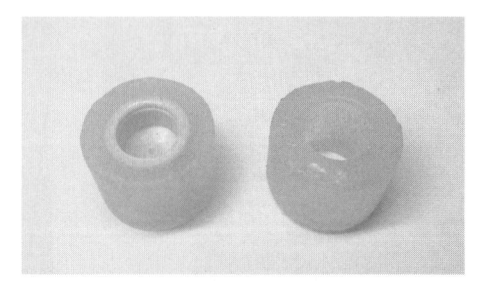

図 5.23　成型後のシリコン（左はトラックタイヤのホイールにはめたところ）

5.7 モータ、ギヤボックス

参加する部門によりモータの指定、ギヤボックスの指定があります（表5.8）。参加する部門のルールに沿って製作しましょう。

表5.8 参加部門とモータ、ギヤボックスの関係

部門	モータ	ギヤボックス
高校生 Basic Class の部	RC-260RA-18130 を2個使うこと	ハイスピードギヤ HE を2個使うこと
高校生 Advanced Class の部	RC-260RA-18130 を使うこと（数は自由）	自由
一般の部	自由	自由

5.7.1 市販のギヤボックス

■遊星ギヤボックス

遊星ギヤは、複数の遊星歯車（planetary gear）が自転しつつ公転する構造を持った減速（増速）機構です。特徴を次に示します。

・少ない段数で大きな減速比が得られる
・大きなトルクが伝達できる
・入力軸と出力軸を同軸上に配置できる

遊星ギヤボックスは、選べるギヤ比がたくさんあり、4:1、5:1、16:1、20:1、25:1、80:1、100:1、400:1 があります（図5.24）。マイコンカーでの実用ギヤ比は、タイヤの直径によって変わりますが、スポーツタイヤセット（直径54[mm]）の場合は11.6:1と20:1くらいが良いでしょう。

図5.24 遊星ギヤボックス

■6速ギヤボックス HE

6速ギヤボックス HE は、ハイスピードギヤーボックス HE の選べるギヤ比を増やしたようなギヤボックスです。ギヤ比は 11.6:1、29.8:1、76.5:1、196.7:1、505.9:1、1300.9:1 の6つを選ぶことができます（図5.25）。マイコンカーでの実用ギヤ比は、タイヤの直径によって変わりますが、スポーツタイヤセット（直径54[mm]）の場合は11.6 くらいが良いでしょう。

図5.25 6速ギヤボックス HE

5.7.2 ギヤ

ギヤを材料から作るのは大変な作業です。ギヤは市販のものを使い、ギヤを支える枠(ギヤボックス)を自作するのが現在の主流です。マイコンカーで使えそうなギヤを紹介します。

■レインボープロダクツ

プラスチック製のギヤを扱っています(図5.26)。加工なしで使えるので、工作機械がなければお勧めです。ただし、ギヤの厚さが1.3[mm](実測)と薄いので、急な加減速をすると歯が欠けることがあります。

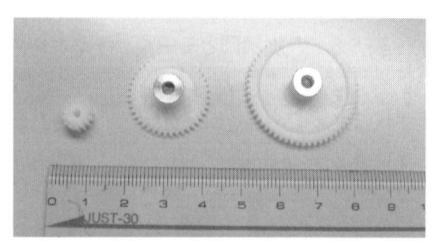

図5.26　レインボープロダクツ製ギア

■教育歯車

プラスチック製や真鍮などの金属製ギヤを扱っています(図5.27)。プラスチック製や金属製の一部は追加加工しなければ使えませんので、工作機械が必須です。ギヤの厚さは約3[mm]あり、丈夫です。

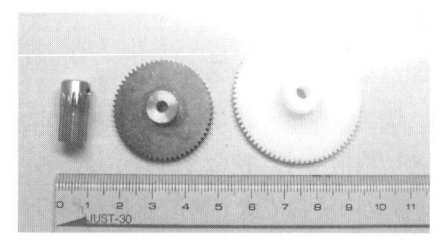

図5.27　教育歯車製ギア

コラム　ギヤのモジュールについて

モジュールとは、基準円直径を歯車の歯の数で割った値で、ギヤの歯の大きさを定めるものです。

$$m = d / z$$

m: モジュール　d: 基準円直径 [mm]　z: 歯車の歯の数

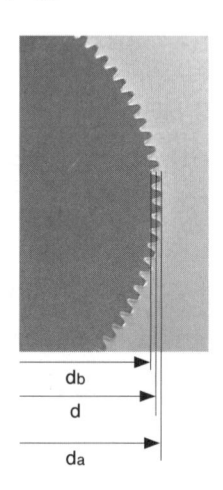

基礎円直径 d_b
基準円直径 d
歯先円直径 d_a

例えば、基準円直径 (以下、直径といいます) は 30[mm]、歯数 60 枚とすると、
$$モジュール = 直径 / 歯数 = 30 / 60 = 0.5$$
マイコンカーでは、ほとんどの場合ギヤのモジュールは 0.5 を使用します。これは、工作キットの多くで使われているモジュールが 0.5 であるためと、モータのピニオンギヤのモジュールが 0.5 であるためです。

モジュールが分かっていれば直径が分かります。
$$d = m \times z \text{ [mm]}$$
d: 基準円直径 [mm] m: モジュール z: 歯車の歯の数

例えば、モジュール 0.5、歯数 40 枚のギヤの直径は、
$$直径 = モジュール \times 歯数 = 0.5 \times 40 = 20 \text{ [mm]}$$
モジュールと歯数が分かれば、直径は計算できます。図面を CAD で書くとき、円は半径で指定することが多いですが、モジュール 0.5 のギヤなら半径は歯数の 1/4 になります。

5.7.3 シャフト

シャフトは、ギヤの回転をホイールに伝える役割をする棒で、通常はステンレスなどの金属製です。丸棒だと、ホイールに通しても空回りするので、空回りしない工夫が必要です。簡単な方法としては、タミヤの 3mm 六角シャフトを使用する方法です。オフロードタイヤやトラックタイヤのホイールは、ホイールの差し込みが六角シャフト対応です。スポーツタイヤは、ホイールハブと呼ばれる部品が 2 種類あり、マイコンカーキットのように丸シャフトにピンが刺さっているシャフトと六角シャフトの両方が使えます。スポーツタイヤとオフロードタイヤにシャフトを挿した写真を図 5.28 に示します。

六角シャフトは強度が弱いため、脱輪などの衝撃でよく曲がってしまいます。手に入るなら、強度のあるシャフトを使用しましょう。

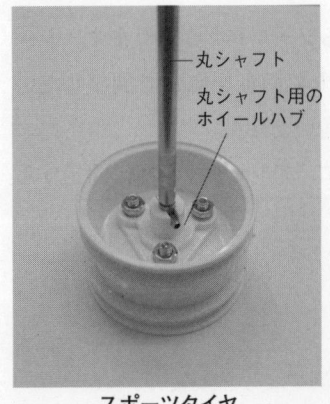

| スポーツタイヤ | スポーツタイヤ | オフロードタイヤ |

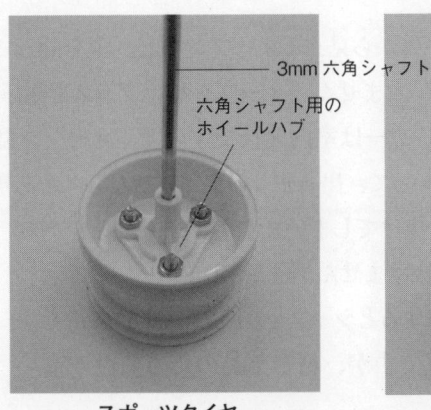

図 5.28　シャフトの挿し込み方

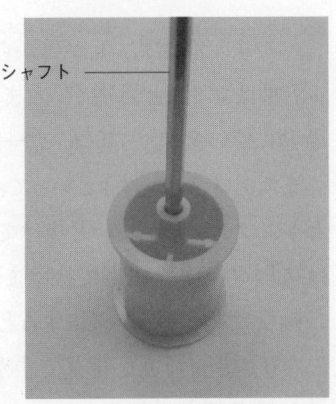

5.7.4 軸受け

軸受けは、シャフトやギヤの軸などを受ける部品です。ハイスピードギヤボックス HE は、図 5.29 のようにプラスチックの材質そのものが軸受けになっており値段を安くしています。

図 5.29　ハイスピードギヤボックス HE の軸受け

自作する場合は、ベアリングという軸受け部品をよく使います（図 5.30）。

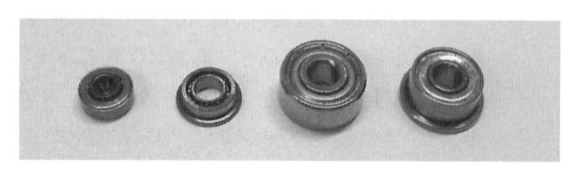

図 5.30　いろいろなベアリング

ベアリングの仕組みは、外枠と内枠に分かれており、その間に玉があります。玉が回ることにより、内枠の金属が滑らかに回ります。図 5.31 に玉が 8 個あるベアリングを示します。

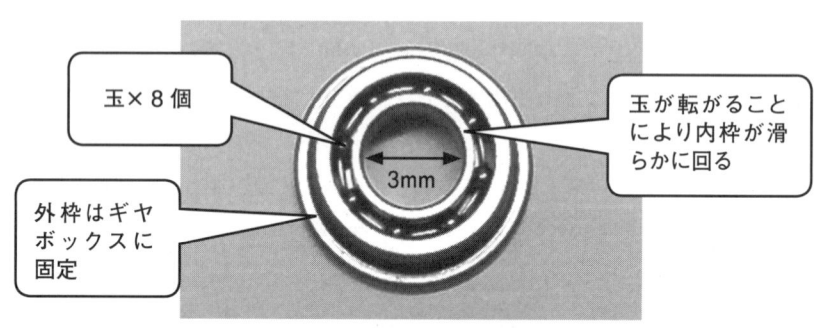

図 5.31　ベアリングの構造

ベアリングには、玉が外から見えるオープン型と、玉を隠しているシールド型があります。シールド型はゴミなど異物が入りません。オープン型はグリスを塗ったりして回転を自分で調整したい場合に使います。マイコンカーは室内競技ですので、オープン型で構いません。

また、フランジ付きといって、出っ張りのあるベアリングがあります。アルミの板などに固定するとき、フランジがないと抜けてしまいますが、フランジがあればストッパの役割をして抜けません（図 5.32）。

軸受けをベアリングにするとシャフトの回転が非常に滑らかになり是非付けたい部品ですが、精密部品のため値段が高いのが難点です。

図 5.32　左がシールド型、右がフランジ付きのオープン型のベアリング

図5.33に、アルミ材で自作したギヤボックスにフランジ付きのボールベアリングをはめ、六角シャフトを通している写真を示します。

図5.33 ボールベアリングを使った軸受け

5.7.5　1輪に使うモータの数

市販のラジコンは1台に1個のモータを使用しており、左タイヤと右タイヤの連結はデファレンシャルギヤを使います。4WDの場合、前後の連結はドライブシャフトやベルトを使います。表5.9に10[V]換算した3種類のモータの性能を比較します。

表5.9　ラジコンモータと承認モータの性能比較

モータ型式	電圧[V]	無負荷時			停止時		
		回転数 No [rpm]	電流 Io [A]	トルク To [mN・m]	回転数 Ns [rpm]	電流 Is [A]	トルク Ts [mN・m]
RC-260RA-18130 承認モータ	10V換算	21700	0.14	0	0	4.44	15.69
RC-280RA-2485 小さめのラジコン	10V換算	23300	0.21	0	0	9.17	30.0
RS-540RH-5045 通常のラジコン	10V換算	19300	0.82	0	0	34.0	143.83

※マブチモータのホームページのデータシートより

ラジコンに使われているRS-540RH-5045は、承認モータであるRC-260RA-18130より停止トルクTsが約9.2倍あります。ただし、停止電流Isも約7.7倍あります。

速くしたい場合、パワーのあるモータを使用しますが、マイコンカーラリー競技で使用する駆動用モータは承認モータでなければいけません（一般の部を除く）。1個で走らせるにはパワーが弱いです。そのため、1輪1個ずつ、もしくは1輪に2個以上のモータを使用してトルクを増やしています。承認モータを前輪に使用するか、後輪に使用するか、前後に使用して4WDにするか、さらに1輪に何個使うかがポイントとなります。表5.10にモータの数と性能の関係をまとめます。

表 5.10　モータの数と性能の関係

内容	詳細
トルク	1個のトルク×モータ個数分が全体のトルクです。多ければ多いほど加速、減速性能が上がります。
重さ	1個のモータ重量×モータ個数分がモータ全体の重さです。トルクが増える分、重さも増えます。重いということは、加速しづらく、減速しづらいということです。
電流	モータ1個の消費電流×モータ個数分がモータ全体の消費電流です。モータが多くなると電流が増え電圧降下が多くなるのでCPUの電圧が下がりやすくなります。CPUは 4.5[V] 以下になるとリセットしてしまいます。
回転数	最高回転数は、モータを何個増やしても変わりません。ただし、モータの数によりトルクが変わるので、実際の最高回転数はモータの数で変わります。
立ち上がりスピード	ここでいう立ち上がりスピードとは、どれくらいの時間でどれくらい速くなるかです。例えば、スタートするときに秒速 0[m/s] から 3[m/s] になるまで、1秒かかるのと2秒かかるのとでは、1秒のほうが立ち上がりが速いと言えます。立ち上がりスピードは、トルクだけで見るとモータの数が多い方が良いのですが、その分車体が重くなるのでその分も考慮しなければ行けません。
立ち下がりスピード	立ち上がりの逆で、どれくらいの時間でどれくらい遅くなるかです。通常は、立ち上がりが速ければ立ち下がりも速いです。

5.7.6　大会出場マイコンカーの使用モータ数

表 5.11 に、ジャパンマイコンカーラリー 2008 全国大会に出場したマイコンカーの使用モータ数を何例か示します。

表 5.11　マイコンカーの使用モータ数

特徴	写真
前輪：1輪1個 後輪：0個 合計：2個 説明：前輪にハイスピードギヤボックスを取り付けています。前輪に付けるのと後輪に付けるのでは加速、減速が変わります。どう変わるか実験してみましょう。ちなみに写真は Basic Class の部に出場したマイコンカーです。	
前輪：0個 後輪：1輪2個 合計：4個 説明：後輪に2個ずつ取り付けています。前輪には付けていません。前輪に付けない方がサーボ制御がしやすいようです。	
前輪：1輪1個 後輪：1輪1個 合計：4個 説明：コの字のアルミアングル材でギヤボックスを自作しています。4WDです。ギヤは教育歯車製です。	
前輪：1輪1個 後輪：1輪2個 合計：6個 説明：L字のアルミアングル材でギヤボックスを自作しています。ホイールは、ワイルドミニ4駆のものでギヤが一体化しています。	

前輪：1輪2個 後輪：1輪2個 合計：8個 説明：厚さ5mm程度のアルミ材をCAM系の工作機械で加工、ギヤボックスにしています。	
前輪：1輪1個 後輪：1輪3個 合計：8個 説明：ホイールにフィルムケースを使用しており非常に軽量です。フィルムケース自体に加工は必要ないですが、中心に穴を開ける必要があり旋盤など工作機械が必要です。	
前輪：1輪1個（ただしタイヤ4個） 後輪：1輪1個 合計：6個 説明：タイヤが6輪あるマイコンカーです。前輪の4輪はリンク機構で動作します。	

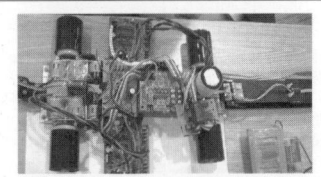

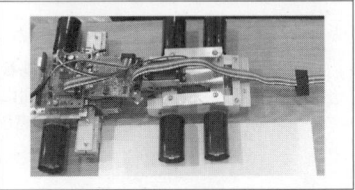

※説明は筆者が写真から解析した結果です。制作者からは聞いていませんので異なる場合があります。

5.8 設計

5.8.1 車体の検討

ではいよいよマイコンカーを設計しましょう。設計するに当たり、次の内容を決める必要があります。右の列の空欄には、自分のマイコンカーの構想を書いてみましょう。

■車体関係

内容	今回の製作内容	自分のマイコンカー
シャーシ材質	値段、手に入りやすさを考えて、アルミニウム、厚さ2[mm]を使用します。サーボを取り付ける根本は、2[mm]では強度が心配ですが、二重構造にして補強することにします。予算があれば、軽くて丈夫な材質にしましょう。	
センサバーの材質	値段の比較的安いポリカーボネート、厚さ1[mm]を選びました。	
ホイールベース、トレッド	マイコンカーキットVer.4のホイールベース170[mm]と同じくらい、トレッドはマイコンカーキットの170[mm]以下を目指します。	

内容	詳細	自分のマイコンカー
車体の最低地上高	ホイールベース170[mm]のとき、10°の坂の頂点でシャーシ底部を擦らないようにするためには、計算値は7.43[mm]以上の高さにしなければいけません（「コラム－傾斜角度と車高の関係」を参照してください）。余裕を見て8[mm]以上にします。	
操舵方式	加工のしやすさから、センタピボット方式にします。	
電源構成、電池ボックス	モータドライブ基板Vol.3とLM350追加セットを使用して、8本直列に接続します。電池ボックスは、秋月電子通商で販売されている金属製を使います。	
線の太さ	キットは0.5[mm^2]の線を使っています。今回は電圧が9.6[V]なので、モータには4.8[V]の2倍の電流が流れます。電線の抵抗分による電圧降下を少なくするため、電池とモータドライブ基板間は0.75[mm^2]の線を使います。その他は、0.5[mm^2]にしておきます。	

■ギヤ、タイヤ関係

内容	詳細	自分のマイコンカー
ギヤボックスの材質	コの字のアルミアングル材、厚さ2[mm]を使って自作します。	
駆動方式	後輪駆動にします。	
1輪のギヤボックスに使うモータの数	1輪1個、合計2個使用します。今回はしませんが、1輪2個にすれば合計4個なのでトルクが倍になります。	
使うギヤ、ギヤ比	ピニオンギヤは、マイコンカーキット付属の8Tピニオンギアセットの真鍮(しんちゅう)を使います。8Tピニオンの相手方のギヤは、レインボープロダクツの54枚のギヤを使用します。ギヤ比は8:54→1:6.75となります。	

		自分のマイコンカー
軸受け	外形 6[mm]、内径 3[mm]、フランジ付きのベアリングを使用します。1輪に2個、合計8個使います。	
シャフト	タミヤの 3mm 六角シャフトを使用します。ちなみに、六角シャフトの直径は、実測で 2.97[mm] です。ベアリングの内径は 3.00[mm] なので、30[μm] ほど隙間があります。ほんの少しですがガタがあります。	
ホイールの材質、製作方法、直径	タミヤのトラックタイヤセットのホイールを、2個つなげて幅を広くして使います。	
タイヤの材質、製作方法、直径	スポンジグリップという最初から中空で筒状のスポンジ材を使用します。タイヤの直径は 35[mm] にします。	

■サーボ関係

内容	詳細	自分のマイコンカー
サーボの種類	サーボは一般的に値段が高いほうが性能が良いですが、お財布の問題もありますので、性能としては中間のサンワの RS-995 を使用します。6[V] 時の性能は、0.06[秒/60°]、7.2[kg・cm] とトルクがもう少しほしいくらいでスピードは申し分ありません。ただし、内部のギヤのうち、1個がプラスチック製なので、ぶつけるとギヤが欠ける可能性が高いです。ギヤのスペアが販売されています。予算が許せば、すべて金属ギヤのサーボがお勧めです。	
サーボの電圧	モータドライブ基板 Vol.3 のボリュームで調整できます。今回はサーボの定格電圧の 6[V] にします。若干高めの 7[V] で試しても良いと思います。	

5.8.2 CAD を使おう

　シャーシやギヤボックスなど、加工するものがあるときは図面を書きましょう。図面は手書きでも良いですが、簡単に変更したり他に流用したりするにはパソコンを使った CAD で書くのが一番です。CAD（キャド、英：Computer Aided Design）とは、広く使われる訳で「コンピュータ

支援（による）設計」とされています。ここでは、図面を書くためのソフトと覚えておいて差し支えありません。

　CADは数百万円するものから、インターネットで無料で手に入るフリーソフトまで幅広くあります。

　機械図面を書くフリーソフトのCADとして、「Jw_cad（ジェイダブリュキャド）」が有名です（図5.34）。授業で使っているCAD、もしくはJw_cadで図面を書きましょう。

　Jw_cadは「Jw_cadの公式サイト」
http://www.jwcad.net/ からダウンロードできます。

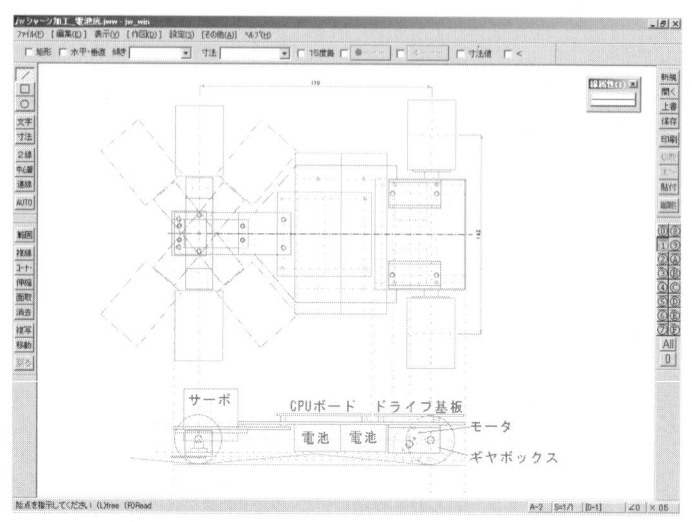

図5.34　Jw_cadの画面

　市販のCADでは、AutoCAD（オートキャド）が有名です。AutoCADは、オートデスク（株）が開発する汎用の図面作成ソフトです（図5.35）。建築・土木分野をはじめとして、様々な分野で利用されています。AutoCADはアカデミックパッケージ（教育機関用のパッケージ）を特別価格で用意しているので、授業用として使われることが多いCADです。

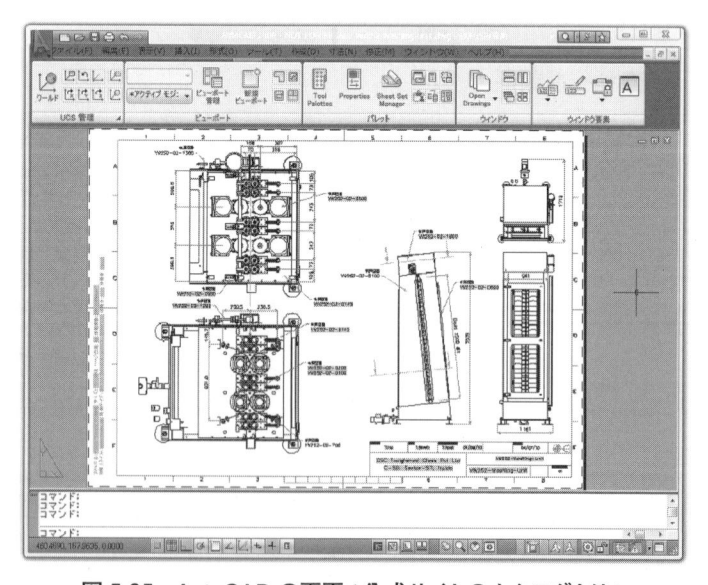

図5.35　AutoCADの画面(公式サイトのカタログより)

5.8.3　車体全体の設計

　Jw_cadなどのCADを使って、マイコンカーの設計をします。設計ポイントを表5.12に示します。

表 5.12　設計ポイント

重心	カーブを曲がるとき、外側に遠心力が働きます。スピードが速いと、外側に膨らんでしまいます。対策の一つとして重心を低くすることが有効です。要は、重いものはできるだけ下に置きましょう。マイコンカーの構成でいちばん重いものは電池でしょう。他に、シャーシ、モータ、サーボ、基板などが部品として重いです。
車体の最低地上高	10°の坂の上り初め、上り終わりでシャーシが擦らないよう、設計します。
操作性	基板はスイッチ操作をしますので、操作性を考えるといちばん上に置くのが良いでしょう。
メンテナンス性	電池は、頻繁に交換します。すぐに交換できるような位置に配置します。シリコンシートも貼り替える割合が多いですので、貼り替えやすいように作りましょう。
車検	車検でモータの「MCR」マークのチェック、電池の型式チェック、CPUボードのチェックなど行われます。これらがスムーズに行うことができる構造にしましょう。

　これらのことを常に考えながら設計します。もちろん、表 5.12 の考え方は一般的な考え方です。自分なりにいろいろ試してみましょう。

■シャーシを底にしたマイコンカー

　図 5.36 に、シャーシを底にしたマイコンカーの設計例を示します。

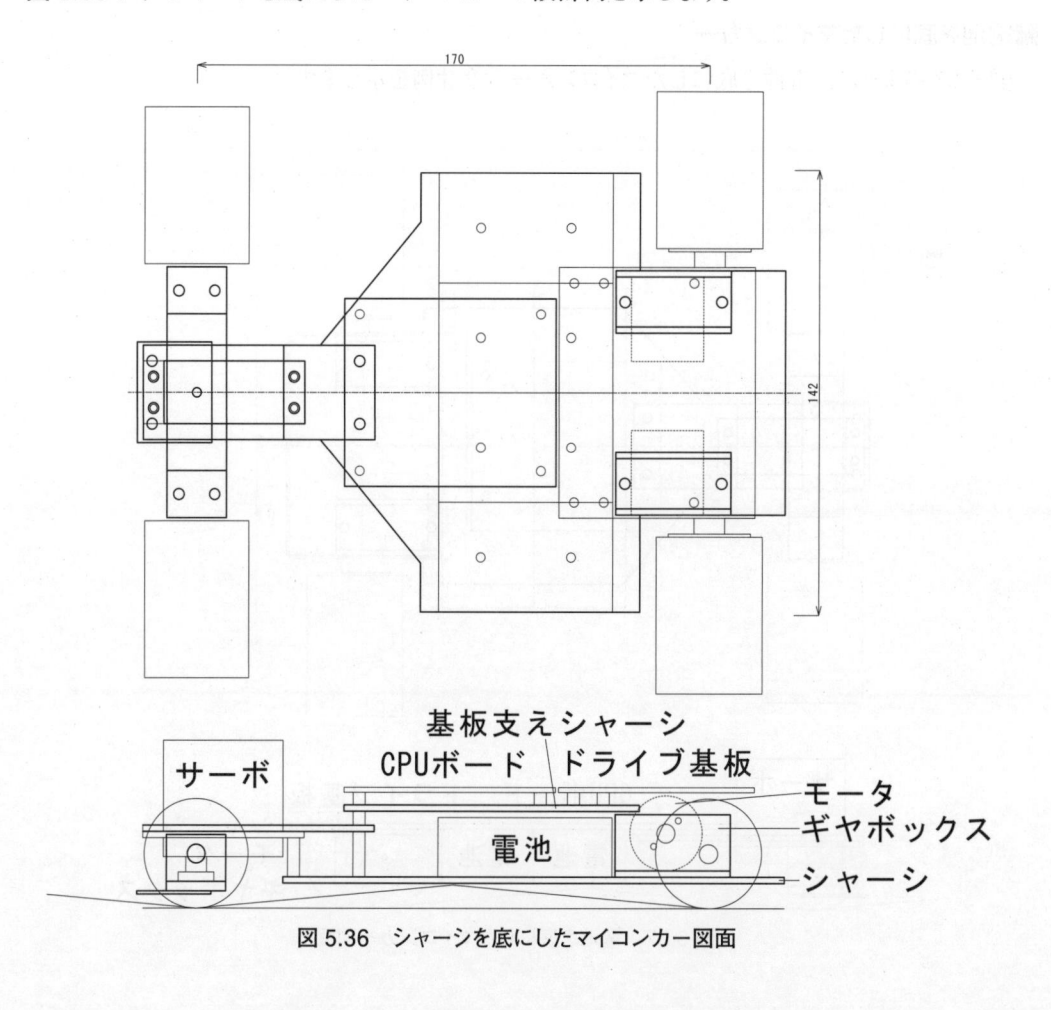

図 5.36　シャーシを底にしたマイコンカー図面

マイコンカーの構成は下から、

　　シャーシ
　　↓
　　電池、電池ボックス（2本1組を4個使用）、モータ、ギヤボックス
　　↓
　　基板支えシャーシ、サーボ
　　↓
　　CPUボードとモータドライブ基板

の構成です。

　長所は、シャーシがいちばん下にあるため、重心が比較的低い構造になっています。

　問題点は、電池交換をするには基板を支えているシャーシを取らなければできないので、メンテナンス性が非常に悪いです。またモータがモータドライブ基板の下にあるため、車検で「MCR」マークのチェックが難しそうです。

■電池を底にしたマイコンカー

　図5.37のように、電池を底にしたマイコンカーの設計例を示します。

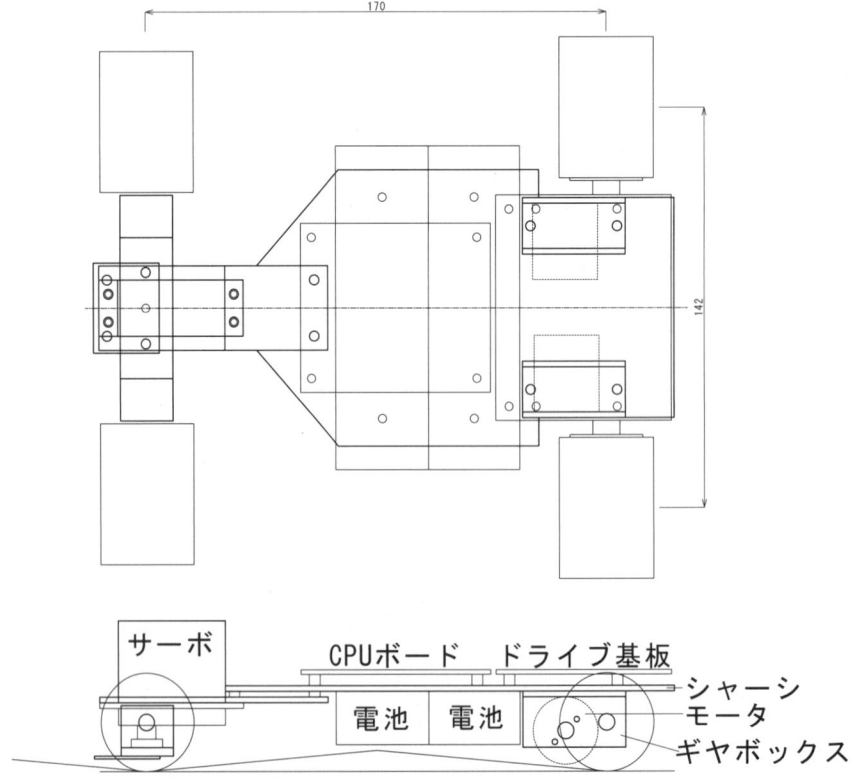

図5.37　電池を底にしたマイコンカー図面

マイコンカーの構成は下から、
　　電池、電池ボックス(4本1組を2個使用)、モータ、ギヤボックス
　　↓
　　シャーシ、サーボ
　　↓
　　CPUボードとモータドライブ基板
の構成です。

　長所は、電池交換がしやすい、モータの「MCR」マークが見やすい、シャーシが底にあるマイコンカーと比べ、基板を支えているシャーシが無いのでその分軽くできます。
　問題点は、シャーシが比較的上にあるため、重心が若干高いです。

　今回は、メンテナンス性の良い、電池が底にあるタイプのマイコンカーを作ります。
　図5.38は、前タイヤをサーボ軸を中心として±40°動かしたときの図面です。図面上では電池ボックスにぶつかるかぶつからないか、ぎりぎりです。今回は40°なので、これで良しとします。

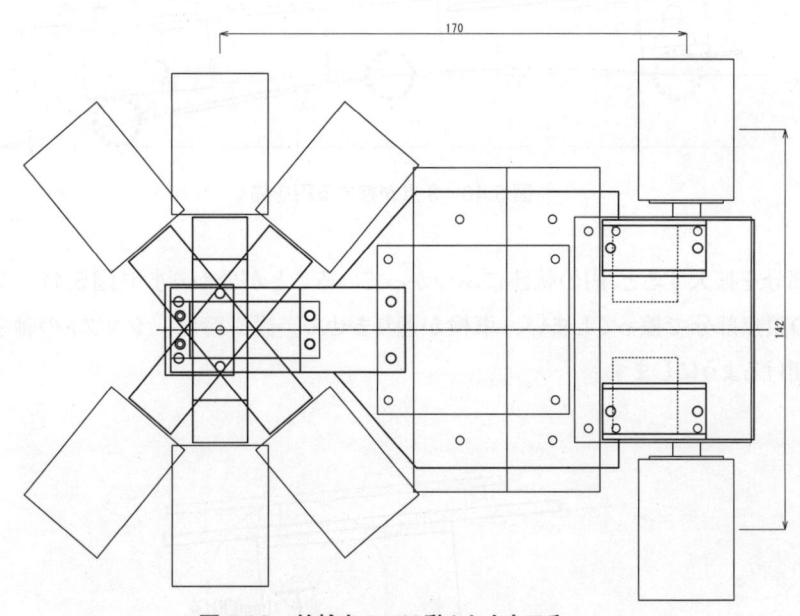

図5.38　前輪を±40°動かしたところ

　図5.39は、10°の上りのちょうど中間で、マイコンカーの底面が擦らないか車高をチェックしているところです。電池は約2mmの隙間がありました。

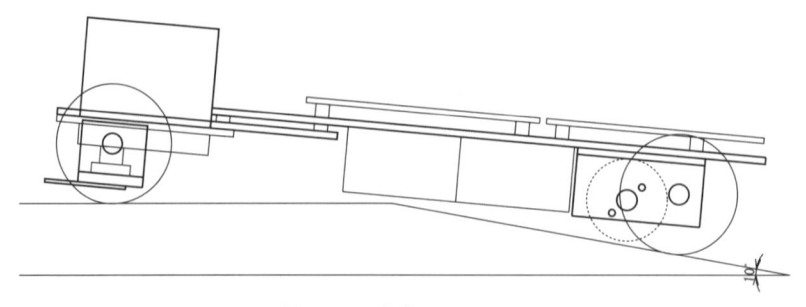

図 5.39　車高のチェック

　○部分「10°の頂点部分」、「前タイヤとコースの接点」、「後ろタイヤとコースの接点」の3カ所を結ぶ円を描くと、概算ですが10°の頂点部分を通る軌跡が分かります（図 5.40）。この円弧にぶつかるようであれば、コースにぶつかる可能性がありますので、必ず改良しましょう。

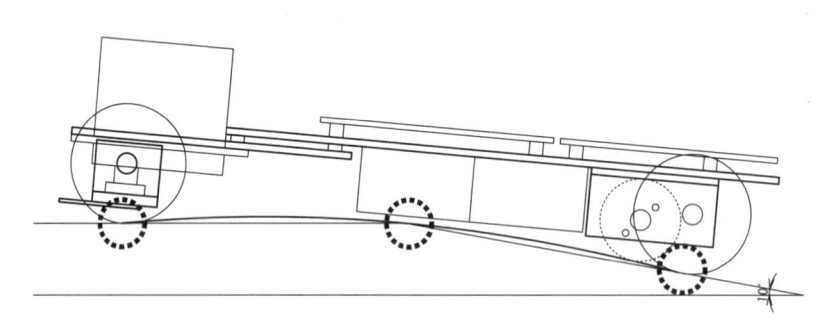

図 5.40　3点が接する円を描く

　モータ部分を拡大すると、円の軌跡にぶつかっていることが分かります（図 5.41）。これでは、モータが10°の頂点部分で擦ってしまい、車検が通りません。設計時は、シャフトの軸を1[mm]下げて隙間を開けるようにします。

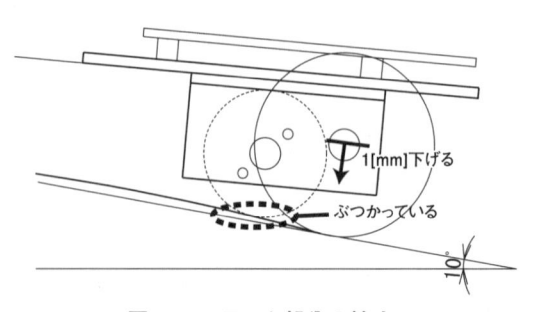

図 5.41　モータ部分の拡大

5.8.4 部品を細かく設計

加工が必要な部品を一つ一つ設計していきます。

表 5.13 加工する部品

部品	詳細
シャーシ	アルミ厚さ 2mm を加工します。
サーボ支え板	サーボを支えるアルミ板です。厚さ 2mm を加工します。
フロント軸受け材	前輪の軸を固定するアルミアングル材です。15mm 角、厚さ 2mm を加工します。
ギヤボックス	コの字のアルミアングル材、20mm 角、厚さ 2mm を加工します。左右 2 個必要ですが、左右対称に作ります。同じ形を 2 個作っても使えませんので気をつけます。
フロントシャーシ	前輪とサーボを固定するシャーシです。アルミ製で厚さ 3mm を加工します。同じ形を 2 個作ります。
センサバー	車体とセンサを繋ぐ板です。今回は、ポリカーボネート厚さ 1.0mm を加工します。
センサバー支え板	フロントシャーシとセンサバーを繋ぐ板です。アルミ厚さ 1.0mm を使おうと思ったのですが、プリント基板(紙フェノール製)の切れ端があったので、この破材を使用します。

※ここに記載している図面は参考です。そのまま作らず、**各自検討、設計してください。**

(1) シャーシ

シャーシには、ギヤボックス、サーボ支え板、電池ボックス、CPU ボード、モータドライブ基板のそれぞれをネジ止めする穴を開けておきます。

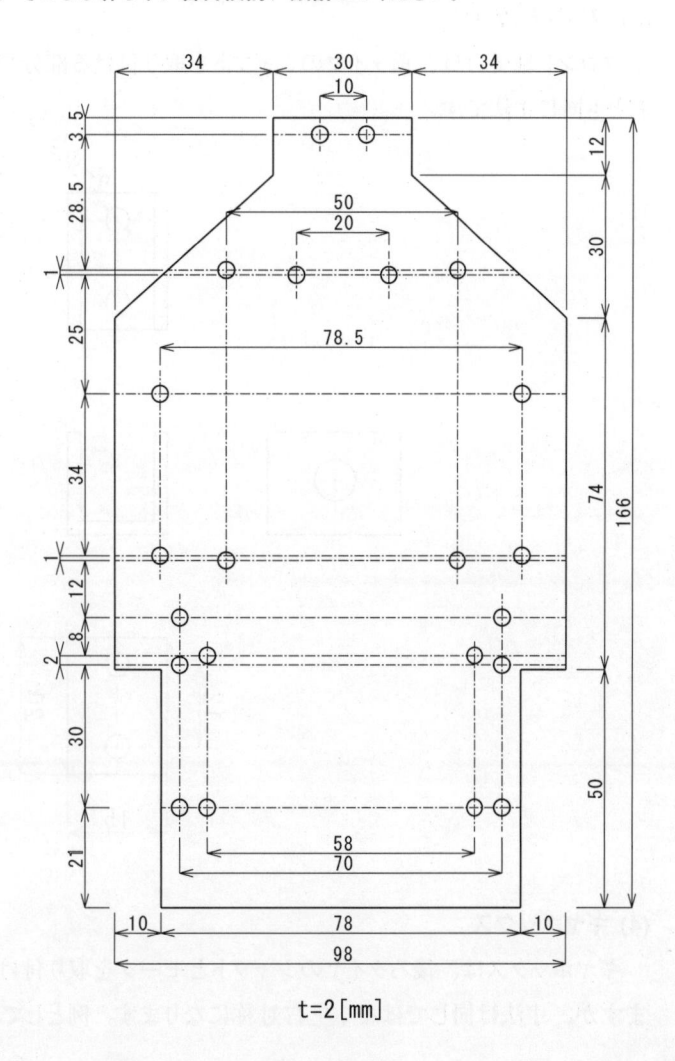

t=2[mm]

(2) サーボ支え板

サーボ支え板は、サーボを固定する板です。

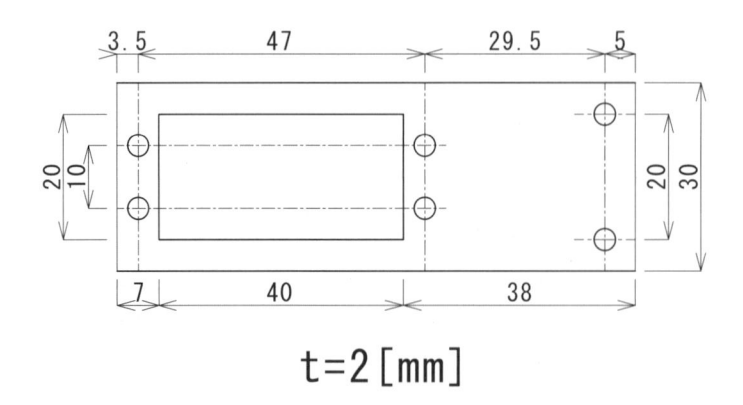

t=2 [mm]

(3) フロント軸受け

フロント軸受けは、前タイヤのシャフトを取り付ける部分です。右用、左用の 2 個作ります。左右とも同じ寸法です。

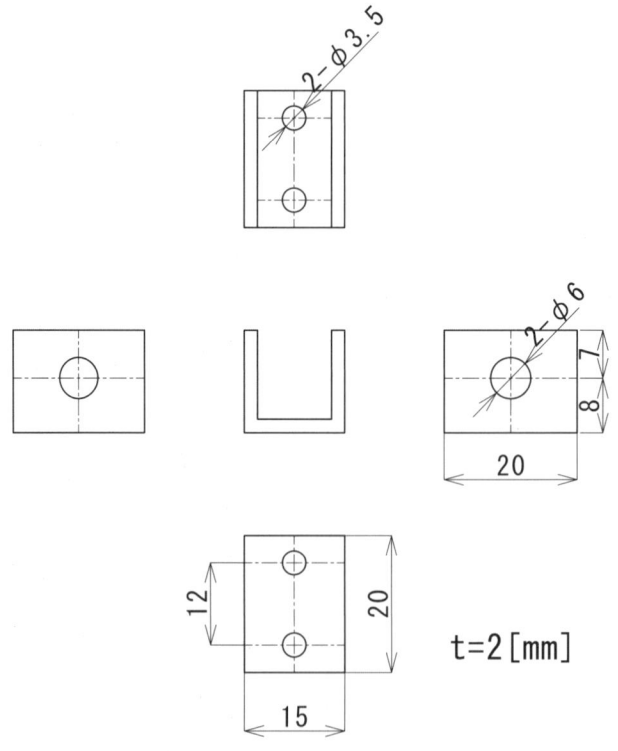

t=2 [mm]

(4) ギヤボックス

ギヤボックスは、後ろタイヤのシャフトとモータを取り付ける部分です。右用と左用の 2 個作りますが、寸法は同じではなく左右対称になります。例として、右タイヤ用のギヤボックスの設計方

法を図5.42に示します。

①シャフトの位置は、先の設計で決定しています。
②ギヤの寸法を図面に書きます。54枚のギヤなら、直径27[mm]になります。
③モータには、8枚のピニオンギヤが付きます。ピニオンギヤは半径2[mm]なので、54枚のギヤ+2[mm]の円周上にモータの軸がきます。
④モータの半径は12[mm]（正確には11.9[mm]）なので、コの字アングルの底面より12[mm]のラインにモータの軸がきます。このラインとピニオンギアがくる円周上の交点が、モータの固定中心位置になります。
⑤穴はモータの外形より、直径6.15[mm]の丸穴を開ければよいのですが、ギヤ同士の間隔を調整できるよう、今回は8[mm]で開けます。
⑥1/100[mm]単位の寸法も、CADの寸法入力機能で指定すればすぐに分かります。不明部分の寸法を追加して完了です。

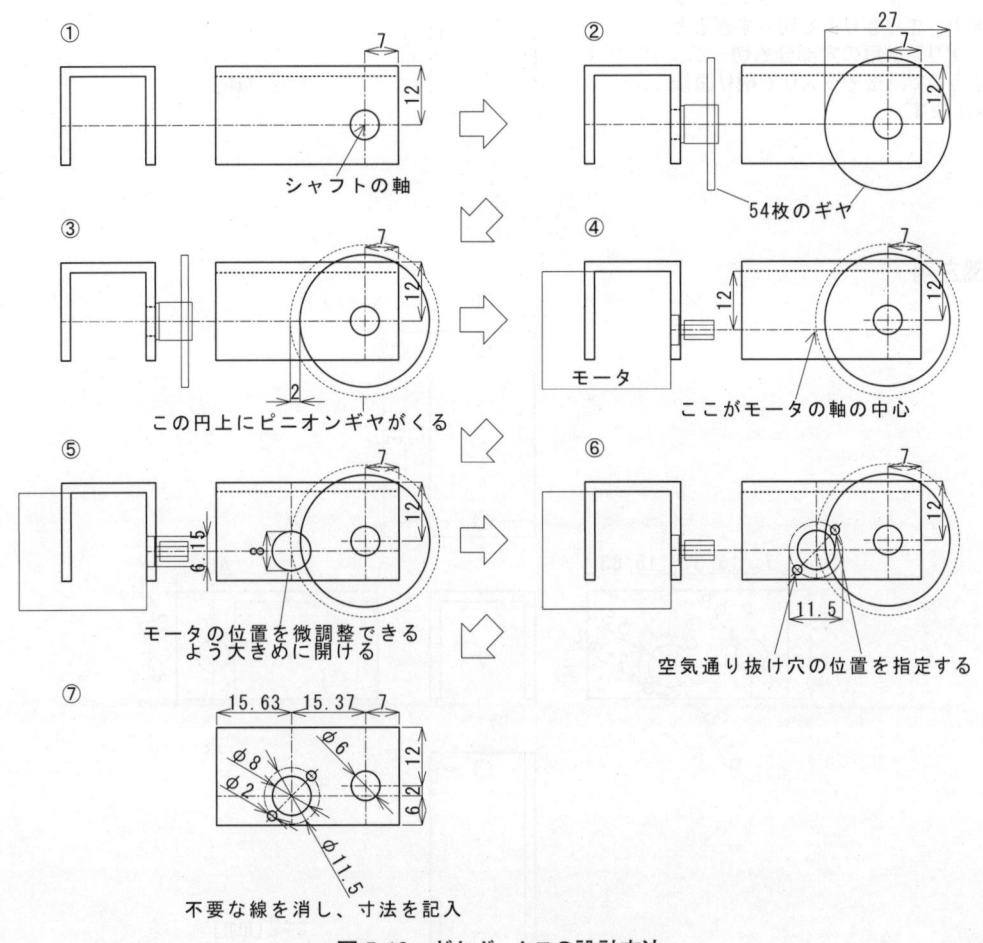

図5.42 ギヤボックスの設計方法

Micom Car Rally

■右用

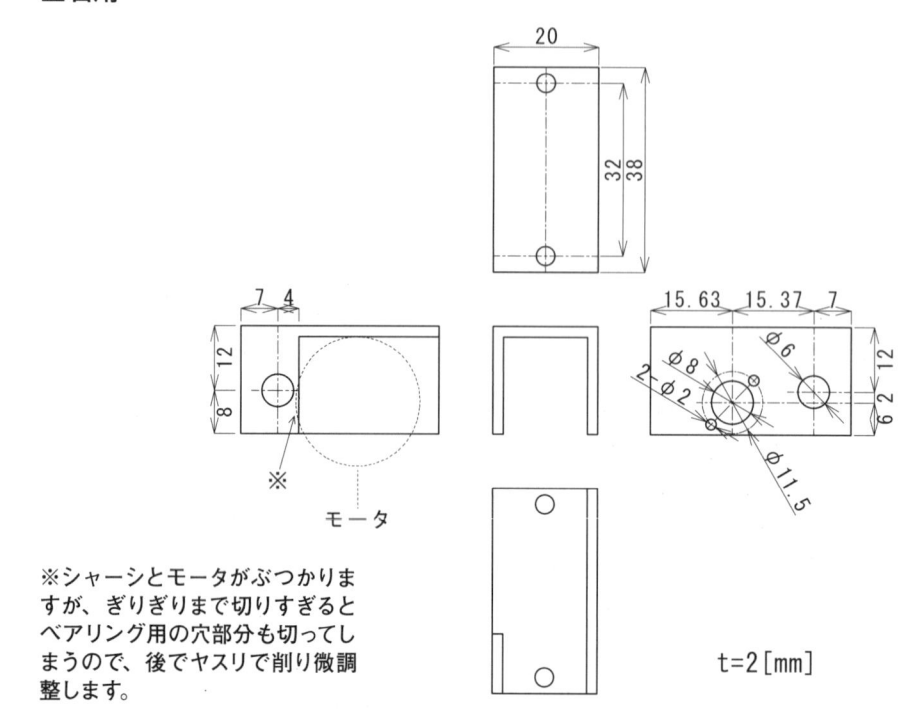

※シャーシとモータがぶつかりますが、ぎりぎりまで切りすぎるとベアリング用の穴部分も切ってしまうので、後でヤスリで削り微調整します。

t=2 [mm]

■左用

t=2 [mm]

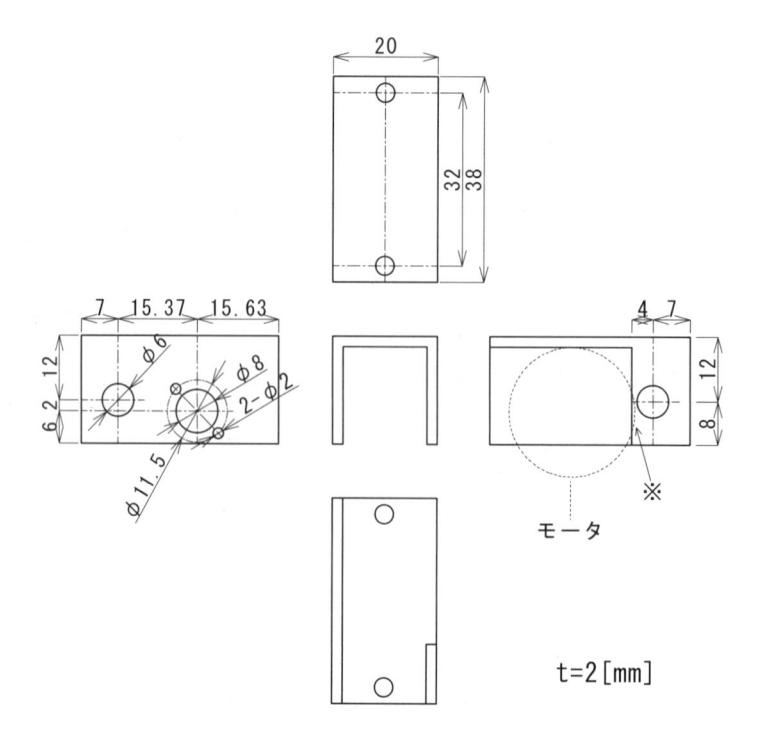

(5) フロントシャーシ

フロントシャーシは、フロント軸受け材、センサバー支え板、サーボホーンを取り付ける部分です。

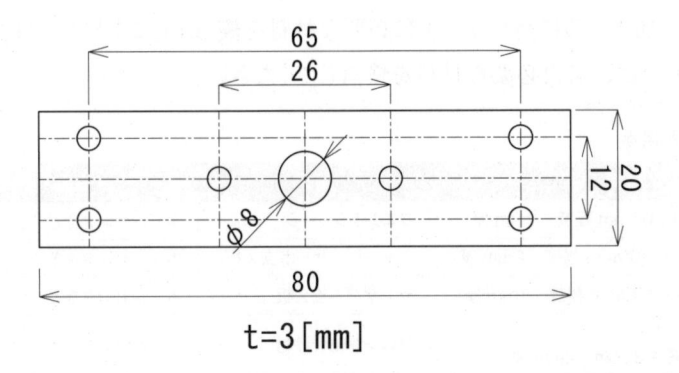

t=3[mm]

(6) センサバー

センサバーは、センサ基板とセンサバー支え板を繋ぐ部分です。ポリカーボネート製です。

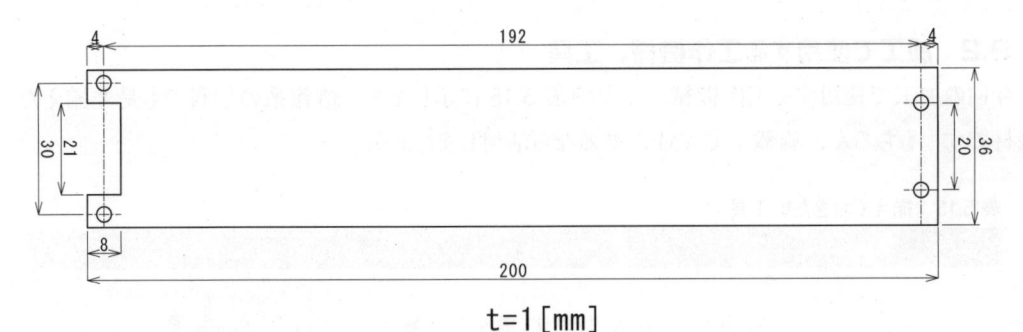

t=1[mm]

(7) センサバー支え板

センサバー支え板は、センサバーとフロントシャーシを繋ぐ部分です。

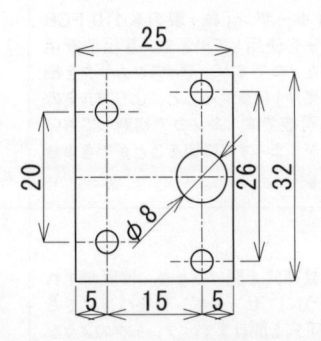

t=1[mm]

5.9 加工

5.9.1 加工に必要な部品表

設計した部品を加工するに当たり、主に必要な材料を表 5.14 にまとめておきます。実際にマイコンカーを作る場合は、各自必要な材料を検討してください。

表 5.14 材料と用途

材料	用途	メーカ・購入先	数量
アルミ板　20×300mm 程度　3mm 厚	フロントシャーシ	ホームセンタなど	1
アルミ板　300×300mm 程度　2mm 厚	シャーシ、サーボ支え板	ホームセンタなど	1
アルミ板　100×100mm 程度　1mm 厚	センサバー支え板	ホームセンタなど	1
コの字アルミアングル 15×15mm　長さ30cm　2mm 厚	フロント軸受け材	ホームセンタなど	1
コの字アルミアングル 20×20mm 長さ30cm　2mm 厚	ギヤボックス	ホームセンタなど	1
ポリカボネート 200x330mm 程度　1mm 厚	センサバー	（株）エイビーシーホビー、など	1

5.9.2 加工で使用する工作機械、工具

今回の加工で使用する工作機械、工具を表 5.15 に示します。情報系の学科でも是非揃えたい機材です。もちろん、旋盤や CAM があるなら活用しましょう。

表 5.15 揃えておきたい工具

名称	説明	写真
卓上ボール盤	言わずとしれた穴を開ける機械です。筆者は、ホーザン(株)製のK-21 デスクドリルを使用しています。φ6mm まで対応可能です。それ以上の穴は、リーマで大きくします。	
ミニ丸ノコ	筆者はホーザン(株)製の K-110 PCB カッターを使用しています。基板切断用のミニ丸ノコですが、ディスクカッタを細目(別売り)に変えることによりアルミの切断も可能です。糸ノコで切断してもいいですが、まっすぐに切ることができません。	
ハンマ、センタポンチ	ボール盤で穴を開けるとき、位置がずれないように、センタポンチをハンマでたたいて下穴を開けます。クレータのような感じです。	

第 5 章 マイコンカーを自作しよう

万力	材料を加工するときに押さえたり、フラットケーブルのコネクタの圧着など、様々な用途で使用します。	
ペンチ、ニッパ	大小揃えておくと便利です。小さいペンチ、ニッパは基板の半田付けをするときにも使用します。	
ヤスリ一式	材料を削るのに使用します。写真は左から半丸形、丸、三角、角、平ヤスリです。	
ワイヤストリッパ、圧着ペンチ（オープンバレル端子用/簡易型）	ワイヤストリッパ(写真上)は、線の被覆をむくために使用します。写真はホーザン(株)製のP-906です。 圧着ペンチ(写真下)は、コネクタのピンを圧着するのに使います。写真はホーザン(株)製のP-706です。	
圧着工具（裸圧着端子、裸圧着スリーブ（B・P）用）	裸圧着端子を圧着するために使用します。写真はホーザン(株)製のP-732です。	
リーマ	穴を大きくするときに使用します。	
ドライバー式	プラス、マイナス、ナット、各大小を揃えておきましょう。また、イモネジ用のドライバもあります。	

243

ノギス	長さを精密に測定する道具です。写真はデジタル式で、0.01[mm]単位で測ることができます。	
半田コテ	写真上はグット（大洋電機産業）製のTQ-95です。大きい部品や配線などを行います。通常は15[W]ですが、ボタンを押すと90[W]になります。 写真下はグット製のCXR-30です。チップ部品など細かい部品を取り付けます。22[W]です。	
テスタ	電圧、抵抗、導通などを測ります。持ち運ぶ場合は、小型のテスタが便利です。	

5.9.3 加工しよう！

図面にしたがい、加工していきましょう。ケガをしないように注意して作業してください。

(1) シャーシ

アルミの板に外形を書きます。

または原寸で出力した図面をスプレーのりで直接材料に貼っても良いでしょう。

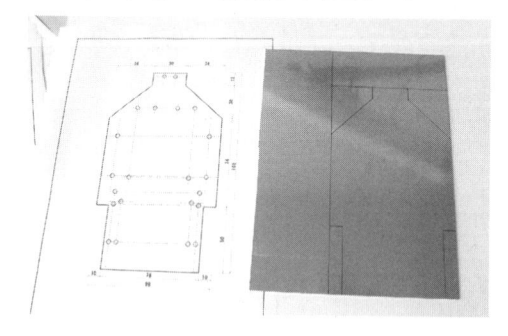

丸ノコや糸ノコで切ります。写真は、ホーザンのPCBカッタで切断しているところです。

切断できました。切断面のバリはヤスリなどで取っておきましょう。

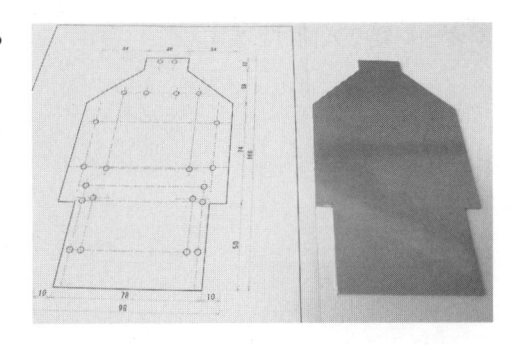

原寸で出力した図面と材料を重ねて、テープやスプレーのりなどでずれないように固定します。

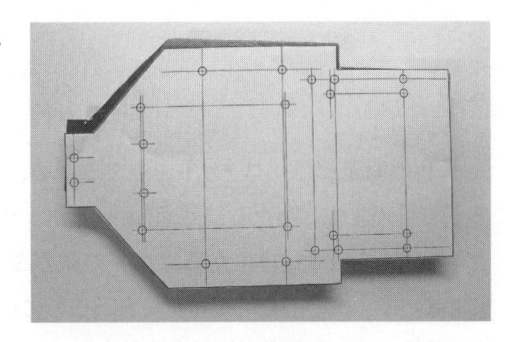

図面の穴の位置にセンタポンチで下穴を開けます。または、ケガキ針でアルミ板に直接穴位置をケガいてから下穴を開けても大丈夫です。

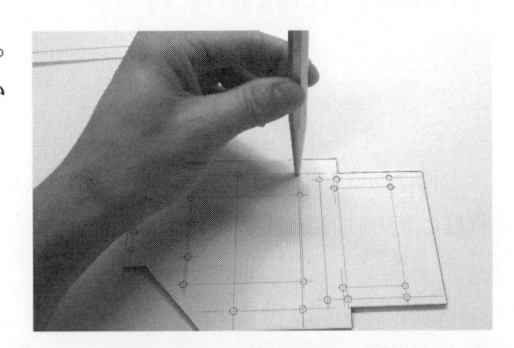

下穴をすべて開けたら、紙を剥がします。下穴が開きました。

ボール盤で穴開けします。

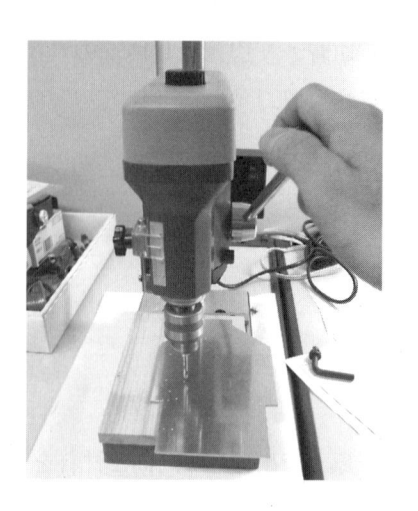

基板の固定には、スタットを立てるため、裏からネジで止めます。ただし、裏面は電池ボックスやギヤボックスを取り付けるため、ネジの頭がぶつかってしまいます。そのため皿ネジを使うことにして皿モミ処理をしておきます。材料を裏返して、皿モミ処理をする位置を○で印を付けます。

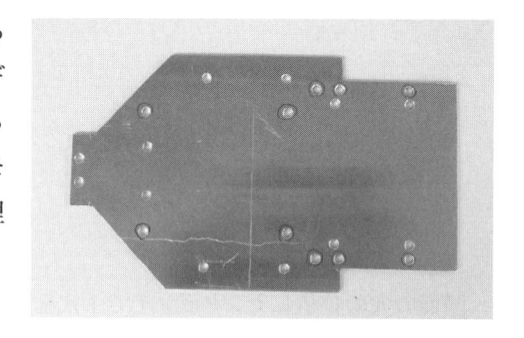

今回は、直径 3[mm] の皿ネジを使うので、6.5[mm] 程度のドリルで皿モミ処理を行います。

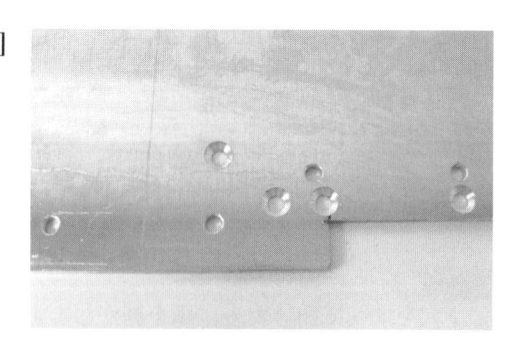

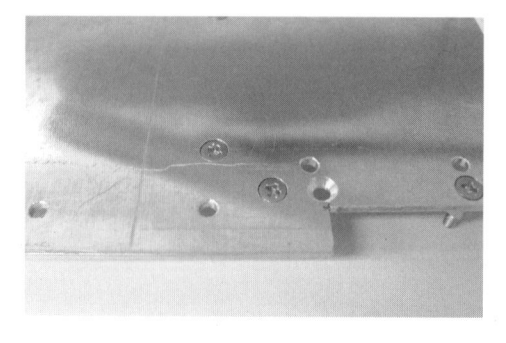

皿ネジを入れたところです。ツライチになります。

コラム　皿モミ処理

　皿ネジは、材料の穴の形を台形型にすることで、出っ張りの無いネジ止めができます（図A）。ちなみに出っ張りのないことを、ツライチ（面位置）といいます。皿ネジがツライチになるように材料を加工することを、皿モミ処理といいます。

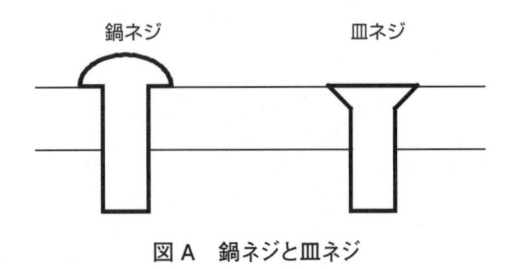

図A　鍋ネジと皿ネジ

　皿モミ処理は、最初は普通に穴を開けます。次に、皿ネジがすっぽり入るように大きい穴を表面部分に開けて完成です（図B）。目安としては、

表面処理のドリル径＝ネジの直径×2.2

くらいです。3[mm]の皿ネジなら約6.5[mm]、4[mm]の皿ネジなら8.5[mm]くらいとなります。また、材料の厚さは直径3[mm]の皿ネジなら2[mm]以上の厚さがなければ皿モミ処理はできません。

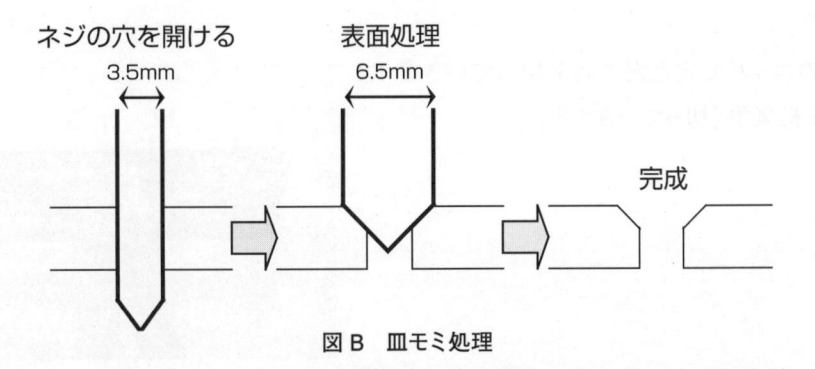

図B　皿モミ処理

　ネジの長さの定義は、鍋ネジと皿ネジでは違います（図C）。注文するとき、長さの指示を間違えないようにしましょう。

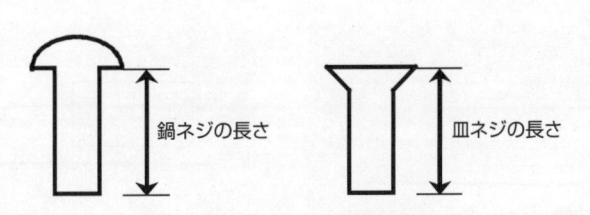

図C　ネジの長さの定義

(2) サーボ支え板

丸ノコなどで外形を切ります。

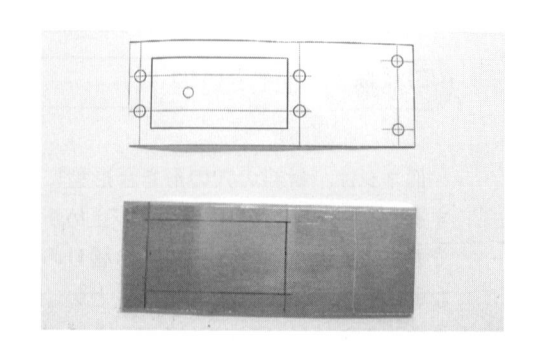

中心をくり抜く場合、くり抜く内側に連続して ϕ 3[mm] 程度の穴を開けます。

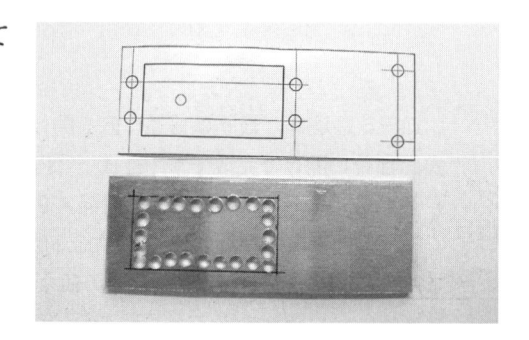

大きめのニッパで穴と穴の間を切っていきます。表と裏から根気強く切っていきます。

中心が抜けました。

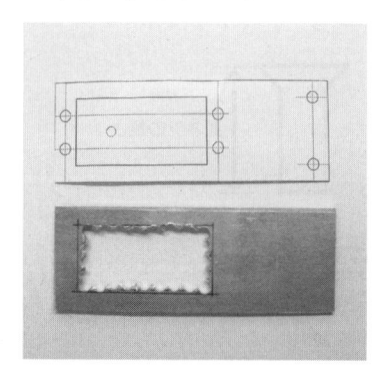

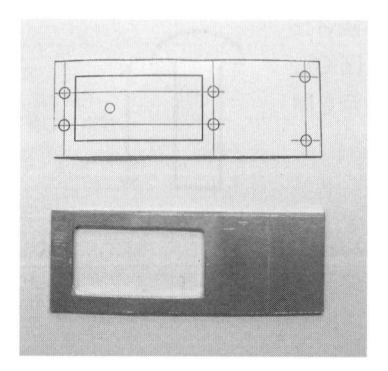

後は、ヤスリで削って整えます。きれいに切り抜けました。その他の穴開けをして完成です。

(3) フロント軸受け

コの字アングル材を寸法に合わせて切断します。

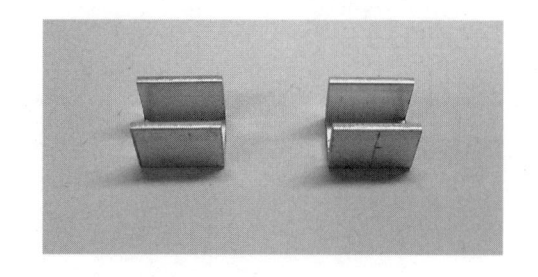

穴を開ける位置をセンタポンチで下穴処理します。その後、コの字アングル同士をテープで固定します。

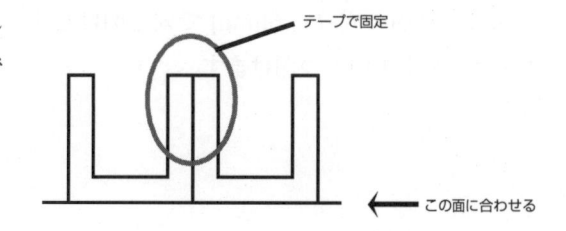

6[mm]の穴は、初めは3～4[mm]で穴を開けます。テープがずれないように押さえながら、4カ所一気に穴を開けます。これは別々に穴を開けると、必ずずれるためです。この穴にはベアリングとシャフトを通すため、4つの穴のずれは、0.1[mm]も許されません。一気に貫通させれば、ずれはありません。ちなみに、4個すべてがずれる分には車高は若干変わりますが、シャフトは通りますので大丈夫です。

もし、ドリルの刃の下がる幅が小さく3個分の穴しか開けられない場合は、まず3個分だけ貫通させます。次にテープを外し片側だけ穴の開いた材料を、その穴をガイドにして下の穴を開けましょう。

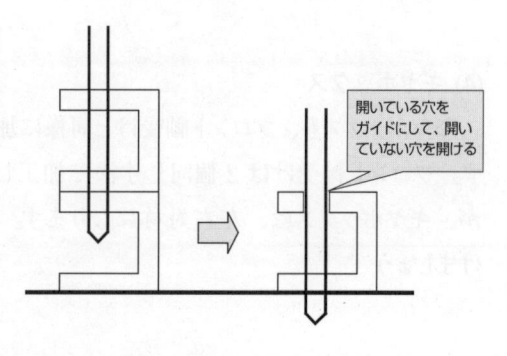

穴が開きました。

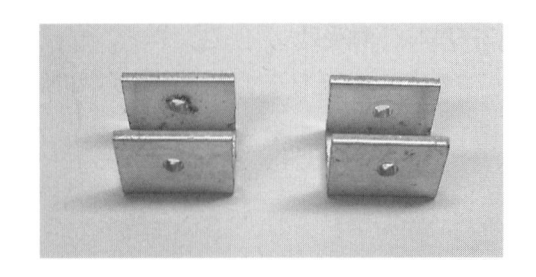

次に、目的の穴径φ6[mm]で穴を開けます。こちらは、必ず1個ずつ開けます。

4カ所、直径6[mm]で穴が開きました。

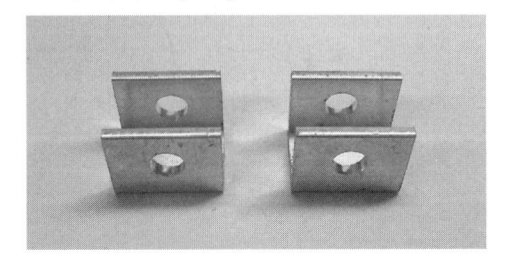

残りの穴も開けて完成です。

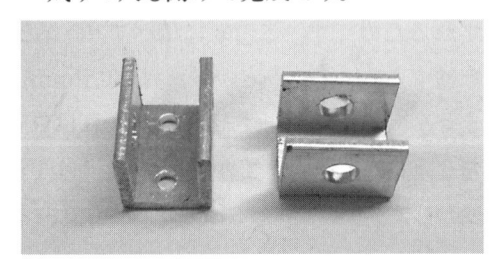

(4) ギヤボックス

ギヤボックスも、フロント軸受けと同様に加工します。フロント軸受けは2個同じ寸法で加工しましたが、ギヤボックスは、左右対称になります。気をつけましょう。

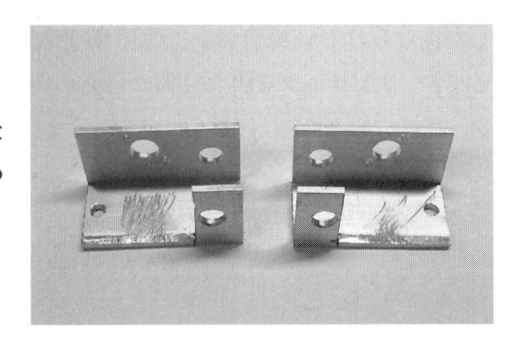

(5) フロントシャーシ

フロントシャーシは、幅20[mm]、厚さ3[mm]のアルミ材を加工します。

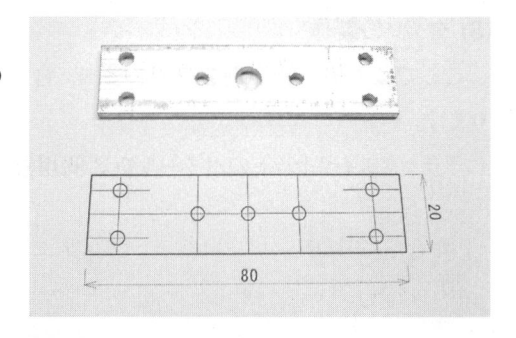

(6) センサバー

今回はポリカーボネートの厚さ1.0[mm]を使用します。センサ基板Ver.4には、取り付け用の穴がたくさん開いています。どの穴を使っても構いませんが、中心にコネクタがあります。このコネクタとセンサバーがぶつからないように加工しなければいけません。

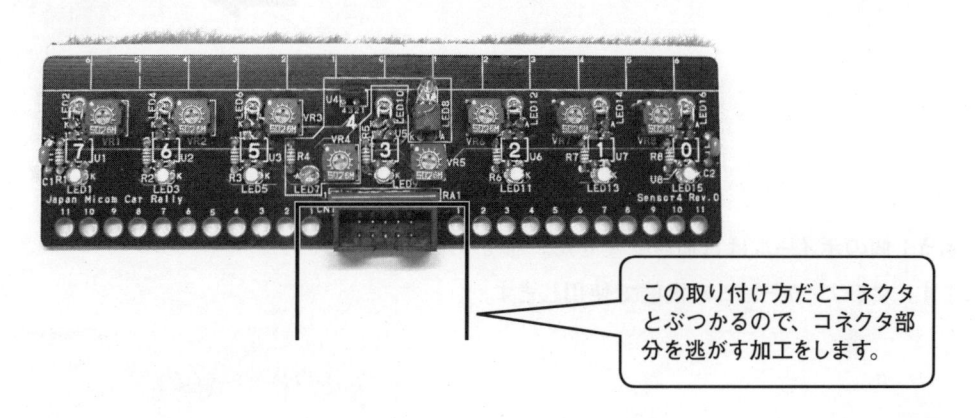

この取り付け方だとコネクタとぶつかるので、コネクタ部分を逃がす加工をします。

ポリカーボネートはカッタで何度も切れ目を入れて切ることができます。

(7) センサバー支え板

フロントシャーシとセンサバーを止める部品です。アルミ板1[mm]で製作します。今回はたまたまプリント基板用の紙フェノール材が余っていたので、この材料を使いました。

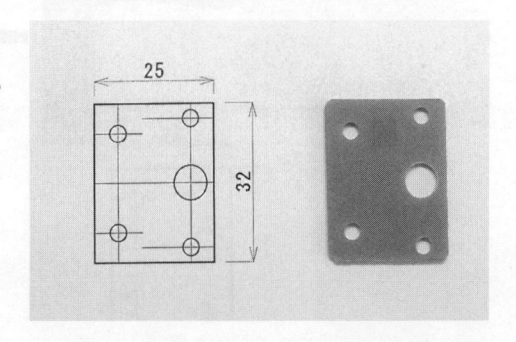

(8) タイヤの製作

ここでは1組の製作例を説明します。合計4個作ります。

トラックタイヤセットのホイールを2個用意します。

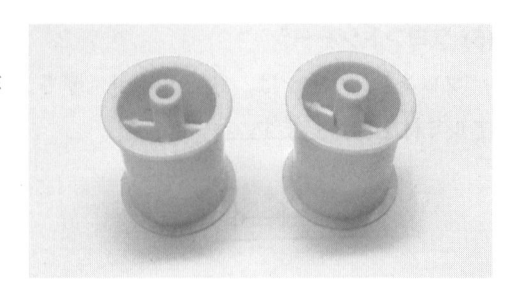

ホイールを1個だけ、貫通させます。六角シャフトを入れて、上からハンマなどで叩き、貫通させます。

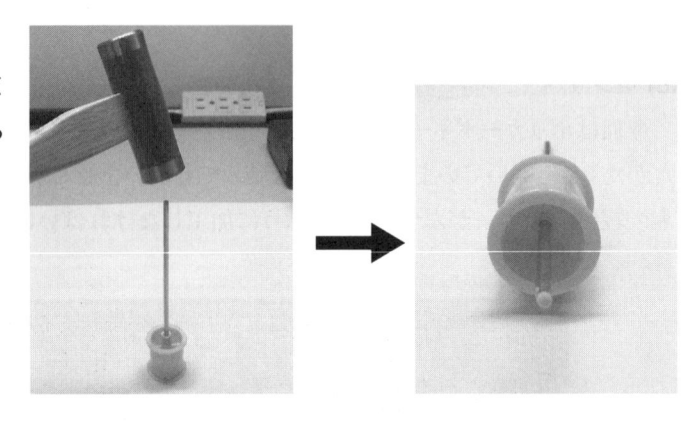

もう1個のホイールは貫通させません。横から入れます。マイコンカーはこの状態で使用します。

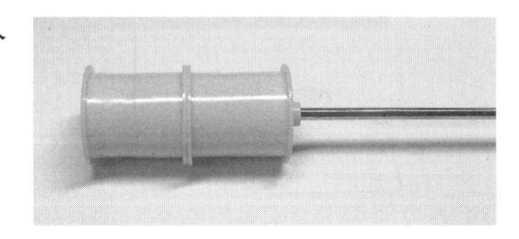

真ん中のストッパをニッパなどで切り取り、ヤスリで滑らかにします。

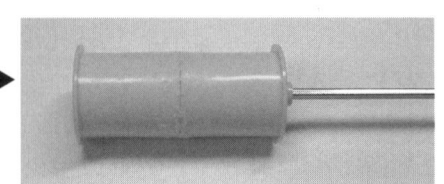

中が空洞のスポンジを用意します。写真は、東急ハンズで販売されている「ハンドルグリップ19φ用」です。直径19[mm]は中の直径のことです。実測では内側の直径は18[mm]、外形は30[mm]でした。ロットによって0〜2[mm]程度違うようです。

ホイールの幅に合わせてスポンジを切ります。

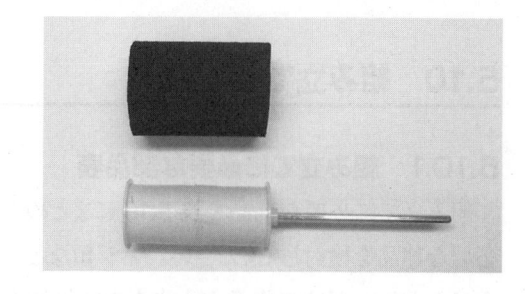

スポンジの両端からホイールを入れます。

外形を測ると、約33.4[mm]でした。設計時の直径は35[mm]だったので、1.6[mm]足りません。このままだとモータがコースに擦るかもしれません。

そこで、厚さ1[mm]のスポンジの板をタイヤに巻いて、直径を大きくします。再度計り直すと、約35.5[mm]になりました。

「3.12 シリコンシートの貼り方」のように、シリコンシートを貼ります。また、写真の○部分の出っ張りをカッタなどで切り取ってツライチにしておきます。これを4個作ります。

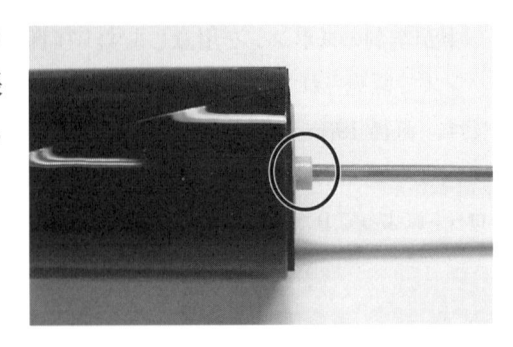

5.10 組み立て

5.10.1 組み立てに必要な部品表

組み立てに必要な部品を表 5.16 にまとめておきます。実際にマイコンカーを作る場合は、各自必要な部品を検討してください。ネジ類など、比較的安価な部品は必ず予備を買っておきましょう。ネジ1本無いだけで作業が止まるのは非効率です。また、製作後の修理や改造でも必要になります。

表 5.16 組み立てに必要な部品表

内容	用途	メーカ・購入先	数量
CPU ボード　RY3048Fone	基板	日立インターメディックス（株）	1
センサ基板 Ver.4	基板	日立インターメディックス（株）	1
モータドライブ基板 Vol.3	基板	日立インターメディックス（株）	1
LM350 追加セット	基板	日立インターメディックス（株）	1
承認モータ RC-260RA18130	モータ	日立インターメディックス（株）	2
セラミックコンデンサ 0.01μF	モータ用		6
アルミストッパ内径 3mm	ギヤ用	（株）レインボープロダクツ	4
平ギヤ　モジュール 0.5 54枚 3mm 穴	ギヤ用	（株）レインボープロダクツ	2
8T ピニオンギヤセット(真ちゅう/プラスチック各4個)	ギヤ用	（株）タミヤ	1
RS-995	サーボ	三和電子機器（株）	1
スタット M3用 高さ 5mm メスオス	シャーシ用	（株）廣杉など	8
スペーサ (中空) M3用 長さ 4mm	シャーシ用	（株）廣杉など	2
スペーサ (中空) M3用 長さ 10mm	シャーシ用	（株）廣杉など	4
ポリパイルテープ幅 9mm 高さ 9mm	センサ用	（株）東急ハンズ	15cm 程度
トラックタイヤセット	タイヤ用	（株）タミヤ	4箱
ハンドルグリップ　19φ用　50cm 程度	タイヤ用	（株）東急ハンズ	1
シリコンシート	タイヤ用	日立インターメディックス（株）	1
らくはる粘着テープ	タイヤ用	パイロン	1
電池ボックス単三4本用	電源用	（株）秋月電子通商	2
トグルスイッチ MS-500K-B	電源用	ミヤマ電器（株）	1
線　0.5mm² 赤・黒	配線用		各1m 程度

線　0.75mm² 赤・黒	配線用		各1m程度
10色フラットケーブル　1.27mmピッチ	配線用		1m程度
10Pメスコネクタ　PS10SEND4P1-1C	コネクタ	日本航空電子工業（株）	4
2PメスコネクタIL-2S-S3L	コネクタ	日本航空電子工業（株）	3
コンタクトピン IL-C2-10000	コネクタ	日本航空電子工業（株）	10程度
ナベネジ、皿ネジ、座金組み込みネジ、ナット、スプリングワッシャ、平ワッシャなど	ネジ関係		必要量

5.10.2　組み立てよう！

(1) ギヤボックス

モータとピニオンギヤを用意します。

各端子を外側に曲げておきます。

モータにピニオンを万力で圧入します。端子側にもモータの軸が出ているので、そこを当てます。押し方のポイントは、ゆっくりと押し込むことです。ハンマで叩き入れると、モータの特性が変わる可能性があります。

Micom Car Rally

ギヤボックス用アングル材に、ベアリングを左右の両側から入れます。

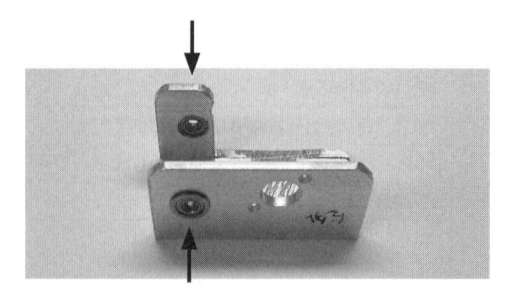

シャフト、ギヤを取り付けます。写真の位置にギヤも通します。ギヤのイモネジは軽く止めておきます。

ギヤボックスにモータを取り付けます。まずは、ギヤのかみ合わせを確認するためにモータをギヤボックスに入れます。

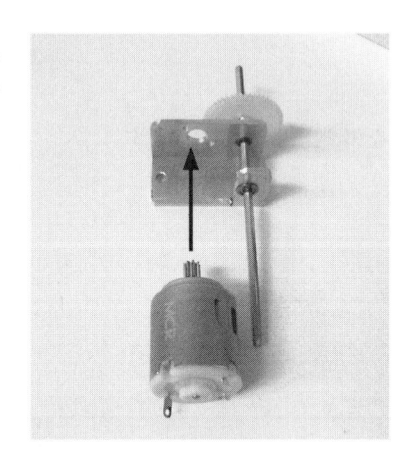

レインボープロダクツのアルミストッパ（3[mm]）をモータ側から入れます。イモネジを止めてシャフトが動かないようにします。

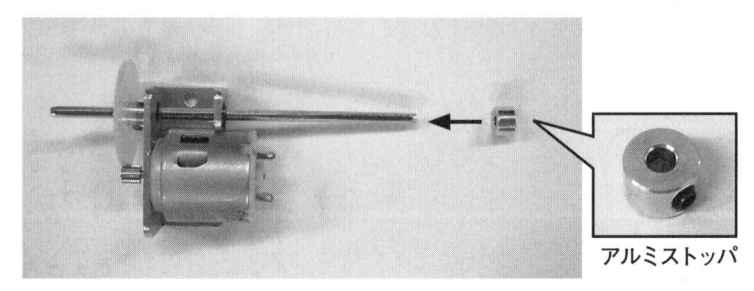

アルミストッパ

イモネジの出っ張りとモータがぶつかってしまいました。

　そこで、モータがある部分には直径の細いスペーサを入れて、アルミストッパの位置をずらします。

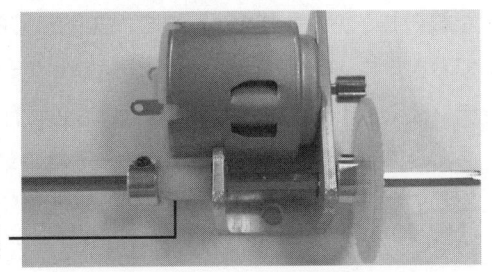

スペーサ 10[mm]

　シャフトを回しながら、ギヤが滑らかに回るか確認します。

　問題なければ、モータとギヤボックスをボンドで固定します。ボンドは、ステンレスやアルミなど金属系が接着できるタイプを使います。写真は、セメダイン（株）の「セメダインスーパーX2」というボンドです。

モータをギヤボックスに固定しました。モータには2カ所穴が開いています。これは空気通り穴なので、埋めないように気をつけます。乾かすために1日ほど置いておきます。

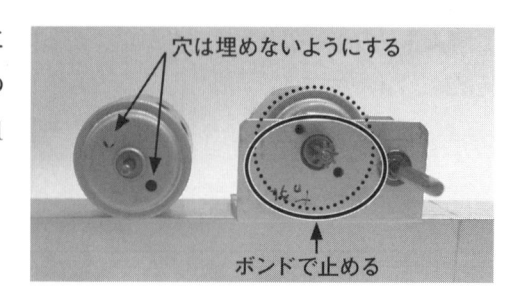

ボンドが乾いた後、線を取り付けます。まだ正確な線の長さが分かりませんので、20[cm]くらいにしておきます。モータ1個につき3個のセラミックコンデンサ(0.01[μF]程度)の取り付けも必ず行います。ちなみにセラミックコンデンサのリードは、最短で配線します。長く延ばした分、コンデンサが遠くなるのでその間でノイズが発生することがあります。

(2) シャーシ

高さ5[mm]のスタット(オス-メスタイプ)、スプリングワッシャ、長さ5[mm]の皿ネジを用意します。基板取り付け位置に取り付けます。今回に限らず、スプリングワッシャは必ず入れましょう。

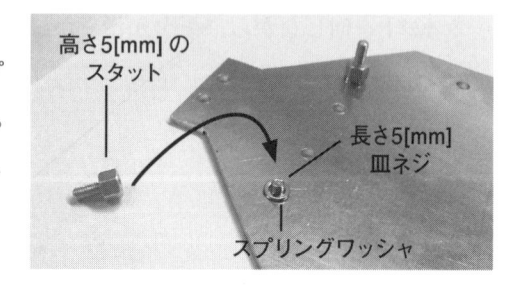

スタットの上に基板を載せて、基板の穴に合うか確認します。

(3) フロント軸受け

フロント軸受けに内側からフランジ付きのベアリングを入れます。

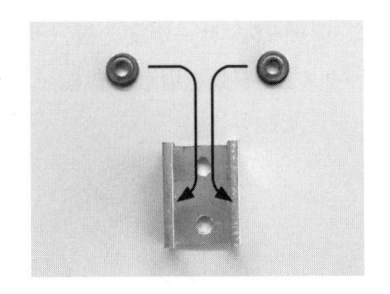

ベアリングに六角シャフトを通します。このとき、ベアリングの間にアルミストッパを入れて六角シャフトがずれないようにします。ただし、アルミストッパ以上の隙間があるのでスペーサや平ワッシャなどを入れて調整します。目安として隙間は、0.2～0.5[mm]あれば良いでしょう。2組作ります。

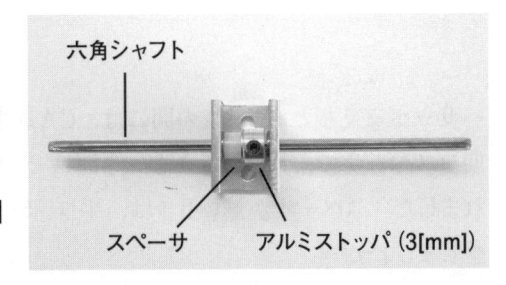

(4) 全組み立て

フロント部分を組み立てる前に、サーボホーンには穴を開けておきます。

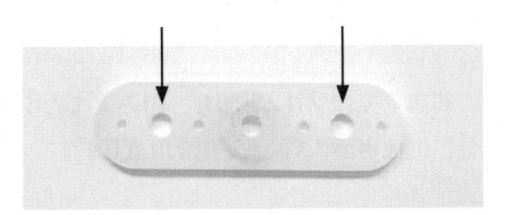

フロント部品を集めて組み立てます。左右のフロント軸受け、サーボホーン、フロントシャーシ、センサバー支え板とネジ類を用意します。フロント軸受けの六角シャフトは、組み立て時に干渉するので取っておきます。

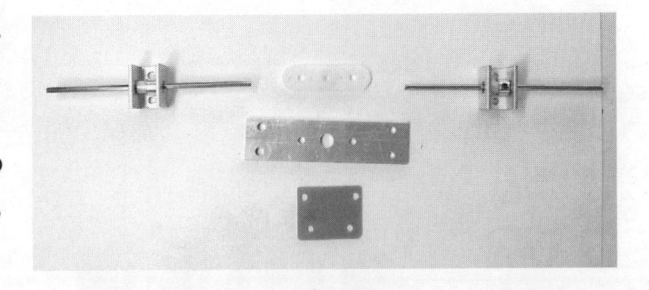

下から、センサバー支え板、フロントシャーシ、サーボホーンをネジ止めします。左右にフロント軸受けも取り付けます。

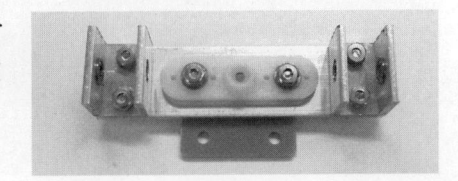

次に、シャーシ、サーボ支え板、サーボ、左右のギヤボックスとネジ類を用意します。

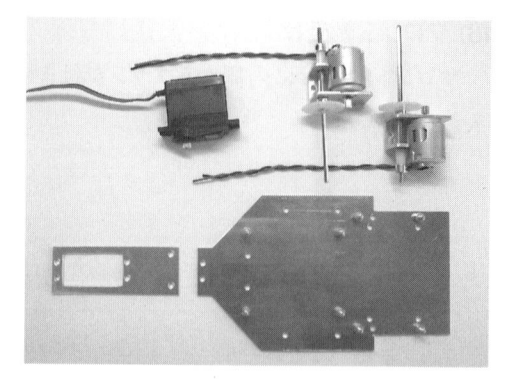

サーボ支え板とシャーシの間には、CADで設計したときの隙間をスペーサで入れておきます。今回は2[mm]のスペーサを入れました。スペーサが無いときは、平ワッシャを重ねて厚さを調整しましょう。

組み立てたフロント部分、組み立てたシャーシ部分、電池ボックス、ネジ類を用意します。

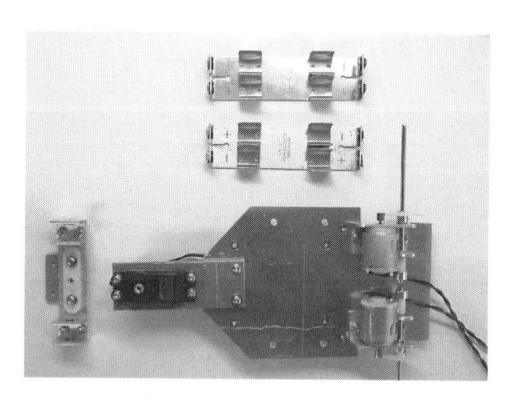

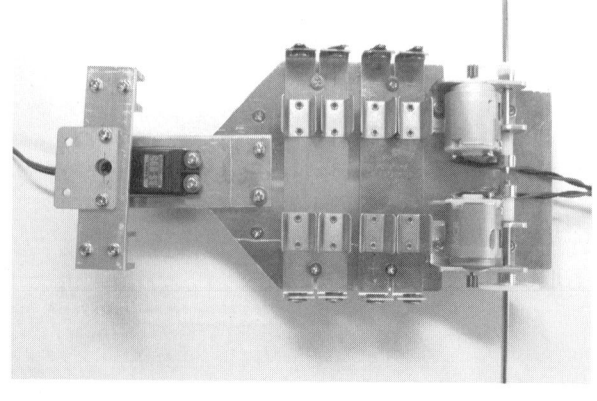

ぶつかりが無いか確認しながら組み立てます。

タイヤを付けて、水平器で車体が水平になっているか、4輪とも均等に接地するか確かめます。浮いているタイヤがある場合、必ず原因を究明して、4輪ともほぼ均等に接地するように調整しましょう。ちなみにマイコンカーが水平かどうか調べる前に、マイコンカーを乗せている台自体が水平かどうか確かめてください。

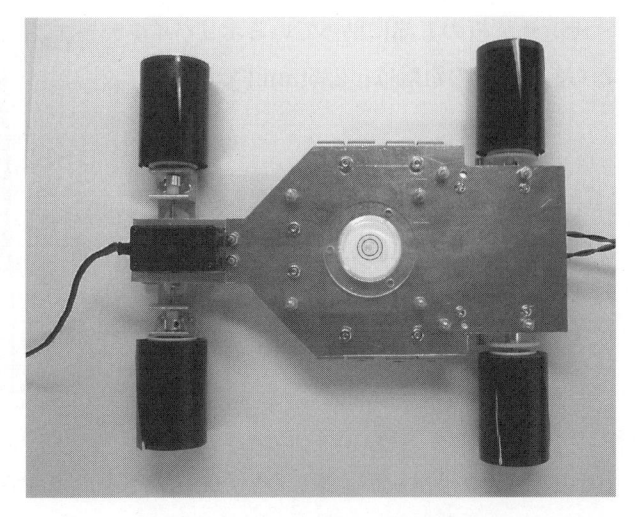

　車体の組み立て、タイヤの接地確認ができたら、CPUボード、モータドライブ基板、センサ基板、センサバーを用意して組み立てます。

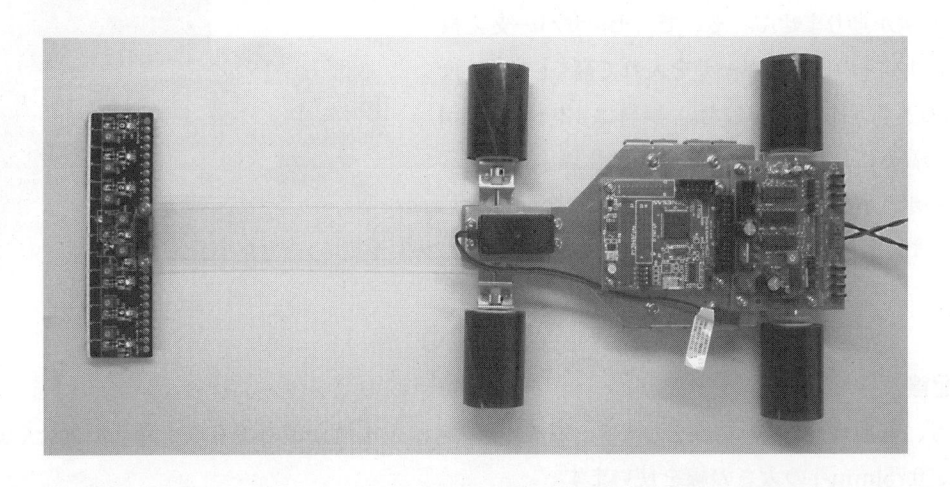

　センサ基板の下に貼るポリパイルテープは赤外LEDにかぶることが多いので、かぶらないよう注意して貼ります。また、写真の点線で囲った部分は毛が寝てくるのでニッパなどでカットしておきます。

センサ基板の下部に貼っているポリパイルテープから前輪までの距離は、235[mm] でした。

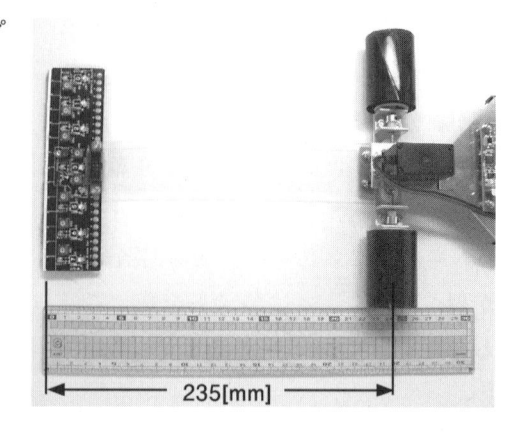

10°の坂でセンサバーが接地しないための高さを計算すると、

H = tan5°×（235/2）= 10.3[mm]

　中心部分では、10.3[mm] 以上の高さにする必要があります。今回、測ってみると 5[mm] 程しかありませんでした。これでは、コースに擦ってしまい車検が通りません。そこで、センサバー支え板とセンサバーの間にスペーサを入れて高くします。再度測ると約 11[mm] でした。本当は 12 〜 13[mm] 以上の高さにしたかったのですがこれ以上高くするとサーボとネジがぶつかってしまうので今回は良しとします。車体はこれで完成です。

(5) 配線

　まず、電池ボックスの結線をします。電池ボックスは大電流が流れても電圧降下が少なくなるように、0.75[mm²] の太さの線を使います。

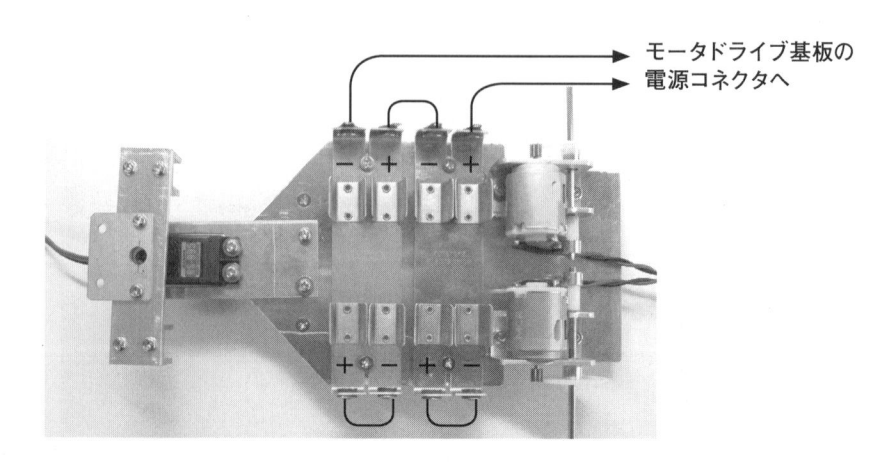

このまま、モータドライブ基板の電源コネクタに接続すると、電源の ON/OFF は、電池かコネクタの抜き差しをする必要があり、ちょっと不便です。そこで、電池とモータドライブ基板の間にスイッチを入れます。スイッチ固定用の板を製作しておきます。厚さ 1[mm] のアルミ板をボール盤と万力を使い、写真のような板を作りました。φ3.5[mm] の穴は、モータドライブ基板に固定します。φ6.5[mm] の穴はスイッチを入れます。

　スイッチ固定用板を取り付け、電池ボックス、スイッチ、モータドライブ基板の電源コネクタ間を配線します。

　モータの線にコネクタを取り付けモータドライブ基板に接続、CPU ボードとモータドライブ基板をフラットケーブルで接続、同じく CPU ボードとセンサ基板を接続、サーボのコネクタをモータドライブ基板に接続して、結線完了です。線はセンサバーやシャーシに載せるだけではなく必ず固定してください。ちなみにこの時点で電池込みで 722[g] でした。

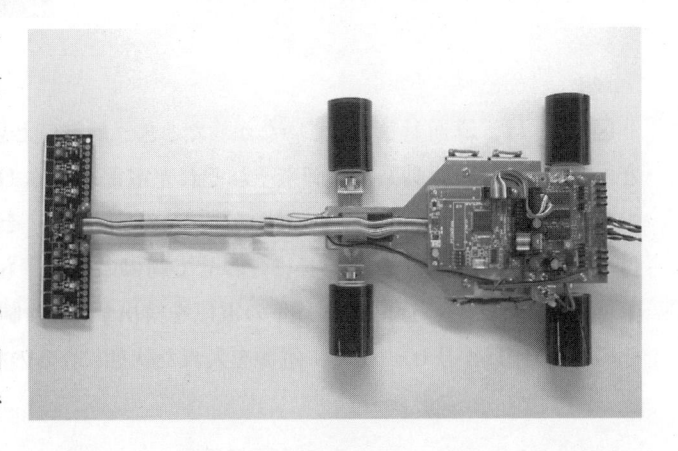

(6) その他

■ MCR マークの保護

モータの MCR マークは、表面をレーザで削っていますが、削りが浅いので消えやすいようです。車検では、このマークがあるかチェックしますので消えないように透明テープなどを貼って保護しておきましょう。

■ シャーシすべてを導通させておく (リセット対策)

電気を通すシャーシ同士は、すべて導通するようにしておきます。今回の場合はフロントシャーシと本体のシャーシ部分が導通されていません。そこで線で渡して導通するようにします。センサバーはプラスチック製で電気を通さないため線で渡す必要はありません。もし電気を通す材質なら線で渡しておきましょう。ちなみに、カーボン FRP は電気を通します。表面はコーティングされているため導通しませんが、表面を削りテスタで測ると、0[Ω] に近い値になると思います。カーボン FRP は表面を削って導通させておきます。

なお、導通させておかないとマイコンカー走行時にリセットがかかることがあります。原因ははっきりとは分かっていませんが、走行するときに帯電した静電気が放電してリセットがかかるようです。

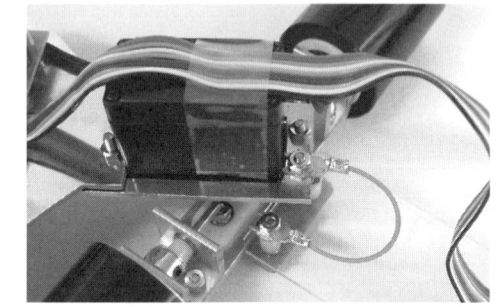

図 5.43 は、導通対策をしていなかったとき、静電気と思われるノイズで CPU がリセットしたときの波形です。駆動系、制御系それぞれ充電電池 4 本（約 5[V]）のキットの構成です。ハンドルを曲げたとき、突然駆動系の電圧が約 ± 18[V] 振れ、その後も約 1[μ s] の間、電池ではあり得ない電圧になっています。それに合わせて制御系の電圧も ± 10[V] 以上振れています。CPU ボード付属のリセット IC は、4[V] 以下の電圧を検出すると強制的に CPU にリセット信号を送ります。そのため CPU がリセットして、電源を入れた状態になるのです。

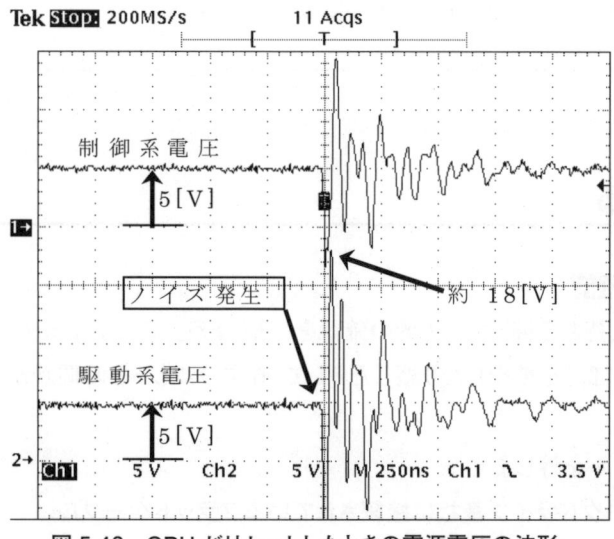

図 5.43　CPU がリセットしたときの電源電圧の波形

■ LED は高輝度にする

　LED は遠くからでも点いていることが確認できるように高輝度 LED に変えておきましょう。数年前は 1 個数百円していましたが、最近は値段が安くなってきています。といってもキットで使用している LED よりは高いです。写真は高輝度 LED に変えたセンサ基板で、直接見るとまぶしいくらいです。モータドライブ基板の LED も変えておきましょう。

コラム　明るさの単位

　明るさを示す単位の一つとして「光度」があります。単位は「cd」（カンデラ）です。詳しいことは専門書を参照してください。マイコンカーキットで使用している LED の EBR3338S は、データシートによると 30 〜 45[mcd]（ミリカンデラ）の明るさです。最近、高輝度 LED と呼ばれる LED が数多く出てきました。筆者は秋月電子通商で購入します。例えば、φ3[mm] の高輝度白色 LED は 1800[mcd] で、EBR33385 の 40 〜 60 倍の明るさです!!
参考までに、1[cd] はロウソク 1 本分の明るさと言われています（ロウソクの大きさや周りの明るさも関係しますのであくまで参考です）。LED によって順方向電圧と電流が違いますので、

データシートなどで調べて電流制限抵抗を計算してください。

5.11 走らせる

5.11.1 電源の確認

　早く走らせたい気持ちを抑えて、電源の確認をしましょう。ここでチェックを怠ると、ショートなどのミスに気づかず部品を燃やしたり壊したりして、直すのにもっと時間がかかってしまいます。「急がば回れ」です。

　まず、次のケーブルを外します。

・CPU ボードとモータドライブ基板に接続されているフラットケーブル
・右モータのコネクタ
・左モータのコネクタ
・サーボのコネクタ

　この状態で電源スイッチを入れ、FET8 個と三端子レギュレータ 2 個が熱くなっていないか調べます。次に電源電圧をテスタで測り 8 本直列にした電圧が出ているか確認します。例えば、図 5.44 のようにモータドライブ基板左下の FET 部分の 10 と書かれたランドにテスタのプラス側、1 と書かれたランドにマイナス側を接続します。電池の電圧とほぼ同じなら正常です。

図 5.44　電源電圧の確認

　次に制御系の電源を確認します。例えば、図 5.45 のように U1 の 14 ピンにテスタのプラス側、7 ピンにマイナス側を接続します。4.75 〜 5.25[V] なら正常です。

第5章 マイコンカーを自作しよう

図5.45 制御系電圧の確認

次に、サーボの電圧を確認します。まず、CN3の1ピンを線の被覆や熱収縮チューブをかぶせて直接ピンが触れないよう対処してください。これから測定する2ピンと1ピンがショートすると、1ピンにつながっているU1の74HC32が壊れてしまいます。かぶせた後、CN3の2ピンにテスタのプラス側、3ピンにテスタのマイナス側を接続します。このとき、約6[V]になるようにVR1を回して調整します。

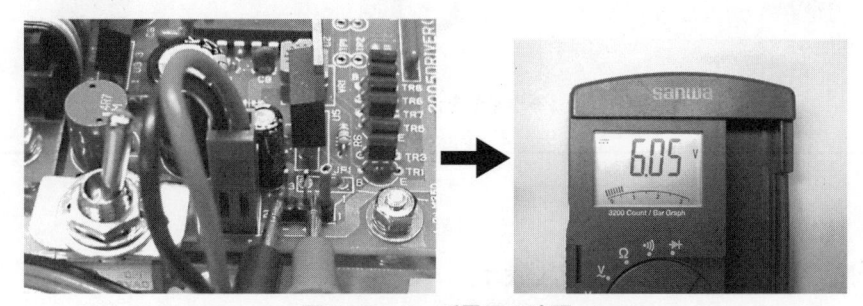

図5.46 サーボ電圧の確認

次にCPUボードの書き込みスイッチをFWE側にして、モータドライブ基板とのフラットケーブルを接続します。センサ基板とCPUボード間のフラットケーブルが接続されていないなら、こちらも接続しておきましょう。センサ基板のセンサを反応させてLEDが点くか確認します。

図5.47 フラットケーブルを接続

これで電源系統の確認は完了です。残りは、「動作確認マニュアル マイコンカーキット Ver.4版」を参照して確認してください。

> **コラム** マイコンカーの置き方
>
> 　マイコンカーを置くときは、下にテープなどを置きタイヤを浮かせた状態にします。タイヤを接地させておくと接地面がへこみ、タイヤが歪んでしまいます。1秒間に何回転もしますので車体がぶれて走行が安定しません。地区大会やイベントなど運搬時も同様です。
>
> ▲タイヤを浮かせて置く

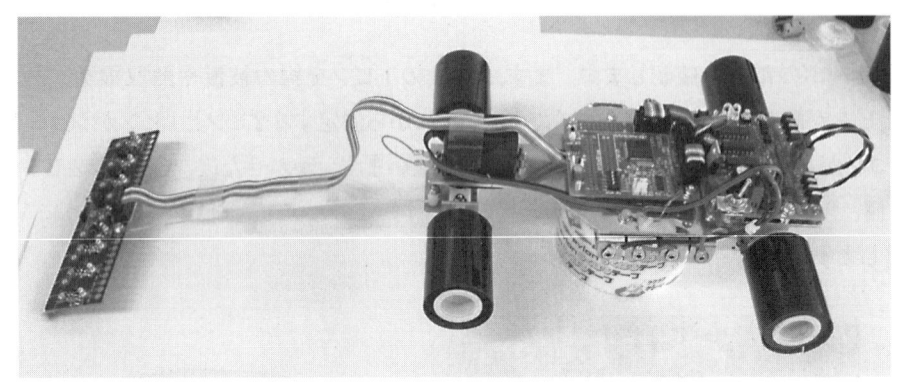

5.11.2　いよいよ走らそう！

次の手順でマイコンカーの調整を行います。

(1) センサの調整を行います（「3.11 センサの調整方法」を参照してください）。
(2) サーボセンタの調整を行います（「4.7.2 サーボのセンタ調整」を参照してください）。
(3) サーボの最大切れ角を見つけます（「4.7.3 サーボの最大切れ角を見つける」を参照してください）。
(4) 走行プログラムを書き換えます（「4.7.4「kit07.c」プログラムを書き換える」を参照してください）。

　調整ができたらいよいよ走らせましょう!!　マイコンカーキットと比べてどう走りが違うか確かめてみてください。

図5.48　コースを走らせよう!!

第6章

速く走らせるために オプションを取り付けよう

　マイコンカーキットの構成で走らせていると、下り坂でスピードが出すぎて脱輪したり、クロスライン検出後のスピードが遅かったり、スピードが速すぎてセンサの状態がよく分からないなど、様々な問題がでてくると思います。問題を解決してさらに速く走らせるためのオプションがあります。この章ではオプションの紹介とその使い方を説明します。オプションを取り付け速く、なおかつ安定して走行させましょう。

6.1　ロータリエンコーダを使う

　図6.1のようにマイコンカーの中には、本体の後ろにタイヤが付いているマシンがあります。これがロータリエンコーダと呼ばれる装置です。ロータリエンコーダは、回転を電気信号("0"と"1"の繰り返し信号)に変換する装置のことです。ロータリエンコーダを使うと、現在の走行速度、走行距離を知ることができます。

図6.1　マイコンカーに取り付けたロータリエンコーダ（ロータリエンコーダキット Ver.2）

　ここで紹介している内容は、マイコンカーホームページのダウンロードコーナにある表6.1のマニュアルを再編集したものです。詳しくは、それぞれのマニュアルを参照してください。

表 6.1　ホームページにあるマニュアルと内容

マニュアル名	内容
ロータリエンコーダ Ver.2 製作マニュアル	ロータリエンコーダキット Ver.2 の製作について
ロータリエンコーダ実習マニュアル kit07 版	ロータリエンコーダを使ったプログラムについて

6.1.1　動作原理

　ロータリエンコーダ（以下、エンコーダ）の回転軸には、円盤、または同等のものが付いています。円盤には「スリット」と呼ばれる小さい隙間を空けておき、円盤に光りを当てて、光りが通過すれば "1"、しなければ "0" と判断します（図 6.2）。1 個の円盤にあるスリットの数は、10 個程度のものから数百個程度のものまで様々です。当然スリット数の多い方が高性能ですが、その分値段が高くなります。

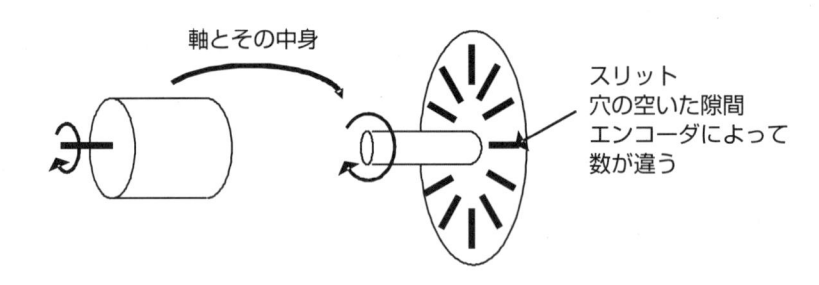

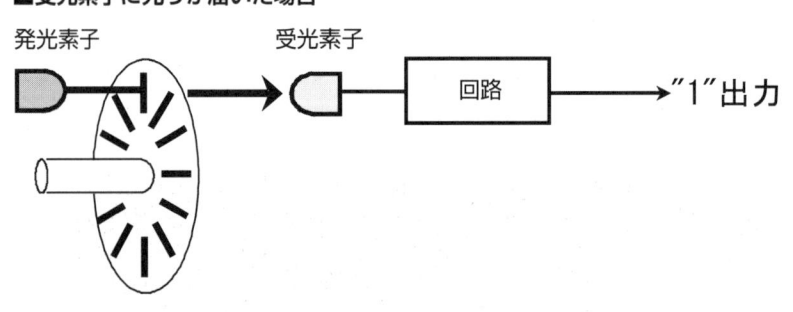

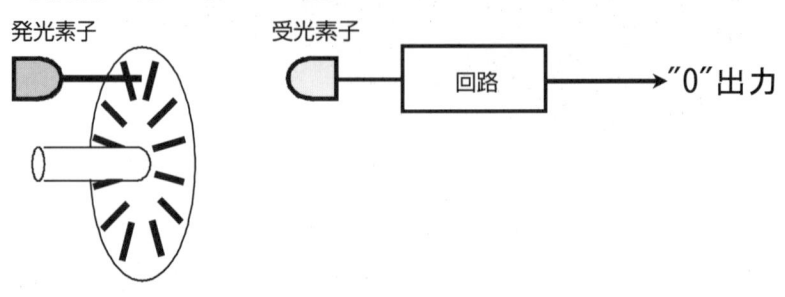

図 6.2 ロータリエンコーダの原理

円盤を回せば "0" と "1" の信号が、繰り返し出力されます。円盤を回転させたときの信号例を図 6.3 に示します。信号の立ち上がりや立ち下がりの回数を数えれば、距離が分かります。また、ある一定時間、例えば 1 秒間の回数をカウントして、多ければ回転が速い（＝スピードが速い）、少なければ回転が遅い（＝スピードが遅い）と判断できます。

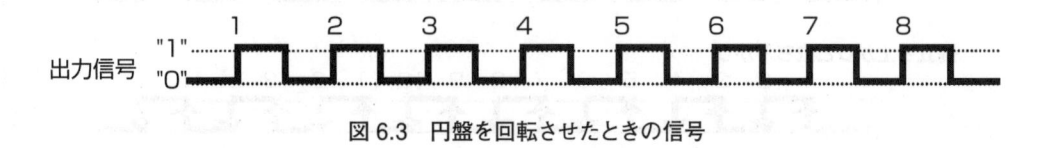

図 6.3　円盤を回転させたときの信号

> **コラム**　パルスとは
>
> 「パルス」を wikipedia で調べると「パルス（Pulse）は、短時間の間に急峻な変化をする（通常単発の）信号の総称。又、脈動の意。電子回路の分野では一定の幅を持った矩形波の事を言い、必ずしも単発とは限らない。」とあります。
> 　要は、下図のように "1 と "0" のペアを「パルス」といいます。パルスが 2 個あれば、2 パルスあるといいます。
>
> ▲パルス

> **コラム**　立ち上がり、立ち下がり
>
> 　立ち上がりとは、信号が "0" から "1" に変化したときの瞬間をいいます。立ち上がりでカウントとは、立ち上がりを数えて加算していくことです。
> 　立ち下がりとは、信号が "1" から "0" に変化したときの瞬間をいいます。立ち下がりでカウントとは、立ち下がりを数えて加算していくことです。
> 　また、この両方でカウントすることもあります。カウント数は、立ち上がり、または立ち下がりの 2 倍となります。

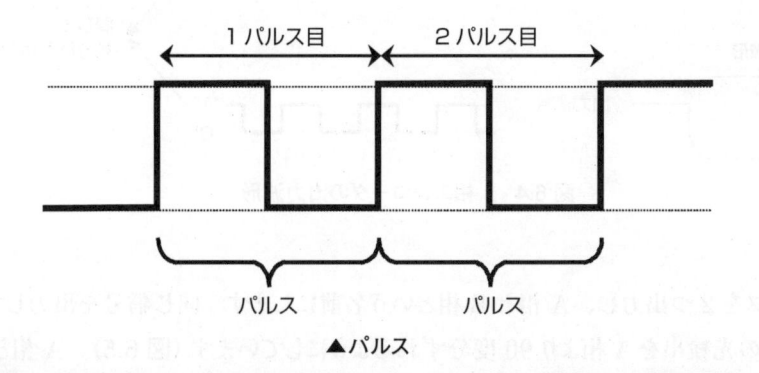

■立ち上がり

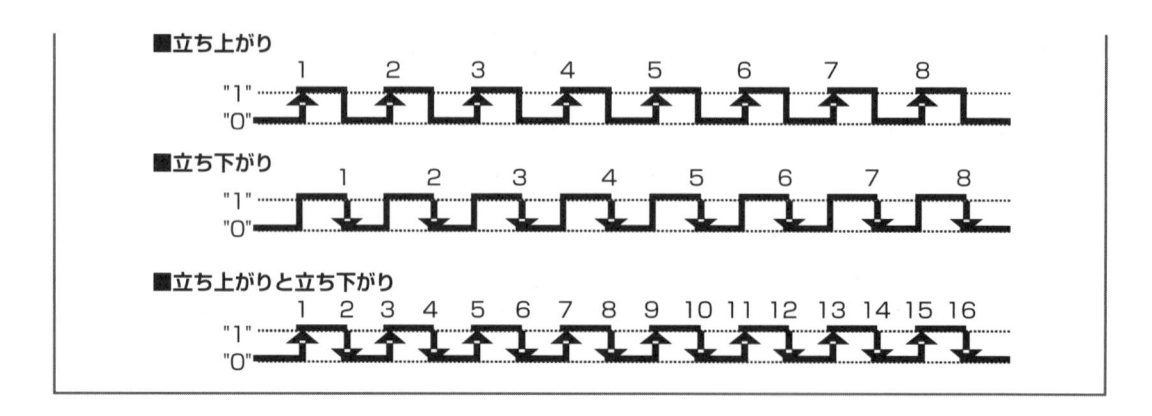

■立ち下がり

■立ち上がりと立ち下がり

6.1.2　1相出力と2相出力のエンコーダ

　エンコーダには、1相出力と2相出力があります。先ほどの説明は、1相出力の場合です。1相の場合、回転が正転か逆転か分かりません。どちらも"1"と"0"の信号でしかないためです（図6.4）。

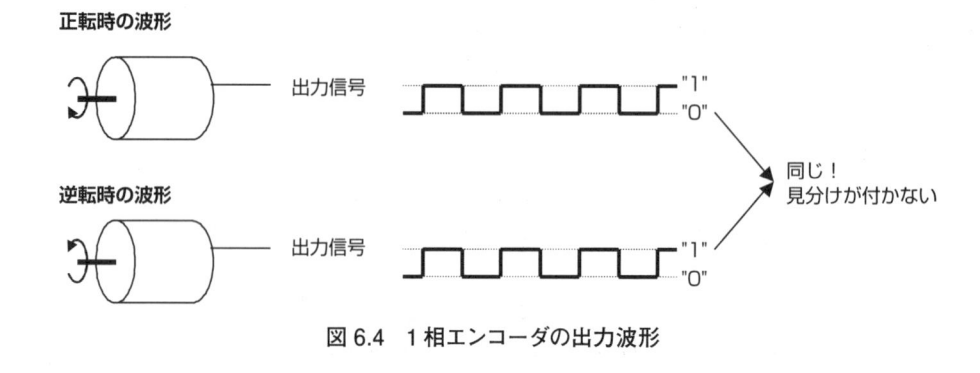

図 6.4　1相エンコーダの出力波形

　そこで、パルスを2つ出力し、A相とB相という名前にします。同じ信号を出力しても意味が無いので、B相の光検出をA相より90度分ずれるようにしています（図6.5）。A相とB相の信号の関係で正転か逆転か判断することができます。

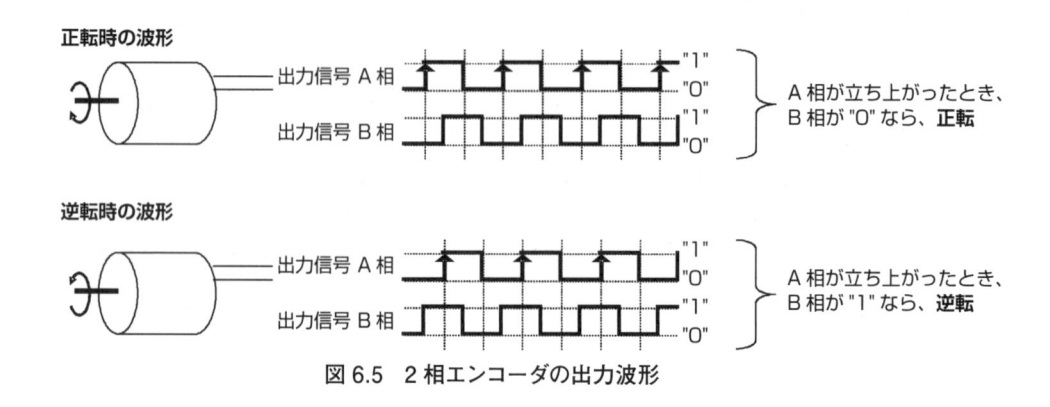

図 6.5　2相エンコーダの出力波形

マイコンカーの場合、バック走行することはないので1相出力のエンコーダで十分です（2008年6月現在）。何かの理由でバック走行させたいときは、2相のエンコーダを使用すれば逆転を検出できます。

身近な例では、パソコンのボール式マウスには2相のエンコーダが2つ付いています。1つが左右の検出、もう一つで上下の検出をしています。

今回は詳しく説明しませんが、H8/3048F-ONEには位相計数モードという機能があり、簡単に2相エンコーダの正転、逆転をカウントすることができます。詳しくは、H8/3048F-ONE 実習マニュアルを参照してください。

6.1.3 マイコンカーで使えるエンコーダの条件

エンコーダは多種多様あります。どのようなエンコーダがマイコンカーに使えるのでしょうか。表6.2にマイコンカーで使えるエンコーダの条件を示します。

表6.2 マイコンカーで使えるエンコーダの条件

項目	内容
大きさ	取り付けたときに走行に影響しない程度の大きさとします。小さければ小さいほど良いですが、市販の場合は値段が高くなります。自作の場合は小型に製作するのは難しいです。直径20〜30mmくらいまでが実用範囲でしょう。
重さ	軽いエンコーダを選びます。
出力信号	CPUは、基本的には"0"か"1"かのデジタル信号しか扱えないので、エンコーダから出力される信号もデジタル信号が理想です。出力電圧は、CPUに合わせて"0"=0[V]、"1"=5[V]だとポートに直結、もしくは74HC14などのロジックICを入れるだけで簡単に接続できます。正弦波などのデジタル信号ではない場合は、増幅回路やコンパレータなどの回路を付加してデジタル信号に変換する必要があります。
動作電圧	CPUと同様の5[V]で動作するのが理想です。マイコンカーで使用できる電源は、電池8本までなので、上限は9.6[V]の電圧となります。
パルス数	多いにこしたことはありません。1回転20パルス以上あればマイコンカーで使用可能です。

6.1.4 市販のエンコーダと回路

市販されているエンコーダで、マイコンカーに使用できそうなものを表6.3に示します。他にもたくさんありますので、調べてみると良いでしょう。エンコーダの軸にタイヤを付けると、マイコンカーで使用することができます。

表6.3 市販されているエンコーダ例

メーカ	日本電産ネミコン（株）	日本電産コパル（株）
型式	OME-100-1CA-105-015-00	RE12D-100-101-1
特徴	デジタル信号が出力されるので、マイコンで扱いやすいです。このエンコーダはオープンコレクタ出力なので、プルアップ抵抗の追加だけで使用可能です。	デジタル信号が出力されるので、マイコンで扱いやすいです。プルアップも不要です。φ12mmと小型です。
写真		

※ RE12D-100-101-1の写真は、データシートより引用

■回路

日本電産ネミコン（株）「OME-100-1CA-105-015-00」を使った回路例を、図6.6に示します。「OME-100-1CA-105-015-00」の出力信号はオープンコレクタ出力なので、プルアップ抵抗が必要です。また、74HC14を入れて波形整形しています。その信号を、CPUボードのPA0に接続します。モニタLEDは、信号が来ているか確認するのに便利です。スペースがあるなら付けましょう。

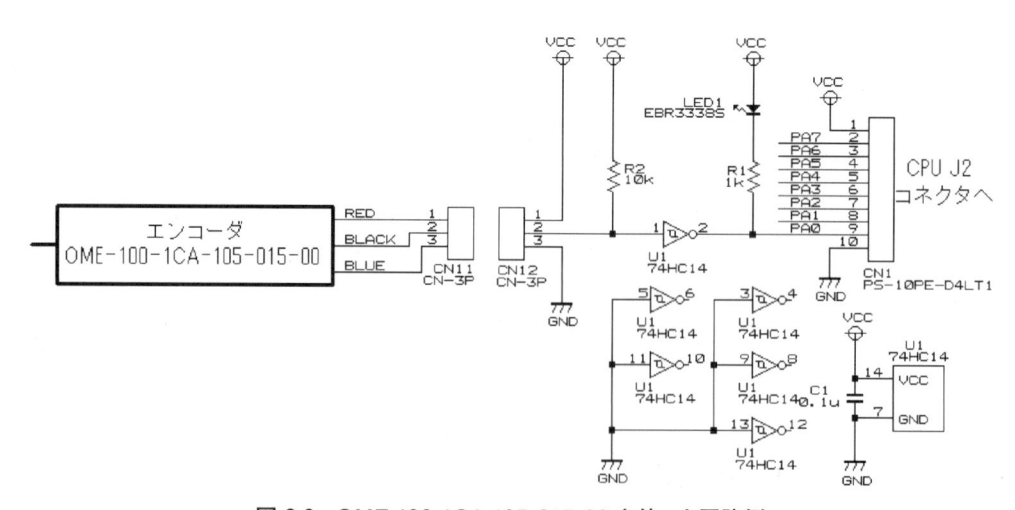

図6.6 OME-100-1CA-105-015-00を使った回路例

6.1.5 自作のエンコーダと回路

市販されているエンコーダは1回転100パルス以上と性能は申し分ありません。しかし値段が高いのが難点です。そこで、パルス数が少なくなりますが、安くできる方法を紹介します。

■フォトインタラプタとは

　フォトインタラプタとは、発光、受光が一体化した素子で、発光側には赤外LED、受光にはフォトトランジスタなどが使われます。フォトインタラプタには、図6.7のように反射型と透過型と呼ばれるタイプがあります。

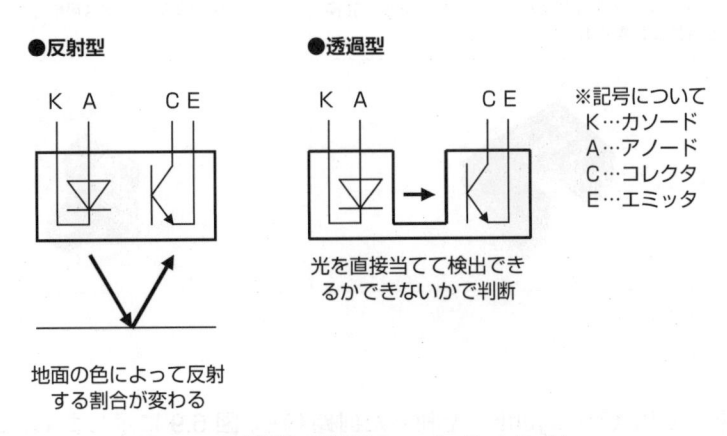

図6.7　反射型と透過型のフォトインタラプタ

　反射型、透過型のフォトインタラプタをエンコーダとして使用したときの例を図6.8に示します。それぞれ、取り付け方、円盤の加工の仕方が変わります。

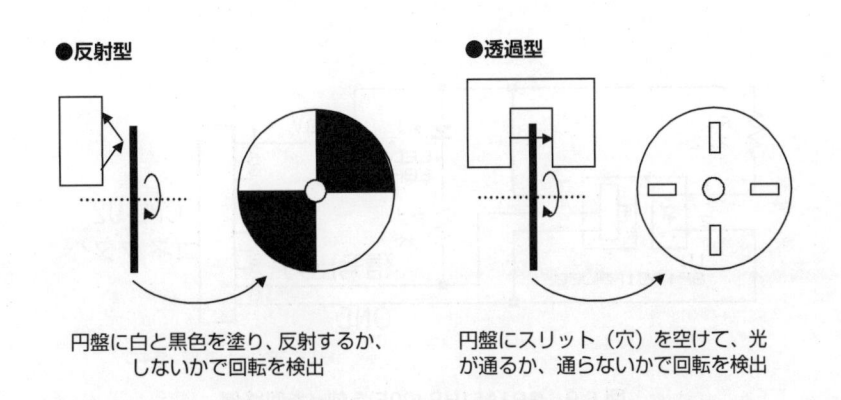

図6.8　反射型と透過型フォトインタラプタの円盤の取り付け方

■透過型フォトインタラプタの使用例

　市販されている透過型フォトインタラプタでマイコンカーに使用できそうなフォトインタラプタを表6.4に示します。他にもたくさんありますので、調べてみると良いでしょう。

表6.4 市販されている透過型フォトインタラプタ例

メーカ	ローム（株）	シャープ（株）
型式	RPI-574	GP1A51HRJ00F
特徴	溝幅は5mmあります。間にタミヤ製のプーリを入れることができます。フォトトランジスタ出力なので、デジタル信号に変換する回路が必要です。	溝幅は3mmあります。間にタミヤ製のプーリを入れることはできません。デジタル出力なので、直結可能です。
写真		

■回路

シャープ（株）「GP1A51HRJ00F」を使った回路例を、図6.9に示します。この回路にあるLED2とR2を取ると、ロータリエンコーダキットVer.2と同じ構成になります。
「GP1A51HRJ00F」の出力信号は、0[V]か5[V]なのでそのままポートに出力することができます。モニタLEDは、信号が来ているか確認するのに便利です。スペースがあるなら付けましょう。
ロータリエンコーダキットVer.2にはモニタLEDが付いていませんが、プログラムを改造してモータドライブ基板のLEDをモニタ替わりにしています。

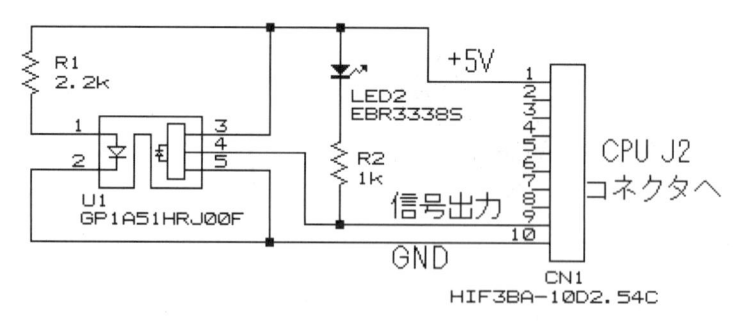

図6.9 GP1A51HRJ00Fを使った回路例

6.1.6 ロータリエンコーダキット Ver.2

ロータリエンコーダVer.2製作マニュアルの内容に従って、エンコーダを作ります。キット1セットでマイコンカー2台分のエンコーダができます。

■仕組み

図6.10のように、フォトインタラプタの発光側と受光側の間を遮ります。信号は、"0"（0V）を出力します。

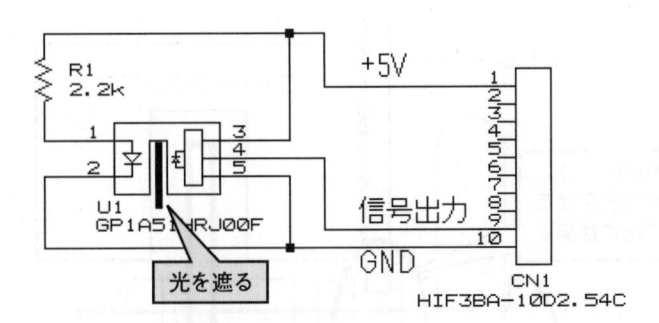

図 6.10　光りを遮ったとき

　図 6.11 のように、フォトインタラプタの発光側からの光が、受光側に届きました。信号は、"1"(5V)を出力します。

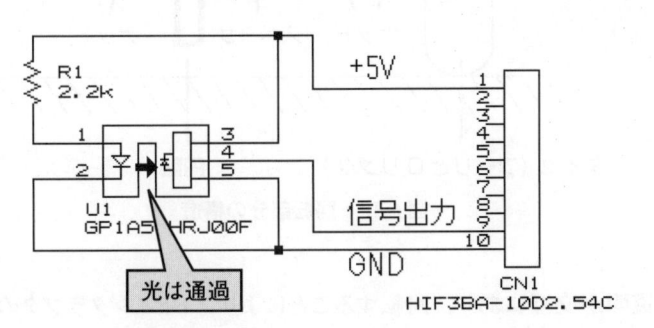

図 6.11　光りが届いたとき

　光りを遮る、光りを通す、この繰り返しが "0" と "1" の信号の繰り返し、すなわちパルス信号になります。

■回転部分の構造
　回転部分は図 6.12 のように、プーリと O リングを使用したタイヤ、円盤、フォトインタラプタで構成されています。タイヤと円盤はネジで直結されており、マイコンカーがコースを走るとエンコーダのタイヤが回転すると共に円盤も回ります。塩ビ板部分の隙間を詰めすぎるとタイヤの回転が悪く、開けすぎるとぐらぐらして円盤がコースについて空転する可能性があります。何度も調整してスムーズに回るようにしましょう。またはベアリングを入れて回転ロスを無くすのも一つの方法です。

図6.12　回転部分の構造

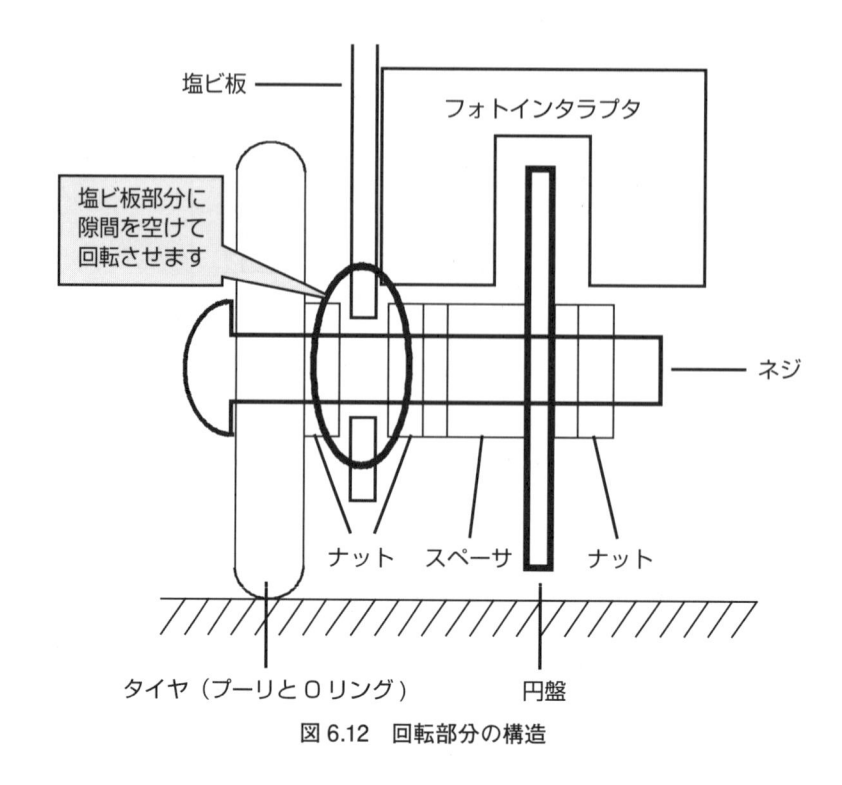

　円盤は、黒と透明が交互にあり、回転することによりフォトインタラプタの赤外LEDからの光が受光部分に届く、届かないを繰り返し、その信号がパルスとしてマイコンへ出力されます。透明と黒は36組あります。黒→透明部分（立ち上がり）、もしくは透明→黒部分（立ち下がり）のみを検出した場合は1回転36パルスになります。両方を検出した場合は1回転72パルスになります。今回はプログラムで両方を検出します。

6.1.7　ロータリエンコーダキット Ver.2 の取り付け

　エンコーダは上下に可動するようにしておきます。可動しなければ、上り坂や下り坂でタイヤが空転したり、無理がかかります。

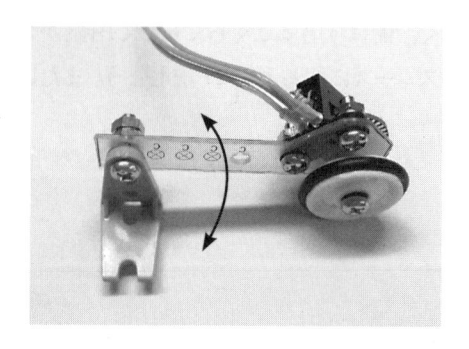

マイコンカーキット Ver.4 に取り付ける場合、ギヤボックスの間にエンコーダを取り付けます。

走行中、エンコーダのタイヤが浮かないように、ゴムやバネなどでコースに押しつけるようにします。ただし、強く押しつけすぎると、後ろタイヤの接地が弱くなるので気をつけましょう。

6.1.8　サンプルワークスペース

ルネサス統合開発環境を立ち上げ、「C ドライブ→ Workspace → kit07enc」の「kit07enc.hws」を選択します。**選択**をクリックします。

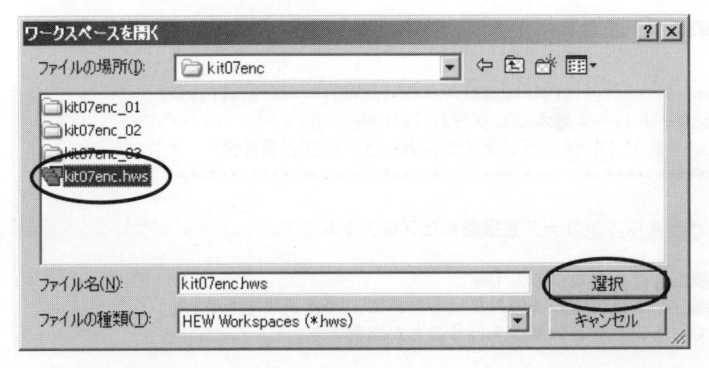

「kit07enc」ワークスペースが開かれます。

ワークスペース「kit07enc」には、3つのプロジェクトが登録されています（**表 6.5**）。

表 6.5 登録されているプロジェクト

プロジェクト名	内容
kit07enc_01	標準走行プログラム「kit07.c」を改造して、エンコーダのパルスをカウントできるようにします。このプログラムは、エンコーダのパルスカウントができるように改造しただけで、マイコンカーのスピード制御は行っていません。プログラムの説明用です。
kit07enc_02	速度の調整を行うプログラムです。スピードが速ければマイコンカーを減速させる、遅ければ加速させるなどの制御を行うことができます。
kit07enc_03	距離の検出を行うプログラムです。例えば、クロスライン検出後、2本目の横線を読み飛ばすために、10[cm] 進ませなさい、50[m] 進んだら止めなさい、などの制御を行うことができます。

　本書では、プロジェクト「kit07enc_03」のプログラム「kit07enc_03.c」でエンコーダプログラムを説明します。プロジェクト「kit07enc_03」のファイル構成は次のとおりです。

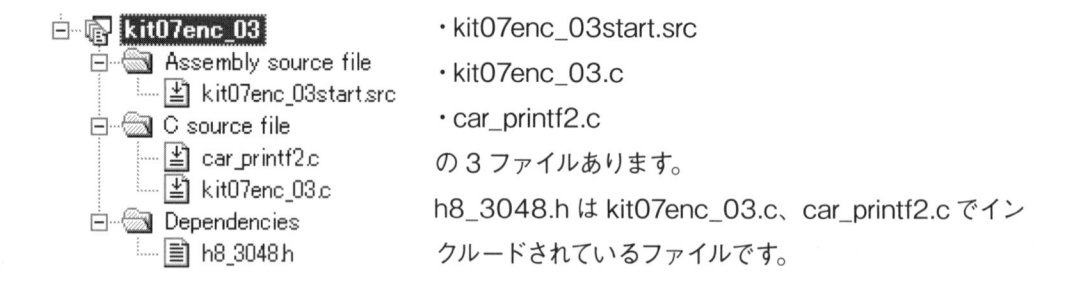

・kit07enc_03start.src
・kit07enc_03.c
・car_printf2.c

の3ファイルあります。

h8_3048.h は kit07enc_03.c、car_printf2.c でインクルードされているファイルです。

6.1.9　プログラム「kit07enc_03.c」

```
 1 : /************************************************************************/
 2 : /* エンコーダ搭載マイコンカートレース基本プログラム「kit07enc_03.c」    */
 3 : /*                  2007.04 ジャパンマイコンカーラリー実行委員会        */
 4 : /************************************************************************/
 5 : /*
 6 : 本プログラムはkit07.cをベースにエンコーダを搭載したプログラムです。
 7 :
 8 : kit07enc_03.cは、距離の検出を行うプログラムです。
 9 : 例えば、クロスライン検出後、2本目の横線を読み飛ばすために、10cm進ませなさい、
10 : 1周で止めるよう50mで止めなさい、などの制御を行うことが出来ます。
11 :
12 : */
中略
67 : /*======================================*/
68 : /* グローバル変数の宣言                 */
69 : /*======================================*/
70 : unsigned long    cnt0;              /* timer 関数用            */
71 : unsigned long    cnt1;              /* main 内で使用           */
72 : int              pattern;           /* パターン番号            */
73 :
74 : /* エンコーダ関連 */
75 : int              iTimer10;          /* エンコーダ取得間隔      */
```

```c
 76 :     long            lEncoderTotal;          /* 積算値                   */
 77 :     int             iEncoderMax;            /* 現在最大値                */
 78 :     int             iEncoder;               /* 現在値                   */
 79 :     unsigned int    uEncoderBuff;           /* 前回値保存                */
 80 :     long            lEncoderLine;           /* ライン検出時の積算値         */
 81 :
 82 : /************************************************************************/
 83 : /* メインプログラム                                                       */
 84 : /************************************************************************/
 85 : void main ( void )
 86 : {
 87 :     int     i;
 88 :
 89 :     /* マイコン機能の初期化 */
 90 :     init ();                                /* 初期化                    */
 91 :     set_ccr ( 0x00 );                       /* 全体割り込み許可            */
 92 :
 93 :     /* マイコンカーの状態初期化 */
 94 :     handle ( 0 );
 95 :     speed ( 0, 0 );
 96 :
 97 :     while ( 1 ) {
 98 :     switch ( pattern ) {
 99 :
中略
124 :     case 0:
125 :         /* スイッチ入力待ち */
126 :         if ( pushsw_get () ) {
127 :             pattern = 1;
128 :             cnt1 = 0;
129 :             break;
130 :         }
131 :         if ( cnt1 < 100 ) {                 /* LED 点滅処理               */
132 :             led_out ( PADR & 0x01 );
133 :         } else if ( cnt1 < 200 ) {
134 :             led_out ( PADR & 0x01 | 2 );
135 :         } else {
136 :             cnt1 = 0;
137 :         }
138 :         break;
139 :
140 :     case 1:
141 :         /* スタートバーが開いたかチェック */
142 :         if ( !startbar_get () ) {
143 :             /* スタート！！ */
144 :             lEncoderTotal = 0;
145 :             led_out ( 0x0 );
146 :             pattern = 11;
147 :             cnt1 = 0;
148 :             break;
149 :         }
150 :         if ( cnt1 < 50 ) {                  /* LED 点滅処理               */
151 :             led_out ( 0x1 );
152 :         } else if ( cnt1 < 100 ) {
153 :             led_out ( 0x2 );
154 :         } else {
155 :             cnt1 = 0;
156 :         }
157 :         break;
```

エンコーダを使うための変数を追加します。

モータドライブ基板上の LED にエンコーダの入力信号を出力します。

スタート直前にエンコーダの積算値をクリアします。

中略

```
235 :        case 12:
236 :            /* 右へ大曲げの終わりのチェック */
237 :            if ( check_crossline () ) {      /* 大曲げ中もクロスラインチェック */
238 :                pattern = 21;
239 :                break;
240 :            }
241 :            if ( check_rightline () ) {      /* 右ハーフラインチェック     */
242 :                pattern = 51;
243 :                break;
244 :            }
245 :            if ( check_leftline () ) {       /* 左ハーフラインチェック     */
246 :                pattern = 61;
247 :                break;
248 :            }
249 :            if ( iEncoder >= 11 ) {          ← 現在のスピードによってモータの回転
250 :                speed2 ( 0 ,0 );               を制御します。
251 :            } else {
252 :                speed2 ( 60 ,37 );
253 :            }
254 :            if ( sensor_inp (MASK3_3) == 0x06 ) {
255 :                pattern = 11;
256 :            }
257 :            break;
258 :
259 :        case 13:
260 :            /* 左へ大曲げの終わりのチェック */
261 :            if ( check_crossline () ) {      /* 大曲げ中もクロスラインチェック */
262 :                pattern = 21;
263 :                break;
264 :            }
265 :            if ( check_rightline () ) {      /* 右ハーフラインチェック     */
266 :                pattern = 51;
267 :                break;
268 :            }
269 :            if ( check_leftline () ) {       /* 左ハーフラインチェック     */
270 :                pattern = 61;
271 :                break;
272 :            }
273 :            if ( iEncoder >= 11 ) {          ← 現在のスピードによってモータの回転
274 :                speed2 ( 0 ,0 );               を制御します。
275 :            } else {
276 :                speed2 ( 37 ,60 );
277 :            }
278 :            if ( sensor_inp (MASK3_3) == 0x60 ) {
279 :                pattern = 11;
280 :            }
281 :            break;
282 :
283 :        case 21:
284 :            /* １本目のクロスライン検出時の処理 */
285 :            lEncoderLine = lEncoderTotal;    ← １本目のクロスラインを見つけた瞬間の
286 :            led_out ( 0x3 );                   積算値を保存します。
287 :            handle ( 0 );
288 :            speed ( 0 ,0 );
289 :            pattern = 22;
290 :            cnt1 = 0;
291 :            break;
292 :
```

```c
293 :        case 22:
294 :            /* 2本目を読み飛ばす */
295 :            if ( lEncoderTotal-lEncoderLine >= 109 ) {    /* 約10cmたったか？ */
296 :                pattern = 23;
297 :                cnt1 = 0;
298 :            }
299 :            break;
300 :
301 :        case 23:
302 :            /* クロスライン後のトレース、クランク検出 */
303 :            if ( sensor_inp (MASK4_4) ==0xf8 ) {
304 :                /* 左クランクと判断→左クランククリア処理へ */
305 :                led_out ( 0x1 );
306 :                handle ( -38 );
307 :                speed ( 10 ,50 );
308 :                pattern = 31;
309 :                cnt1 = 0;
310 :                break;
311 :            }
312 :            if ( sensor_inp (MASK4_4) ==0x1f ) {
313 :                /* 右クランクと判断→右クランククリア処理へ */
314 :                led_out ( 0x2 );
315 :                handle ( 38 );
316 :                speed ( 50 ,10 );
317 :                pattern = 41;
318 :                cnt1 = 0;
319 :                break;
320 :            }
321 :            if ( iEncoder >= 11 ) {    /* クロスライン後のスピード制御 */
322 :                speed2 ( 0 ,0 );
323 :            } else {
324 :                speed2 ( 70 ,70 );
325 :            }
326 :            switch ( sensor_inp (MASK3_3) ) {
327 :                case 0x00:
328 :                    /* センター→まっすぐ */
329 :                    handle ( 0 );
330 :                    break;
331 :                case 0x04:
332 :                case 0x06:
333 :                case 0x07:
334 :                case 0x03:
335 :                    /* 左寄り→右曲げ */
336 :                    handle ( 8 );
337 :                    break;
338 :                case 0x20:
339 :                case 0x60:
340 :                case 0xe0:
341 :                case 0xc0:
342 :                    /* 右寄り→左曲げ */
343 :                    handle ( -8 );
344 :                    break;
345 :            }
346 :            break;
中略
520 :/********************************************************************/
521 :/* H8/3048F-ONE 内蔵周辺機能　初期化                                  */
522 :/********************************************************************/
523 :void init ( void )
```

> 1本目のクロスラインを見つけた場所から10[cm]進んだかチェックします。

> 現在のスピードによってモータの回転を制御します。

```
524 :    {
525 :        /* I/O ポートの入出力設定 */
526 :        P1DDR = 0xff;
527 :        P2DDR = 0xff;
528 :        P3DDR = 0xff;
529 :        P4DDR = 0xff;
530 :        P5DDR = 0xff;
531 :        P6DDR = 0xf0;                        /* CPU 基板上の DIP SW            */
532 :        P8DDR = 0xff;
533 :        P9DDR = 0xf7;                        /* 通信ポート                     */
534 :        PADDR = 0xfe;                        /* 0:Encoder                      */
535 :        PBDR  = 0xc0;
536 :        PBDDR = 0xfe;                        /* モータドライブ基板 Vol.3       */
537 :        /* ※センサ基板の P7 は、入出力設定はありません        */
538 :
539 :        /* ITU0 1ms ごとの割り込み */
540 :        ITU0_TCR = 0x23;
541 :        ITU0_GRA = TIMER_CYCLE;
542 :        ITU0_IER = 0x01;
543 :
544 :        /* ITU2 パルス入力の設定 */
545 :        ITU2_TCR = 0x14;                     /* PA0 端子のパルスでカウント */
546 :
547 :        /* ITU3,4 リセット同期 PWM モード 左右モータ、サーボ用 */
548 :        ITU3_TCR = 0x23;
549 :        ITU_FCR  = 0x3e;
550 :        ITU3_GRA = PWM_CYCLE;                /* 周期の設定                     */
551 :        ITU3_GRB = ITU3_BRB = 0;             /* 左モータの PWM 設定            */
552 :        ITU4_GRA = ITU4_BRA = 0;             /* 右モータの PWM 設定            */
553 :        ITU4_GRB = ITU4_BRB = SERVO_CENTER;  /* サーボの PWM 設定              */
554 :        ITU_TOER = 0x38;
555 :
556 :        /* ITU のカウントスタート */
557 :        ITU_STR = 0x0d;
558 :    }
559 :
560 :    /************************************************************************/
561 :    /* ITU0 割り込み処理                                                    */
562 :    /************************************************************************/
563 :    #pragma interrupt ( interrupt_timer0 )
564 :    void interrupt_timer0 ( void )
565 :    {
566 :        unsigned int i;
567 :
568 :        ITU0_TSR &= 0xfe;                    /* フラグクリア                   */
569 :        cnt0++;
570 :        cnt1++;
571 :
572 :        /* エンコーダ関連 */
573 :        iTimer10++;
574 :        if ( iTimer10 >= 10 ) {
575 :            iTimer10 = 0;
576 :            i = ITU2_CNT;
577 :            iEncoder     = i - uEncoderBuff;
578 :            lEncoderTotal += iEncoder;
579 :            if ( iEncoder > iEncoderMax )
580 :                    iEncoderMax = iEncoder;
581 :            uEncoderBuff = i;
582 :        }
```

```
583 :     }
584 :
以下、略
```

6.1.10 ITU2 の初期設定

マイコンカーでは、H8/3048F-ONE 内蔵周辺機能のひとつである ITU を使用してパルスカウントを行います。詳しくは、「ロータリエンコーダ実習マニュアル」を参照してください。

ポイントを表 6.6 にまとめます。

表 6.6 パルスカウントの方法

内容	ポイント	今回の使用方法
使用できる ITU	ITU0 ～ ITU4 の 5 つの中で、どの ITU でもパルスカウント可能	ITU2 を使用
カウントの仕方	立ち上がり、立ち下がり、立ち上がりと立ち下がりの両方から選べる	立ち上がりと立ち下がりの両方でカウント
パルス入力端子	PA0、PA1、PA2、PA3 の端子の中から選べる	PA0 端子を使用

ITU2 の設定内容は init 関数内で行っています。パルスカウント部分のプログラムを抜き出すとリスト 6.1 のようになります。

リスト 6.1
```
523 :   void init ( void )
524 :   {
534 :       PADDR = 0xfe;                    /* 0:Encoder                */
544 :       /* ITU2 パルス入力の設定 */
545 :       ITU2_TCR = 0x14;                 /* PA0 端子のパルスでカウント */
556 :       /* ITU のカウントスタート */
557 :       ITU_STR = 0x0d;
558 :   }
```

■ PADDR の設定

今回はエンコーダから出力されたパルス信号を、PA0 端子で受けます。ポートの入出力設定は PA0 が入力、その他の端子は使用していないので出力にします。よって、PADDR の設定は 2 進数で "1111 1110"、16 進数では 0xfe を設定します。

■ ITU2_TCR の設定

ITU2 でパルスカウントをする設定を行います。

ITU2_TCR (ITU2 タイマコントロールレジスタ)							
7	6	5	4	3	2	1	0
0 固定	カウンタクリア 1,0		クロックエッジ 1,0		タイマプリスケーラ 2 ～ 0		
0	0	0	1	0	1	0	0

今回は、クロックエッジ 1,0 とタイマプリスケーラ 2〜0 を設定します。

・クロックエッジ 1,0

bit4	bit3	内容
0	0	立ち上がりでカウント
0	1	立ち下がりでカウント
1	0	立ち上がりと立ち下がりの両方でカウント 今回は、この設定です。エンコーダで言うと、透明→黒に変わったときと、黒→透明に変わったときの両方でカウントします。

・タイマプリスケーラ 2〜0

bit2	bit1	bit0	内容
1	0	0	パルス入力端子は PA0 端子。今回は、この設定です。
1	0	1	パルス入力端子は PA1 端子。
1	1	0	パルス入力端子は PA2 端子。
1	1	1	パルス入力端子は PA3 端子。

よって、ITU2_TCR には 2 進数で "0001 0100" を設定します。16 進数では 0x14 となります。

■ ITU_STR の設定

ITU_STR (ITU スタートレジスタ)							
7	6	5	4	3	2	1	0
0 固定	0 固定	0 固定	ITU4 のカウンタを動作させるか	ITU3 カウンタを動作させるか	ITU2 カウンタを動作させるか	ITU1 カウンタを動作させるか	ITU0 カウンタを動作させるか
0	0	0	0	1	1	0	1

・カウント動作の設定

bit4 〜 0	内容
0	動作させない
1	動作させる

今回は ITU2 を使用します。他の部分で ITU0、ITU3 も使用しますので、ITU_STR には 2 進数で "0000 1101" を設定します。16 進数では 0x0d となります。

■ ITU2_CNT

ITU2_TCR と ITU_STR の設定を行うことにより、入力されたパルスの立ち上がり、立ち下がりの回数が ITU2_CNT レジスタに保存されます。パルス数を知りたければ、ITU2_CNT レジスタの値を読み込むだけです (図 6.13)。

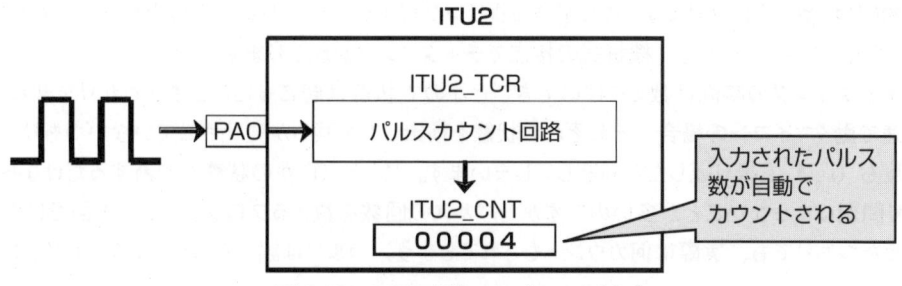

図 6.13　ITU2 を使ったパルスカウント

6.1.11　ITU2 を使う意義

　もし ITU2 を使わない場合、プログラムでパルス数をカウントするには、図 6.14 のようなフローチャートをプログラム化する必要があります。

　エンコーダのパルスをチェックするだけならこのプログラムでいいのですが、マイコンカーの走行プログラムは次の処理を繰り返し行っています。

・センサのチェック
・モータの制御
・サーボの制御
・エンコーダのパルスカウント

　それぞれ、プログラムを実行するのに時間がかかります。そのため、エンコーダ信号のパルスの周期が早いと、検出漏れを起こすことがあります。ITU2 を使えば、プログラムでパルスをチェックしなくとも入力パルスが ITU2_CNT レジスタにカウントされるので、検出漏れはありません。

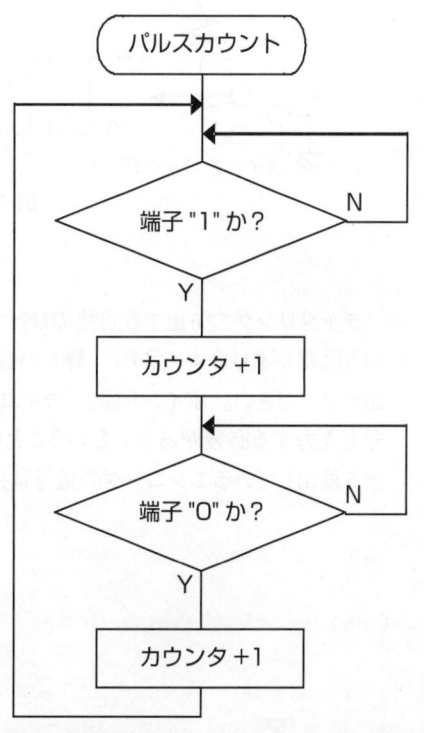

図 6.14　立ち上がり、立ち下がりを検出するプログラムのフローチャート

コラム　チャタリング

　図 A のように、通常のプルアップしたスイッチを "1" から "0"、もしくは "0" から "1" に変更したとき、1 回しか変化させていないつもりでも実際は何度か接点が付いたり離れたりして最

終的に "1" や "0" になります。これを「チャタリング」といいます。リレーの接点やプッシュスイッチ、ディップスイッチなど、機械式の接点でチャタリングが起こります。

　チャタリングの時間は数ミリ秒のできごとなので私達は起こったことすらわかりませんが、高速で動くマイコンの場合、それぞれの状態を検出して1回しか変化させていないつもりでも何度も "0","1" を繰り返したと判断してしまいます。"1" か "0" かの状態を判断するだけならあまり問題にならないことが多いのですが、パルスの回数を数えるプログラムでは1回だけ変化させたつもりでも、実際は何カウントもされてしまう、つまりは誤ったカウントをされてしまいます。

　図Aの "1"→"0" の例では、一度しか "1"→"0" にしていないつもりでも3回もスイッチを上げ下げしたと判断されてしまいます。更にやっかいなことは、発生するパルスの数、収束するまでの時間が毎回違うということです。

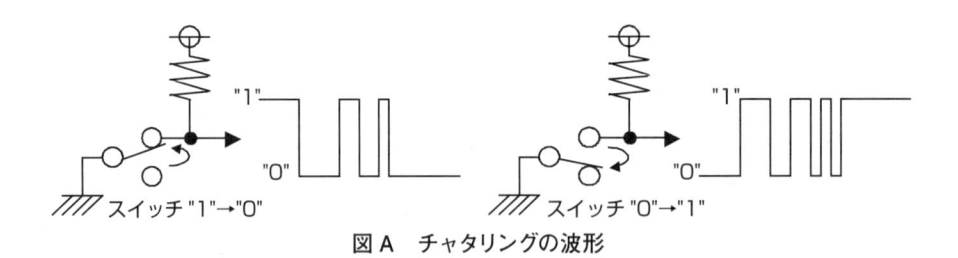

図A　チャタリングの波形

　チャタリングを防止する回路のひとつに「リセット・セット・フリップフロップ (RS-FF)」という回路があります (図B)。詳しい説明はH8/3048実習マニュアルを参照するか専門書で調べてください。ポイントは、「マイコンでパルスをカウントする場合、チャタリングの無い信号を入力する必要がある」ということになります。ちなみに、光りが通過したか、していないかを検出しているエンコーダの信号は接点信号では無いため、チャタリングは起こりません。

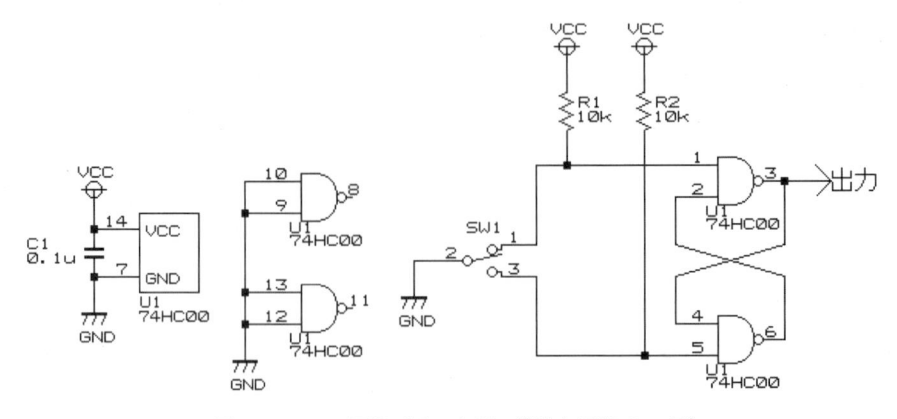

図B　RS-FF回路 (チャタリング防止回路の一例)

6.1.12 エンコーダ関連変数

エンコーダを使用するに当たって、新たに変数を宣言しています。リスト 6.2 にプログラムを示します。

リスト 6.2

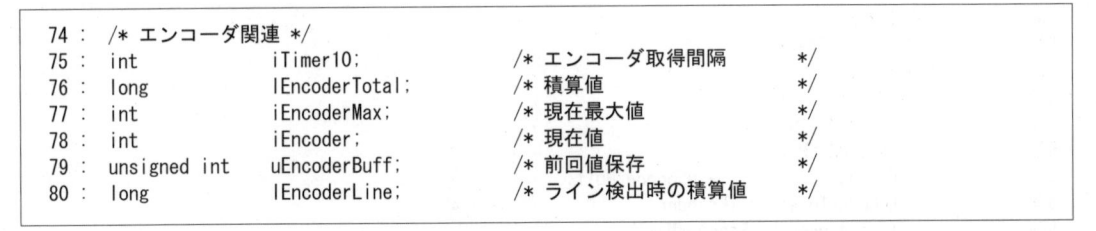

```
74 :    /* エンコーダ関連 */
75 :    int             iTimer10;           /* エンコーダ取得間隔       */
76 :    long            lEncoderTotal;      /* 積算値                   */
77 :    int             iEncoderMax;        /* 現在最大値               */
78 :    int             iEncoder;           /* 現在値                   */
79 :    unsigned int    uEncoderBuff;       /* 前回値保存               */
80 :    long            lEncoderLine;       /* ライン検出時の積算値     */
```

それぞれの変数は、表 6.7 のような意味です。

表 6.7 変数の内容

変数名	意味	内容
iTimer10	10[ms] タイマ	エンコーダ値の更新は、interrupt_timer0 関数内で行います。interrupt_timer0 関数は 1[ms] ごとに実行されますが、エンコーダ処理は 10[ms] ごとに行います。そこで、この変数を 1[ms] ごとに＋1して 10 になったかどうかチェックしています。
lEncoderTotal	エンコーダ積算値	スタートしてからのエンコーダパルスの積算値を保存しています。long 型変数なので、21 億回までカウントできます。この変数の値をプログラムの中でチェックすれば、走行距離が分かります。
iEncoderMax	10[ms] ごとの最大値	10[ms] ごとに更新されるエンコーダ値の最大値を保存しています。走行後、この値をチェックすれば最速値が分かります。
iEncoder	10[ms] ごとの現在値	10[ms] ごとに更新されるエンコーダ値の現在値を保存しています。この変数の値をプログラムの中でチェックすれば、現在の走行スピードが分かります。
uEncoderBuff	前回値保存用バッファ	ITU2_CNT の前回の値を保存しています。main 関数の中では使用しません。
lEncoderLine	ライン検出時の積算値保存	クロスライン、右ハーフライン、左ハーフラインを検出した瞬間の積算値を保存する変数です。main 関数の中で使用します。

lEncoderLine 変数以外は、割り込みプログラム内で、10[ms] ごとに更新されます。詳しくは割り込み部分で説明します。これらの変数は初期値のないグローバル変数なので、初期値 0 です。

6.1.13 割り込みプログラム

割り込みプログラムは、通常のプログラム処理をいったん中断して 1[ms] に 1 回、実行されます。割り込みプログラム終了後、中断したプログラムに戻ります。割り込みプログラムでエンコーダ処理を抜き出したリストを、リスト 6.3 に示します。

リスト 6.3

```
563 :   #pragma interrupt( interrupt_timer0 )
564 :   void interrupt_timer0( void )
565 :   {
566 :       unsigned int i;
567 :
568 :       ITU0_TSR &= 0xfe;
572 :       /* エンコーダ関連 */
573 :       iTimer10++;
574 :       if( iTimer10 >= 10 ) {
575 :           iTimer10 = 0;                       ・・・・①
576 :           i = ITU2_CNT;                       ・・・・②
577 :           iEncoder      = i - uEncoderBuff;   ・・・・③
578 :           lEncoderTotal += iEncoder;          ・・・・④
579 :           if( iEncoder > iEncoderMax )
580 :                   iEncoderMax = iEncoder;     ・・・・⑤
581 :           uEncoderBuff = i;                   ・・・・⑥
582 :       }
583 :   }
```

プログラムの意味を表 6.8 に示します。

表 6.8

番号	内容
①	iTimer10 変数を 0 にして、次も 10[ms] 後に実行されるようにします。
②	カウント数として ITU2_CNT の値を使うと、計算途中でエンコーダパルスが入力されて値が増える可能性があります。そのため、576 行時点のカウント数を i 変数に代入して、これ以降の処理では i 変数の値を使います。ちなみに、ITU2_CNT は unsigned int 型なので、変数 i も同じ型にします。
③	10[ms] ごとの現在値である iEncoder 変数の値を更新します。 計算は、「現在のカウント値 − 10[ms] 前のカウント値」を iEncoder 変数に代入します。例えば、今回のカウント値が 1234、10[ms] 前のカウント値が 1000 なら、「1234-1000=234」が代入されます。
④	エンコーダ積算値である lEncoderTotal 変数の値を更新します。 計算は、「今までの積算値 + 10[ms] ごとの現在値」を lEncoderTotal 変数に代入します。例えば、今までの積算値が 123456、10[ms] ごとの現在値が 234 なら、「123456+234=123690」が代入されます。
⑤	iEncoder 変数の最大値を iEncoderMax 変数に代入する処理です。走り終わった後に iEncoderMax 変数の値をチェックすれば、最高速度が分かります。
⑥	現在のカウント値を uEncoderBuff 変数に代入します。この値は、次回の 10[ms] 後にエンコーダ処理を行うとき、10[ms] 前のカウント値として使われます。例として、現在、10[ms] 後、20[ms] 後の計算を示します。i 変数の値は例です。uEncoderBuff 変数の値は前回の i 変数の値が使われます。 |	現在のカウント値 i (ITU2_CNT)	10[ms] 前のカウント値 uEncoderBuff	差
---	---	---	---
現在	1234	1000(前回の i の値)	234
10[ms] 後	1500	1234(前回の i の値)	266
20[ms] 後	1555	1500(前回の i の値)	55	

6.1.14　エンコーダのパルスと速度、距離の関係

　エンコーダ関連の変数をプログラムで使ってマイコンカーの制御を行いますが、変数の値とマイコンカーの速度、距離の関係が分からなければプログラムすることができません。そこで、エンコーダのパルスと速度、距離の関係を調べます。

■エンコーダの1回転のパルス数、タイヤの半径

　今回は、ロータリエンコーダキットVer.2を使用して計算します。エンコーダの1回転のパルス数、タイヤの半径は表6.9のようになっています。

表6.9　ロータリエンコーダキットVer.2の仕様

項目	内容
エンコーダの1回転のパルス数	72[パルス／回転]　※
タイヤの半径（実寸）	10.5[mm]

※1回転のパルス数とは、ロータリエンコーダキットVer.2の場合は、透明部分の数と黒色部分の数の合計のことです。それぞれ、36個あるので合計72個となり、1回転で72パルスということになります（図6.15）。

　今回は立ち上がりと立ち下がりの両方でカウントする設定です。市販のエンコーダの場合、1回転のパルス数はスリット数の2倍となります。例えば、スリットが100個のエンコーダなら、1回転200パルスとなります。

図6.15

■タイヤが1回転したときのパルス数の計算

　タイヤの半径から、円周が分かります。
　円周＝2πr＝2×3.14×10.5＝65.94[mm]

　エンコーダは72[パルス／回転]なので、

> 65.94[mm] 進むと 72 パルス　　　　　　　　　　　・・・(6.1)

となります。

■ 1[m] 進んだときのパルス数の計算

（6.1）より、1[m] 進んだときのパルス数は、
72 パルス：65.94[mm] ＝ x パルス：1000[mm]
x ＝ 1091.9 パルス

> 1[m]（1000[mm]）進むと、1091.9 パルス　　　　　・・・(6.2)

となります。これが lEncoderTotal 変数の値です。すなわち、1000[mm] 進むと、lEncoderTotal の値は 1091 となります。小数点は切り捨てです。

■秒速 1[m/s] で進んだとき 1 秒間のパルス数の計算

（6.2）より、

> 1[m/s] の速さで進んだとき、1 秒間のパルス数は 1091.9 パルス　・・・(6.3)

となります。

■秒速 1[m/s] で進んだとき、10[ms] 間のパルス数の計算

（6.3）より、
1 秒：1091.9 パルス＝ 0.01 秒：x パルス
x ＝ 10.919 ≒ 10.92 パルス

> 1[m/s] の速さで進んだとき、10[ms] 間のパルス数は 10.92 パルス　・・・(6.4)

となります。これが iEncoder 変数の値です。すなわち、マイコンカーが秒速 1[m/s] で進んでいるとき、iEncoder の値は 10 になります。小数点は切り捨てです。

6.1.15　プログラムでの使い方

■速度を検出するプログラム

（6.4）より、iEncoder 変数の値が 10.92 のとき、1[m/s] で走行していることになります。例えば、秒速 2[m/s] 以上ならモータの PWM を 0%、それ以下なら PWM を 70%にするなら、リスト 6.4 のように if 文を使います。

リスト 6.4

```
if ( 現在の速度 >= 2[m/s] ) {
    PWM を 0% にする
} else {
    PWM を 70% にする
}
```

プログラムで記述します。1[m/s] は 10.92 なので、2[m/s] は 2 倍の 21.84 となります。整数は扱えないので四捨五入してプログラムでは 22 とします。プログラムはリスト 6.5 のようになります。

リスト 6.5

```
if ( iEncoder >= 22 ) {
    speed2 ( 0, 0 );
} else {
    speed2 ( 70, 70 );
}
```

「kit07enc_03.c」プログラムは、右へ大曲げしているとき、リスト 6.6 のようなプログラムです。

リスト 6.6

```
249 :        if ( iEncoder >= 11 ) {
250 :            speed2 ( 0 ,0 );
251 :        } else {
252 :            speed2 ( 60 ,37 );
253 :        }
```

iEncoder の値が 11 以上なら 250 行を実行、それ以外なら 252 行を実行します。今回は iEncoder が 10.92 なら 1[m/s] で走行しているということなので言い換えると、秒速 1[m/s] 以上なら PWM0%、1[m/s] 以下なら左 60%、右 37% でモータを回転させなさい、ということになります。

■距離を検出するプログラム

(6.2) より、lEncoderTotal 変数の値が 1091.9 のとき、1[m] 進んだことになります。

例えば、スタートしてから 10[m] 進んだならモータの PWM を 0%、それ以下なら PWM を 100% にするなら、リスト 6.7 のように if 文を使います。

リスト 6.7

```
if ( 進んだ距離 >= 10[m] ) {
    PWM を 0% にする
} else {
    PWM を 100% にする
}
```

プログラムで記述します。1[m] は 1091.9 なので、10[m] は 10 倍の 10919 となります。
プログラムは、リスト 6.8 のようになります。

リスト 6.8

```
    if ( lEncoderTotal >= 10919 ) {
        speed ( 0, 0 );
    } else {
        speed ( 100, 100 );
    }
```

「kit07enc_03.c」プログラムはクロスライン検出後、10[cm] 進んだかチェックしています。この部分をリスト 6.9 に示します。

リスト 6.9

```
283 :       case 21:
284 :           /* 1本目のクロスライン検出時の処理 */
285 :           lEncoderLine = lEncoderTotal;              // クロスライン検出したときの変数の値を
                                                           //lEncoderLineに保存
286 :           led_out ( 0x3 );
287 :           handle ( 0 );
288 :           speed ( 0 ,0 );
289 :           pattern = 22;
290 :           cnt1 = 0;
291 :           break;
292 :
293 :       case 22:
294 :           /* 2本目を読み飛ばす */
295 :           if ( lEncoderTotal-lEncoderLine >= 109 ) {  // クロスラインから進んだ距離をチェック
296 :               pattern = 23;
297 :               cnt1 = 0;
298 :           }
299 :           break;
300 :
```

lEncoderTotal は、マイコンカーがスタートしてからパルスカウントしているため、クロスラインから 10[cm] 進んだかどうか調べることはできません。

そこで、lEncoderLine という変数を用意して、クロスラインを見つけた瞬間の距離 lEncoderTotal を lEncoderLine 変数に代入します（285 行）。クロスラインから進んだ距離は、「lEncoderTotal − lEncoderLine」の計算で分かります。この結果が、10[cm] 分（=0.1[m]）のカウント値以上になったかどうかチェックすればよいことになります。1[m] は 1091.9 なので、0.1[m] のカウント値は 1091.9 × 0.1 である 109.19 となります。小数点は扱えないので四捨五入した 109 をプログラムで使います。

図 6.16 に、クロスラインを検出してから、進んでいる様子を示します。

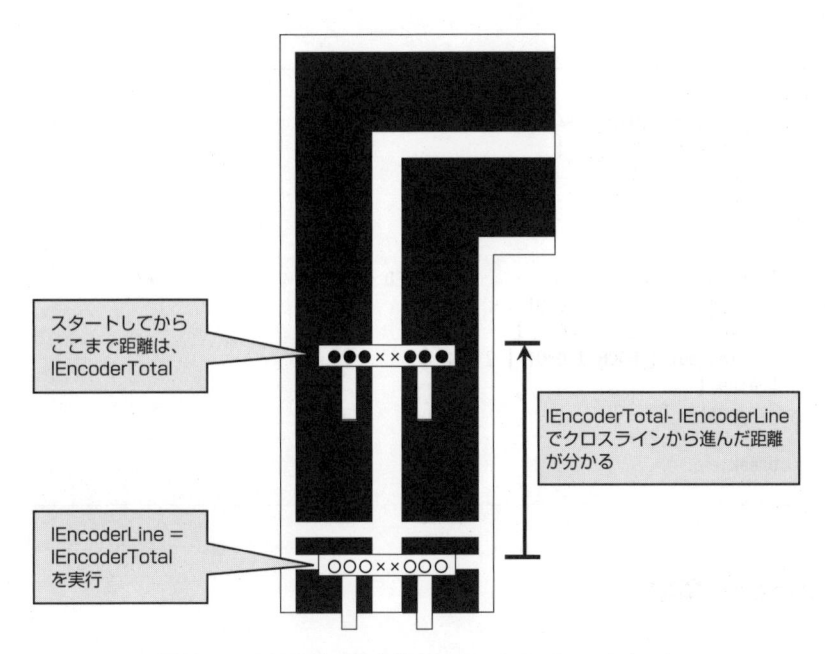

図 6.16 クロスラインを見つけてからのパルスカウント

6.1.16 エンコーダ出力をモータドライブ基板の LED に出力

「kit07.c」では、マイコンカーの電源を入れたときモータドライブ基板の LED が交互に点滅しました。今回のエンコーダ関連プログラムでは、1 個は点滅しますが、もう 1 個はエンコーダからの信号を確認するためにエンコーダ信号をそのまま出力するようにしています（図 6.17）。エンコーダを回して LED0 が点滅すれば正常です。

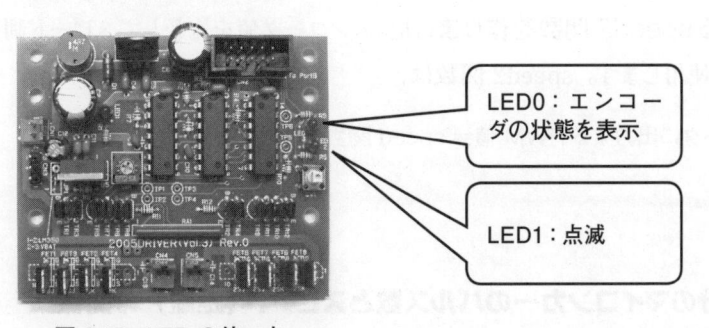

図 6.17 LED の使い方

リスト 6.10 にパターン 0 部分のプログラムを示します。エンコーダは PA0 に接続されているので、PA0 の値を LED へ出力すれば、エンコーダの状態を LED に出力することができます。132 行で PA0 の値を LED0 へ、134 行で PA0 の値を LED0 へ出力すると共に LED1 を強制的に ON にしています。

リスト 6.10

```
124 :        case 0:
125 :            /* スイッチ入力待ち */
126 :            if ( pushsw_get() ) {
127 :                pattern = 1;
128 :                cnt1 = 0;
129 :                break;
130 :            }
131 :            if ( cnt1 < 100 ) {              /* LED 点滅処理              */
132 :                led_out ( PADR & 0x01 );
133 :            } else if ( cnt1 < 200 ) {
134 :                led_out ( PADR & 0x01 | 2 );
135 :            } else {
136 :                cnt1 = 0;
137 :            }
138 :            break;
```

6.1.17　speed2 関数

エンコーダでスピード制御しているときの speed 関数をよく見てみると「speed2̇」関数を使用しています。

speed 関数は、

$$\text{実際にモータに出力する PWM 値} = \text{speed 関数の引数の割合} \times \frac{\text{ディップスイッチの値} + 5}{20}$$

でした。エンコーダを使えば、現在のスピードが分かるのでディップスイッチでスピードを落とす必要がありません。そこでディップスイッチには関係なく、speed 関数の引数そのものがモータに出力される speed2 関数を作りました。エンコーダ値を比較してスピード制御する部分には、speed2 関数を使用します。speed2 関数は、

$$\text{実際にモータに出力する PWM 値} = \text{speed 関数の引数の割合}$$

となります。

6.1.18　自分のマイコンカーのパルス数とスピード（距離）の関係

自分のマイコンカーのエンコーダに関わる値を計算しておきましょう。

エンコーダのタイヤの半径	mm（A）
1 回転のパルス数（立ち上がり、立ち下がりの両方で計算）	パルス（B）
円周 = 2 π ×（A）	mm（C）
1000[mm] 進んだときのパルス数は、1000：x =（C）：（B）　∴ x = 1000 ×（B）÷（C）	パルス（D）
1[m/s] で進んだとき、10[ms] 間のパルス数は、（F）=（D）× 0.01	パルス（E）

速度は、

iEncoder =（E）の値

になったとき、1[m/s] で走行していることになります。この値は比例します。

距離は、

lEncoderTotal =（D）の値

になったとき、1[m] 進んだことになります。この値は比例します。

6.1.19　kit07enc_03.c の調整

「kit07enc_03.c」は、ロータリエンコーダキット Ver.2（72 パルス／回転、エンコーダのタイヤ半径 10.5[mm]）を使用した場合です。条件が違うとき、プログラムを変更しなければいけない部分を表 6.10 に示します。「6.1.18 自分のマイコンカーのパルス数とスピード（距離）の関係」を参照しながら変更してください。

表 6.10　ロータリエンコーダキット Ver.2 以外のときの変更内容

行番号	元の数値	変更後の数値
35	5000	それぞれのマイコンカーのサーボセンタ値にします。
249	11	右へ大曲げの終わりのチェック中のスピードを設定します。 1[m/s] にするなら、（E）の値にします。
273	11	左へ大曲げの終わりのチェック中のスピードを設定します。 1[m/s] にするなら、（E）の値にします。
295	109	クロスラインを検出後、10[cm] センサを見ない距離を設定します。 （D）× 0.1 の値にします。
306	-38	左クランクを曲がるときの角度です。左最大角度を設定します。
315	38	右クランクを曲がるときの角度です。右最大角度を設定します。
321	11	クロスラインを検出後、徐行して進むスピードを設定します。 1[m/s] にするなら、（E）の値にします。
394	109	右ハーフラインを検出後、10[cm] センサを見ない距離を設定します。 （D）× 0.1 の値にします。
409	11	右ハーフラインを検出後、徐行して進むスピードを設定します。1[m/s] にするなら、（E）の値にします。2[m/s] にするなら、（E）× 2 の値にします。
459	109	左ハーフラインを検出後、10[cm] センサを見ない距離を設定します。 （D）× 0.1 の値にします。
474	11	左ハーフラインを検出後、徐行して進むスピードを設定します。 1[m/s] にするなら、（F）の値にします。2[m/s] にするなら、（E）× 2 の値にします。
545	0x14	立ち上がり、立ち下がりでカウントアップする設定です。立ち上がりのみにする場合、「0x04」にします。

※小数は使えません。プログラムでは四捨五入した整数を使います。

6.2 EEP-ROM（24C256）を使う

プログラムを改造しても、うまく走らないことが多々あります。センサの状態が想定している状態か、エンコーダがきちんと回っているのか、追加したパターンが実行されているか・・・、考えられる原因は多岐にわたります。そこで24C256というEEP-ROMを使って、走行しているときの情報を保存、走行後パソコンに送って解析してみましょう。

マイコンカーに取り付けたEEP-ROM基板 Ver.2

ここで紹介している内容は、マイコンカーホームページのダウンロードコーナにある**表6.11**のマニュアルを再編集したものです。詳しくは、それぞれのマニュアルを参照してください。

表6.11　ホームページにあるマニュアルと内容

マニュアル名	内容
EEP-ROM基板 Ver.2　製作マニュアル	EEP-ROM基板 Ver.2の製作について
データ解析実習マニュアル kit07版	EEP-ROM基板 Ver.2を使ったプログラムについて

6.2.1　EEP-ROMとは？

EEP-ROMとは、イーイーピーロムと読み、Electronically Erasable and Programmable Read Only Memoryの略です。

ROMといえば書き換えができないメモリですが、EEP-ROMは特別な操作を行うことにより内容を書き換えることができます。元々はROMなので、電源を切っても内容は消えません。

本書では、I2C（アイ・スクエア・シィ）バスインタフェース方式でデータを読み書きする「24C256」という型式のIC（ディップの8ピン）を使用します。I2C方式は、マイコンとEEP-ROMを2本の線でつなぎ、データを書き込んだり読み込んだりします。このICを利用したEEP-ROM基板 Ver.2が市販されています。

EEP-ROM基板 Ver.2

6.2.2 EEP-ROM を使う意義

H8/3048F-ONE には内蔵 RAM が 4[KB] あります。マイコンカー制御プログラムでは RAM を 1.5[KB] 程度使いますが、残りの 2.5[KB] 程度は空いています。このメモリをデータ記録に使用すれば、わざわざ EEP-ROM を買って基板を作る必要はありません。なぜ、そこまでして EEP-ROM を使う必要があるのでしょうか。表 6.12 に長所、短所をまとめます。

表 6.12 内蔵 RAM と外付け EEP-ROM の比較

記憶メモリ	マイコン内蔵 RAM	外付け EEP-ROM (24C256)
記憶容量	2.5[KB] 程度	EEP-ROM 1 個 32[KB]
長所	H8/3048F-ONE 内蔵のメモリを使用するため、手軽に利用できる	8 ピンのディップ IC で基板作成が容易にできる、電源が消えてもデータが消えない！
短所	容量が少ない、電源を切ると消えてしまう	1 回データ書き込み後、最大 10[ms] 間は EEP-ROM へアクセスできない（1 回に 1 〜 64 バイトのデータを書き込み可能）

EEP-ROM (24C256) を使う意義は、

・記憶容量が 32[KB] もある
・電源を切ってもデータが消えない

というのが最大の理由です。短所は、EEP-ROM へデータ書き込み後、最大 10[ms] 間アクセスできません。そのため、最短でも 10[ms] ごとの書き込みしかできません。ただし、マイコンカーでのデータ記録には十分です。

参考までに記録時間を計算してみます。10[ms] ごとに 8 個のデータを保存することとします。

内蔵 RAM が保存できる容量　2.5[KB] ÷ 1 回の保存数 8 個×保存間隔 10[ms] ＝ 3.2 秒
EEP-ROM が保存できる容量　32[KB] ÷ 1 回の保存数 8 個×保存間隔 10[ms] ＝ 41.0 秒

内蔵 RAM の場合は、たったの 3 秒しか記録できません。EEP-ROM は 41 秒も記録できますので、地区大会レベルのコースなら 1 周分は記憶することができます。
このような理由から EEP-ROM 基板を作り、データを保存します。

6.2.3 回路

EEP-ROM 基板 Ver.2 の回路図を図 6.18 に示します。EEP-ROM は SCL 端子と SDA 端子の 2 ピンで制御します。今回のプログラムは PA7 と PA5 に接続するようになっています。接続端子はプログラムで変更可能です。

図 6.18　EEP-ROM 基板 Ver.2 の回路図

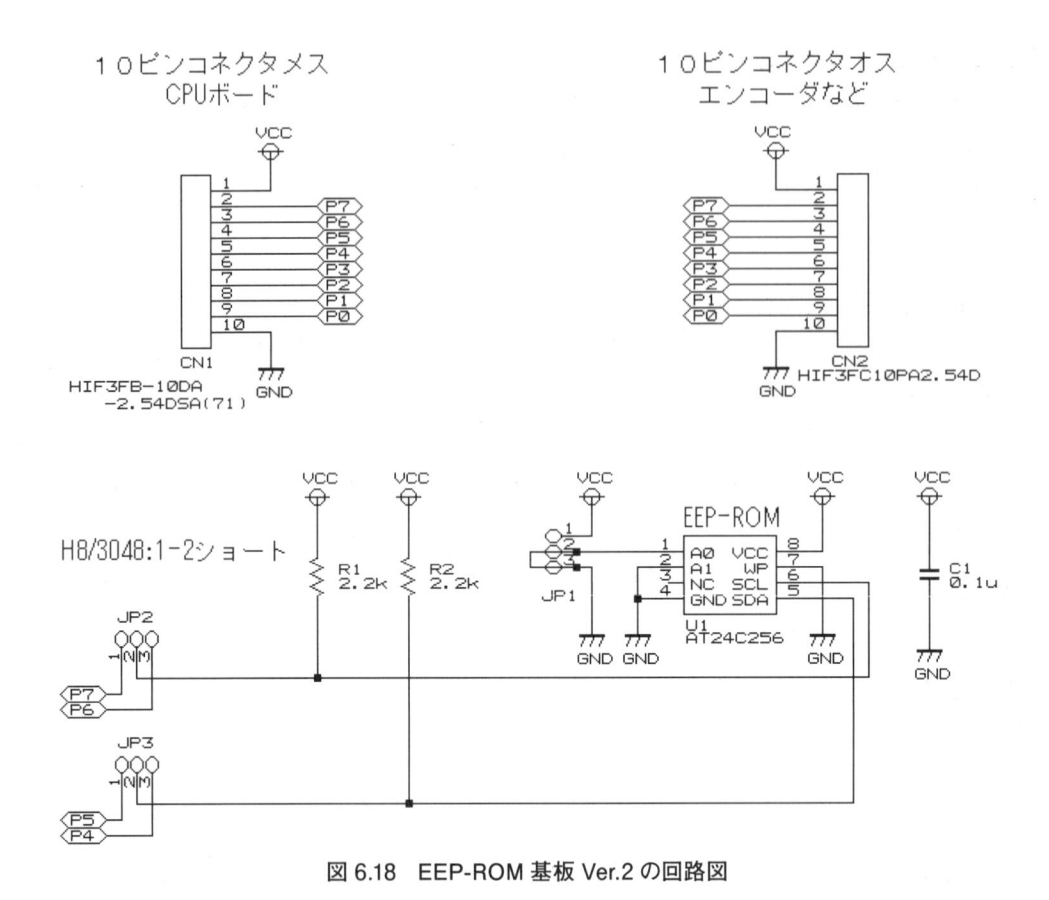

　JP2、JP3 は 1-2 間をショートさせ、CN1（メスコネクタ）を RY3048Fone ボードのポート A に接続すると、PA7 と PA5 に EEP-ROM が接続されます。エンコーダなど、他にポート A を使う機器は CN2（オスコネクタ）に接続して使用することができます。当然ですが PA7 と PA5 は使えません。エンコーダは PA0 を使用しています。

6.2.4　寸法

　EEP-ROM 基板 Ver.2 の寸法を図に示します。RY3048Fone ボードのポート A に接続するようにできています。

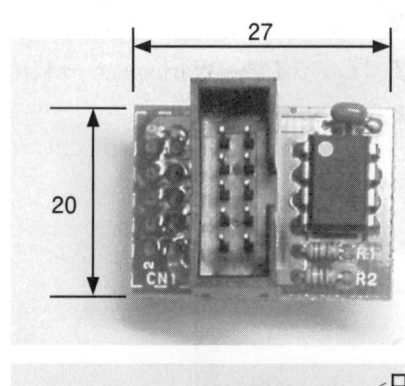

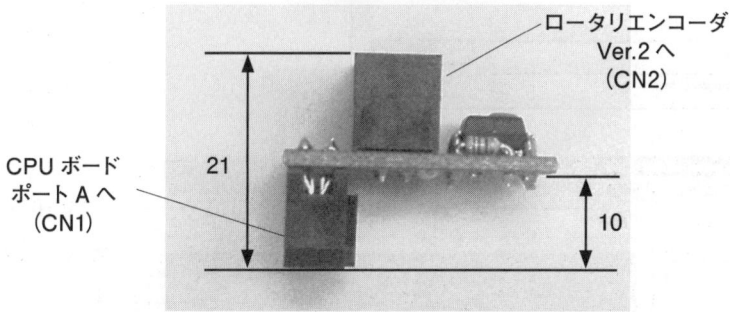

図 6.19 EEP-ROM 基板 Ver.2 の寸法

6.2.5 EEP-ROM 基板 Ver.2 の取り付け

EEP-ROM 基板 Ver.2 は、RY3048Foneボードのポート A に接続します。マイコンカーキット Ver.4 に EEP-ROM 基板 Ver.2 を接続する場合、ギヤボックスの上にあるプレートがぶつかるので少し削ると良いでしょう。

CPU ボードに取り付け

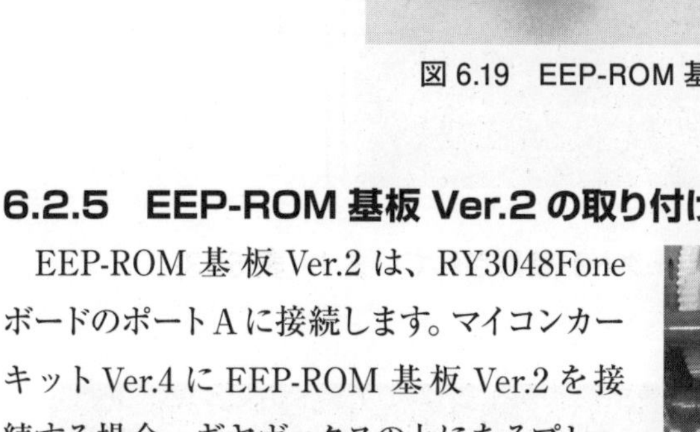

ロータリエンコーダキット Ver.2 を使う場合、EEP-ROM 基板 Ver.2 の 10 ピンコネクタに接続します。

ロータリエンコーダキット Ver.2 のコネクタに取り付け

Micom Car Rally

6.2.6 サンプルワークスペース

ルネサス統合開発環境を立ち上げ、「C ドライブ→ Workspace → kit07rec」の「kit07rec.hws」を選択します。選択をクリックします。

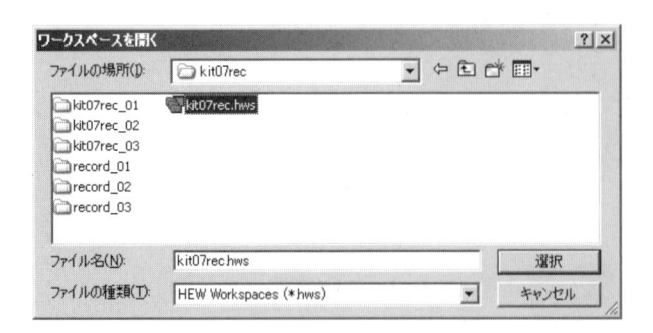

「kit07rec」ワークスペースが開かれます。

ワークスペース「kit07rec」には、6 つのプロジェクトが登録されています（表 6.13）。

表 6.13　登録されているプロジェクト

プロジェクト名	内容
record_01	H8/3048F-ONE の内蔵 RAM を使用し、データを記録、転送するプログラムです。内蔵 RAM に保存する、動作理解用のサンプルプログラムです。
record_02	24C256 という外付けの EEP-ROM を使用し、データを記録、転送するプログラムです。EEP-ROM に保存する、動作理解用のサンプルプログラムです。
record_03	record_02.c を改造し、転送データを 2 進数に変換して出力します。
kit07rec_01	走行データの記録をします。記録には、H8/3048F-ONE の内蔵 RAM を使用します。約 2.5[KB] 保存することができます。
kit07rec_02	走行データの記録をします。記録には、24C256 という外付けの EEP-ROM を使用します。32[KB] 保存することができます。
kit07rec_03	kit07rec_02.c プログラムを改造して、ロータリエンコーダを使えるようにしたプロジェクトです。記録データは、今までの内容に走行スピードを追加しています。

本書では、プロジェクト「kit07rec_03」のプログラム「kit07rec_03.c」でEEP-ROM制御プログラムを説明します。プロジェクト「kit07rec_03」のファイル構成は次のとおりです。

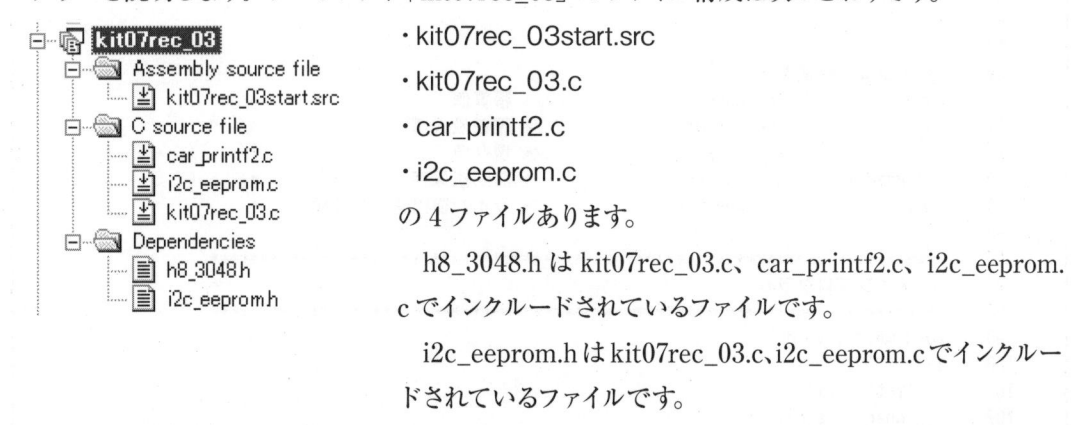

```
kit07rec_03
├── Assembly source file
│   └── kit07rec_03start.src
├── C source file
│   ├── car_printf2.c
│   ├── i2c_eeprom.c
│   └── kit07rec_03.c
└── Dependencies
    ├── h8_3048.h
    └── i2c_eeprom.h
```

・kit07rec_03start.src
・kit07rec_03.c
・car_printf2.c
・i2c_eeprom.c

の4ファイルあります。

h8_3048.hはkit07rec_03.c、car_printf2.c、i2c_eeprom.cでインクルードされているファイルです。

i2c_eeprom.hはkit07rec_03.c、i2c_eeprom.cでインクルードされているファイルです。

6.2.7 プログラム「kit07rec_03.c」

```c
  1 : /****************************************************************/
  2 : /* 走行データ記録マイコンカートレース基本プログラム「kit07rec_03.c」 */
  3 : /*              2007.05 ジャパンマイコンカーラリー実行委員会       */
  4 : /****************************************************************/
  5 : /*
  6 : 本プログラムはkit07.cをベースに走行データの記録、スピード制御を行う
  7 : プログラムです。
  8 : kit07rec_03.cは、
  9 : ・kit07rec_02.c…外付けEEP-ROM(24C256 32KB)にマイコンカーの走行
 10 : ・kit07enc_03.c…エンコーダによる速度制御
 11 : を合わせたプログラムです。
 12 : */
 13 :
 14 : /*======================================*/
 15 : /* インクルード                          */
 16 : /*======================================*/
 17 : #include    <no_float.h>        /* stdioの簡略化 最初に置く */
 18 : #include    <stdio.h>
 19 : #include    <machine.h>
 20 : #include    "h8_3048.h"
 21 : #include    "i2c_eeprom.h"      /* EEP-ROM追加（データ記録） */
中略
 70 : /*======================================*/
 71 : /* グローバル変数の宣言                   */
 72 : /*======================================*/
 73 : unsigned long    cnt0;          /* timer関数用          */
 74 : unsigned long    cnt1;          /* main内で使用         */
 75 : int              pattern;       /* パターン番号         */
 76 : int              iTimer10;      /* 取得間隔計算用        */
 77 :
 78 : /* データ保存関連 */
 79 : int              saveIndex;     /* 保存インデックス      */
 80 : int              saveSendIndex; /* 送信インデックス      */
 81 : int              saveFlag;      /* 保存フラグ           */
 82 : char             saveData[8];   /* 一時保存エリア        */
 83 : /*
```

> EEP-ROMを使うために、i2c_eeprom.hをインクルードします。

> EEP-ROMを使うための変数を追加します。

```
 84 :      保存内容
 85 :      0:pattern   1:Sensor    2:handle    3:motor_l
 86 :      4:motor_r   5:iEncoder  6:          7:
 87 :   */
 88 :
 89 :   /* エンコーダ関連 */
 90 :   long            lEncoderTotal;      /* 積算値                   */
 91 :   int             iEncoderMax;        /* 現在最大値               */
 92 :   int             iEncoder;           /* 現在値                   */
 93 :   unsigned int    uEncoderBuff;       /* 前回値保存               */
 94 :   long            lEncoderLine;       /* ライン検出時の積算値     */
 95 :
 96 :   /***********************************************************************/
 97 :   /* メインプログラム                                                    */
 98 :   /***********************************************************************/
 99 :   void main ( void )
100 :   {
101 :       int     i;
102 :       char    s[8];
103 :
104 :       /* マイコン機能の初期化 */
105 :       init () ;                               /* 初期化                  */
106 :       initI2CEeprom ( &PADDR, &PADR, 0x5e, 7, 5) ;  /* EEP-ROM 初期設定  */
107 :       init_sci1 ( 0x00, 79 ) ;                /* SCI1 初期化             */
108 :       set_ccr ( 0x00 ) ;                      /* 全体割り込み許可        */
109 :
110 :       /* マイコンカーの状態初期化 */
111 :       handle ( 0 ) ;
112 :       speed ( 0, 0 ) ;
113 :
114 :       /* スタート時、スイッチが押されていればデータ転送モード */
115 :       if ( pushsw_get () ) {
116 :           pattern = 71;
117 :           cnt1 = 0;
118 :       }
119 :
120 :       while ( 1 ) {
121 :
122 :           P4DR = ~pattern;                    /* デバッグ用にパターン出力 */
123 :           I2CEepromProcess () ;               /* I2C EEP-ROM 保存処理    */
124 :
125 :           switch ( pattern ) {
126 :
中略
151 :           case 0:
152 :               /* スイッチ入力待ち */
153 :               if ( pushsw_get () ) {
154 :                   clearI2CEeprom () ;         /* 数秒かかる              */
155 :                   pattern = 1;
156 :                   cnt1 = 0;
157 :                   break;
158 :               }
159 :               if ( cnt1 < 100 ) {             /* LED 点滅処理            */
160 :                   led_out ( PADR & 0x01 ) ;
161 :               } else if ( cnt1 < 200 ) {
162 :                   led_out ( PADR & 0x01 | 2 ) ;
163 :               } else {
164 :                   cnt1 = 0;
165 :               }
```

EEP-ROMを初期設定します。

この関数で実際にEEP-ROMへ保存する作業を行います。

走行前にEEP-ROMをクリアします。

```
166 :            break;
167 :
168 :        case 1:
169 :            /* スタートバーが開いたかチェック */
170 :            if ( !startbar_get () ) {
171 :                /* スタート！！ */
172 :                led_out ( 0x0 ) ;
173 :                lEncoderTotal = 0;
174 :                pattern = 11;
175 :                saveIndex = 0;
176 :                saveFlag = 1;                /* データ保存開始            */
177 :                cnt1 = 0;
178 :                break;
179 :            }
180 :            if ( cnt1 < 50 ) {               /* LED 点滅処理             */
181 :                led_out ( 0x1 ) ;
182 :            } else if ( cnt1 < 100 ) {
183 :                led_out ( 0x2 ) ;
184 :            } else {
185 :                cnt1 = 0;
186 :            }
187 :            break;
188 :
中略
548 :        case 71:
549 :            /* 停止 */
550 :            handle ( 0 ) ;
551 :            speed ( 0, 0 ) ;
552 :            saveFlag = 0;
553 :            saveSendIndex = 0;
554 :            pattern = 72;
555 :            cnt1 = 0;
556 :            break;
557 :
558 :        case 72:
559 :            /* 1s 待ち */
560 :            if ( cnt1 > 1000 ) {
561 :                pattern = 73;
562 :                cnt1 = 0;
563 :            }
564 :            break;
565 :
566 :        case 73:
567 :            /* スイッチが離されたかチェック */
568 :            if ( !pushsw_get () ) {
569 :                pattern = 74;
570 :                cnt1 = 0;
571 :            }
572 :            break;
573 :
574 :        case 74:
575 :            /* スイッチが押されたかチェック */
576 :            led_out ( (cnt1/500) % 2 + 1 ) ;
577 :            if ( pushsw_get () ) {
578 :                pattern = 75;
579 :                cnt1 = 0;
580 :            }
581 :            break;
582 :
```

> saveFlag 変数を1にすると、データ保存を開始します。

> saveFlag 変数を0にすると、データ保存を終了します。

```c
583 :        case 75:
584 :            /* タイトル転送、準備 */
585 :            printf ( "\n" );
586 :            printf ( "kit07rec_03 Data Out\n" );
587 :            printf ( "Pattern, Sensor, ハンドル, 左モータ, 右モータ, エンコーダ\n" );
588 :            pattern = 76;
589 :            break;
590 :
591 :        case 76:
592 :            /* データ転送 */
593 :            led_out ( (saveSendIndex/32) % 2 + 1 );  /* LED 点滅処理          */
594 :
595 :            /* 終わりのチェック */
596 :            if ( (readI2CEeprom ( saveSendIndex ) ==0) ||
597 :                                (saveSendIndex >= 0x8000) ) {
598 :                pattern = 77;
599 :                cnt1 = 0;
600 :                break;
601 :            }
602 :
603 :            /* データの転送 */
604 :            convertHexToBin ( readI2CEeprom (saveSendIndex+1), s );
605 :            printf ( "%d,=\"%8s\",%d,%d,%d,%d\n",
606 :                (char) readI2CEeprom ( saveSendIndex+0 ),    /* パターン   */
607 :                s,                                           /* センサ     */
608 :                (char) readI2CEeprom ( saveSendIndex+2 ),    /* ハンドル   */
609 :                (char) readI2CEeprom ( saveSendIndex+3 ),    /* 左モータ   */
610 :                (char) readI2CEeprom ( saveSendIndex+4 ),    /* 右モータ   */
611 :                (char) readI2CEeprom ( saveSendIndex+5 )     /* エンコーダ */
612 :            );
613 :
614 :            saveSendIndex += 8;              /* 次の準備              */
615 :            break;
616 :
617 :        case 77:
618 :            /* 転送終了 */
619 :            led_out ( 0x3 );
620 :            break;
621 :
622 :        default:
623 :            /* どれでもない場合は待機状態に戻す */
624 :            pattern = 0;
625 :            break;
626 :        }
627 :    }
628 : }
629 :
630 : /****************************************************************/
631 : /* H8/3048F-ONE 内蔵周辺機能　初期化                              */
632 : /****************************************************************/
633 : void init ( void )
634 : {
635 :    /* I/O ポートの入出力設定 */
636 :    P1DDR = 0xff;
637 :    P2DDR = 0xff;
638 :    P3DDR = 0xff;
639 :    P4DDR = 0xff;
640 :    P5DDR = 0xff;
641 :    P6DDR = 0xf0;                            /* CPU 基板上の DIP SW   */
```

> 転送データが終わりかどうかチェックします。保存しているパターンが 0 なら終わりと判断します。

> センサの値を 2 進数に変換します。

> 保存しているデータをパソコンへ転送します。

```
642 :        P8DDR = 0xff;
643 :        P9DDR = 0xf7;                  /* 通信ポート                */
644 :        PADDR = 0x5e;                  /* EEP-ROM、エンコーダ         */
645 :        PBDR  = 0xc0;
646 :        PBDDR = 0xfe;                  /* モータドライブ基板 Vol.3   */
647 :        /* ※センサ基板の P7 は、入力専用なので入出力設定はありません  */
648 :
649 :        /* ITU0 1ms ごとの割り込み */
650 :        ITU0_TCR = 0x23;
651 :        ITU0_GRA = TIMER_CYCLE;
652 :        ITU0_IER = 0x01;
653 :
654 :        /* ITU2 パルス入力の設定 */
655 :        ITU2_TCR = 0x14;                /* PA0 端子のパルスでカウント */
656 :
657 :        /* ITU3,4 リセット同期 PWM モード 左右モータ、サーボ用 */
658 :        ITU3_TCR = 0x23;
659 :        ITU_FCR  = 0x3e;
660 :        ITU3_GRA = PWM_CYCLE;           /* 周期の設定                */
661 :        ITU3_GRB = ITU3_BRB = 0;        /* 左モータの PWM 設定         */
662 :        ITU4_GRA = ITU4_BRA = 0;        /* 右モータの PWM 設定         */
663 :        ITU4_GRB = ITU4_BRB = SERVO_CENTER; /* サーボの PWM 設定       */
664 :        ITU_TOER = 0x38;
665 :
666 :        /* ITU のカウントスタート */
667 :        ITU_STR = 0x0d;
668 : }
669 :
670 : /****************************************************************/
671 : /* ITU0 割り込み処理                                              */
672 : /****************************************************************/
673 : #pragma interrupt ( interrupt_timer0 )
674 : void interrupt_timer0 ( void )
675 : {
676 :     unsigned int i;
677 :
678 :     ITU0_TSR &= 0xfe;                   /* フラグクリア              */
679 :     cnt0++;
680 :     cnt1++;
681 :
682 :     iTimer10++;
683 :     if ( iTimer10 >= 10 ) {
684 :         iTimer10 = 0;
685 :
686 :         /* エンコーダ関連 */
687 :         i = ITU2_CNT;
688 :         iEncoder      = i - uEncoderBuff;
689 :         lEncoderTotal += iEncoder;
690 :         if ( iEncoder > iEncoderMax )
691 :                     iEncoderMax = iEncoder;
692 :         uEncoderBuff = i;
693 :
694 :         /* データ保存関連 */
695 :         if ( saveFlag ) {
696 :             saveData[0] = pattern;          /* パターン           */
697 :             saveData[1] = sensor_inp (0xff) ; /* センサ           */
698 :             /* 2 はハンドル関数内で保存 */
699 :             /* 3 はモータ関数内で左モータ PWM 値保存 */
700 :             /* 4 はモータ関数内で右モータ PWM 値保存 */
```

> EEP-ROM に接続している bit7,5 は入力にします。

> 保存するデータを saveData 配列にセットします。

```
701 :            saveData[5] = iEncoder;              /* エンコーダ    */
702 :            saveData[6] = 0;                     /* 予備          */
703 :            saveData[7] = 0;                     /* 予備          */
704 :            setPageWriteI2CEeprom ( saveIndex, 8, saveData );
705 :            saveIndex += 8;
706 :            if ( saveIndex >= 0x8000 ) saveFlag = 0;
707 :        }
708 :    }
709 : }
710 :
中略
849 : /****************************************************************/
850 : /* 速度制御                                                      */
851 : /* 引数   左モータ :-100 ～ 100 , 右モータ :-100 ～ 100          */
852 : /*        0 で停止、100 で正転 100%、-100 で逆転 100%             */
853 : /****************************************************************/
854 : void speed ( int accele_l, int accele_r )
855 : {
856 :     unsigned char   sw_data;
857 :     unsigned long   speed_max;
858 :
859 :     sw_data  = dipsw_get () + 5;          /* ディップスイッチ読み込み */
860 :     speed_max = (unsigned long) (PWM_CYCLE-1) * sw_data / 20;
861 :
862 :     saveData[3] = accele_l * sw_data / 20; /* バッファへ保存用    */
863 :     saveData[4] = accele_r * sw_data / 20; /* バッファへ保存用    */
中略
922 : /****************************************************************/
923 : /* サーボハンドル操作                                            */
924 : /* 引数   サーボ操作角度 :-90 ～ 90                              */
925 : /*        -90 で左へ 90 度、0 でまっすぐ、90 で右へ 90 度回転      */
926 : /****************************************************************/
927 : void handle ( int angle )
928 : {
929 :     saveData[2] = angle;                  /* バッファへ保存用    */
930 :     ITU4_BRB = SERVO_CENTER - angle * HANDLE_STEP;
931 :
932 : }
中略
951 : /****************************************************************/
952 : /* 16 進数→ 2 進数変換                                          */
953 : /* 引数   16 進数データ、変換後のデータ格納アドレス              */
954 : /* 戻り値 なし                                                   */
955 : /****************************************************************/
956 : void convertHexToBin ( unsigned char hex, char *s )
957 : {
958 :     int     i;
959 :
960 :     for ( i=0; i<8; i++ ) {
961 :         if ( hex & 0x80 ) {
962 :             *s++ = '1';                   /* "1" のときの変換データ  */
963 :         } else {
964 :             *s++ = '0';                   /* "0" のときの変換データ  */
965 :         }
966 :         hex <<= 1;
967 :     }
968 : }
```

> EEP-ROM へ書き込む準備を行います。書き込みは時間がかかるので、ここでは行いません。

> メモリいっぱいになったら、保存を強制終了します。

6.2.8 プログラム「i2c_eeprom.c」で利用できる関数

EEP-ROM を制御する専用のファイル「i2c_eeprom.c」が用意されています。kit07rec03.c 内でこれらの関数を使うために、リスト 6.11 のようにヘッダファイルをインクルードします。

リスト 6.11

```
17 :    #include     <no_float.h>            /* stdio の簡略化 最初に置く */
18 :    #include     <stdio.h>
19 :    #include     <machine.h>
20 :    #include     "h8_3048.h"
21 :    #include     "i2c_eeprom.h"          /* EEP-ROM 追加（データ記録） */
```

利用できる関数を次に示します。

■ initI2CEeprom 関数

書式	void initI2CEeprom (unsigned char* ddrport, unsigned char* drport, unsigned char ddrdata, unsigned char scl, unsigned char sda) ;
内容	EEP-ROM へ読み書きする準備をします。最初に必ず実行します。
引数	EEP-ROM の繋がっている DDR ポートの指定（& を付ける） EEP-ROM の繋がっている DR ポートの指定（& を付ける） DDR ポートの入出力設定値（SCL 端子、SDA 端子は入力にします） EEP-ROM の SCL 端子の繋がっているビット番号 EEP-ROM の SDA 端子の繋がっているビット番号
例	initI2CEeprom (&PADDR, &PADR, 0x5e, 7, 5) ; EEP-ROM はポート A に接続、ポート A の入出力設定値は 0x5e、SCL 端子は bit7 に接続、SDA 端子は bit5 に接続します。

■ readI2CEeprom 関数

書式	char readI2CEeprom (unsigned int address) ;
内容	EEP-ROM からデータを読み込みます。
引数	unsigned int アドレス 0 ～ 32767 (0x7fff)
戻り値	char データ
例	i = readI2CEeprom (0x0005) ; EEP-ROM の 0x0005 番地のデータを変数 i に代入します。

■ writeI2CEeprom 関数

書式	void writeI2CEeprom (unsigned int address, char write) ;
内容	EEP-ROM へデータを書き込みます。書き込み後、最大 10[ms] は書き込み作業中のため、アクセスできません。
引数	unsigned int アドレス 0 ～ 32767 (0x7fff) , char データ
例	writeI2CEeprom (0x2000, -100) ; EEP-ROM の 0x2000 番地に -100 を書き込みます。書き込める値は、-128 ～ 127 の範囲（char 型）、または 0 ～ 255 の範囲（unsigned char 型）です。

■ setPageWriteI2CEeprom 関数

書式	void setPageWriteI2CEeprom (unsigned int address, int count, char* data) ;
内容	EEP-ROM へ複数バイトのデータを書き込みます。書き込み準備を行うだけですぐに終了します。実際の書き込みは I2CEepromProcess 関数で行います。書き込む数は、2 の n 乗個とします。2 バイト、4 バイト、8 バイト…です。
引数	unsigned int 保存する EEP-ROM のアドレス 0 ～ 32767 , int 個数 1 ～ 64 ,char* データがある配列のアドレス
例	```char d[4];
d[0]=5; d[1]=4; d[2]=1; d[3]=10;
setPageWriteI2CEeprom (0x1000, 4, d) ;   // 書き込み準備のみ
while (1) {
I2CEepromProcess () ;   // 実際の書き込みはこの関数
}```

■ I2CEepromProcess 関数

書式	void I2CEepromProcess (void) ;
内容	setPageWriteI2CEeprom 関数で書き込みの準備をしたデータを、この関数で実際に EEP-ROM に書き込みます。 書き込み作業は、「少しずつ行いすぐに終わる」処理を何度も繰り返して、書き込み処理にかかりっきりにならないようにしています。この関数は、書き込みデータ数 +5 回以上実行してください。例えば、8 バイト書き込むときは、最低でも 13 回この関数を実行します。 通常はループ内に入れておきます。書き込み作業がないときは何もしませんので、入れておくだけで OK です。
例	```void main(void) {
init () ;
while (1) {
I2CEepromProcess () ;   // 常に実行するようにする
その他の処理
}
}```

■ clearI2CEeprom 関数

書式	void clearI2CEeprom (void) ;
内容	EEP-ROM のデータをオールクリアします。実行には数秒かかります。実測で 3 ～ 5 秒です。
例	clearI2CEeprom () ;

6.2.9　EEP-ROM 関連変数

　EEP-ROM を使用するに当たって、新たに変数を宣言しています。リスト 6.12 にプログラムを示します。

リスト 6.12

```
78 :    /* データ保存関連 */
79 :    int         saveIndex;              /* 保存インデックス    */
80 :    int         saveSendIndex;          /* 送信インデックス    */
```

```
81 :    int         saveFlag;              /* 保存フラグ         */
82 :    char        saveData[8];           /* 一時保存エリア     */
83 :    /*
84 :    保存内容
85 :    0:pattern   1:Sensor    2:handle    3:motor_l
86 :    4:motor_r   5:iEncoder  6:          7:
87 :    */
```

それぞれの変数は、表 6.14 のような意味です。

表 6.14　変数の内容

変数名	意味	内容
saveIndex	保存インデックス	EEP-ROM の何番地に保存するかを指定する変数です。
saveSendIndex	保存送信インデックス	EEP-ROM の何番地のデータを送信するかを指定する変数です。データをパソコンに送るときに使用します。
saveFlag	保存フラグ	1 なら割り込みプログラム内で 10[ms] ごとに setPageWriteI2CEeprom 関数を実行して、データ保存処理を行います。0 なら保存しません。
saveData	データ保存用配列	saveData 配列は、EEP-ROM に保存するデータを一時的に格納する変数です。1 回に EEP-ROM に保存するデータ数は 8 個なので、8 個分のメモリを確保します。もし 16 個に増やす場合は、16 にします。

これらの変数は初期値のないグローバル変数なので、初期値 0 です。

今回のプログラムは、saveData 配列に表 6.15 の情報を保存します。

表 6.15　saveData 配列に保存する内容

saveData[x]	変数、関数	内容
0	pattern	パターン番号を保存します。
1	sensor_inp (0xff) ;	センサの情報をマスクせずに保存します。
2		ハンドル関数内で、ハンドル角度を保存します。
3		スピード関数内で、左モータ PWM 値を保存します。
4		スピード関数内で、右モータ PWM 値を保存します。
5	iEncoder	エンコーダ値（スピード）を保存します。すべて合計すれば、走行距離が分かります。
6	なし	今回のプログラムは未使用です。各自保存したい値を保存しましょう。
7	なし	今回のプログラムは未使用です。各自保存したい値を保存しましょう。

6.2.10　EEP-ROM の初期設定

initI2CEeprom 関数は、EEP-ROM を使えるように初期設定をする関数です。EEP-ROM の内容消去ではありません。引数を表 6.16 に示します。

表6.16　initI2CEeprom 関数の引数

```
initI2CEeprom ( &①, &②, ③, ④, ⑤ );
  ①…EEP-ROM の繋がっている DDR ポート
  ②…EEP-ROM の繋がっている DR ポート
  ③…①で指定した DDR ポートの入出力設定値
  ④…SCL 端子が接続されているビット
  ⑤…SDA 端子が接続されているビット
```

※ポート 7 には接続できません。

kit06rec_03.c は、PA7 に EEP-ROM の SCL 端子、PA5 に EEP-ROM の SDA 端子を接続しています。また、PA0 にはエンコーダが接続されています。未接続ビットは出力にします。結果的にポート A の入出力設定は表 6.17 のようになります。

表6.17　ポート A の入出力設定

bit	7	6	5	4	3	2	1	0
接続名	EEP-ROM の SCL 端子	未接続	EEP-ROM の SDA 端子	未接続	未接続	未接続	未接続	エンコーダ
入力 or 出力	入力	出力	入力	出力	出力	出力	出力	入力

DDR レジスタの設定は、入力 "0"、出力 "1" にするだけです。

bit	7	6	5	4	3	2	1	0
0 or 1	0	1	0	1	1	1	1	0

2 進数で "0101 1110"、16 進数で 0x5e となります。これらから、リスト 6.13 のように設定します。

リスト 6.13

```
    initI2CEeprom ( &PADDR, &PADR, 0x5e, 7, 5 );
```

※ init 関数内での PADDR の設定

initI2CEeprom 関数内で EEP-ROM があるポートの入出力設定を行っています。そのため、EEP-ROM が接続されているポートは通常のプログラム内で入出力設定の必要はありません。今までのプログラムと同じように設定したい場合は、initI2CEeprom 関数の引数と同じ入出力設定をしてください。リスト 6.14 にプログラム例を示します。

リスト 6.14

```
void init ( void ) {
    …
    PADDR = 0x5e;

    initI2CEeprom ( &PADDR, &PADR, 0x5e, 7, 5 );
    …
}
```

6.2.11　EEP-ROM にデータを保存する仕組み

　EEP-ROM とは通信でデータのやり取りを行うため、処理に数 [ms] の時間がかかります。また、データ保存後、最大で 10[ms] は次の書き込みができずに待たなければ行けません。これらの処理に時間を取られると、マイコンカーのセンサチェックやモータ制御などを行うことができずに、マイコンカー制御に影響を与えてしまいます。そこで、setPageWriteI2CEeprom 関数を使った EEP-ROM への保存準備と、I2CEepromProcess 関数を使った実際の保存の 2 つの関数をペアで使います。

　データの保存は、10[ms] 間隔で行います。正確な間隔で保存するために割り込みプログラム内で setPageWriteI2CEeprom 関数を実行、EEP-ROM に保存する準備だけを行います。この処理は数 10[μs] で終わります。setPageWriteI2CEeprom 関数を実行するかどうかは、saveFlag 変数の値が 1 なら保存する、0 なら保存しないことにして、main 関数内でこの変数の値を変更します。図 6.20 にフローチャートを示します。

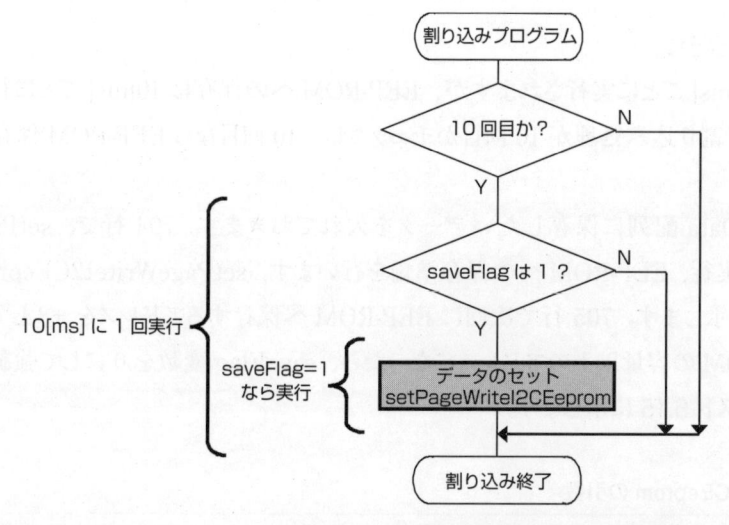

図 6.20　割り込みプログラムの処理内容

main関数内では、I2CEepromProcess関数を常に実行するように無限ループ内に入れておきます。I2CEepromProcess関数はEEP-ROM処理を細かく分けて、短時間で処理を終わらせるようにプログラムが作られています。その代わり、何度も実行させなければいけません。EEP-ROMの書き込み処理が無い場合は何もしないので、main関数のループ処理内に入れておいて問題ありません。フローチャートを図6.21に示します。

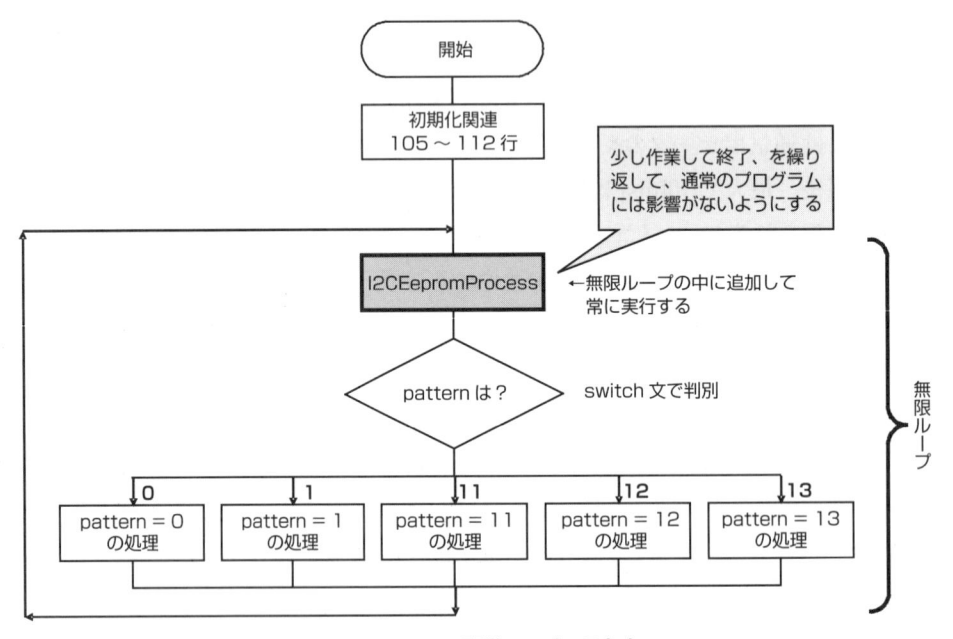

図6.21　main関数での処理内容

6.2.12　割り込みプログラム

　割り込みプログラムは1[ms]ごとに実行されますが、EEP-ROMへの保存は10[ms]ごとに行います。そのため、683行で割り込み処理が10回目かチェックし、10回目ならEEP-ROM保存処理を行います。

　696～703行で、saveData配列に保存したいデータを入れておきます。704行で、setPageWriteI2CEeprom関数を実行、EEP-ROMへの保存準備を行います。setPageWriteI2CEepromの引数の内容を表6.18に示します。705行で次回にEEP-ROMへ保存するアドレスを+8しておきます。706行でEEP-ROMの容量以上のアドレスになったら、saveFlag変数を0にして強制終了します。プログラムをリスト6.15に示します。

表6.18　setPageWriteI2CEepromの引数

```
setPageWriteI2CEeprom( 1 , 2 , 3 );
 1 …保存するEEP-ROMのアドレスを指定
 2 …保存数
 3 …配列を指定
```

リスト 6.15

```
673 :    #pragma interrupt ( interrupt_timer0 )
674 :    void interrupt_timer0 ( void )
675 :    {
676 :        unsigned int i;
677 :
678 :        ITU0_TSR &= 0xfe;                    /* フラグクリア         */
679 :        cnt0++;
680 :        cnt1++;
681 :
682 :        iTimer10++;
683 :        if ( iTimer10 >= 10 ) {
684 :            iTimer10 = 0;
685 :
中略
694 :        /* データ保存関連 */
695 :        if ( saveFlag ) {
696 :            saveData[0] = pattern;           /* パターン          */
697 :            saveData[1] = sensor_inp (0xff); /* センサ           */
698 :            /* 2 はハンドル関数内で保存 */
699 :            /* 3 はモータ関数内で左モータ PWM 値保存 */
700 :            /* 4 はモータ関数内で右モータ PWM 値保存 */
701 :            saveData[5] = iEncoder;          /* エンコーダ        */
702 :            saveData[6] = 0;                 /* 予備             */
703 :            saveData[7] = 0;                 /* 予備             */
704 :            setPageWriteI2CEeprom ( saveIndex, 8, saveData );
705 :            saveIndex += 8;
706 :            if ( saveIndex >= 0x8000 ) saveFlag = 0;
707 :        }
708 :    }
709 :    }
```

6.2.13 保存データ

今回保存するデータは表 6.15 の内容です。パターン値とセンサ値とエンコーダ値は、pattern 変数と sensor_inp 関数と iEncoder 変数を参照します。ハンドル切れ角とスピードについては、設定する関数はありますが値を返す変数や関数はありません。そのため、ハンドル切れ角はリスト 6.16 のように、スピードの値はリスト 6.17 のように、それぞれの関数内で値を保存するようにプログラムを改造しておきます。特に、speed 関数内で保存している PWM 値は、実際に出力している値を保存しているので、何となくディップスイッチの値を設定している場合は、実際の数値が分かり便利です。

リスト 6.16

```
927 :    void handle ( int angle )
928 :    {
929 :        saveData[2] = angle;                 /* バッファへ保存用      */
930 :        ITU4_BRB = SERVO_CENTER - angle * HANDLE_STEP;
931 :    }
```

リスト 6.17

```
854 :    void speed ( int accele_l, int accele_r )
855 :    {
856 :        unsigned char   sw_data;
857 :        unsigned long   speed_max;
858 :
859 :        sw_data  = dipsw_get () + 5;           /* ディップスイッチ読み込み */
860 :        speed_max = (unsigned long) (PWM_CYCLE-1) * sw_data / 20;
861 :
862 :        saveData[3] = accele_l * sw_data / 20;  /* バッファへ保存用       */
863 :        saveData[4] = accele_r * sw_data / 20;  /* バッファへ保存用       */
中略
884 :    }
```

6.2.14 保存開始／終了

保存開始は、スタートバーが開いたと同時に行います。175 行で EEP-ROM に保存するアドレスを 0 番地に、176 行で saveFlag を 1 にして保存を開始します。リスト 6.18 にプログラムを示します。

リスト 6.18

```
168 :        case 1:
169 :            /* スタートバーが開いたかチェック */
170 :            if ( !startbar_get () ) {
171 :                /* スタート！！ */
172 :                led_out ( 0x0 );
173 :                lEncoderTotal = 0;
174 :                pattern = 11;
175 :                saveIndex = 0;
176 :                saveFlag = 1;              /* データ保存開始          */
177 :                cnt1 = 0;
178 :                break;
179 :            }
180 :            if ( cnt1 < 50 ) {             /* LED 点滅処理            */
181 :                led_out ( 0x1 );
182 :            } else if ( cnt1 < 100 ) {
183 :                led_out ( 0x2 );
184 :            } else {
185 :                cnt1 = 0;
186 :            }
187 :            break;
```

保存終了は、saveFlag を 0 にします。kit07rec_03.c では、パターン 11 の通常走行時にプッシュスイッチを押すとパターン 71 に移るようになっています。552 行で saveFlag を 0 に、553 行でパソコンに送る EEP-ROM のアドレスを 0 番地にセットしています。リスト 6.19 にプログラムを示します。

リスト 6.19

```
548 :        case 71:
549 :            /* 停止 */
550 :            handle ( 0 );
```

```
551 :        speed ( 0, 0 );
552 :        saveFlag = 0;
553 :        saveSendIndex = 0;
554 :        pattern = 72;
555 :        cnt1 = 0;
556 :        break;
```

6.2.15　EEP-ROM への実際の保存処理

実際に EEP-ROM へデータを保存する作業は、I2CEepromProcess 関数で行います。I2CEepromProcess 関数を常に実行するようループの中に入れておけば、この関数が通常のマイコンカートレース処理にほとんど影響を与えないように（処理時間を短く）して裏方で EEP-ROM 保存処理を行います。リスト 6.20 にプログラムを示します。

リスト 6.20

```
120 :    while ( 1 ) {
121 :
122 :        P4DR = ~pattern;              /* デバッグ用にパターン出力 */
123 :        I2CEepromProcess ();          /* I2C EEP-ROM 保存処理     */
124 :
125 :        switch ( pattern ) {
151 :        case 0:
中略
622 :        default:
623 :            /* どれでもない場合は待機状態に戻す */
624 :            pattern = 0;
625 :            break;
626 :        }                             // switch 終わりのカッコ閉じ
627 :    }                                 // while 終わりのカッコ閉じ
```

無限ループ

6.2.16　EEP-ROM クリア

パターン 0 の待機処理時、プッシュスイッチを押すと 154 行の clearI2CEeprom 関数を実行して、EEP-ROM の全データを 0 にした後、パターン 1 へ移ります。EEP-ROM クリア処理中は、この関数で処理が止まります。実測で約 3.5 秒です。ちなみに、マイコンカーの電源を入れただけなら EEP-ROM の内容は消えません。リスト 6.21 にプログラムを示します。

リスト 6.21

```
151 :    case 0:
152 :        /* スイッチ入力待ち */
153 :        if ( pushsw_get () ) {
154 :            clearI2CEeprom ();        /* 数秒かかる               */
155 :            pattern = 1;
156 :            cnt1 = 0;
157 :            break;
158 :        }
159 :        if ( cnt1 < 100 ) {           /* LED 点滅処理             */
160 :            led_out ( PADR & 0x01 );
```

```
161 :            } else if ( cnt1 < 200 ) {
162 :                led_out ( PADR & 0x01 | 2 );
163 :            } else {
164 :                cnt1 = 0;
165 :            }
166 :            break;
```

6.2.17 転送方法

EEP-ROM に保存したデータを読み込む関数は、readI2CEeprom 関数です。605 行の printf 文で CPU ボードの通信ケーブルからパソコンへデータを送ります。リスト 6.22 にプログラムを示します。

リスト 6.22

```
591 :        case 76:
592 :            /* データ転送 */
593 :            led_out ( (saveSendIndex/32) % 2 + 1 );  /* LED 点滅処理       */
594 :
595 :            /* 終わりのチェック */
596 :            if ( (readI2CEeprom ( saveSendIndex ) ==0) ||
597 :                                (saveSendIndex >= 0x8000) ) {
598 :                pattern = 77;
599 :                cnt1 = 0;
600 :                break;
601 :            }
602 :
603 :            /* データの転送 */
604 :            convertHexToBin ( readI2CEeprom (saveSendIndex+1), s );
605 :            printf ( "%d,=¥"%8s¥",%d,%d,%d,%d¥n",
606 :                (char) readI2CEeprom ( saveSendIndex+0 ),  /* パターン     */
607 :                s,                                         /* センサ       */
608 :                (char) readI2CEeprom ( saveSendIndex+2 ),  /* ハンドル     */
609 :                (char) readI2CEeprom ( saveSendIndex+3 ),  /* 左モータ     */
610 :                (char) readI2CEeprom ( saveSendIndex+4 ),  /* 右モータ     */
611 :                (char) readI2CEeprom ( saveSendIndex+5 )   /* エンコーダ   */
612 :            );
613 :
614 :            saveSendIndex += 8;                 /* 次の準備             */
615 :            break;
```

送信内容を詳しく見ていきます。

printf (" %d , = ¥" %8s ¥", %d , %d , %d , %d ¥n",
　　　　　① 　　　　②　　　③　④　⑤　⑥

□で囲った部分が表 6.19 のように置き換わります。

表 6.19　printf 文で置き換える内容

番号	置き換え内容	詳細
①	(char) readI2CEeprom (saveSendIndex+0)	pattern 変数の値を 10 進数で出力します。
②	s	配列 s に保存されている 8 文字を出力します。配列 s のデータは、604 行の convertHexToBin 関数で数値を "0" と "1" に変換した文字が格納されています。printf 文は、2 進数で出力する機能が無いため、専用の関数を自作しています。
③	(char) readI2CEeprom (saveSendIndex+2)	ハンドル角度を 10 進数で出力します。
④	(char) readI2CEeprom (saveSendIndex+3)	左モータの PWM 値を 10 進数で出力します。
⑤	(char) readI2CEeprom (saveSendIndex+4)	右モータの PWM 値を 10 進数で出力します。
⑥	(char) readI2CEeprom (saveSendIndex+5)	スピード (iEncoder 値) を 10 進数で出力します。

①を詳しく見てみます。

　(char)　　readI2CEeprom　　(saveSendIndex+0)
　　⑦　　　　　⑧　　　　　　　　　　⑨

□で囲った部分は、表 6.20 のような意味です。パターン、ハンドル、左モータ、右モータは 10 進数、センサ値は 2 進数 8 桁で出力します。C 言語では、2 進数に変換する関数がないため、convertHexToBin 関数を自作して変換しています。convertHexToBin 関数は、(unsigned char) 型の値 (0x00 〜 0xff) を 2 進数の "0" と "1" の文字列に変換しています。printf 文は 2 進数を出力しているのではなく、convertHexToBin 関数が変換した文字列を出力しているだけです。

表 6.20　①の詳細

番号	内容	詳細
⑦	(char)	値を char 型で処理するという意味です。char 型は、-128 〜 127 の値となります。もし、符号なしの 0 〜 255 で処理したい場合は、unsigned char 型にします。
⑧	readI2CEeprom	EEP-ROM からデータを読み込む関数です。
⑨	saveSnedIndex+0	EEP-ROM の何番地からデータを読み込むか指定します。saveSendIndex が基準となるアドレスで、0 〜 5 を足して目的のアドレスにしています。

6.2.18　int 型の保存

　EEP-ROM に保存できるデータは、char 型 (8bit 幅、-128 〜 127、または 0 〜 255) です。そのため、int 型 (16bit 幅) を保存する場合は、リスト 6.23 のように上位 8bit と下位 8bit に分けて保存します。

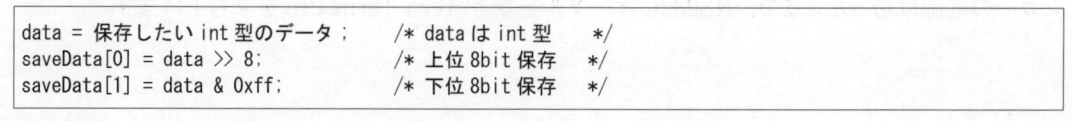

リスト 6.23

```
data = 保存したい int 型のデータ;        /* data は int 型    */
saveData[0] = data >> 8;               /* 上位 8bit 保存     */
saveData[1] = data & 0xff;             /* 下位 8bit 保存     */
```

呼び出すときは、リスト 6.24 のようにします。カッコの数に気をつけてプログラムしてください。

リスト 6.24
```
data = (int)((unsigned char) readI2CEeprom ( アドレス  ) *0x100 +
                             (unsigned char) readI2CEeprom ( アドレス +1 ) ) ;
```

6.2.19　long 型の保存

EEP-ROM に long 型（32bit 幅）を保存する場合はリスト 6.25 のように 4 分割して保存します。

リスト 6.25
```
data = 保存したい long 型のデータ ;           /* data は long 型       */
saveData[0] =  l >> 24;
saveData[1] = (l & 0x00ff0000) >> 16;
saveData[2] = (l & 0x0000ff00) >>  8;
saveData[3] =  l & 0x000000ff;
```

呼び出すときは、リスト 6.26 のようにします。カッコの数に気をつけてプログラムしてください。

リスト 6.26
```
data  = (long) (unsigned char) readI2CEeprom ( アドレス +0 ) *0x1000000;
data += (long) (unsigned char) readI2CEeprom ( アドレス +1 ) *0x10000;
data += (long) (unsigned char) readI2CEeprom ( アドレス +2 ) *0x100;
data += (long) (unsigned char) readI2CEeprom ( アドレス +3 ) ;
```

ちなみに printf 文で出力するとき、この変数は long 型なので変換指定文字は「% ld」（パーセント、小文字のエル、小文字のディ）を使用します。

```
printf ( "%ld¥n", data ) ;
```

6.2.20　パソコンへの転送方法

1. 走行データを取りたいコースを走らせます。走行データが保存できるのは、スタートしてから約 40 秒です。

走らせた後、電源を切ります。EEP-ROM なので、電源を切ってもデータは消えません。マイコンカーの電源は切ったままで、RS232C ケーブルを繋ぎ Tera Term Pro を立ち上げます。

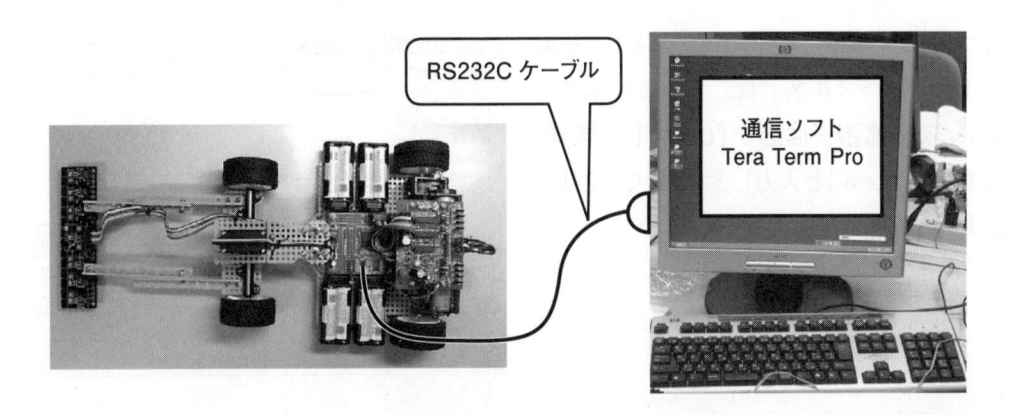

第 6 章　速く走らせるためにオプションを取り付けよう

RS232C ケーブル

通信ソフト
Tera Term Pro

2.「スタート→すべてのプログラム（またはプログラム）→ Tera Term Pro → Tera Term Pro」で Tera Term Pro を立ち上げます。

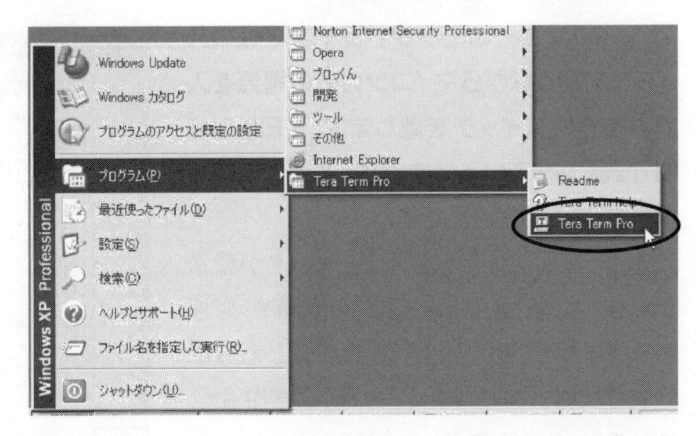

3. 最初に接続先を確認する画面が出てきます。

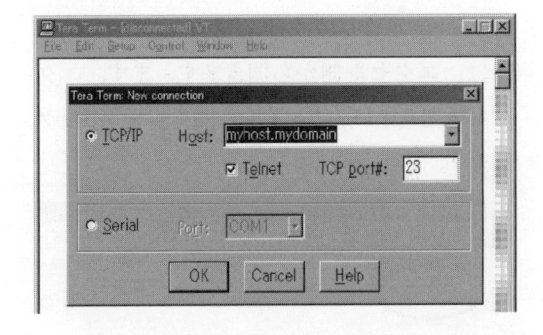

4.「Serial」を選んで、各自のパソコンに合わせてポート番号を選びます。選択後、OKをクリック、次へ進みます。

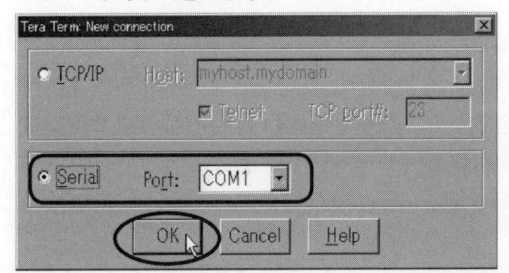

5. データをファイルに保存します。「File → Log」を選択します。

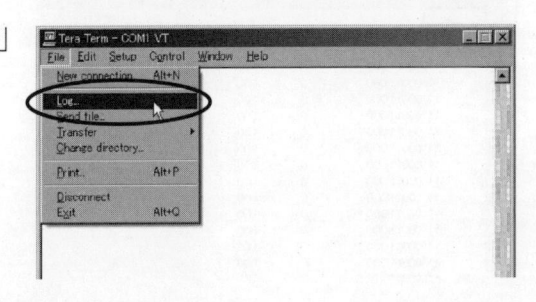

321

6.「ファイルの場所」に保存するフォルダを選択します。「ファイル名」は、好きな名称で構いませんが、**拡張子は必ず「csv」にします。** ここでは「log1.csv」と入力します。**開くをクリックします**（実際は何も開きません）。

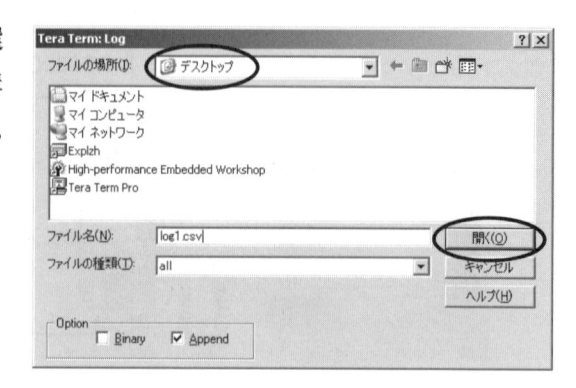

7. マイコンカーのモータドライブ基板のスイッチを押しながらマイコンカーの電源を入れ、すぐにスイッチを離します。LEDの点滅が遅くなっているはずです。これが、データ転送モードの状態です。

　もう一度、スイッチを押すとデータが転送されます。転送中は、LEDの点滅が高速になります。LEDが2個とも点灯したら転送終了です。マイコンカーの電源を切って、TeraTermProを終了してください。

8. 保存したlog1.csvをダブルクリックするとエクセルで開かれます。csvは、「Comma Separated Values」の略で、データをカンマ（,）で区切って並べたファイル形式です。エクセルが入っていれば自動的にエクセルで開かれるはずです。

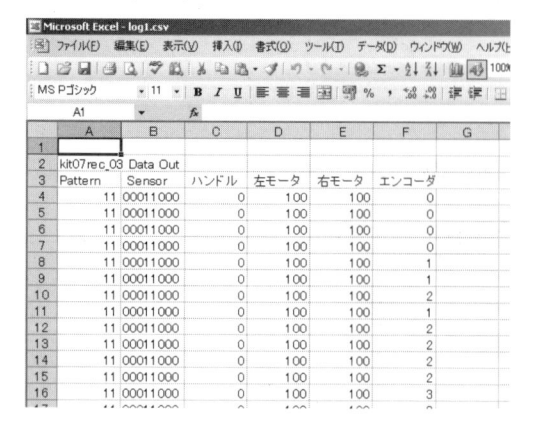

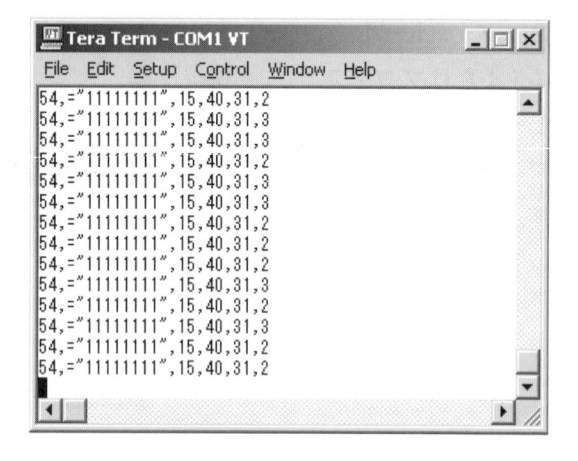

9. もしエクセルが入っているにも関わらずcsvファイルがエクセルで立ち上がらない場合は、エクセル側から開きます。まず、エクセルを立ち上げ「ファイル→開く」をクリックします。

10. ファイルの種類は「テキストファイル (*.prn;*.txt;*.csv)」を選びます。

11. 「log1.csv」もしくは保存した csv ファイルを選択、開くをクリックします。

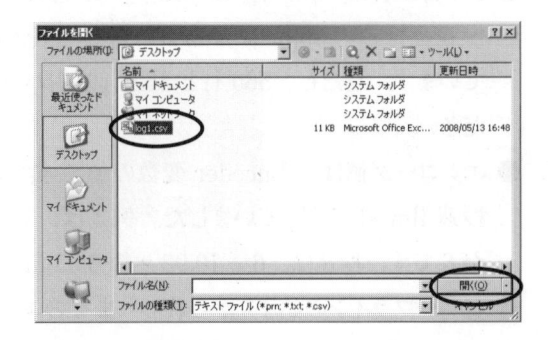

6.2.21 解析方法

図 6.22 は、右ハーフラインを見つけた瞬間のデータです。

	Pattern	Sensor	ハンドル	左モータ	右モータ	エンコーダ
555	11	00011000	0	100	100	11
556	11	00011000	0	100	100	11
557	11	00011000	0	100	100	9
558	52	00011111	0	0	0	10
559	52	00011111	0	0	0	10
560	52	00011100	0	0	0	11
561	52	00011000	0	0	0	10
562	52	00011110	0	0	0	10
563	52	00011111	0	0	0	9
564	52	00011111	0	0	0	9
565	52	00011111	0	0	0	8
566	52	00011100	0	0	0	6
567	52	00011100	0	0	0	7
568	52	00011100	0	0	0	6
569	52	00011100	0	0	0	8
570	52	00011100	0	0	0	7
571	53	00011100	8	70	70	8
572	53	00011100	8	70	70	7
573	53	00011100	8	70	70	7
574	53	00011100	8	70	70	7

図 6.22 右ハーフラインを見つけた瞬間のデータ

このエクセルシートから分かることは、

- データを10[ms]ごとに保存しているということは、1行は10[ms]です。
- 557行目から558行目にかけて、パターンが11から52になっています。パターン51になってからパターン52になるはずです。これは、データは10[ms]ごとの瞬間、瞬間を記録していますが、その間は何が起こっているか分かりません。恐らく（データが無いのであくまで恐らく）、パターン51の処理は557行と558行の間で行われて、すぐにパターン52に移っていると思われます。
- 1本目の右ハーフラインは558〜559行の約20[ms]、右ハーフラインの間の黒色部分は560〜562行の約30[ms]、2本目の右ハーフラインは563〜565行の約30[ms]の間、検出されています。ただし、560行と562行は右ハーフラインか否か微妙です。これは各自判断してください。
- エンコーダ値は、iEncoder変数の値です。ロータリエンコーダキットVer.2は、10.92のとき、秒速1[m/s]で走っていました。例えば、右ハーフラインが終わった566行は、エンコーダ値が6です。秒速は、6÷10.92＝約0.55[m/s]となります。
- 右ハーフラインの始まりから終わりまでのエンコーダ値を合計すると77です。距離は、1091.9で1[m]なので77は0.0705[m]、70.5[mm]です。実際の寸法は、1本目の右ハーフライン20[mm]、間の黒部分30[mm]、2本目の右ハーフライン20[mm]、合計70[mm]となり、ほとんど一致します。このように、エンコーダ値を合計するとその区間の進んだ距離が分かります。
- 右ハーフラインを検出した後、センサの値が"0001 1100"と、中心2個の他にbit2が反応しています。これはセンサが左にちょっと寄っている状態です。もしかしたら、サーボセンタがずれているかもしれません。

このように、データを解析すると今まで分からなかったことが手に取るように分かります。ただ、センサのずれは分かりますが、タイヤがどのラインを走ったかは分かりません。実際の走行をデジカメの動画モードやビデオで撮りながらデータ解析すると最強です。

6.2.22　グラフ化してみよう

エンコーダのデータを、線グラフ化してみましょう。グラフにすると数値だけでは分からなかったことが分かるかもしれません。

第6章　速く走らせるためにオプションを取り付けよう

1. エンコーダ値のセルを選択します。

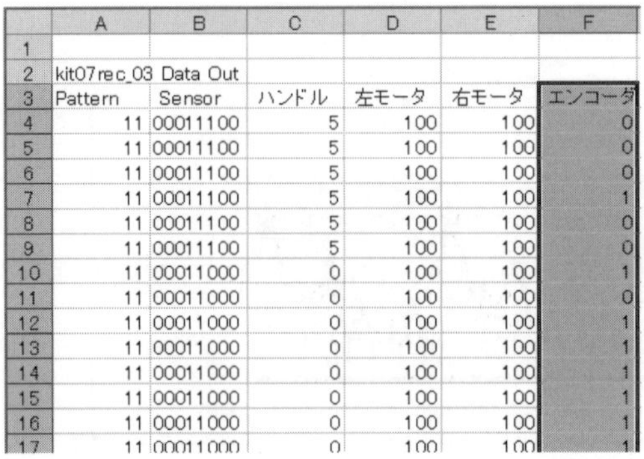

2. グラフウィザードを選択します。

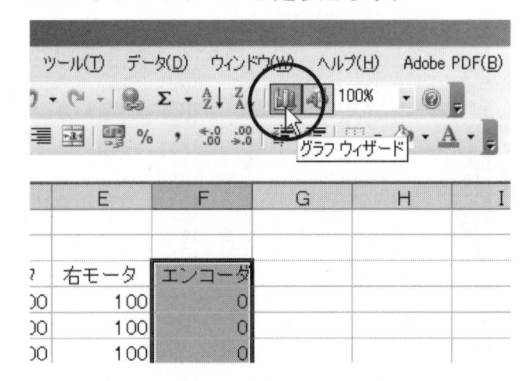

3. 折れ線グラフを選択します。**次へ**をクリックします。

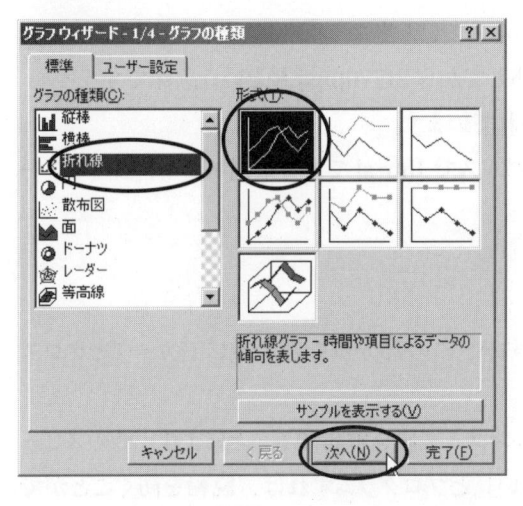

4. **次へ**をクリックします。

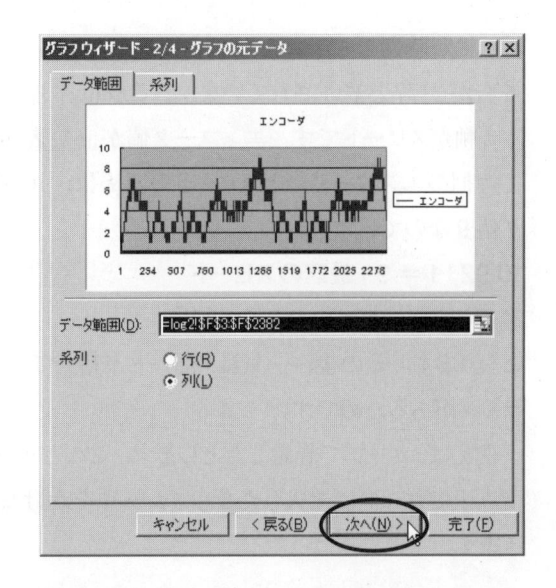

5. 各項目は、各自設定してください。特に設定しなくとも問題ありません。**次へ**で進みます。

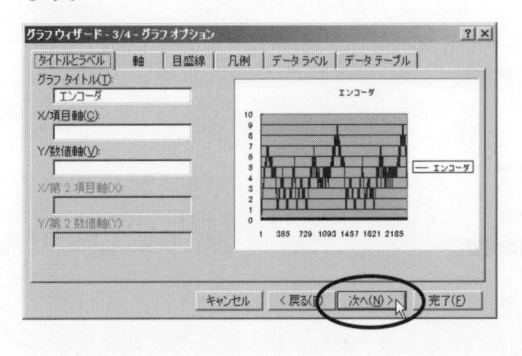

6. 何処にグラフを追加するか選択します。「オブジェクト」を選択して、**完了**で完了です。

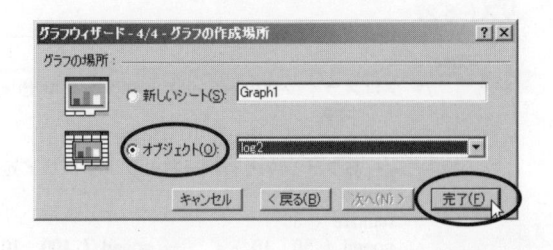

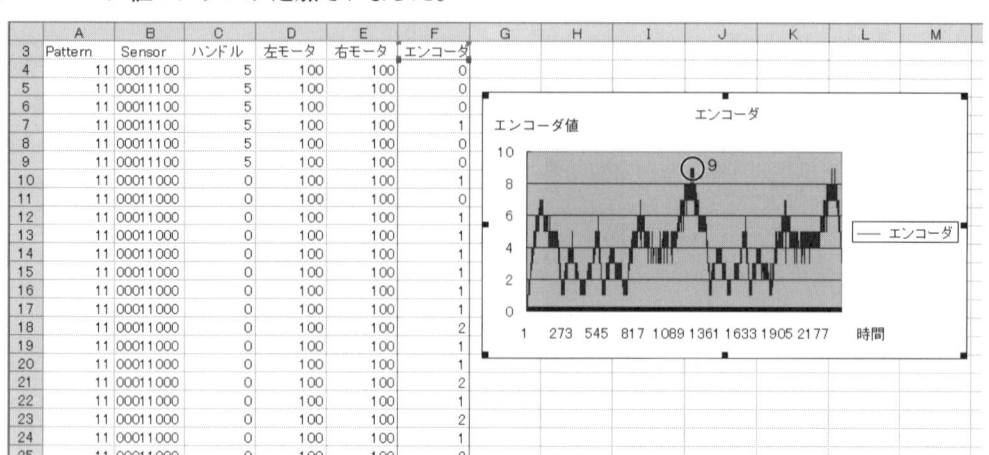

7. エンコーダ値のグラフが追加されました。

	A	B	C	D	E	F
3	Pattern	Sensor	ハンドル	左モータ	右モータ	エンコーダ
4	11	00011100	5	100	100	0
5	11	00011100	5	100	100	0
6	11	00011100	5	100	100	0
7	11	00011100	5	100	100	1
8	11	00011100	5	100	100	0
9	11	00011100	5	100	100	0
10	11	00011000	0	100	100	1
11	11	00011000	0	100	100	0
12	11	00011000	0	100	100	1
13	11	00011000	0	100	100	1
14	11	00011000	0	100	100	1
15	11	00011000	0	100	100	1
16	11	00011000	0	100	100	1
17	11	00011000	0	100	100	1
18	11	00011000	0	100	100	2
19	11	00011000	0	100	100	1
20	11	00011000	0	100	100	1
21	11	00011000	0	100	100	2
22	11	00011000	0	100	100	1
23	11	00011000	0	100	100	2
24	11	00011000	0	100	100	1
25	11	00011000	0	100	100	

x軸が時間です。10[ms]ごとにデータを取っているので、1当たり10[ms]です。画面では、一番右が2177と表示されています。これは、スタートしてから21770[ms]後という意味です。

y軸がスピードです。エンコーダ値が直接表示されています。

今回のエンコーダ値とスピードの関係は、10.92パルスで1[m/s]です。最高スピードはエンコーダ値9なので、

10.92：1 ＝ 9：最速のスピード

最速のスピード＝約0.82[m/s]

となります。その後、一気にスピードが落ちていますが、この部分は直線の後に右カーブとクロスラインがあるためです。

例えば、カーブで脱輪したとします。このときのエンコーダ値を解析することにより、「そのスピード以上でカーブに進入したならブレーキをかけなさい」とプログラムすれば、脱輪を防ぐことができます。

グラフを使うとプログラム変更前と後のスピードの違いがよく分かります。**リスト6.27**のように右クランクを検出したときのPWM値を変更しました。

リスト6.27

```
    case 23:
        /* クロスライン後のトレース、クランク検出 */
            中略
        if ( sensor_inp (MASK0_4) ==0x0f ) {
            /* 右クランクと判断→右クランククリア処理へ */
            led_out ( 0x2 ) ;
            handle ( 38 ) ;
            speed ( 50 ,10 ) ;    → speed ( 100 ,10 ) に変更
            pattern = 41;
            cnt1 = 0;
```

```
        break;
    }
```

　図6.23のエンコーダ1の列が変更前、エンコーダ2の列が変更後のエンコーダ値です。同じ位置からスタートして二つを並べグラフ化します。右クランクを検出する前はほとんど同じようなスピードですが、右クランク検出したところからグラフが重ならなくなりエンコーダ2の方が速いことが分かります。どれくらい速くなったかというとグラフ右側の急に加速している部分がありますが、この時間分だけ速くなっているようです。このようにグラフを使うとどれくらい速くなったか、一目瞭然です。

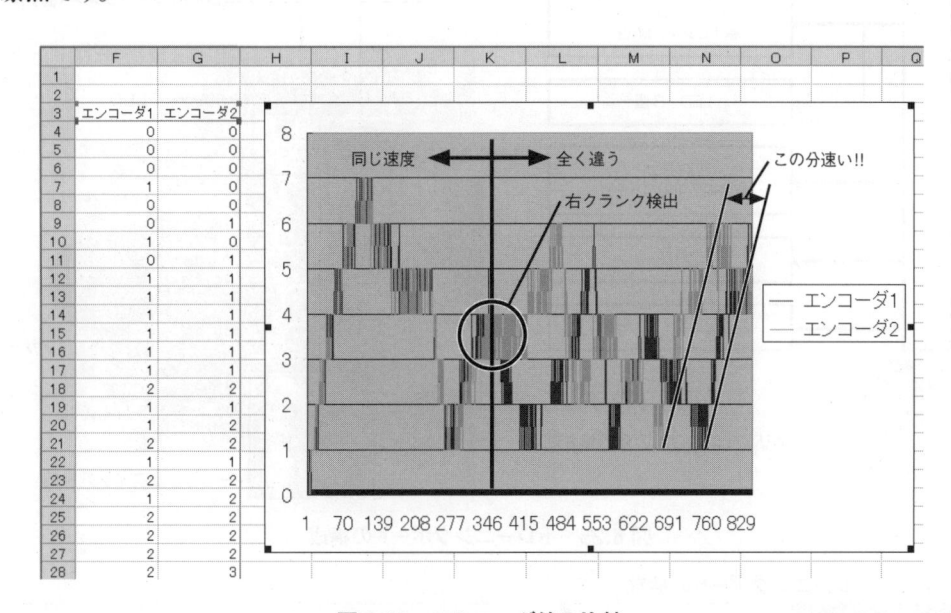

図6.23　エンコーダ値の比較

6.3　トレーニングボード（液晶基板）を使う

6.3.1　概要

　マイコンカーのサーボセンタの調整やパラメータの変更など、パソコンを使わずに手元で行いたい…
　設定できるパラメータをスピードの割合以外にも増やしたい…などできるだけパソコンを使わずに手元で変更したいものです。そこで図6.24のようなトレーニングボードをマイコンカーに搭載して手元でパラメータ調整やいろいろな情報を表示して確認できるようにしましょう。

図6.24　トレーニングボードの本体とLCD部

ここで紹介している内容は、マイコンカーホームページのダウンロードコーナにある表6.21のマニュアルを再編集したものです。詳しくは、それぞれのマニュアルを参照してください。

表6.21 ホームページにあるマニュアルと内容

マニュアル名	内容
トレーニングボード製作マニュアル	トレーニングボードの製作について
トレーニングボード実習マニュアル kit06版	トレーニングボードを使ったプログラムについて

トレーニングボードの構成図を図6.25に、それぞれの機能の詳細を表6.22に示します。

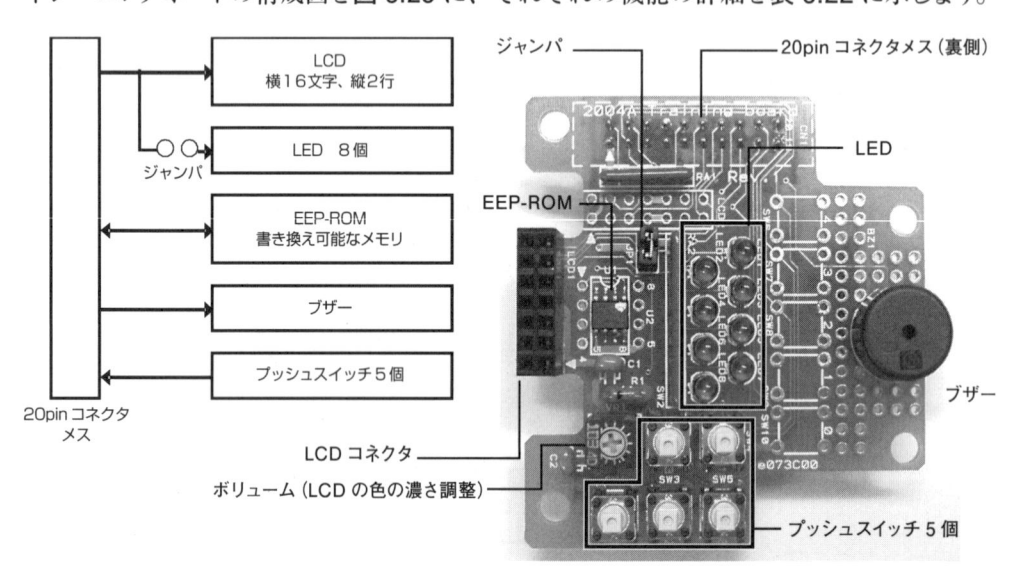

図6.25 トレーニングボードの構成

表6.22 トレーニングボードの機能

20ピンコネクタ	RY3048Foneボードの20ピンコネクタは、マイコンカーキットの構成では使っていません。トレーニングボードはこのコネクタを利用して接続します。ただし、CPUボードの20ピンコネクタは未実装なので、各自追加する必要があります。
LCD（液晶）	プログラムにて、文字を表示して情報を確認します。横16文字、縦2行の合計32文字表示できますので、LEDで状態を表示するより格段に情報量が違います。LCDはコネクタ式で簡単に外すことができます。 例）センサの情報表示、マイコンカーのパラメータの表示
LED	LCDの下にLEDが8個付いています。LCDを表示させるか、LCDを取ってLEDを点灯させるかを基板上のジャンパで選びます。LCDを取り付けるまでもないけれども、情報を表示したい場合はLEDにします。 ※LEDを使用するときはLCDは使用できません。
EEP-ROM （93C56）	ちょっとしたパラメータの変更をするのにプログラムの変更、書き込みを行うのは時間的に、そしてH8マイコンのフラッシュメモリの寿命から好ましくありません。そこで、安価なEEP-ROMを外部に取り付け、EEP-ROM内にパラメータを保存します。LCDに数値を表示、スイッチで値を増減させ、EEP-ROMに保存させるとパソコンが無くともパラメータの変更ができるようになります。今回のトレーニングボードでは、128ワードのデータを保存することができます。1ワードは16ビットです。 ちなみに、データ解析で使用したEEP-ROMとは全く別の種類ですので混同しないようにしてください。

ブザー	マイコンカーを走らせているとき、LED や LCD での確認は困難なため、音による確認ができるようにします。ブザーは、音階を自由にならすことができます。ただし、小さいブザーを使っているため、音量は小さめです。 例）クランクで音を鳴らす、急カーブで音を鳴らす
プッシュスイッチ	LCD 表示の情報の切り替え、パラメータの調整を行います。スイッチは 5 個あります。本プログラムでは、値の保存用として 1 個、メニューの切り替え用として 2 個（プラスマイナス）、パラメータの増減用として 2 個（プラスマイナス）使います。 例）LCD のメニューの切り替え、パラメータの増減用

> **コラム** EEP-ROM 基板 Ver.2 の EEP-ROM とトレーニングボードの EEP-ROM の違い

マイコンカーで使用している EEP-ROM は 2 種類あります。どちらも DIP（または SOP）の 8 ピンで外形は同じですが、仕組みは全く違います。混同しないよう気をつけてください。特徴を下表にまとめます。

内容	EEP-ROM 基板 Ver.2 で使用している EEP-ROM	トレーニングボードで使用している EEP-ROM
マイコンカーでの用途	走行データ保存用	パラメータ保存用
IC 型式	24C256	93C56
通信方式	I2C 方式	シリアル通信方式
端子	SCL,SDA の 2 端子	CS,CLK,DI,DO の 4 端子
容量	32,768 バイト	128 ワード
データ 1 個分の容量	8 ビット -128 ～ 127、 または 0 ～ 255	16 ビット -32,768 ～ 32,767、 または 0 ～ 65,535
書き込み後、待つ時間	最大 10[ms]	最大 10[ms]
書き換え保証回数	100 万回	100 万回

6.3.2 回路

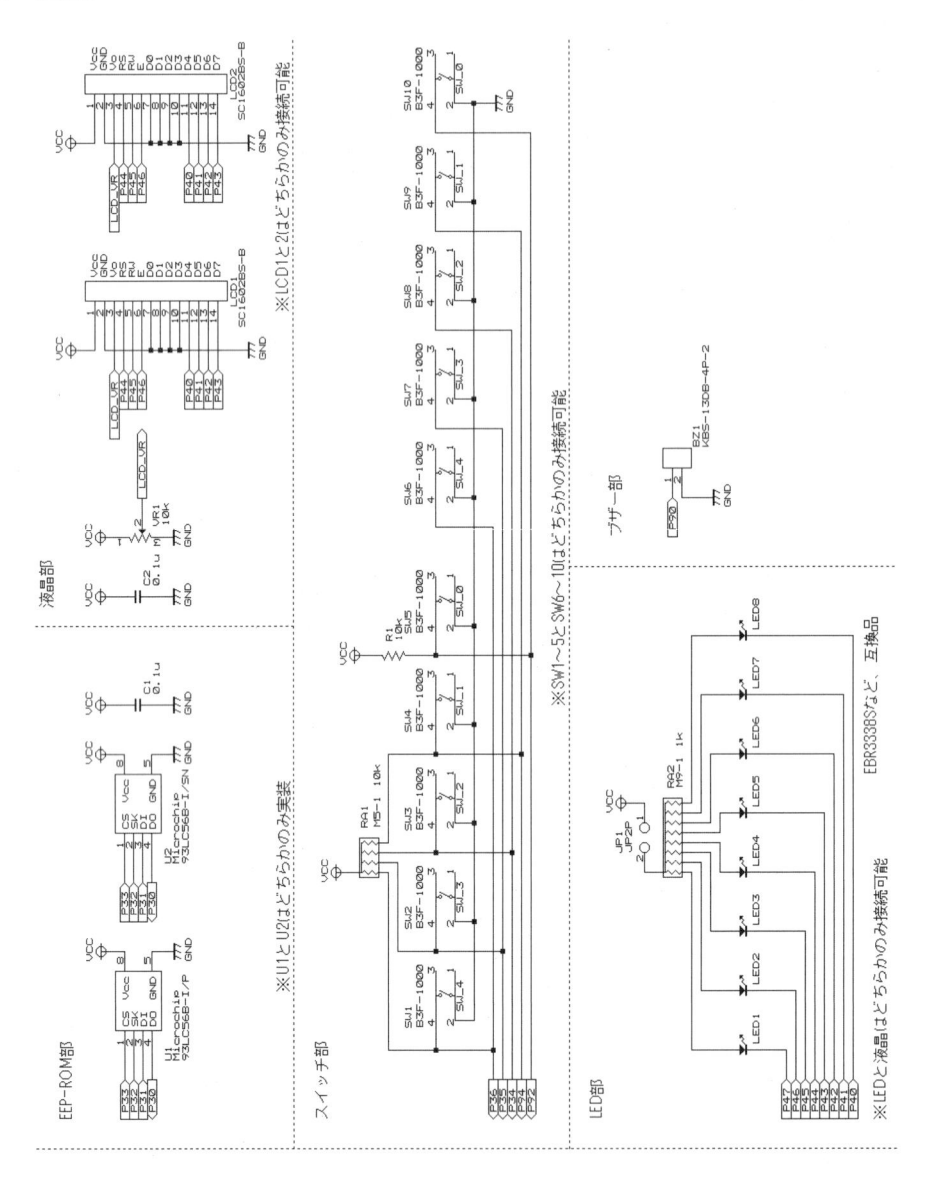

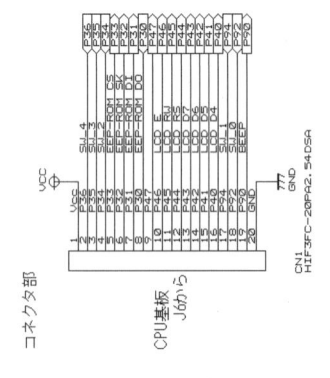

6.3.3 寸法

トレーニングボードは、横幅がLCDの長さと同じで85[mm]、奥行き60[mm]、高さ22[mm]です。

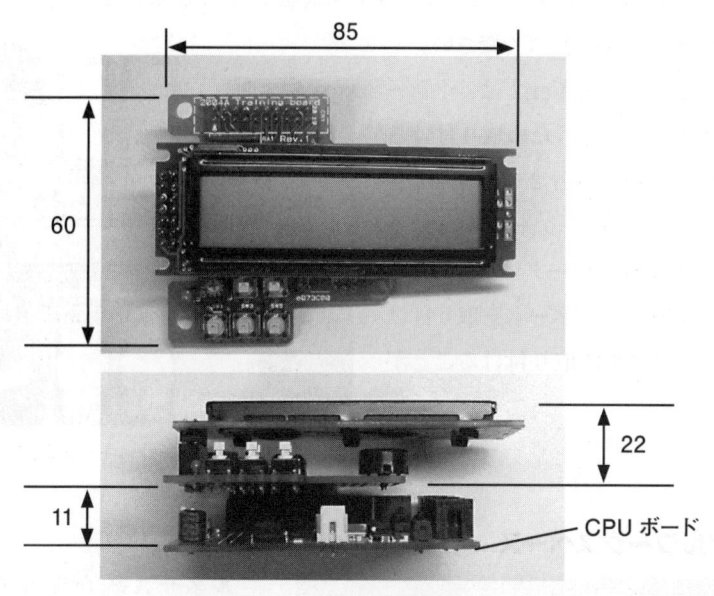

図6.26 トレーニングボードの寸法

6.3.4 CPUボードへの取り付け

図6.27のようにCPUボードに20ピンコネクタオスを実装します。1ピン、2ピン側は、CPUボードの固定用穴とぶつかるので3[mm]ほどカットしておくと良いでしょう。

CPUボードの20ピンコネクタオスとトレーニングボードの20ピンコネクタメスを重ねます。トレーニングボード側のコネクタには出っ張りのガイドが無いため、ずれて挿してしまう可能性がありますのでよく見て取り付けをしてください。また、コネクタに挿しただけでは抜ける可能性がありますので、CPUボードの穴を利用してスタットなどで固定しましょう(図6.28)。

図6.27 20ピンコネクタの追加

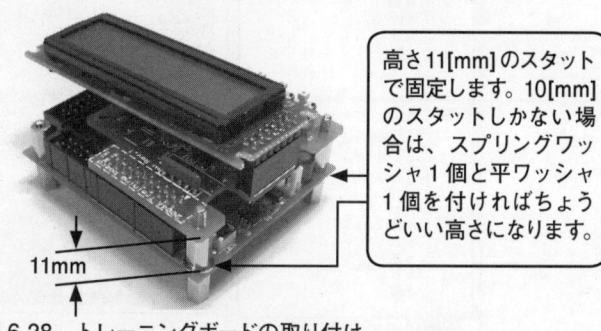

高さ11[mm]のスタットで固定します。10[mm]のスタットしかない場合は、スプリングワッシャ1個と平ワッシャ1個を付ければちょうどいい高さになります。

図6.28 トレーニングボードの取り付け

6.3.5 マイコンカーキットへの取り付け

　CPU ボードにトレーニングボードを接続して、スタットで固定します。マイコンカーキット Ver.4 の場合はギヤボックス上のプレートとモータドライブ基板がぶつかるので、後ろにずらしました。各自、ぶつからないように移動してください。

　ちなみに、EEP-ROM 基板 Ver.2 は、トレーニングボードとぶつかってしまうため取り付けられません。EEP-ROM 基板 Ver.2 をどうしても取り付けたいときは、フラットケーブルなどで延長して取り付けましょう。ロータリエンコーダキット Ver.2 は、トレーニングボードを取り付けた状態でポート A コネクタに取り付けることができます。

マイコンカーキットの取り付け

6.3.6 サンプルワークスペース

　ルネサス統合開発環境を立ち上げ、「C ドライブ → Workspace → training06」の「training06.hws」を選択します。**選択**をクリックします。

　「training06」ワークスペースが開かれます。

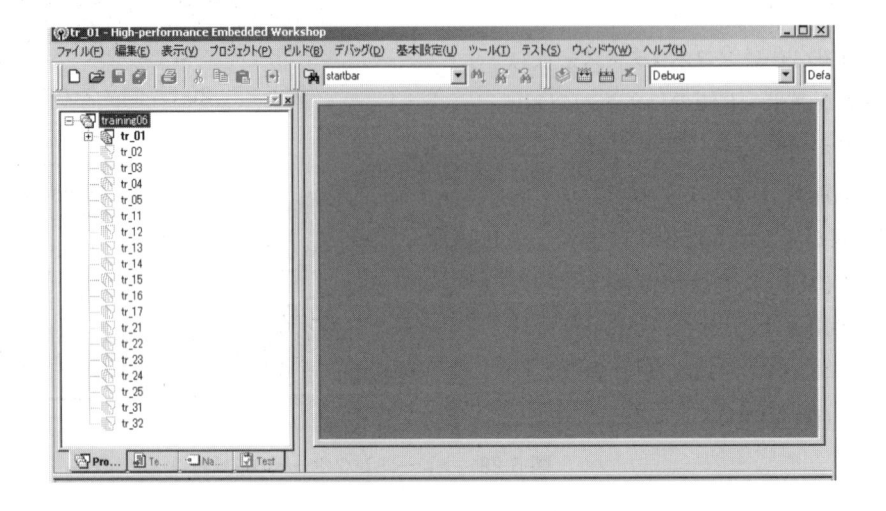

ワークスペース「training06」には、19 つのプロジェクトが登録されています（表 6.23）。tr_01 ～ 05 は、トレーニングボードの使い方を説明しているプロジェクト、tr_11 ～ 17 は、各種走行パラメータ設定にトレーニングボードを搭載したプロジェクト、tr21 ～ 25 はエンコーダの追加に対応したプロジェクト、tr31 は内蔵 RAM にデータを保存して解析を行うプロジェクト、tr32 は EEP-ROM（24C256）にデータを保存して解析を行うプロジェクトです。

表 6.23 登録されているプロジェクト

プロジェクト名	内容
tr_01	LCD の使い方 lcd2.c を使った、LCD の制御についてのサンプルプログラムです。
tr_02	プッシュスイッチの使い方 switch.c を使った、プッシュスイッチで値を操作するサンプルプログラムです。
tr_03	ブザーの使い方 beep.c を使った、ブザーで音を鳴らすサンプルプログラムです。
tr_04	ブザーの使い方 2 beep.c を使った、先ほどとは違うブザーの鳴らし方をするサンプルプログラムです。
tr_05	EEP-ROM の使い方 eeprom.c を使った、EEP-ROM からデータ読み込み、データ保存を行うサンプルプログラムです。
tr_11	トレーニングボードを使用したプログラムを作る前に、マイコンカー走行プログラム「kit06.c」を、高速化対応させたプログラムです（トレーニングボードは使用していません）。
tr_12	サーボのセンタ調整をプッシュスイッチで行います。
tr_13	今まで、CPU ボード上のディップスイッチで PWM の設定を行っていましたが、プッシュスイッチで 0 ～ 100%まで自由に設定します。
tr_14	カーブでは、内輪と外輪で回転差が出ます。それをテーブルデータとしてプログラムに追加します。ハンドル角度を変えても内外輪差を自動で計算するようにします。
tr_15	カーブのセンサ状態は、微曲げ、小曲げ、中曲げ、大曲げでしたが、大曲げ時のセンサ判別状態を増やしてカーブでの対応パターンを増やします。
tr_16	大曲げ時の PWM 値の設定を、プッシュスイッチで行います。
tr_17	クロスライン検出後の PWM 値の設定を、プッシュスイッチで行います。
tr_21	ロータリエンコーダを使用して、クロスライン、右ハーフライン、左ハーフライン検出後 10cm はセンサを見ないようにします。2 本目の誤検出防止用です。
tr_22	ロータリエンコーダを使用して、設定値以上のスピードで大カーブを検出するとブレーキをかけるようにします。
tr_23	ロータリエンコーダを使用して、クロスライン、右ハーフライン、左ハーフライン検出後の速度を設定値一定にします。
tr_24	tr_23 の処理を 2 段階にして、高速なときでも対応できるようにします。
tr_25	ロータリエンコーダを使用して、一定距離でマイコンカーを止めるようにします。例えば、1 周 20m のコースなら 22m くらいに設定しておくと便利です。
tr_31	内蔵 RAM を利用して、走行データを保存、走行後にパソコンへ転送してデータ解析できるようにします。
tr_32	外付け EEP-ROM（24C256）を利用して、走行データを保存、走行後にパソコンへ転送してデータ解析できるようにします。

6.3.7 マイコンカーキット Ver.4 への対応

ワークスペース「training06」は、マイコンカーキット Vol.3 の内容で作られています。マイコンカーキット Ver.4 を使うときは、プログラムの修正が必要です。ハード的に違う部分を、表 6.24 に示します。

表 6.24 マイコンカーキット Vol.3 と Ver.4 の違い

内容	マイコンカーキット Vol.3	マイコンカーキット Ver.4
スタートバー検出センサ基板	ポート A の bit7 に接続されています。	この基板はありません。
センサ基板	センサ基板 TLN119 版を使用しています。	センサ基板 Ver.4 を使用しています。

プログラムは、次の修正を行えば、プロジェクト「training06」のプログラムをマイコンカーキット Ver.4 で使用できます。
- スタートバー検出センサの状態を取得する startbar_get 関数を、マイコンカーキット Ver.4 の内容に修正
- センサ基板の状態を取得する sensor_inp 関数を、マイコンカーキット Ver.4 の内容に修正
- init 関数内の入出力設定の修正

6.3.8 LCD の使い方

プロジェクト「tr_01」は LCD の使い方を説明したプロジェクトです。

(1) LCD 表示用ヘッダファイル「lcd2.h」

LCD の表示を簡単に行える関数が用意されています。これらの関数はプロジェクトに「lcd2.c」を追加し、LCD を制御したい C 言語プログラムファイルで「lcd2.h」をインクルードすることにより使えるようになります。

■ initLcd 関数

書式	int initLcd (void) ;
内容	LCD を初期化します。必ず割り込みを許可した後に実行します。
戻り値	0: 初期化エラー終了 1: 初期化正常終了
例	initLcd () ;　　　　// 戻り値は無視しています

■ lcdPosition 関数

書式	void lcdPosition (char x ,char y) ;
内容	LCD に表示する位置を決めます。
引数	横 (0 ～ 15)、縦 (0 ～ 1)
例	lcdPosition (5, 1) ;

■ lcdPrintf 関数

書式	int lcdPrintf (char *format, ...) ;
内容	LCD に表示します。書式は、printf と同じです。表示位置は前回に表示された続きか、lcdPosition 関数で指定された位置です。
引数	printf 文と同様です。
例	lcdPrintf ("time = % 08ld ", cnt1) ;

■ lcdShowProcess 関数

書式	void lcdShowProcess (void) ;
内容	LCD の表示を実際に行う関数です。lcdPrintf 関数を実行しても、この関数が実行されていないと表示されません。割り込みプログラムで 1[ms] ごとにこの関数を実行するようにしてください。
例	lcdShowProcess () ;

(2) プログラム「tr_01.c」

```
  1 : /***************************************************************/
  2 : /* トレーニングボードを使用したマイコンカートレースプログラム (kit06 版)  */
  3 : /*                   2006.08 ジャパンマイコンカーラリー実行委員会        */
  4 : /***************************************************************/
  5 :
  6 : /*======================================*/
  7 : /* インクルード                          */
  8 : /*======================================*/
  9 : #include    <no_float.h>              /* stdio の簡略化 最初に置く */
 10 : #include    <stdio.h>
 11 : #include    <machine.h>
 12 : #include    "h8_3048.h"
 13 : #include    "lcd2.h"                  /* LCD 表示用追加           */
中略
 68 : /***************************************************************/
 69 : /* メインプログラム                                              */
 70 : /***************************************************************/
 71 : void main ( void )
 72 : {
 73 :     int     i;
 74 :
 75 :     /* マイコン機能の初期化 */
 76 :     init ();                          /* 初期化                  */
 77 :     set_ccr ( 0x00 );                 /* 全体割り込み許可         */
 78 :     initLcd ();                       /* LCD 初期化              */
 79 :
 80 :     /* マイコンカーの状態初期化 */
 81 :     handle ( 0 );
 82 :     speed ( 0, 0 );
 83 :
 84 :     while ( 1 ) {
 85 :         lcdPosition ( 0, 0 );
 86 :         lcdPrintf ( "TrainingBoard'06" );
 87 :         lcdPosition ( 0, 1 );
 88 :         lcdPrintf ( "time = %08ld ", cnt1 );
 89 :     }
```

注釈:
- lcd2.h をインクルードするときは、stdio.h もインクルードします。
- LCD を使うために、lcd2.h をインクルードします。
- LCD を初期化します。割り込みを許可した後に実行します。

```
中略
494 : /****************************************************************/
495 : /* H8/3048F-ONE 内蔵周辺機能  初期化                            */
496 : /****************************************************************/
497 : void init ( void )
498 : {
499 :     /* I/O ポートの入出力設定 */
500 :     P1DDR = 0xff;
501 :     P2DDR = 0xff;
502 :     P3DDR = 0x8e;                    /* スイッチ、EEP-ROM        */
503 :     P4DDR = 0xff;                    /* LCD 接続                 */
504 :     P5DDR = 0xff;
505 :     P6DDR = 0xf0;                    /* CPU 基板上の DIP SW      */
506 :     P8DDR = 0xff;
507 :     P9DDR = 0xe3;                    /* bit4,2:sw bit3:232c      */
508 :     PADDR = 0xf7;                    /* スタートバー検出センサ   */
509 :     PBDR  = 0xc0;
510 :     PBDDR = 0xfe;                    /* モータドライブ基板 Vol.3 */
511 :     /* ※センサ基板の P7 は、入力専用なので入出力設定はありません */
512 :
513 :     /* ITU0 1ms 毎の割り込み */
514 :     ITU0_TCR = 0x23;
515 :     ITU0_GRA = TIMER_CYCLE;
516 :     ITU0_IER = 0x01;
517 :
518 :     /* ITU3,4 リセット同期 PWM モード 左右モータ、サーボ用 */
519 :     ITU3_TCR = 0x23;
520 :     ITU_FCR  = 0x3e;
521 :     ITU3_GRA = PWM_CYCLE;            /* 周期の設定              */
522 :     ITU3_GRB = ITU3_BRB = 0;         /* 左モータの PWM 設定     */
523 :     ITU4_GRA = ITU4_BRA = 0;         /* 右モータの PWM 設定     */
524 :     ITU4_GRB = ITU4_BRB = SERVO_CENTER; /* サーボの PWM 設定    */
525 :     ITU_TOER = 0x38;
526 :
527 :     /* ITU のカウントスタート */
528 :     ITU_STR = 0x09;
529 : }
530 :
531 : /****************************************************************/
532 : /* ITU0 割り込み処理                                              */
533 : /****************************************************************/
534 : #pragma interrupt ( interrupt_timer0 )
535 : void interrupt_timer0 ( void )
536 : {
537 :     ITU0_TSR &= 0xfe;                /* フラグクリア            */
538 :     cnt0++;
539 :     cnt1++;
540 :
541 :     /* LCD 表示処理用関数です。1ms 毎に実行します。              */
542 :     lcdShowProcess ();
543 :
544 : }
以下略
```

> トレーニングボードの機器は、ポート3、ポート4、ポート9を使用しています。LCDしか使わなくても、繋がっている機器すべての入出力設定を行います。

> 割り込みプログラム内に置いて、1[ms]に1回実行するようにします。

(3) プログラムの解説

84 ～ 89 行が無限ループで常に実行されます。

リスト 6.28

```
84 :        while ( 1 ) {
85 :            lcdPosition ( 0, 0 );              LCDの0列目0行目にセット
86 :            lcdPrintf ( "TrainingBoard'06" );
87 :            lcdPosition ( 0, 1 );              LCDの0列目1行目にセット
88 :            lcdPrintf ( "time = %08ld ", cnt1 );
89 :        }
```

lcdPosition 関数は、lcdPrintf 関数で LCD へ表示するときの位置を指定しています。86 行で LCD の 0 行目に表示する文字列を、88 行で LCD の 1 行目に表示する文字列を作っています。表示内容の「% 08ld」（アルファベットは小文字のエルとディ）は、

%…変換指示開始です。

0…空白桁を 0 で埋めます。

8…幅を指定します。8 桁です。

l…引数を long 型のサイズとして扱います。

d…10 進数に変換して表示します。

結果、cnt1 変数の値を、8 桁で空白桁は 0 で埋めて 10 進数に変換します。例えば、cnt1 に 12345 が代入されていたとすると、LCD には図 6.29 のように表示されます。

	0	1	2	3	4	5	6	7	8	9	10	11	12	13	14	15	列
行 0	T	r	a	i	n	i	n	g	B	o	a	r	d	'	0	6	
1	t	i	m	e		=		0	0	0	1	2	3	4	5		

図 6.29　LCD の表示内容

マイコンカープログラム kit07.c では、cnt1 変数を時間計測用に使用しました。LCD を使うことにより cnt1 変数の値が目で見て分かります。

6.3.9　プッシュスイッチの使い方

プロジェクト「tr_02」はプッシュスイッチの使い方を説明したプロジェクトです。

(1) プッシュスイッチ制御ヘッダファイル「switch.h」

スイッチの検出を簡単にできる関数が用意されています。これらの関数は、プロジェクトに「switch.c」を追加し、スイッチを制御したい C 言語プログラムファイルで「switch.h」をインクルードすることにより使えるようになります。

■ initSwitch 関数

書式	void initSwitch (void) ;
内容	スイッチを初期化します。必ず最初に実行します。
例	initSwitch () ;

■ switchProcess 関数

書式	void switchProcess (void) ;
内容	スイッチの制御を行います。割り込みプログラムで 1[ms] ごとにこの関数を実行するようにしてください。
例	switchProcess () ;

■ getSwNow 関数

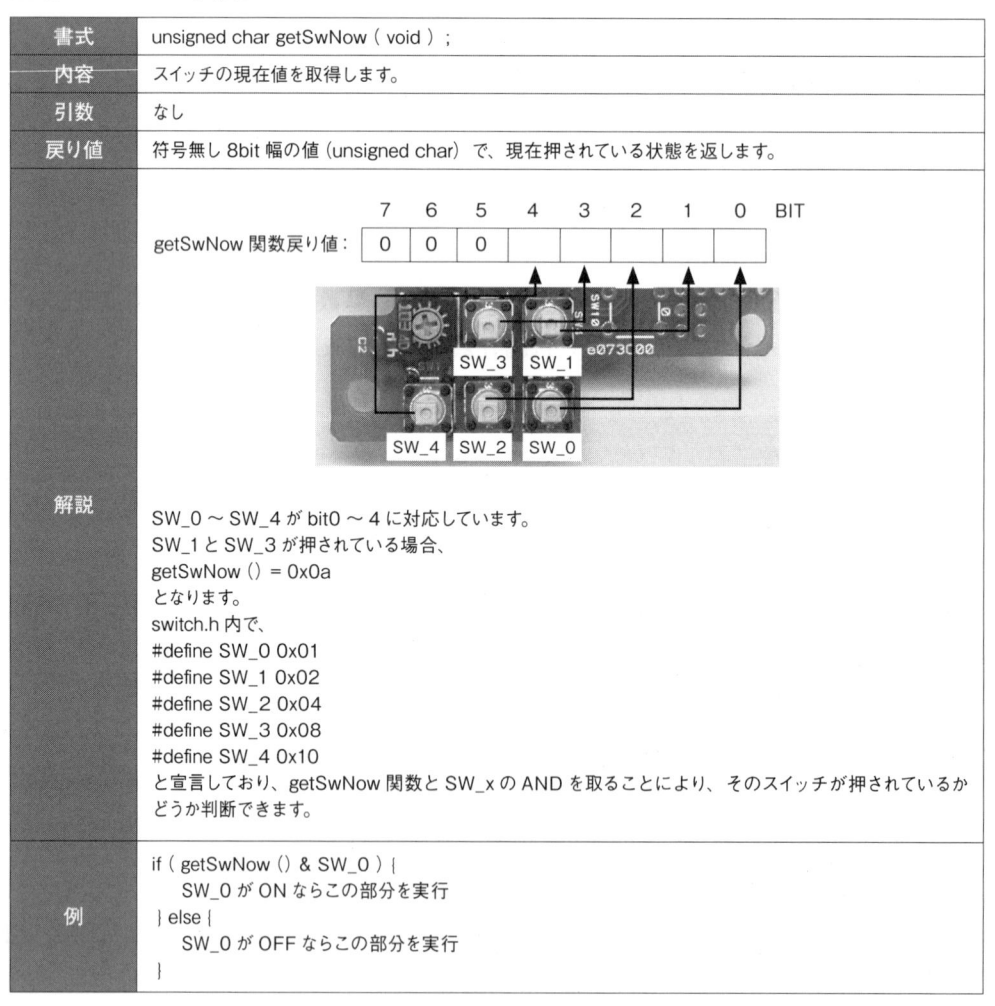

書式	unsigned char getSwNow (void) ;
内容	スイッチの現在値を取得します。
引数	なし
戻り値	符号無し 8bit 幅の値 (unsigned char) で、現在押されている状態を返します。
解説	SW_0 〜 SW_4 が bit0 〜 4 に対応しています。 SW_1 と SW_3 が押されている場合、 getSwNow () = 0x0a となります。 switch.h 内で、 #define SW_0 0x01 #define SW_1 0x02 #define SW_2 0x04 #define SW_3 0x08 #define SW_4 0x10 と宣言しており、getSwNow 関数と SW_x の AND を取ることにより、そのスイッチが押されているかどうか判断できます。

例	if (getSwNow () & SW_0) {
	　　SW_0 が ON ならこの部分を実行
	} else {
	　　SW_0 が OFF ならこの部分を実行
	}

■ getSwFlag 関数

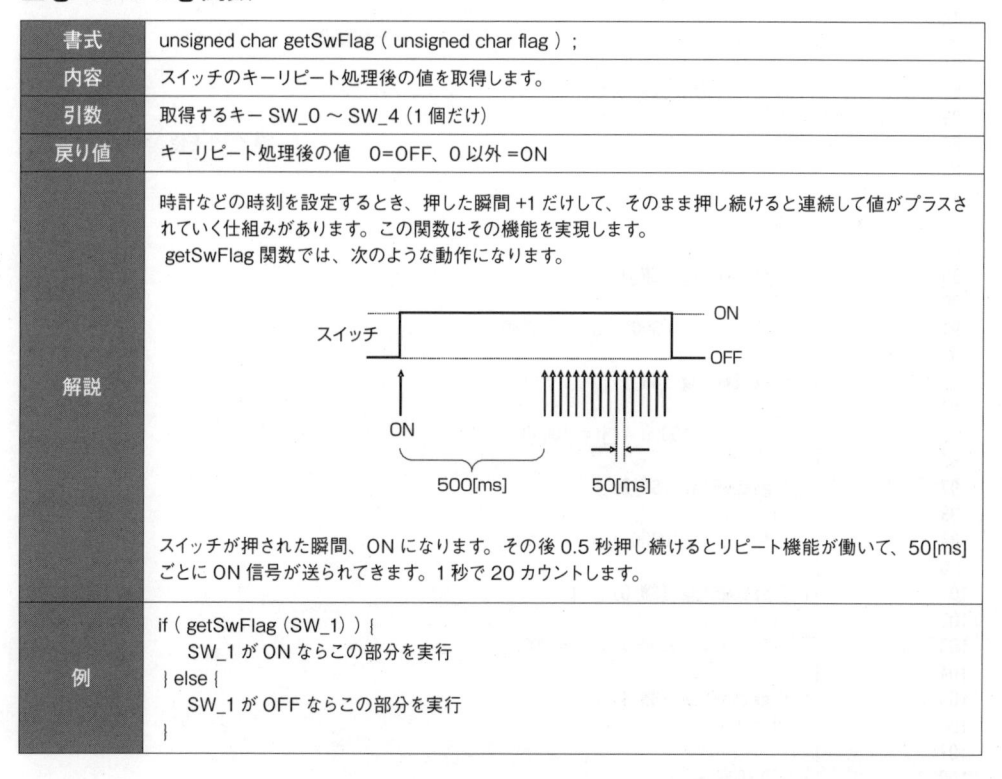

書式	unsigned char getSwFlag (unsigned char flag) ;
内容	スイッチのキーリピート処理後の値を取得します。
引数	取得するキー SW_0 ～ SW_4（1個だけ）
戻り値	キーリピート処理後の値　0=OFF、0以外 =ON
解説	時計などの時刻を設定するとき、押した瞬間 +1 だけして、そのまま押し続けると連続して値がプラスされていく仕組みがあります。この関数はその機能を実現します。 getSwFlag 関数では、次のような動作になります。 スイッチが押された瞬間、ON になります。その後 0.5 秒押し続けるとリピート機能が働いて、50[ms] ごとに ON 信号が送られてきます。1 秒で 20 カウントします。

例	if (getSwFlag (SW_1)) {
	　　SW_1 が ON ならこの部分を実行
	} else {
	　　SW_1 が OFF ならこの部分を実行
	}

(2) プログラム「tr_02.c」

```
 1 : /****************************************************************/
 2 : /* トレーニングボードを使用したマイコンカートレースプログラム（kit06 版）    */
 3 : /*                 2006.08 ジャパンマイコンカーラリー実行委員会          */
 4 : /****************************************************************/
 5 :
 6 : /*======================================*/
 7 : /* インクルード                            */
 8 : /*======================================*/
 9 : #include    <no_float.h>          /* stdio の簡略化 最初に置く */
10 : #include    <stdio.h>
11 : #include    <machine.h>
12 : #include    "h8_3048.h"
13 : #include    "lcd2.h"              /* LCD 表示用追加         */
14 : #include    "switch.h"            /* スイッチ追加           */
中略
69 : /****************************************************************/
70 : /* メインプログラム                                               */
71 : /****************************************************************/
72 : void main ( void )
73 : {
74 :     int    i, j;
75 :
76 :     /* マイコン機能の初期化 */
77 :     init () ;                     /* 初期化               */
```

> スイッチを使うために、switch.h をインクルードします。

```
 78 :        set_ccr ( 0x00 ) ;              /* 全体割り込み許可       */
 79 :        initLcd () ;                    /* LCD 初期化            */
 80 :        initSwitch () ;                 /* スイッチ初期化         */
 81 :
 82 :        /* マイコンカーの状態初期化 */
 83 :        handle ( 0 ) ;
 84 :        speed ( 0, 0 ) ;
 85 :
 86 :        j = 0;
 87 :        while ( 1 ) {
 88 :            /* スイッチ処理 */
 89 :            if ( getSwFlag (SW_0) ) {
 90 :                j--;
 91 :                if ( j < -10000 ) j = -10000;
 92 :            }
 93 :            if ( getSwFlag (SW_1) ) {
 94 :                j++;
 95 :                if ( j > 10000 ) j = 10000;
 96 :            }
 97 :            if ( getSwFlag (SW_2) ) {
 98 :                j -= 10;
 99 :                if ( j < -10000 ) j = -10000;
100 :            }
101 :            if ( getSwFlag (SW_3) ) {
102 :                j += 10;
103 :                if ( j > 10000 ) j = 10000;
104 :            }
105 :            if ( getSwFlag (SW_4) ) {
106 :                j = 0;
107 :            }
108 :            /* LCD 処理 */
109 :            lcdPosition ( 0, 0 ) ;
110 :            lcdPrintf ( "getSwNow () = %02x", getSwNow () ) ;
111 :            lcdPosition ( 0, 1 ) ;
112 :            lcdPrintf ( "data = %+06d", j ) ;
113 :        }
中略
555 :   /***********************************************************************/
556 :   /* ITU0 割り込み処理                                                    */
557 :   /***********************************************************************/
558 :   #pragma interrupt ( interrupt_timer0 )
559 :   void interrupt_timer0 ( void )
560 :   {
561 :       ITU0_TSR &= 0xfe;                  /* フラグクリア           */
562 :       cnt0++;
563 :       cnt1++;
564 :
565 :       /* LCD 表示処理用関数です。1ms 毎に実行します。            */
566 :       lcdShowProcess () ;
567 :       /* 拡張スイッチ用関数です。1ms 毎に実行します。            */
568 :       switchProcess () ;
569 :   }
以下略
```

(スイッチを使う準備をします。)

(割り込みプログラム内に置いて、1[ms] に1回実行するようにします。)

(3) プログラムの解説

87 ～ 113 行が無限ループで常に実行されます。

リスト 6.29

```
 86 :        j = 0;
 87 :        while ( 1 ) {
 88 :            /* スイッチ処理 */
 89 :            if ( getSwFlag (SW_0) ) {
 90 :                j--;
 91 :                if ( j < -10000 ) j = -10000;
 92 :            }
 93 :            if ( getSwFlag (SW_1) ) {
 94 :                j++;
 95 :                if ( j > 10000 ) j = 10000;
 96 :            }
 97 :            if ( getSwFlag (SW_2) ) {
 98 :                j -= 10;
 99 :                if ( j < -10000 ) j = -10000;
100 :            }
101 :            if ( getSwFlag (SW_3) ) {
102 :                j += 10;
103 :                if ( j > 10000 ) j = 10000;
104 :            }
105 :            if ( getSwFlag (SW_4) ) {
106 :                j = 0;
107 :            }
108 :            /* LCD 処理 */
109 :            lcdPosition ( 0, 0 );
110 :            lcdPrintf ( "getSwNow () = %02x", getSwNow () );
111 :            lcdPosition ( 0, 1 );
112 :            lcdPrintf ( "data = %+06d", j );
113 :        }
```

89 行から 107 行で SW_0 ～ SW_4 を押したとき、変数 j の値を操作します。キーリピートを使っています。

109 ～ 112 行で表示文字列を作っています。表示内容は getSwNow 関数の戻り値と、j 変数の値です。

6.3.10　ブザーの使い方

プロジェクト「tr_03」はブザーで音（音階）を鳴らす方法について説明したプロジェクトです。

(1) ブザー制御ヘッダファイル「beep.h」

ブザーの制御を簡単にできる関数が用意されています。これらの関数は、プロジェクトに「beep.c」を追加し、ブザーを制御したい C 言語プログラムファイルで「beep.h」をインクルードすることにより使えるようになります。

■ initBeep 関数

書式	void initBeep (void) ;
内容	ブザーを初期化します。必ず最初に実行します。
例	initBeep () ;

■ beepOut 関数

書式	void beepOut (int f) ;
内容	引数に設定した周波数を出力します。引数に 0 を設定すると音は鳴りやみます。
引数	周波数 [Hz]
戻り値	なし
例	beepOut (1000) ; // 1000[Hz] の方形波をブザーへ出力します。

■ setBeepPattern 関数

書式	void setBeepPattern (unsigned int data) ;
内容	ブザーを鳴らすパターンをセットします。
引数	鳴らすパターン
戻り値	なし
解説	setBeepPattern 関数でブザーを鳴らすパターンをセットします。16 ビット分指定します。1 ビットあたり 50[ms] の長さの音を鳴らします。例えば 16 進数で「0xa000」を設定したとします。2 進数に直すと「1010 0000 0000 0000」となり、これは 50[ms] ブザー ON、50[ms] ブザー OFF、50[ms] ブザー ON、残りブザー OFF という設定です。耳には、「ピッピッ」と聞こえます。 もし、「0x8000」にすると、50[ms] ブザーが ON、残りは全て OFF、「0xffff なら、50[ms] × 16 ＝ 800[ms] 間ブザーが鳴り続けます。
例	setBeepPattern (0xa800) ;　// ブザーがピッピッピッと鳴る。

■ beepProcess 関数

書式	void beepProcess (void) ;
内容	ブザー処理を行います。割り込みプログラムで 1[ms] ごとにこの関数を実行するようにしてください。
例	beepProcess () ;

(2) プログラム「tr_03.c」

```
  1: /******************************************************************/
  2: /* トレーニングボードを使用したマイコンカートレースプログラム（kit06版）    */
```

```
  3 :     /*                   2006.08 ジャパンマイコンカーラリー実行委員会    */
  4 :     /***************************************************************/
  5 :
  6 :     /*======================================*/
  7 :     /* インクルード                          */
  8 :     /*======================================*/
  9 :     #include    <no_float.h>            /* stdioの簡略化 最初に置く */
 10 :     #include    <stdio.h>
 11 :     #include    <machine.h>
 12 :     #include    "h8_3048.h"
 13 :     #include    "lcd2.h"                /* LCD表示用追加              */
 14 :     #include    "switch.h"              /* スイッチ追加               */
 15 :     #include    "beep.h"                /* ブザー追加                 */
中略
 70 :     /****************************************************************/
 71 :     /* メインプログラム                                               */
 72 :     /****************************************************************/
 73 :     void main ( void )
 74 :     {
 75 :         int     i;
 76 :
 77 :         /* マイコン機能の初期化 */
 78 :         init ();                        /* 初期化                     */
 79 :         set_ccr ( 0x00 );               /* 全体割り込み許可           */
 80 :         initLcd ();                     /* LCD初期化                  */
 81 :         initSwitch ();                  /* スイッチ初期化             */
 82 :         initBeep ();                    /* ブザー初期化               */
 83 :
 84 :         /* マイコンカーの状態初期化 */
 85 :         handle ( 0 );
 86 :         speed ( 0, 0 );
 87 :
 88 :         while ( 1 ) {
 89 :             /* LCD処理 */
 90 :             lcdPosition ( 0, 0 );
 91 :             lcdPrintf ( "beep sample" );
 92 :
 93 :             /* スイッチ処理 */
 94 :             if ( getSwNow () & SW_4 ) {
 95 :                 beepOut ( M_DO );
 96 :                 lcdPosition ( 0, 1 );
 97 :                 lcdPrintf ( "beep out = do  " );
 98 :             } else if ( getSwNow () & SW_3 ) {
 99 :                 beepOut ( M_RE );
100 :                 lcdPosition ( 0, 1 );
101 :                 lcdPrintf ( "beep out = re  " );
102 :             } else if ( getSwNow () & SW_2 ) {
103 :                 beepOut ( M_MI );
104 :                 lcdPosition ( 0, 1 );
105 :                 lcdPrintf ( "beep out = mi  " );
106 :             } else if ( getSwNow () & SW_1 ) {
107 :                 beepOut ( M_FA );
108 :                 lcdPosition ( 0, 1 );
109 :                 lcdPrintf ( "beep out = fa  " );
110 :             } else if ( getSwNow () & SW_0 ) {
111 :                 beepOut ( M_SO );
112 :                 lcdPosition ( 0, 1 );
113 :                 lcdPrintf ( "beep out = so  " );
114 :             } else {
```

ブザーを使うために、beep.hをインクルードします。

ブザーを使う準備をします。割り込みを許可した後に実行します。

```
115 :            beepOut ( 0 );
116 :            lcdPosition ( 0, 1 );
117 :            lcdPrintf ( "beep out = none" );
118 :        }
119 :    }
中略
561 :    /****************************************************************/
562 :    /* ITU0 割り込み処理                                              */
563 :    /****************************************************************/
564 :    #pragma interrupt ( interrupt_timer0 )
565 :    void interrupt_timer0 ( void )
566 :    {
567 :        ITU0_TSR &= 0xfe;                  /* フラグクリア        */
568 :        cnt0++;
569 :        cnt1++;
570 :
571 :        /* LCD 表示処理用関数です。1ms 毎に実行します。           */
572 :        lcdShowProcess ();
573 :        /* 拡張スイッチ用関数です。1ms 毎に実行します。           */
574 :        switchProcess ();
575 :        /* ブザー処理用関数です。1ms 毎に実行します。             */
576 :        beepProcess ();
577 :    }
```

割り込みプログラム内に置いて、
1[ms] に 1 回実行するようにします。

(3) プログラム「tr_03start.src」

ブザー処理は、src ファイルにも追記、変更が必要です。忘れがちなので気をつけてください。

```
 1 :    ;========================================
 2 :    ; 定義
 3 :    ;========================================
 4 :    RESERVE: .EQU    H'FFFFFFFF          ; 未使用領域のアドレス
 5 :
 6 :    ;========================================
 7 :    ; 外部参照
 8 :    ;========================================
 9 :            .IMPORT _main
10 :            .IMPORT _INITSCT
11 :            .IMPORT _interrupt_timer0
12 :            .IMPORT _intTXI0
13 :
14 :    ;========================================
15 :    ; ベクタセクション
16 :    ;========================================
17 :            .SECTION V
18 :            .DATA.L RESET_START         ; 0 H'000000  リセット
19 :            .DATA.L RESERVE             ; 1 H'000004  システム予約
20 :            .DATA.L RESERVE             ; 2 H'000008  システム予約
21 :            .DATA.L RESERVE             ; 3 H'00000c  システム予約
22 :            .DATA.L RESERVE             ; 4 H'000010  システム予約
23 :            .DATA.L RESERVE             ; 5 H'000014  システム予約
24 :            .DATA.L RESERVE             ; 6 H'000018  システム予約
25 :            .DATA.L RESERVE             ; 7 H'00001c  外部割り込み NMI
```

_initTXI0 関数が外部にありますよ、という意味です。

```
26 :         .DATA.L RESERVE            ;  8 H'000020   トラップ命令
27 :         .DATA.L RESERVE            ;  9 H'000024   トラップ命令
28 :         .DATA.L RESERVE            ; 10 H'000028   トラップ命令
29 :         .DATA.L RESERVE            ; 11 H'00002c   トラップ命令
30 :         .DATA.L RESERVE            ; 12 H'000030   外部割り込み IRQ0
31 :         .DATA.L RESERVE            ; 13 H'000034   外部割り込み IRQ1
32 :         .DATA.L RESERVE            ; 14 H'000038   外部割り込み IRQ2
33 :         .DATA.L RESERVE            ; 15 H'00003c   外部割り込み IRQ3
34 :         .DATA.L RESERVE            ; 16 H'000040   外部割り込み IRQ4
35 :         .DATA.L RESERVE            ; 17 H'000044   外部割り込み IRQ5
36 :         .DATA.L RESERVE            ; 18 H'000048   システム予約
37 :         .DATA.L RESERVE            ; 19 H'00004c   システム予約
38 :         .DATA.L RESERVE            ; 20 H'000050   WDT MOVI
39 :         .DATA.L RESERVE            ; 21 H'000054   REF CMI
40 :         .DATA.L RESERVE            ; 22 H'000058   システム予約
41 :         .DATA.L RESERVE            ; 23 H'00005c   システム予約
42 :         .DATA.L _interrupt_timer0  ; 24 h'000060   ITU0 IMIA0
43 :         .DATA.L RESERVE            ; 25 H'000064   ITU0 IMIB0
44 :         .DATA.L RESERVE            ; 26 H'000068   ITU0 OVI0
45 :         .DATA.L RESERVE            ; 27 H'00006c   システム予約
46 :         .DATA.L RESERVE            ; 28 H'000070   ITU1 IMIA1
47 :         .DATA.L RESERVE            ; 29 H'000074   ITU1 IMIB1
48 :         .DATA.L RESERVE            ; 30 H'000078   ITU1 OVI1
49 :         .DATA.L RESERVE            ; 31 H'00007c   システム予約
50 :         .DATA.L RESERVE            ; 32 H'000080   ITU2 IMIA2
51 :         .DATA.L RESERVE            ; 33 H'000084   ITU2 IMIB2
52 :         .DATA.L RESERVE            ; 34 H'000088   ITU2 OVI2
53 :         .DATA.L RESERVE            ; 35 H'00008c   システム予約
54 :         .DATA.L RESERVE            ; 36 H'000090   ITU3 IMIA3
55 :         .DATA.L RESERVE            ; 37 H'000094   ITU3 IMIB3
56 :         .DATA.L RESERVE            ; 38 H'000098   ITU3 OVI3
57 :         .DATA.L RESERVE            ; 39 H'00009c   システム予約
58 :         .DATA.L RESERVE            ; 40 H'0000a0   ITU4 IMIA4
59 :         .DATA.L RESERVE            ; 41 H'0000a4   ITU4 IMIB4
60 :         .DATA.L RESERVE            ; 42 H'0000a8   ITU4 OVI4
61 :         .DATA.L RESERVE            ; 43 H'0000ac   システム予約
62 :         .DATA.L RESERVE            ; 44 H'0000b0   DMAC DEND0A
63 :         .DATA.L RESERVE            ; 45 H'0000b4   DMAC DEND0B
64 :         .DATA.L RESERVE            ; 46 H'0000b8   DMAC DEND1A
65 :         .DATA.L RESERVE            ; 47 H'0000bc   DMCA DEND1B
66 :         .DATA.L RESERVE            ; 48 H'0000c0   システム予約
67 :         .DATA.L RESERVE            ; 49 H'0000c4   システム予約
68 :         .DATA.L RESERVE            ; 50 H'0000c8   システム予約
69 :         .DATA.L RESERVE            ; 51 H'0000cc   システム予約
70 :         .DATA.L RESERVE            ; 52 H'0000d0   SCI0 ERI0
71 :         .DATA.L RESERVE            ; 53 H'0000d4   SCI0 RXI0
72 :         .DATA.L _intTXI0           ; 54 h'0000d8   SCI0 TXI0
73 :         .DATA.L RESERVE            ; 55 H'0000dc   SCI0 TEI0
74 :         .DATA.L RESERVE            ; 56 H'0000e0   SCI1 ERI1
75 :         .DATA.L RESERVE            ; 57 H'0000e4   SCI1 RXI1
76 :         .DATA.L RESERVE            ; 58 H'0000e8   SCI1 TXI1
77 :         .DATA.L RESERVE            ; 59 H'0000ec   SCI1 TEI1
78 :         .DATA.L RESERVE            ; 60 H'0000f0   A/D ADI
79 :
80 : ;==========================================
81 : ; スタートアッププログラム
82 : ;==========================================
83 :         .SECTION P
84 : RESET_START:
```

> RESERVE → _intTXI0 に変更します。

```
85 :            MOV.L      #H'FFF10,ER7        ; スタックの設定
86 :            JSR        @_INITSCT           ; RAMエリアの初期化
87 :            JSR        @_main              ; C言語のmain()関数へジャンプ
88 :   OWARI:
89 :            BRA        OWARI
90 :
91 :            .END
```

(4) プログラムの解説

88～119行が無限ループで常に実行されます。

リスト 6.30

```
 88 :     while ( 1 ) {
 89 :         /* LCD処理 */
 90 :         lcdPosition ( 0, 0 );
 91 :         lcdPrintf ( "beep sample" );
 92 :
 93 :         /* スイッチ処理 */
 94 :         if ( getSwNow () & SW_4 ) {
 95 :             beepOut ( M_DO );            ド
 96 :             lcdPosition ( 0, 1 );
 97 :             lcdPrintf ( "beep out = do   " );
 98 :         } else if ( getSwNow () & SW_3 ) {
 99 :             beepOut ( M_RE );            レ
100 :             lcdPosition ( 0, 1 );
101 :             lcdPrintf ( "beep out = re   " );
102 :         } else if ( getSwNow () & SW_2 ) {
103 :             beepOut ( M_MI );            ミ
104 :             lcdPosition ( 0, 1 );
105 :             lcdPrintf ( "beep out = mi   " );
106 :         } else if ( getSwNow () & SW_1 ) {
107 :             beepOut ( M_FA );            ファ
108 :             lcdPosition ( 0, 1 );
109 :             lcdPrintf ( "beep out = fa   " );
110 :         } else if ( getSwNow () & SW_0 ) {
111 :             beepOut ( M_SO );            ソ
112 :             lcdPosition ( 0, 1 );
113 :             lcdPrintf ( "beep out = so   " );
114 :         } else {
115 :             beepOut ( 0 );               音を鳴らさない
116 :             lcdPosition ( 0, 1 );
117 :             lcdPrintf ( "beep out = none " );
118 :         }
119 :     }
```

getSwNow関数で、現在押されているスイッチの値を取得します。どのスイッチが押されているかif文で判別し、押されているスイッチによって、「ド、レ、ミ、ファ、ソ」の音階を鳴らします。何も押されていない場合は、音を消します。同時に、鳴らしている音階をLCDに表示するようにしています。

> **コラム** 音階について

　音階とは、「ドレミファソラシド」のことです。この音階の周波数が分かれば、周期が分かるので、その周期のデューティ比50%のPWMを圧電スピーカに出力すれば、「ドレミファソラシド」と音を鳴らすことができます。

　音階は、「ド」から次の高い「ド」まで「ド、ド#、レ、レ#、ミ、ファ、ファ#、ソ、ソ#、ラ、ラ#、シ」の12段階あります。最初のドの周波数は、261.6[Hz]です。次に高いドの周波数は、2倍の523.2[Hz]となります。この間の周波数は、

　　261.6×2の(x/12)乗

で求められます。xは、ドが0、ド#が1‥‥、シが11というように一つずつ増えていきます。xを0から12まで変化させたときの計算を下表に示します。

音	x	計算	周波数 [Hz]
ド	0	$261.6 \times 2^{(0/12)}$	261.6
ド#	1	$261.6 \times 2^{(1/12)}$	277.2
レ	2	$261.6 \times 2^{(2/12)}$	293.6
レ#	3	$261.6 \times 2^{(3/12)}$	311.1
ミ	4	$261.6 \times 2^{(4/12)}$	329.6
ファ	5	$261.6 \times 2^{(5/12)}$	349.2
ファ#	6	$261.6 \times 2^{(6/12)}$	370.0
ソ	7	$261.6 \times 2^{(7/12)}$	392.0
ソ#	8	$261.6 \times 2^{(8/12)}$	415.3
ラ	9	$261.6 \times 2^{(9/12)}$	440.0
ラ#	10	$261.6 \times 2^{(10/12)}$	466.1
シ	11	$261.6 \times 2^{(11/12)}$	493.8
ド	12	$261.6 \times 2^{(12/12)}$	523.2

　計算した周波数を四捨五入して、beep.hで宣言しています。

```
 4 :   #define    M_DO      262    /* ド    */
 5 :   #define    M_DOU     277    /* ド#   */
 6 :   #define    M_RE      294    /* レ    */
 7 :   #define    M_REU     311    /* レ#   */
 8 :   #define    M_MI      330    /* ミ    */
 9 :   #define    M_FA      349    /* ファ   */
10 :   #define    M_FAU     370    /* ファ#  */
11 :   #define    M_SO      392    /* ソ    */
12 :   #define    M_SOU     415    /* ソ#   */
13 :   #define    M_RA      440    /* ラ    */
14 :   #define    M_RAU     466    /* ラ#   */
15 :   #define    M_SI      494    /* シ    */
16 :   #define    H1_DO     523    /* ド    */
```

　先頭に付いている「M」は、「Middle（真ん中の）」という意味です。

```
beepOut ( M_DO );
```

で、ドの音階がブザーから出力されます。

さらに低い音階や、高い音階はどのように計算すればよいのでしょう。表のxの値を-1、-2、… と小さくしていけば低い音階、13、14、… と大きくすると高い音階になります。

6.3.11 ブザーの使い方その2

プロジェクト「tr_04」は、ブザーを使うのは「tr_03」と同じですが、ブザーの鳴らし方が違います。

(1) プログラム「tr_04.c」

```
70 : /************************************************************/
71 : /* メインプログラム                                             */
72 : /************************************************************/
73 : void main ( void )
74 : {
75 :     int    i;
76 :
77 :     /* マイコン機能の初期化 */
78 :     init () ;                           /* 初期化              */
79 :     set_ccr ( 0x00 ) ;                  /* 全体割り込み許可     */
80 :     initLcd () ;                        /* LCD 初期化          */
81 :     initSwitch () ;                     /* スイッチ初期化       */
82 :     initBeep () ;                       /* ブザー初期化         */
83 :
84 :     /* マイコンカーの状態初期化 */
85 :     handle ( 0 ) ;
86 :     speed ( 0, 0 ) ;
87 :
88 :     while ( 1 ) {
89 :         /* LCD 処理 */
90 :         lcdPosition ( 0, 0 ) ;
91 :         lcdPrintf ( "beep sample 2" ) ;
92 :
93 :         if ( getSwFlag (SW_4) ) {
94 :             setBeepPattern ( 0x8000 ) ;
95 :             lcdPosition ( 0, 1 ) ;
96 :             lcdPrintf ( "SW4 ON" ) ;
97 :         }
98 :         if ( getSwFlag (SW_3) ) {
99 :             setBeepPattern ( 0xc000 ) ;
100:             lcdPosition ( 0, 1 ) ;
101:             lcdPrintf ( "SW3 ON" ) ;
102:         }
103:         if ( getSwFlag (SW_2) ) {
104:             setBeepPattern ( 0xf000 ) ;
105:             lcdPosition ( 0, 1 ) ;
106:             lcdPrintf ( "SW2 ON" ) ;
107:         }
108:         if ( getSwFlag (SW_1) ) {
109:             setBeepPattern ( 0xa000 ) ;
110:             lcdPosition ( 0, 1 ) ;
111:             lcdPrintf ( "SW1 ON" ) ;
112:         }
```

```
113 :        if ( getSwFlag (SW_0) ) {
114 :            setBeepPattern ( 0xaaaa );
115 :            lcdPosition ( 0, 1 );
116 :            lcdPrintf ( "SW0 ON" );
117 :        }
118 :    }
```

(2) プログラムの解説

88 ～ 118 行が無限ループで常に実行されます。押されたスイッチにより、表 6.25 のように音を鳴らすパターンを変えます。音を鳴らしている最中は、再度 setBeepPattern 関数を実行しても何もしません。

表 6.25 押したスイッチと鳴り方

スイッチ	パターン	パターン 2 進数	鳴り方
SW_4	0x8000	1000 0000 0000 0000	ピッ
SW_3	0xc000	1100 0000 0000 0000	ピーッ
SW_2	0xf000	1111 0000 0000 0000	ピーーッ
SW_1	0xa000	1010 0000 0000 0000	ピッピッ
SW_0	0xaaaa	1010 1010 1010 1010	ピッピッピッピッピッピッピッピッ（8 回）

このように、ブザーは音階を鳴らすか、音のパターンを鳴らすか、使用する関数で選ぶことができます。使用する状況に応じて選んでください。

6.3.12　EEP-ROM（パラメータ保存用）の使い方

プロジェクト「tr_05」は、EEP-ROM（パラメータ保存用）の使用法について説明したプロジェクトです。

(1) EEP-ROM（パラメータ保存用）制御ヘッダファイル「eeprom.h」

EEP-ROM（パラメータ保存用）の制御を簡単にできる関数が用意されています。これらの関数は、プロジェクトに「eeprom.c」を追加し、EEP-ROM を制御したい C 言語プログラムファイルで「eeprom.h」をインクルードすることにより使えるようになります。

■ initEeprom 関数

書式	void initEeprom (void) ;
内容	EEP-ROM を初期化します。必ず最初に実行します。
例	initEeprom ( ) ;

■ readEeprom 関数

書式	int readEeprom (unsigned char address) ;
内容	EEP-ROM からデータを読み込みます。
引数	アドレス 0 ～ 127
戻り値	保存した値
例	i = readEeprom (0x05) ;　// 0x05 番地のデータを読み込み、変数 i に代入します。

■ writeEeprom 関数

書式	void writeEeprom (unsigned char address, int write) ;
内容	EEP-ROM にデータを書き込みます。
引数	アドレス 0 ～ 127、値 -32,768 ～ 32,767
戻り値	なし
例	writeEeprom (0x0e, 12345) ;　// EEP-ROM の 0x0e 番地に 12345 を書き込みます。
補足	書き込んだ後、checkEeprom 関数で次に読み書きできるか調べます。最大で約 10[ms] 間、読み書きできません。10[ms] はマイコンの時間ではかなり長い時間です。

■ checkEeprom 関数

書式	int checkEeprom (void) ;
内容	EEP-ROM 書き込み後、次に読み書きできるかチェックします。
引数	なし
戻り値	1 ＝読み書き OK、0 ＝読み書き不可
例	while (!checkEeprom ()) ;
補足	EEP-ROM に書き込み後は、最高で 10[ms] 間は読み書きができません。例にあるプログラムは、次に読み書きができるまで待ちます。書き込みだけではなく、読み込みもできません。

(2) プログラム「tr_05.c」

```
 1 : /****************************************************************/
 2 : /* トレーニングボードを使用したマイコンカートレースプログラム（kit06版）    */
 3 : /*                 2006.08 ジャパンマイコンカーラリー実行委員会           */
 4 : /****************************************************************/
 5 :
 6 : /*====================================*/
 7 : /* インクルード                          */
 8 : /*====================================*/
 9 : #include    <no_float.h>        /* stdio の簡略化 最初に置く */
10 : #include    <stdio.h>
11 : #include    <machine.h>
12 : #include    "h8_3048.h"
13 : #include    "lcd2.h"            /* LCD 表示用追加         */
14 : #include    "switch.h"          /* スイッチ追加           */
15 : #include    "beep.h"            /* ブザー追加            */
16 : #include    "eeprom.h"          /* EEP-ROM 追加         */
中略
```

> EEP-ROM を使うために、eeprom.h をインクルードします。

```
 71 :   /************************************************************/
 72 :   /* メインプログラム                                          */
 73 :   /************************************************************/
 74 :   void main ( void )
 75 :   {
 76 :       int     i, j;
 77 :
 78 :       /* マイコン機能の初期化 */
 79 :       init () ;                          /* 初期化              */
 80 :       set_ccr ( 0x00 ) ;                 /* 全体割り込み許可    */
 81 :       initLcd () ;                       /* LCD 初期化          */
 82 :       initSwitch () ;                    /* スイッチ初期化      */
 83 :       initBeep () ;                      /* ブザー初期化        */
 84 :       initEeprom () ;                    /* EEP-ROM 初期化      */
 85 :
 86 :       /*EEP-ROM のチェック */
 87 :       if ( readEeprom ( 0x00 ) != 0x1234 ) {
 88 :           /*
 89 :              ID のチェック EEP-ROM を初めて使うかどうか
 90 :              0x00 番地に ID が書かれていなければ初めて使うと判断して初期化する
 91 :           */
 92 :           writeEeprom ( 0x00, 0x1234 ) ;
 93 :           while ( !checkEeprom () ) ;        /* 書き込み終了チェック    */
 94 :           writeEeprom ( 0x01,      0 ) ;
 95 :           while ( !checkEeprom () ) ;        /* 書き込み終了チェック    */
 96 :           j = 0;
 97 :       } else {
 98 :           /* 2 回目以降の使用の場合 */
 99 :           j = readEeprom ( 0x01 ) ;
100 :       }
101 :
102 :       /* マイコンカーの状態初期化 */
103 :       handle ( 0 ) ;
104 :       speed ( 0, 0 ) ;
105 :
106 :       while ( 1 ) {
107 :           /* スイッチ処理 */
108 :           if ( getSwFlag (SW_0) ) {
109 :               j--;
110 :               if ( j < -10000 ) j = -10000;
111 :           }
112 :           if ( getSwFlag (SW_1) ) {
113 :               j++;
114 :               if ( j > 10000 ) j = 10000;
115 :           }
116 :           if ( getSwFlag (SW_2) ) {
117 :               j -= 10;
118 :               if ( j < -10000 ) j = -10000;
119 :           }
120 :           if ( getSwFlag (SW_3) ) {
121 :               j += 10;
122 :               if ( j > 10000 ) j = 10000;
123 :           }
124 :           if ( getSwFlag (SW_4) ) {
125 :               writeEeprom ( 0x01, j ) ;    /* EEP-ROM にデータ書き込み */
126 :               while ( !checkEeprom () ) ;   /* 書き込み終了チェック     */
127 :               setBeepPattern ( 0xa000 ) ;
128 :           }
129 :           /* LCD 処理 */
```

```
130 :         lcdPosition ( 0, 0 );
131 :         lcdPrintf ( "getSwNow () = %02x ", getSwNow () );
132 :         lcdPosition ( 0, 1 );
133 :         lcdPrintf ( "data = %+06d", j );
134 :     }
```

(3) プログラムの解説

EEP-ROM の何番地に何の値を書き込むか、決めておきます。今回決めた内容を表 6.26 に示します。

表 6.26　EEP-ROM の番地と保存内容

EEP-ROM 番地	内容
0x00	EEP-ROM チェック用です。0x1234 で無ければ、0x01 番地の値は 0 とします。
0x01	j の値を保存します。

0x00 番地を EEP-ROM チェック用として、特定の値を書き込む領域にします。今回は 0x1234 を書き込みます。もし、0x00 番地に 0x1234 が書かれていなければ初めて EEP-ROM を使用すると判断して、0x00 番地に 0x1234 を、0x01 番地に 0 を書き込みます。次に j 変数の値を 0 にします。

チェック用の値は、0x0000 と 0xffff 以外の数字にしてください。EEP-ROM は最初これらの値になっていることがあり、その場合、初めて使うか判断できません。

(4) プログラムのポイント

EEP-ROM からデータを読み込んだり書き込んだりするには時間がかかります。特に、書き込みは最大で 10[ms] の時間がかかります。そのため、writeEeprom 関数や readEeprom 関数はプログラムの中ではあまり使用せず、最初に変数 (H8 マイコンの RAM) へ読み出し、最後に EEP-ROM へ書き込むようにしてください。リスト 6.31 に実行速度の遅いプログラム、リスト 6.32 に推奨プログラムを示します。

リスト 6.31　実行速度の遅いプログラム例

```
while ( 1 ) {
    lcdPrintf ( "data = %+06d   ", readEeprom ( 0x01 ) );
}
```

リスト 6.32　推奨プログラム例

```
int j;

j = readEeprom ( 0x01 );
while ( 1 ) {
    lcdPrintf ( "data = %+06d   ", j );
}
```

6.3.13　マイコンカー走行プログラムでトレーニングボードを使う（tr_25）

ワークスペース「training06」では、段階的にプログラムを改造しています。本書ではページに限りがあるので、エンコーダを使ったプロジェクト「tr_25」の「tr_25.c」を簡単に説明します。

(1) パラメータの設定内容

LCD でパラメータを設定できます。設定できる内容と EEP-ROM に保存するアドレスを表 6.27 に示します。

表 6.27　tr_25.c のパラメータ内容

番地	番地名	内容	初期値	最小値	最大値
0x00	EEPROM_CHECK	EEP-ROM チェック用 0x2006 で無ければ、初めて EEP-ROM を使ったと判断して、初期値を読み込みます。	0x2006	−	−
0x01	EEPROM_SERVO	サーボのセンタ値を設定します。	5000	1000	10000
0x02	EEPROM_PWM	PWM 値を設定します。	50	0	100
0x03	EEPROM_CURVE_ENC	大カーブでのエンコーダ値を設定します。	10	0	100
0x04	EEPROM_CRANK_ENC	クロスライン検出後、PWM を 0%にするエンコーダ値を設定します。	10	0	100
0x05	EEPROM_CRANK2_ENC	クロスライン検出後、逆転をかけるエンコーダ値を設定します。 EEPROM_CRANK_ENC より大きい値にします。	15	0	100
0x06	EEPROM_STOP_DISTANCE	停止距離をメートル単位で設定します。	100	0	100

(2) 停止プログラム

通常走行時、走行距離をチェックしています。

リスト 6.33

```
382 :        /* 走行距離の計算　設定値以上なら停止 */
383 :        if ( lEncoderTotal >=
384 :            (long) eep_buff[EEPROM_STOP_DISTANCE] * 965 ) {
385 :            speed ( 0 ,0 ) ;
386 :            pattern = 0;
387 :            setBeepPattern ( 0xccc0 ) ;
388 :            break;
389 :        }
```

比較部分は次のような意味です。

　　　　lEncoderTotal　　　>= eep_buff[EEPROM_STOP_DISTANCE] × 965
　　　　　　　　　　　　　　　　↓
　　　　エンコーダ積算値 >= 止まるまでの設定距離 [m] × 1[m] 進んだときのパルス値
　　　　　　　　　　　　　　　　↓
　　　　走行した距離　　　 >= 止まるまでの設定距離 [m] × 1[m] 進んだときのパルス値

965 の値は、各自のマイコンカーの 1[m] 進んだときのパルス数に変更してください。

（long）はキャスト変換といって強制的に型を変換しています。eep_buff[x] は int 型、965 も int 型です。答えは、

　　　　int 型 × int 型 = int 型

になります。確認ですが int 型の範囲は、-32768 〜 32767 です。もし計算結果が 32767 以上になるとどうなるのでしょう。それは、「不定」です。型の範囲を超えた計算を行った場合、結果は正しくありません。

　例えば、止まるまでの距離が 50[m] であったなら
　　　　50 × 965 = 48250

と int 型を超えてしまいます。私達が計算すれば型は関係ないので 48250 と正しい答えが分かりますが、C 言語では、

　　　　50 × 965 = 不定

となります。そこで、eep_buff[x] をキャスト変換で強制的に long 型に変えます。計算するとき、違う型同士では計算することができません。そこで C 言語は自動的に大きい方の型に合わせて計算します。

　　　　long 型 × int 型
　　　　　　　↓
　　　　long 型 × long 型 = long 型

48250 は long 型の範囲内の値です。よって今回の計算結果は、正しい値になります。

　このように、C 言語はかける値とかけられる値の最大値を確かめて、そのときの計算結果が型を超えないように自分で気をつけなければ行けません。それなら、すべて long 型にすればと思うかもしれませんが、プログラムを実行するスピードは long 型より int 型の方が速いので、できれば int 型にして、int 型の範囲を超える可能性があるときは long 型で計算するようにしてください。

> **コラム**　実行時間の測り方

　空いている端子があれば、時間を計りたいところで端子を "1" に、計り終わりのところで端子を "0" にします。その端子をオシロスコープで測定すれば、実行速度が分かります。ちなみ

に割り込みを実行していると、途中で割り込みがかかった場合、割り込みプログラムの時間も入ってしまうので、割り込みは禁止しておいてください。リストAとリストBでどう処理速度が変わるか確かめてみるのもおもしろいでしょう。ちなみに「volatile」命令は、最適化を行わないようにする命令です。実は「volatile」が無ければ、リストAもリストBも同じプログラムになります。それは、ルネサス統合開発環境がi=50、j=100を解析して、どちらもint型だからint型で計算しよう、とリストBを自動で変えてしまうのです。このようなことが無いよう、「volatile」を付けましょう。

リストA

```
// int 型の計算
    volatile int i,j,k;
    i = 50;
    j = 100;

    PADR = 0xff;    // 測定開始
    k = i * j;
    PADR = 0x00;    // 測定終了
```

リストB

```
// long 型の計算
    volatile long i,j,k;
    i = 50;
    j = 100;

    PADR = 0xff;    // 測定開始
    k = i * j;
    PADR = 0x00;    // 測定終了
```

(3) カーブでのスピード制御

パターン12の右への大曲げ時、リスト6.34のプログラムを実行しています。479行で現在のエンコーダ値とLCDで設定したeep_buff[EEPROM_CURVE_ENC]の値をチェック、エンコーダ値以上であればPWMを0%、それ以外であればPWMを60%にしています。さらに設定値以上なら481行でブザーを鳴らして0%にしたことを音で確認できるようにしています。

リスト6.34

```
465 :        case 12:
466 :            /* 右へ大曲げの終わりのチェック */
中略
479 :            if ( iEncoder >= eep_buff[EEPROM_CURVE_ENC] ) {
480 :                            /* エンコーダ値により PWM 値設定   */
481 :                setBeepPattern ( 0xc000 );
482 :                i = 0;
483 :            } else {
484 :                i = 60;
485 :            }
486 :            switch ( sensor_inp (MASK3_3) ) {
487 :            case 0x06:
488 :                pattern = 11;
489 :                break;
490 :            case 0x03:
491 :                handle ( 20 );
492 :                speed2 ( i, diff (i) );
493 :                break;
494 :            case 0x81:
495 :                handle ( 25 );
496 :                speed2 ( i, diff (i) );
497 :                break;
```

```
498 :            case 0xc1:
499 :            case 0xc0:
500 :                handle ( 30 );
501 :                speed2 ( i, diff (i) );
502 :                break;
503 :            case 0x60:
504 :                handle ( 35 );
505 :                speed2 ( 0, 0 );
506 :                break;
507 :            }
508 :            break;
```

(4) クロスライン後のトレースでのスピード制御

クロスライン検出後、パターン 23 ではスピードチェックを 2 段階で行っています。まず、575 行で走行スピードが eep_buff[EEPROM_CRANK2_ENC] 以上なら、PWM を -50%にしています。次に 577 行で走行スピードが eep_buff[EEPROM_CRANK_ENC] 以上なら、PWM を 0%にしています。それ以下なら、PWM を 70%にしています。

PWM の値が -50%と 70%なら、正転と逆転を繰り返すので電池やタイヤの消耗が激しくなります。スピードが速いときは -50%と 0%を繰り返す、それ以下になったら 0%と 70%を繰り返す、というように 2 段階に分けて処理すれば、停止と回転の繰り返しなので電池の消耗は先ほどより抑えられます。

リスト 6.35

```
573 :        case 23:
574 :            /* クロスライン後のトレース、クランク検出 */
575 :            if ( iEncoder >= eep_buff[EEPROM_CRANK2_ENC] ) {
576 :                i = -50;
577 :            } else if ( iEncoder >= eep_buff[EEPROM_CRANK_ENC] ) {
578 :                i = 0;
579 :            } else {
580 :                i = 70;
581 :            }
中略
600 :            switch ( sensor_inp (MASK3_3) ) {
601 :            case 0x00:
602 :                /* センター→まっすぐ */
603 :                handle ( 0 );
604 :                speed2 ( i,i );
605 :                break;
606 :            case 0x04:
607 :            case 0x06:
608 :            case 0x07:
609 :            case 0x03:
610 :                /* 左寄り→右曲げ */
611 :                handle ( 8 );
612 :                speed2 ( i,diff (i) );
613 :                break;
614 :            case 0x20:
```

```
615 :            case 0x60:
616 :            case 0xe0:
617 :            case 0xc0:
618 :                /* 右寄り→左曲げ */
619 :                handle ( -8 ) ;
620 :                speed2 ( diff (i) ,i ) ;
621 :                break;
622 :        }
623 :        break;
```

第7章
上位をねらうために

　今まではマイコンカーキット Ver.4、またはキットベースで説明してきました。ここからは、マイコンカーキットの考え方から離れて、地区大会、全国大会で上位をねらえるようなマイコンカーについて説明していきます。本章は、応用編の内容となりますが、基礎を積み重ねて初めて応用となります。マイコンカーキットの理解は不可欠です。基礎もおろそかにしないようにしましょう。

7.1　4輪駆動のマイコンカーの製作

　マイコンカーのほとんどは、タイヤが4個あるタイプです。マイコンカーキット Ver.4 の場合、後輪が駆動し、前輪はただ空転する、後輪駆動タイプです。
　今回は、4輪駆動のマイコンカーを作ります。作る前に、駆動輪による違いの説明もしておきます。

7.1.1　駆動輪による特徴
　駆動タイプは、キットタイプの後輪駆動、前輪タイヤが駆動する前輪駆動、4輪とも駆動する4輪駆動があります。

■加速
　マイコンカーが加速するとき、車体の加重は後輪にかかります。そのため、後輪駆動の方が回転する力をコースにより良く伝えることができます。前輪駆動は、加重があまりかかっていないタイヤを回すので、後輪駆動に比べると加速性能は劣ります。4輪駆動は、すべてのタイヤを回すので加速がいちばん良いです。

■減速
　減速は、加速と逆です。マイコンカーが減速するとき、車体の加重は前輪にかかります。そのため、前輪駆動の方が止まりやすいです。自転車のブレーキを強くかけるとき、後ろタイヤはスリッ

プしながら進んでいくのに対し、前タイヤは前のめりになって転びそうになったことはありませんか？これは、減速時、前タイヤに加重がかかっているためです。4輪駆動は、すべてのタイヤを回すので減速がいちばん良いです。

■製作の難易度

製作の難易度は、後輪駆動はギヤボックスでタイヤを回すだけなので容易に製作可能です。前輪駆動はモータやギヤボックスが前の部分に付くため、ハンドルを切ったときにシャーシにぶつからないようにしたり、サーボの取り付け位置の工夫など難しくなります。4輪駆動は、それぞれ合わせ持った構造なのでいちばん難しくなります。

後輪駆動、前輪駆動、4輪駆動の特徴を表7.1にまとめます。

表7.1 駆動輪による特徴

	後輪駆動 マイコンカーキット Ver.4	前輪駆動	4輪駆動
加速	○	△	◎
減速(ブレーキ)	△	○	◎
重さ	◎軽くできる	◎軽くできる	△重くなる
製作の難易度	◎容易	△難しい	△難しい

7.1.2 車体の設計

基本設計は、「5.8.3 車体全体の設計」の電池を底にしたマイコンカーに習います。前輪は、空転する軸だったので、この部分をギヤボックスにして4WDにします。前輪ギヤボックスは、後輪ギヤボックスと全く同じ寸法にして流用します。サーボの位置が高くなるのでスペーサなどで調整します。設計例を図7.2に、製作例を図7.1に示します。

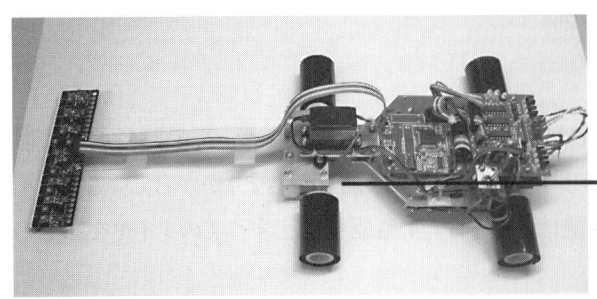

図7.1 製作例

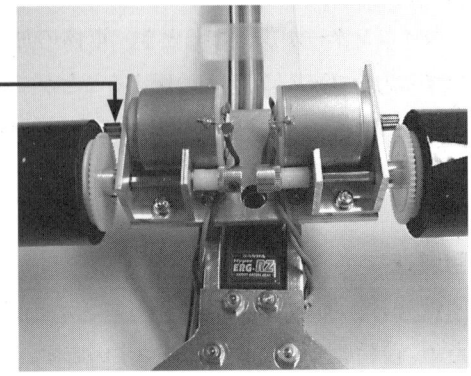

図 7.2 設計例

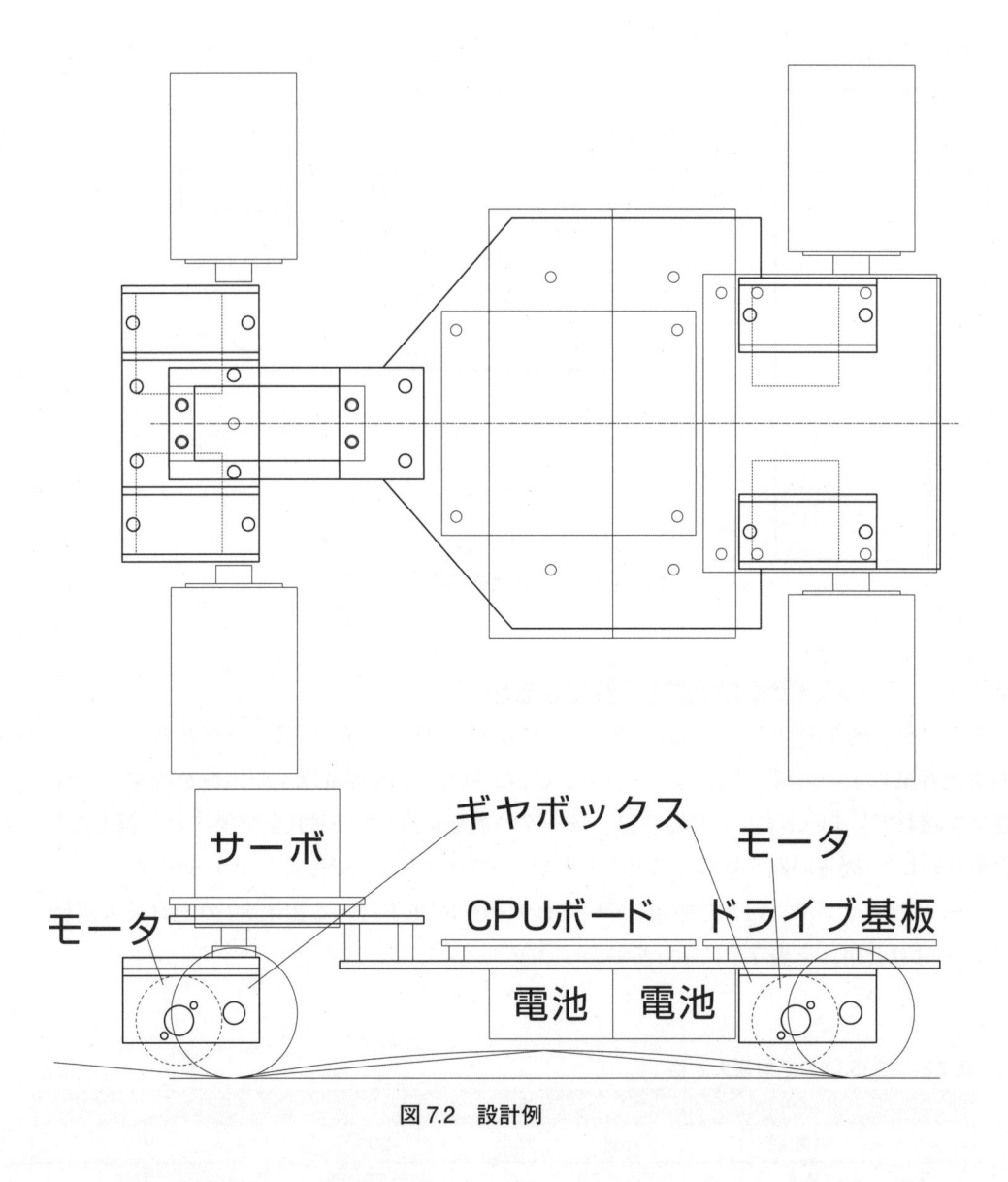

7.2 追加回路なしの4輪駆動

7.2.1 接続

いちばん簡単な方法は、後ろモータと今回追加した前モータを並列接続することです。右後ろモータと右前モータ、左後ろモータと左前モータを並列接続します（図 7.3）。ノイズカット用として、モータ1個につき3個のセラミックコンデンサの追加も忘れずに行いましょう。

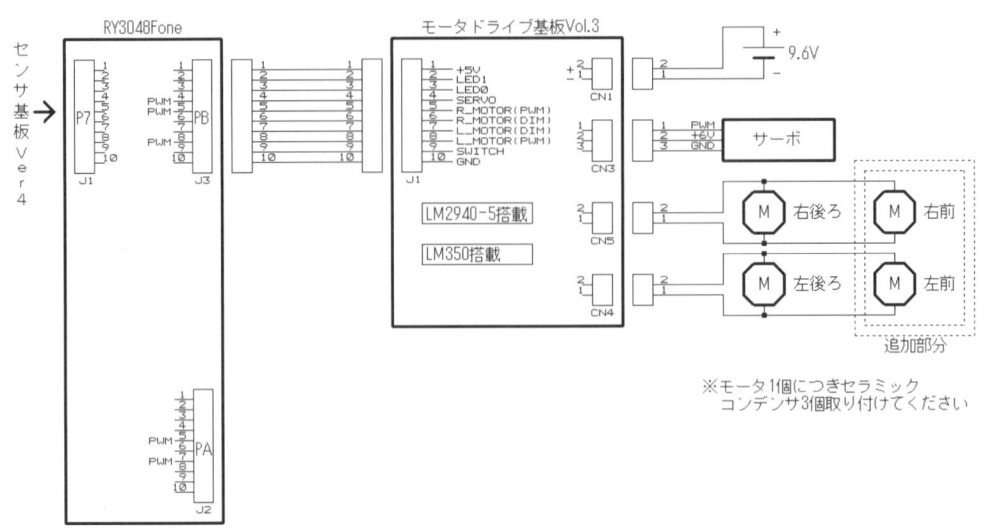

図7.3 モータを並列接続した回路

7.2.2 モータは何個まで並列接続できるか

モータを並列接続すると、電流はモータの数分増えます。モータドライブ基板 Vol.3 の FET の電流容量以上の電流が流れないようにしてください。電流容量以上の電流を流すと、FET が焼けて壊れてしまいます。この場合は、モータの数を見直して FET を交換すればほとんどの場合直りますが、周辺回路も壊れることがありますのでテスタなどで確認しながら修理してください。

モータドライブ基板 Vol.3 で使用している P チャネル FET である 2SJ530 の絶対最大定格(データシートより引用) を表 7.2 に示します。

表7.2 2SJ530の絶対最大定格 (Ta = 25℃)

項目	記号	定格値	単位
ドレイン・ソース電圧	V_{DSS}	-60	V
ゲート・ソース電圧	V_{GSS}	±20	V
ドレイン電流	I_D	-15	A
せん頭ドレイン電流	$I_{D(pulse)}$ 注1	-60	A
逆ドレイン電流	I_{DR}	-15	A
アバランシェ電流	I_{AP} 注3	-15	A
アバランシェエネルギー	E_{AR} 注3	19	mJ
許容チャネル損失	P_{ch} 注2	30	W
チャネル温度	T_{ch}	150	℃
保存温度	T_{stg}	-55 ~ +150	℃

【注】1. PW ≤ 10 μs, duty cycle ≤ 1%での許容値
2. Tc = 25℃における許容値
3. Tch = 25℃における許容値, Rg ≥ 50 Ω

モータドライブ基板 Vol.3 で使用している N チャネル FET である 2SK2869 の絶対最大定格（データシートより引用）を表 7.3 に示します。

表 7.3　2SK2869 の絶対最大定格

項目	記号	定格値	単位
ドレイン・ソース電圧	V_{DSS}	60	V
ゲート・ソース電圧	V_{GSS}	±20	V
ドレイン電流	I_D	20	A
せん頭ドレイン電流	$I_{D(pulse)}$ 注1	80	A
逆ドレイン電流	I_{DR}	20	A
アバランシェ電流	I_{AP} 注3	20	A
アバランシェエネルギー	E_{AR} 注3	34	mJ
許容チャネル損失	P_{ch} 注2	30	W
チャネル温度	T_{ch}	150	℃
保存温度	T_{stg}	−55 ～ +150	℃

【注】1. PW ≤ 10 μs, duty cycle ≤ 1 %での許容値
　　2. Tc = 25°C における許容値
　　3. Tch = 25°C における許容値 , Rg ≥ 50 Ω

電源電圧は、アルカリ電池新品で 1 本 1.7[V] とすると直列で 13.6[V] になります。どちらの FET もゲート・ソース電圧が 20[V] なので、電圧は問題ありません。

モータの電流は FET のドレイン−ソース間に流れます。項目は「ドレイン電流」の欄です。2SJ530 の方が流せる電流が少なく 15[A] となっています。モータにいちばん電流が流れるときは、停止している状態からモータを動かすときです。これは停止電流 I_s の項目です。承認モータである「RC-260RA-18130」は、10[V] 換算時の停止電流が 4.44[A] です。したがって、FET に繋ぐことのできるモータの数は、15 ÷ 4.44=3.4 個まで、モータに端数はないので 3 個までとなります。それより多くのモータを並列に繋ぎたい場合は、FET を並列接続すると、その分流せる電流を増やすことができます（図 7.4）。2SJ530 を 2 個並列接続すれば、2 倍の 30[A] 流すことができ

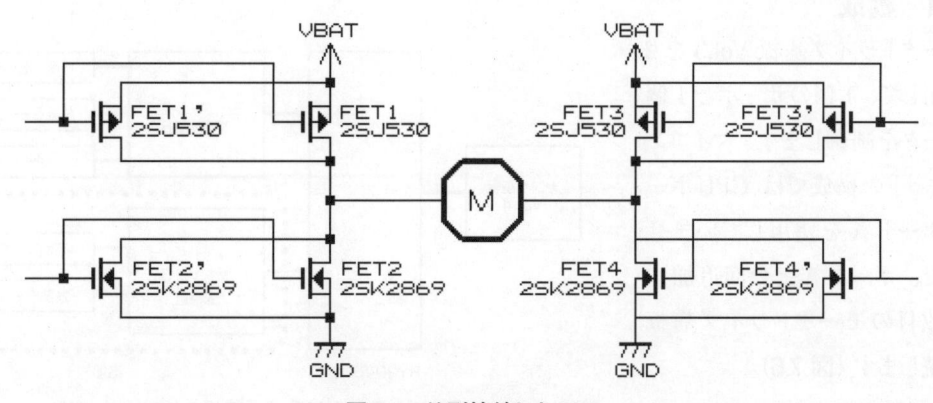

図 7.4　並列接続した FET

ます。FETの並列接続は、繋ぎすぎると多数並列接続した素子間での電流不平衡や異常発振を発生される原因となる恐れがあるので、数個程度が限界です。

マイコンカーの場合は逆転ブレーキをかけることがあります。この場合はさらに電流が流れますので、安全を考えるとFET1個（1組）に対してモータの並列接続は2個までにしておくのが無難です。

7.2.3 問題点

左にハンドルを切ったときのタイヤの軌跡を見てみます（図7.5）。4輪とも違う軌跡になります。進む距離は、次のような関係になります。

左後ろタイヤ ＜ 左前タイヤ ＜ 右後ろタイヤ ＜ 右前タイヤ

今回は、左前と左後ろのモータを並列接続しています。そのため、左前タイヤは、左後ろタイヤの回転より多くしなければいけないのに実際は少ないため、後ろから押される感じになります。右側も同様です。このように、モータの並列接続は、改造は簡単ですがカーブでのタイヤの回転数に無理が生じてしまいます。

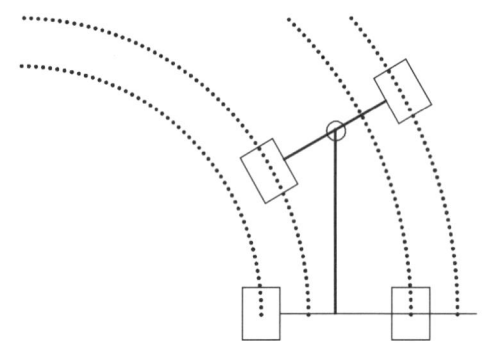

図7.5　左にハンドルを切ったときのタイヤの軌

7.3　モータドライブ基板を追加した4輪駆動

7.3.1　構成

モータドライブ基板Vol.3を2枚使用して、1個のサーボと4個のモータを制御します。マイコンカーキットの構成では、CPUボードのポートAを使用していませんので、ポートAと今回追加する2枚目のモータドライブ基板を接続します（図7.6）。

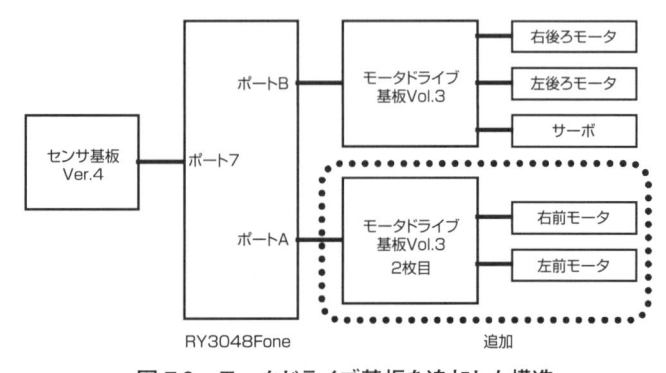

図7.6　モータドライブ基板を追加した構造

7.3.2 実際の回路

ポートAとモータドライブ基板 Vol.3 との接続は、PWM 端子の問題があるためフラットケーブルで直結はできません。ポートAとモータドライブ基板間の配線を一部変更します。2枚目にはサーボは繋ぎません。回路を図 7.7 に示します。PA0 は使っていませんのでエンコーダの追加がすぐにできます。また、PA7 と PA5 も使っていませんので、EEP-ROM（データ保存用）の追加も容易です。

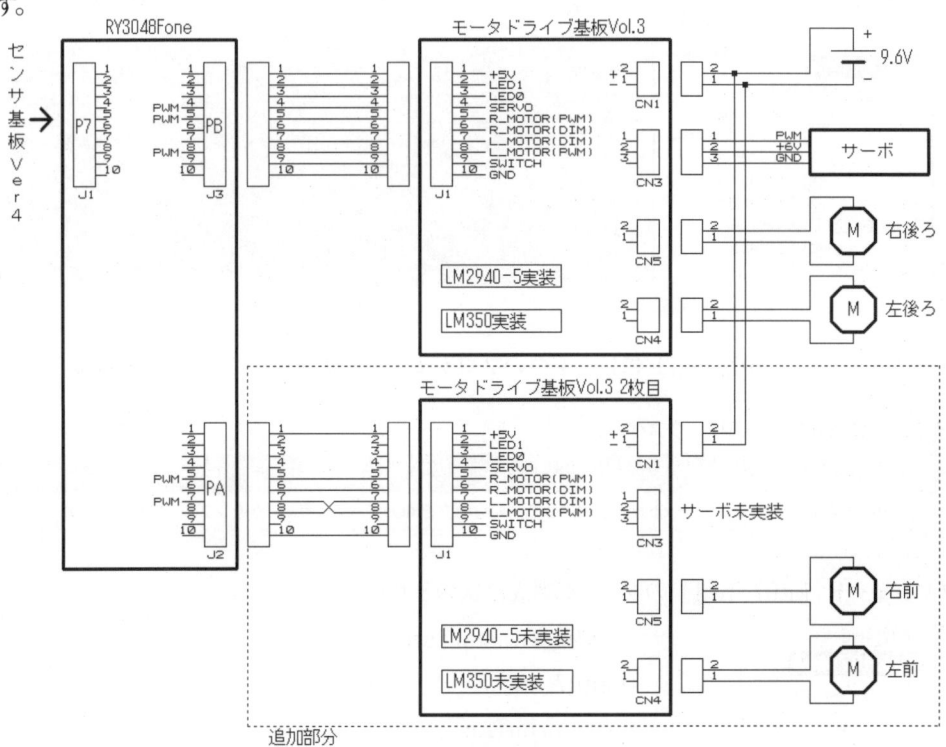

図 7.7　モータドライブ基板を 2 枚使った回路

実際に組み立てたところを図 7.8 に示します。モータドライブ基板は、2 枚重ねています。上が元々のモータドライブ基板、下が今回追加したモータドライブ基板です。下のモータドライブ基板のコネクタは、横に向くタイプを使用して上の基板にぶつからないようにしています。

図 7.8　モータドライブ基板を 2 枚重ねで配置

7.3.3 サンプルワークスペース

ルネサス統合開発環境を立ち上げ、「C ドライブ→ Workspace → kit07_4wd」の「kit07_4wd.hws」を選択します。「kit07_4wd」ワークスペースが開かれます。

ワークスペース「kit07_4wd」には、1つのプロジェクトが登録されています（表 7.4）。

表 7.4　登録されているワークスペース

プロジェクト名	内容
kit07_4wd	kit07.c を改造して、4 輪独立制御ができるようにしたサンプルプログラムです。

プロジェクト「kit07_4wd」のファイル構成は次のとおりです。

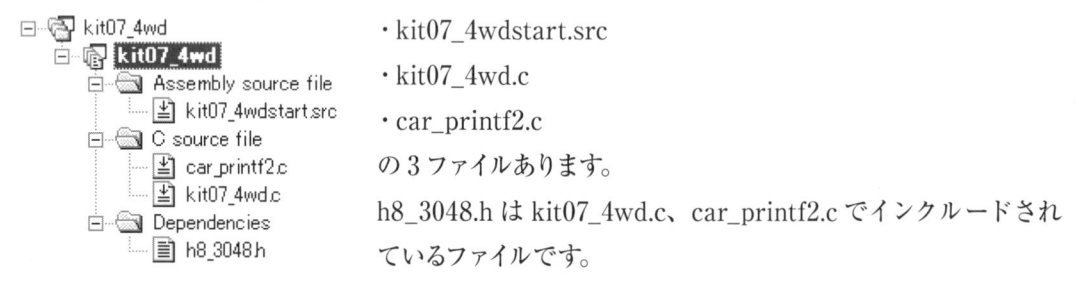

・kit07_4wdstart.src

・kit07_4wd.c

・car_printf2.c

の 3 ファイルあります。

h8_3048.h は kit07_4wd.c、car_printf2.c でインクルードされているファイルです。

7.3.4　プログラム「kit07_4wd.c」

```
 1 : /****************************************************************/
 2 : /* マイコンカートレース基本プログラム "kit07_4wd.c"              */
 3 : /*                2008.05 ジャパンマイコンカーラリー実行委員会   */
 4 : /****************************************************************/
 5 : /*
 6 : このプログラムは、"kit07.c" をベースにして、
 7 : モータドライブ基板（Vol.3）を 2 枚使用し、4 輪独立制御を行うプログラムです。
 8 : センサ基板は Ver.4 を使用します。
 9 : */
10 :
11 : /*======================================*/
12 : /*  インクルード                         */
```

```
13 :    /*======================================*/
14 :    #include    <machine.h>
15 :    #include    "h8_3048.h"
16 :
17 :    /*======================================*/
18 :    /* シンボル定義                          */
19 :    /*======================================*/
20 :
21 :    /* 定数設定 */
22 :    #define     PWM_CYCLE       49151       /* PWM のサイクル 16ms    */
23 :                                            /* PWM_CYCLE =            */
24 :                                            /*      16[ms] / 325.5[ns] */
25 :                                            /*           = 49152      */
26 :    #define     F_PWM_CYCLE     3071        /* 前輪の PWM サイクル 1ms */
27 :                                            /* F_PWM_CYCLE =          */
28 :                                            /*       1[ms] / 325.5[ns] */
29 :                                            /*            = 3072      */
30 :    #define     SERVO_CENTER    5000        /* サーボのセンタ値       */
31 :    #define     HANDLE_STEP     26          /* 1°分の値              */
32 :
33 :    /* マスク値設定 ×：マスクあり（無効） ○：マスク無し（有効）*/
34 :    #define     MASK2_2         0x66        /* ×○○××○○×          */
35 :    #define     MASK2_0         0x60        /* ×○○×××××          */
36 :    #define     MASK0_2         0x06        /* ×××××○○×          */
37 :    #define     MASK3_3         0xe7        /* ○○○××○○○          */
38 :    #define     MASK0_3         0x07        /* ×××××○○○          */
39 :    #define     MASK3_0         0xe0        /* ○○○×××××          */
40 :    #define     MASK4_0         0xf0        /* ○○○○××××          */
41 :    #define     MASK0_4         0x0f        /* ××××○○○○          */
42 :    #define     MASK4_4         0xff        /* ○○○○○○○○          */
43 :
44 :    /* 関数名の定義 */
45 :    #define     speed_r (x,y)   speed (x,y)  /* speed  = speed_r      */
46 :    #define     speed2_r (x,y)  speed2 (x,y) /* speed2 = speed2_r     */
47 :
48 :    /*======================================*/
49 :    /* プロトタイプ宣言                      */
50 :    /*======================================*/
51 :    void init ( void );
52 :    void timer ( unsigned long timer_set );
53 :    int check_crossline ( void );
54 :    int check_rightline ( void );
55 :    int check_leftline ( void );
56 :    unsigned char sensor_inp ( unsigned char mask );
57 :    unsigned char dipsw_get ( void );
58 :    unsigned char pushsw_get ( void );
59 :    unsigned char startbar_get ( void );
60 :    void led_out ( unsigned char led );
61 :    void speed ( int accele_l, int accele_r );
62 :    void speed2 ( int accele_l, int accele_r );
63 :    void speed_f ( int accele_l, int accele_r );
64 :    void speed2_f ( int accele_l, int accele_r );
65 :    void handle ( int angle );
66 :
67 :    /*======================================*/
68 :    /* グローバル変数の宣言                  */
69 :    /*======================================*/
70 :    unsigned long   cnt0;                   /* timer 関数用           */
71 :    unsigned long   cnt1;                   /* main 内で使用          */
```

> 前タイヤ用 PWM 周期と割り込み周期を兼ねています。

> speed 関数を speed_r 関数という名前にもできるように定義しています。

> 新しく追加した関数は、プロトタイプ宣言を忘れないようにしましょう。

```c
 72 :     int            pattern;                    /* パターン番号          */
 73 :
 74 : /****************************************************************/
 75 : /* メインプログラム                                              */
 76 : /****************************************************************/
 77 : void main ( void )
 78 : {
 79 :     int     i;
 80 :     int     m1, m2, m3, m4;
 81 :     unsigned char c;
 82 :
 83 :     /* マイコン機能の初期化 */
 84 :     init () ;                              /* 初期化              */
 85 :     set_ccr ( 0x00 ) ;                     /* 全体割り込み許可    */
 86 :
 87 :     /* マイコンカーの状態初期化 */
 88 :     handle ( 0 ) ;
 89 :     speed ( 0, 0 ) ;
 90 :
 91 :     /* 動作テストここから ****************************************/
 92 :     while ( 1 ) {
 93 :         if ( cnt1 < 1000 ) {
 94 :             led_out ( 0x1 ) ;
 95 :             i = 50;
 96 :         } else if ( cnt1 < 2000 ) {
 97 :             led_out ( 0x0 ) ;
 98 :             i = 0;
 99 :         } else if ( cnt1 < 3000 ) {
100 :             led_out ( 0x2 ) ;
101 :             i = -50;
102 :         } else if ( cnt1 < 4000 ) {
103 :             led_out ( 0x0 ) ;
104 :             i = 0;
105 :         } else {
106 :             cnt1 = 0;
107 :         }
108 :         c = dipsw_get () ;
109 :         if ( c & 0x8) m1 = i; else m1 = 0;   /* 左前タイヤ回転設定    */
110 :         if ( c & 0x4) m2 = i; else m2 = 0;   /* 右前タイヤ回転設定    */
111 :         if ( c & 0x2) m3 = i; else m3 = 0;   /* 左後ろタイヤ回転設定  */
112 :         if ( c & 0x1) m4 = i; else m4 = 0;   /* 左後ろタイヤ回転設定  */
113 :
114 :         speed2_f ( m1, m2 ) ;                /* 前輪                  */
115 :         speed2_r ( m3, m4 ) ;                /* 後輪                  */
116 :     }
117 :     /* 動作テストここまで ****************************************/

中略

522 : /****************************************************************/
523 : /* H8/3048F-ONE 内蔵周辺機能  初期化                             */
524 : /****************************************************************/
525 : void init ( void )
526 : {
527 :     /* I/Oポートの入出力設定 */
528 :     P1DDR = 0xff;
529 :     P2DDR = 0xff;
530 :     P3DDR = 0xff;
531 :     P4DDR = 0xff;
```

前モータ制御

後ろモータ制御

```
532 :        P5DDR = 0xff;
533 :        P6DDR = 0xf0;                    /* CPU基板上のDIP SW         */
534 :        P8DDR = 0xff;
535 :        P9DDR = 0xf7;                    /* 通信ポート                */
536 :        PADDR = 0xff;
537 :        PBDR  = 0xc0;
538 :        PBDDR = 0xfe;                    /* モータドライブ基板Vol.3 */
539 :        /* ※センサ基板のP7は、入力専用なので入出力設定はありません */
540 :
541 :        /* ITU0 左前モータ用 PWM */
542 :        ITU0_TCR = 0x23;                 /* カウンタ、クリアの設定   */
543 :        ITU0_GRA = F_PWM_CYCLE;          /* PWM周期                  */
544 :        ITU0_GRB = 0;                    /* デューティ比設定         */
545 :        ITU0_IER = 0x01;                 /* 割り込み許可             */
546 :                                         /* ※PWM周期＝割り込み周期です */
547 :                                         /* PWM周期を変えると割り込み周期 */
548 :                                         /* も変わります             */
549 :
550 :        /* ITU1 右前モータ用 PWM */
551 :        ITU1_TCR = 0x23;                 /* カウンタ、クリアの設定   */
552 :        ITU1_GRA = F_PWM_CYCLE;          /* PWM周期                  */
553 :        ITU1_GRB = 0;                    /* デューティ比設定         */
554 :
555 :        /* ITU2 エンコーダ */
556 :        /* ロータリエンコーダ用に予約 */
557 :
558 :        /* ITU3,4 リセット同期PWMモード 左右モータ、サーボ用 */
559 :        ITU3_TCR = 0x23;
560 :        ITU_FCR  = 0x3e;
561 :        ITU3_GRA = PWM_CYCLE;            /* 周期の設定               */
562 :        ITU3_GRB = ITU3_BRB = 0;         /* 左モータのPWM設定        */
563 :        ITU4_GRA = ITU4_BRA = 0;         /* 右モータのPWM設定        */
564 :        ITU4_GRB = ITU4_BRB = SERVO_CENTER; /* サーボのPWM設定       */
565 :        ITU_TOER = 0x38;
566 :
567 :        /* ITUのカウントスタート */
568 :        ITU_MDR = 0x03;                  /* PWMモード設定            */
569 :        ITU_STR = 0x1f;                  /* ITUのカウントスタート    */
570 :    }
```

> ITU0を左前モータ用のPWM、兼1[ms]ごとの割り込みとして使っています。PWM周期＝割り込み周期なので、PWM周期を変えてしまうと、割り込み周期も変わってしまいます。

> ITU1を右前モータ用のPWMとして使っています。

> ITU_MDRで最終的にITU0,ITU1をPWM出力用として設定しています。

中略

```
786 :    /**********************************************************************/
787 :    /* 前輪の速度制御                                                       */
788 :    /* 引数   左モータ :-100～100 , 右モータ :-100～100                      */
789 :    /*        0で停止、100で正転100％、-100で逆転100%                        */
790 :    /**********************************************************************/
791 :    void speed_f ( int accele_l, int accele_r )
792 :    {
793 :        unsigned char   sw_data;
794 :        unsigned long   speed_max;
795 :
796 :        sw_data = dipsw_get () + 5;          /* ディップスイッチ読み込み */
797 :        speed_max = (unsigned long) (F_PWM_CYCLE-1) * sw_data / 20;
798 :
799 :        /* 左前モータ */
```

> 前モータを制御する関数を追加しました。「front」の意味の「f」をつけて区別しています。

```
800 :        if ( accele_l > 0 ) {
801 :            PADR &= 0xfd;
802 :        } else if ( accele_l < 0 ) {
803 :            PADR |= 0x02;
804 :            accele_l = -accele_l;
805 :        }
806 :        /* GRB が CNT より 20 以上小さい値かどうかのチェック */
807 :        if ( ITU0_GRB > 20 ) {
808 :            /* GRB が 20 以上なら　単純に比較 */
809 :            while ( (ITU0_CNT >= ITU0_GRB-20) && (ITU0_CNT <= ITU0_GRB) ) ;
810 :        } else {
811 :            /* GRB が 20 以下なら　上限値からの値も参照する */
812 :            while ( (ITU0_CNT >= ITU0_GRA-20) || (ITU0_CNT <= ITU0_GRB) ) ;
813 :        }
814 :        ITU0_GRB = speed_max * accele_l / 100;
815 :
816 :        /* 右前モータ */
817 :        if ( accele_r > 0 ) {
818 :            PADR &= 0xf7;
819 :        } else if ( accele_r < 0 ) {
820 :            PADR |= 0x08;
821 :            accele_r = -accele_r;
822 :        }
823 :        /* GRB が CNT より 20 以上小さい値かどうかのチェック */
824 :        if ( ITU1_GRB > 20 ) {
825 :            /* GRB が 20 以上なら　単純に比較 */
826 :            while ( (ITU1_CNT >= ITU1_GRB-20) && (ITU1_CNT <= ITU1_GRB) ) ;
827 :        } else {
828 :            /* GRB が 20 以下なら　上限値からの値も参照する */
829 :            while ( (ITU1_CNT >= ITU1_GRA-20) || (ITU1_CNT <= ITU1_GRB) ) ;
830 :        }
831 :        ITU1_GRB = speed_max * accele_r / 100;
832 :    }
833 :
834 :    /************************************************************************/
835 :    /* 前輪の速度制御 2 ディップスイッチは関係なし                          */
836 :    /* 引数    左モータ :-100 ～ 100 , 右モータ :-100 ～ 100                 */
837 :    /*         0 で停止、100 で正転100%、-100 で逆転100%                     */
838 :    /************************************************************************/
839 :    void speed2_f ( int accele_l, int accele_r )
840 :    {
841 :        unsigned long   speed_max;
842 :
843 :        speed_max = F_PWM_CYCLE - 1;
844 :
845 :        /* 左前モータ */
846 :        if ( accele_l > 0 ) {
847 :            PADR &= 0xfd;
848 :        } else if ( accele_l < 0 ) {
849 :            PADR |= 0x02;
850 :            accele_l = -accele_l;
851 :        }
852 :        /* GRB が CNT より 20 以上小さい値かどうかのチェック */
853 :        if ( ITU0_GRB > 20 ) {
854 :            /* GRB が 20 以上なら　単純に比較 */
855 :            while ( (ITU0_CNT >= ITU0_GRB-20) && (ITU0_CNT <= ITU0_GRB) ) ;
856 :        } else {
857 :            /* GRB が 20 以下なら　上限値からの値も参照する */
858 :            while ( (ITU0_CNT >= ITU0_GRA-20) || (ITU0_CNT <= ITU0_GRB) ) ;
```

> 前モータを制御する関数を追加しました。ディップスイッチの値は関係有りません。「front」の意味の「f」をつけて区別しています。

```
859 :          }
860 :          ITU0_GRB = speed_max * accele_l / 100;
861 :
862 :          /* 右前モータ */
863 :          if ( accele_r > 0 ) {
864 :              PADR &= 0xf7;
865 :          } else if ( accele_r < 0 ) {
866 :              PADR |= 0x08;
867 :              accele_r = -accele_r;
868 :          }
869 :          /* GRB が CNT より 20 以上小さい値かどうかのチェック */
870 :          if ( ITU1_GRB > 20 ) {
871 :              /* GRB が 20 以上なら  単純に比較 */
872 :              while ( (ITU1_CNT >= ITU1_GRB-20) && (ITU1_CNT <= ITU1_GRB) ) ;
873 :          } else {
874 :              /* GRB が 20 以下なら  上限値からの値も参照する */
875 :              while ( (ITU1_CNT >= ITU1_GRA-20) || (ITU1_CNT <= ITU1_GRB) ) ;
876 :          }
877 :          ITU1_GRB = speed_max * accele_r / 100;
878 :      }
```

7.3.5 PWM周期設定

F_PWM_CYCLE は前モータのPWM周期を設定する定数です。今回、周期は1[ms]とします。周期を決めるレジスタへの設定値は、

$$
\begin{aligned}
\text{設定値} &= \text{周期} \div \frac{1}{\text{クリスタルの値}/8} - 1 \\
&= (1 \times 10^{-3}) \div \frac{1}{24.576 \times 10^6 / 8} - 1 \\
&= 3072 - 1 = 3071
\end{aligned}
$$

となります。この結果を、リスト7.1のように「F_PWM_CYCLE」の値とします。

リスト7.1

```
26 :  #define        F_PWM_CYCLE     3071       /* 前輪の PWM サイクル 1ms    */
27 :                                            /* F_PWM_CYCLE =              */
28 :                                            /*      1[ms] / 325.5[ns]     */
29 :                                            /*               = 3072       */
```

7.3.6 関数の別名定義

後述しますが、前モータ制御用の関数として「speed_f 関数」（f=frontの意味）を作ります。現在ある「speed関数」は後ろモータ制御用ですが、「rear」表記がありません。そのため、現在の「speed」を「speed_r」とも記述できるよう、define 宣言しておきます。ディップスイッチ値とは関係ない「speed2」も同様に宣言しておきます。

リスト7.2

```
44 :  /* 関数名の定義 */
45 :  #define        speed_r (x,y)    speed (x,y)   /* speed  = speed_r   */
46 :  #define        speed2_r (x,y)   speed2 (x,y)  /* speed2 = speed2_r  */
```

7.3.7 ITU0,ITU1 の設定

H8/3048F-ONE 内蔵周辺機能である ITU0 と ITU1 を使い、前モータの PWM 出力用に設定します。マイコンカーキットと今回の ITU の使い方を表 7.5 にまとめます。

表 7.5 ITU の使い方

	ITU0	ITU1	ITU2	ITU3,4
マイコンカーキット Ver.4	1[ms] 用タイマ	未使用	未使用	左モータ、右モータ、サーボ
今回の構成	左前モータ用 PWM 兼、1[ms] 用タイマ	右前モータ用	未使用	左後ろモータ、右後ろモータ、サーボ

ITU0 は割り込みとしても使用するので、ITU0_IER を設定して割り込みを許可しています。

リスト 7.3 に ITU0、ITU1 を設定するプログラムを示します。

リスト 7.3

```
541 :        /* ITU0 左前モータ用 PWM */
542 :        ITU0_TCR = 0x23;              /* カウンタ、クリアの設定      */
543 :        ITU0_GRA = F_PWM_CYCLE;       /* PWM 周期                  */
544 :        ITU0_GRB = 0;                 /* デューティ比設定            */
545 :        ITU0_IER = 0x01;              /* 割り込み許可               */
546 :                                      /* ※ PWM 周期 = 割り込み周期です。*/
547 :                                      /* PWM 周期を変えると割り込み周期 */
548 :                                      /* も変わります                */
549 :
550 :        /* ITU1 右前モータ用 PWM */
551 :        ITU1_TCR = 0x23;              /* カウンタ、クリアの設定      */
552 :        ITU1_GRA = F_PWM_CYCLE;       /* PWM 周期                  */
553 :        ITU1_GRB = 0;                 /* デューティ比設定            */
中略
567 :        /* ITU のカウントスタート */
568 :        ITU_MDR = 0x03;               /* PWM モード設定             */
569 :        ITU_STR = 0x1f;               /* ITU のカウントスタート       */
```

7.3.8 前輪のスピードを制御する関数

■ speed_f 関数

左前モータ、右前モータを制御する関数です。ディップスイッチの値により、モータに出力する割合が変わります。

書式	void speed_f (int accele_l, int accele_r);
引数	左前モータの PWM 値, 右前モータの PWM 値 PWM 値は、-1 ～ -100 : 逆転 1 ～ 100% -100 が最高の逆転 　　　　　　　　0 : ブレーキ 　　　　　　1 ～ 100 : 正転 1 ～ 100% 100 が最高の正転 となります。

引数	実際に前モータに出力される PWM は、次のようにディップスイッチの割合が含まれます。 実際に左前モータに出力される PWM = 左前モータの PWM 値 × $\dfrac{ディップスイッチの値(0 \sim 15) + 5}{20}$ 実際に右前モータに出力される PWM = 右前モータの PWM 値 × $\dfrac{ディップスイッチの値(0 \sim 15) + 5}{20}$

例	speed_f (50, -80) ;　// ディップスイッチが 12 とすると
	　　　　　　　　　　　　// 左前モータの実際の回転は、50 ×（12+5）÷ 20 = 42.5 ≒ 42
	　　　　　　　　　　　　// 右前モータの実際の回転は、-80 ×（12+5）÷ 20 = -68
	　　　　　　　　　　　　// ※小数点は切り捨てです

■ speed2_f 関数

左前モータ、右前モータを制御する関数です。ディップスイッチの値は関係ありません。

書式	void speed2_f (int accele_l, int accele_r) ;
引数	左前モータの PWM 値 , 右前モータの PWM 値 PWM 値は、-1 〜 -100：逆転 1 〜 100% -100 が最高の逆転 　　　　　　　　　 0：ブレーキ 　　　　　　　　1 〜 100：正転 1 〜 100% 100 が最高の正転 となります。

例	speed2_f (50, -80) ; // 左前モータの実際の回転は、設定値と同じ 50
	　　　　　　　　　　　　// 右前モータの実際の回転は、設定値と同じ -80

7.3.9　メイン関数

91 〜 117 行が、モータを 1 輪ずつ動かすテストプログラムです。CPU ボードのディップスイッチによって、どのモータを動かすか決めます。モータは、「50%正転→ 0%→ 50%逆転→ 0%」を 1 秒ごとに繰り返します。表 7.6 に、ディップスイッチとモータの関係、リスト 7.4 にそのテストプログラムを示します。

表 7.6　ディップスイッチとモータの関係

ディップスイッチ	対象
P63	左前モータ
P62	右前モータ
P61	左後ろモータ
P60	右後ろモータ

リスト 7.4

```
91 :        /* 動作テストここから *****************************************/
92 :        while ( 1 ) {
93 :            if ( cnt1 < 1000 ) {
94 :                led_out ( 0x1 ) ;
95 :                i = 50;
96 :            } else if ( cnt1 < 2000 ) {
97 :                led_out ( 0x0 ) ;
98 :                i = 0;
```

```
 99 :            } else if ( cnt1 < 3000 ) {
100 :                led_out ( 0x2 );
101 :                i = -50;
102 :            } else if ( cnt1 < 4000 ) {
103 :                led_out ( 0x0 );
104 :                i = 0;
105 :            } else {
106 :                cnt1 = 0;
107 :            }
108 :            c = dipsw_get ();
109 :            if ( c & 0x8 ) m1 = i; else m1 = 0;   /* 左前モータ回転設定  */
110 :            if ( c & 0x4 ) m2 = i; else m2 = 0;   /* 右前モータ回転設定  */
111 :            if ( c & 0x2 ) m3 = i; else m3 = 0;   /* 左後ろモータ回転設定 */
112 :            if ( c & 0x1 ) m4 = i; else m4 = 0;   /* 左後ろモータ回転設定 */
113 :
114 :            speed2_f ( m1, m2 );              /* 前輪              */
115 :            speed2_r ( m3, m4 );              /* 後輪              */
116 :        }
117 :    /* 動作テストここまで *******************************************/
```

91 〜 117 行を削除すれば走行プログラムが動作しますが、走行プログラムは「kit07.c」のままです。speed_r 関数、speed_f 関数を駆使して、4WD プログラムを完成させましょう!!

7.4 アナログセンサ基板 TypeS を使う

マイコンカーで使うセンサには、キットで使用しているコースを白か黒か見分けるデジタルセンサの他に、アナログセンサと呼ばれるセンサがあります。ここではデジタルセンサとアナログセンサの違いについて説明します。

ここで紹介している内容は、マイコンカーラリーホームページのダウンロードコーナにある表 7.7 のマニュアルを再編集したものです。詳しくは、それぞれのマニュアルを参照してください。

図 7.9 アナログセンサ基板 TypeS

表 7.7 ホームページにあるマニュアルと内容

マニュアル名	内容
アナログセンサ基板 TypeS 製作マニュアル	アナログセンサ基板 TypeS の製作について
TypeS 基板　プログラム解説マニュアル	モータドライブ基板 TypeS、アナログセンサ基板 TypeS を使用して製作したマイコンカーのプログラム解説について

7.4.1 アナログセンサとは

マイコンカーで使用する場合の、デジタルセンサとアナログセンサの特徴を表 7.8 に示します。

表 7.8

センサ型式	デジタルセンサ S7136	アナログセンサ GP2S40
回路例	（回路図） センサのピン振り 1：赤外 LED のカソード　2：＋電源 3：出力　　　　　　　　4：GND	（回路図） センサのピン振り 1：アノード　　2：エミッタ 3：コレクタ　　4：カソード
検出内容	センサ下部が白色（灰色）か黒色かの判断	センサ下部が白色か灰色か黒色か、さらに黒に近い灰色か、白に近い灰色かなど、細かく検出可能
外乱	強い、S7136 は特に強い	非常に弱い
コースとの間隔	2mm 〜 10mm 幅が広い	約 2 〜 4mm　常に一定にする必要がある
ポート	センサからの信号はデジタル出力なので、H8マイコンのどのポートでも入力可能	センサからの信号はアナログ出力なので、H8の AN 端子（ポート 7）のみで入力可能

アナログセンサはデジタルセンサに比べ、**外乱に弱いですがコースの状態を細かく知ることができます**。この情報をうまく使えばステアリング制御を非常に細かくできるため、ライントレースを非常に滑らかに行うことができます。

7.4.2 アナログセンサ基板 TypeS とは

アナログセンサ基板 TypeS は、コースを見るアナログセンサ 2 個、コースを見るデジタルセンサ 5 個、スタートバーを見るデジタルセンサ 1 個を搭載した基板です。

部品面

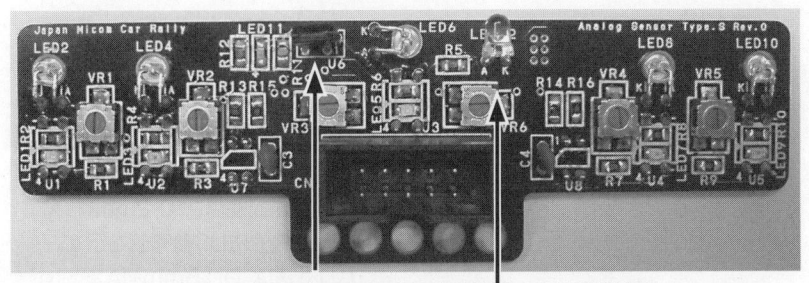

スタートバー検出センサ（左が受信側、右が発光側）

半田面

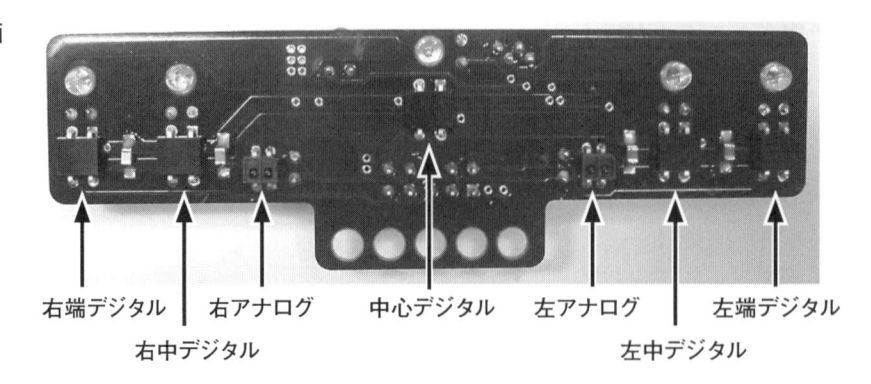

右端デジタル　右アナログ　中心デジタル　左アナログ　左端デジタル
　　　右中デジタル　　　　　　　　　　左中デジタル

※左右は部品面から見たときの方向です。半田面から見ているため逆になります。

7.4.3 アナログセンサで使用する素子

アナログセンサ基板 TypeS では、アナログセンサとしてシャープ（株）製の「GP2S40」というフォトインタラプタを使用しています。外形を図 7.10 に、絶対最大定格を表 7.9 に、電気的光学的特性を表 7.10 に示します。

4.0 × 3.0[mm] 角の中に発光部である赤外 LED と、受光部であるフォトトランジスタが内蔵されており、非常にコンパクトです。この素子をアナログセンサ基板 TypeS の半田面に取り付けます。

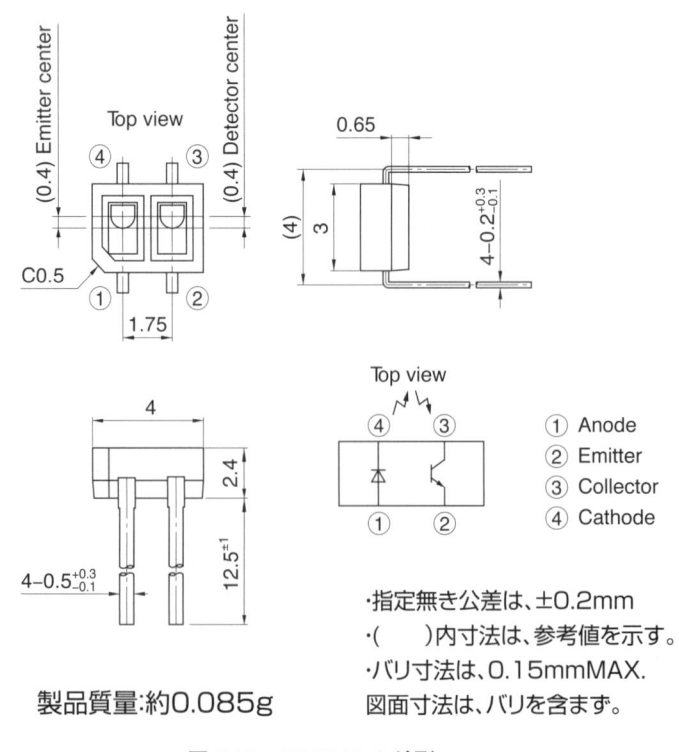

① Anode
② Emitter
③ Collector
④ Cathode

・指定無き公差は、±0.2mm
・(　)内寸法は、参考値を示す。
・バリ寸法は、0.15mmMAX.
　図面寸法は、バリを含まず。

製品質量:約0.085g

図 7.10　GP2S40 の外形

表7.9 絶対最大定格　　　　　　　　　　　　　　(Ta=25℃)

	項目	記号	定格値	単位
入力	順電流	I_F	50	mA
	逆電圧	V_R	6	V
	許容損失	P_D	75	mW
出力	コレクタエミッタ間電圧	V_{CEO}	35	V
	エミッタコレクタ間電圧	V_{ECO}	6	V
	コレクタ電流	I_C	20	mA
	コレクタ損失	P_C	75	mW
	全許容損失	P_{tot}	100	mW
	動作温度	T_{opr}	$-25 \sim +85$	℃
	保存温度	T_{stg}	$-40 \sim +100$	℃
	*1 はんだ付け温度	T_{sol}	260	℃

*1 For 5s

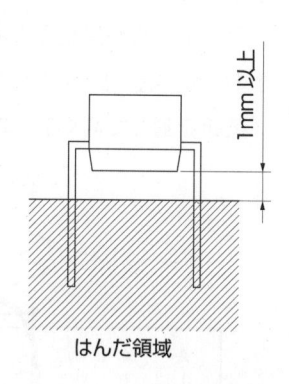

表7.10 電気的光学的特性　　　　　　　　　　　　　(Ta=25℃)

	項目		記号	条件	最小値	標準値	最大値	単位
入力	順電圧		V_F	I_F=20mA	—	1.2	1.4	V
	逆電流		I_R	V_R=3V	—	—	10	μA
出力	暗電流		I_{CEO}	V_{CE}=20V	—	1	100	nA
伝達特性	*2 光電流		I_C	I_F=20mA, V_{CE}=5V	0.5	—	3	mA
	*3 漏れ電流		I_{LEAK}	I_F=20mA, V_{CE}=5V	—	—	500	nA
	応答時間	上昇時間	t_r	V_{CE}=2V, I_C=100μA	—	50	150	μs
		下降時間	t_f	R_L=1kΩ, d=4mm	—	50	150	

*2 反射物の条件及び配置は下図による。
*3 反射物なし。

※ GP2S40 のデータシートより抜粋

詳しくは、

http://www.sharp.co.jp/products/device/lineup/data/pdf/datasheet/gp2s40_j.pdf

にデータシートがあります。

7.4.4 アナログセンサの動作原理

図7.11に、アナログセンサとコースの距離を一定にしているところを示します。アナログセンサの赤外LED側から赤外線を出します（①）。出した赤外線は、コースの色に応じて反射する量が変わります。反射した光をフォトトランジスタで受けます（②）。

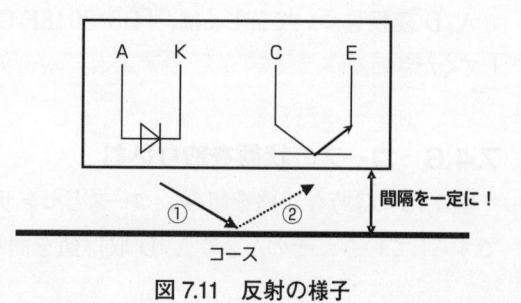

図7.11 反射の様子

図 7.12 に、コースが白色のときと黒色のときの電圧の変化を示します。

センサ下部が白色なら赤外 LED から出た光は多く反射して、フォトトランジスタに届きます。電圧出力は、エミッター-コレクタ間の抵抗が少なるため低くなります。

センサ下部が黒色なら赤外 LED から出た光は吸収されてしまい、フォトトランジスタにあまり届きません。電圧出力はエミッター-コレクタ間の抵抗が大きくなり、コレクタに接続されているプルアップ抵抗を通して高くなります。

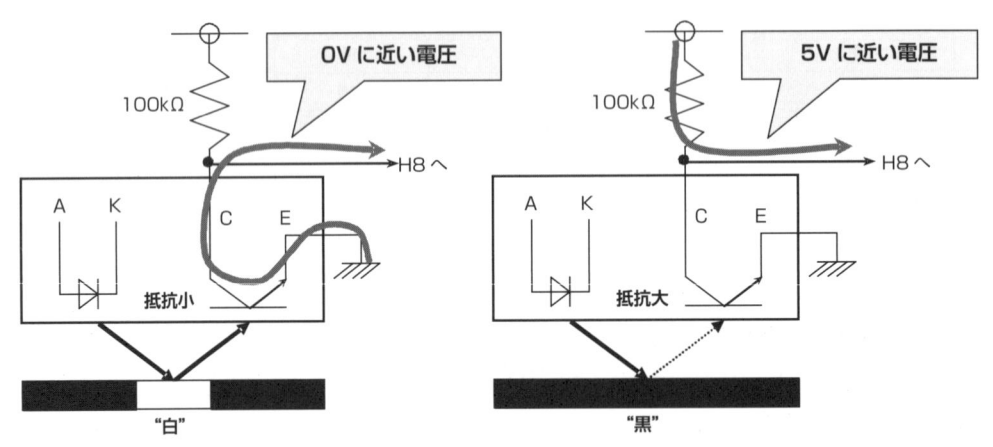

図 7.12 コースの色と電圧の関係

7.4.5　H8 マイコンで電圧を取り込む

H8/3048F-ONE には 10bit 精度の A/D 変換器が内蔵されています。これは、0 〜 5[V]（CPU ボードの電圧）の電圧を 0 〜 1023（2^{10}-1）の値に変換することができます。

アナログ入力端子のポイントは、次のとおりです。

・アナログ入力端子は、ポート 7 の bit0 〜 7 の 8 端子ある
・0 〜 5[V]（CPU ボードの電圧）の電圧を、0 〜 1023（2^{10}-1）の値に変換する
・1 度に A/D 変換できるのは 1 端子のみ、どの端子電圧を A/D 変換するかはプログラムで設定する

A/D 変換について詳しくは、「H8/3048F-ONE 実習マニュアル」のプロジェクト「ad」を参照してください。

7.4.6　コースの状態を取り込む

図 7.13 のような回路を組み、コースとセンサの間隔を約 3[mm] 一定にしてコースの端から端までずらしていき、そのときの A/D 取得値を簡単なグラフにしてみました。

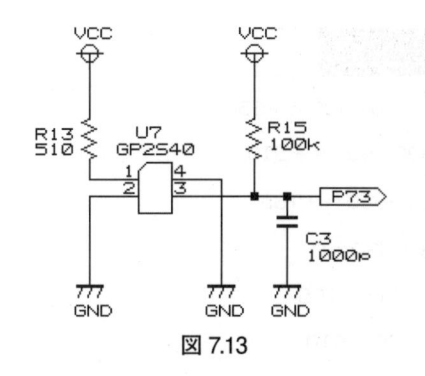

※赤外 LED に流す電流

電気的特性上は 20[mA] まで流すことができますが、電流を多く流すと電池の消耗が激しいので今回は、

電流 ＝（5 － V$_F$）／ 抵抗 ＝（5 － 1.2）/510
　　　＝ 7.4[mA]

と 7.4[mA] の電流を流しています。

図 7.13

白色が 250、黒色が 900、中心の黒、灰、白部分は 900 から 250 へ変化していきます（図 7.14）。正確には比例していませんが、ほぼ比例していると考えて差し支えありません。

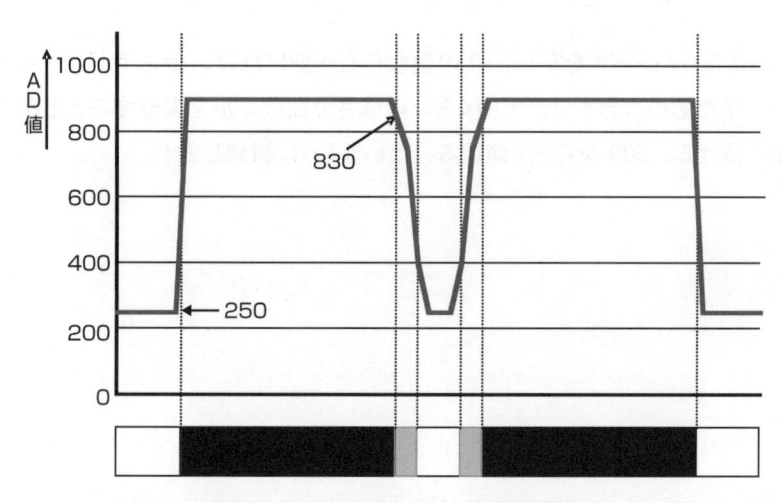

図 7.14　コースの色と A/D 値の変化

マイコンカーはコース中心の白色と灰色をトレースするので、この部分を詳しく見てみます。コース中心部分は 250、ずれるにしたがって値が大きくなり、黒色部分では約 900 になります。A/D 値をチェックすることにより、中心からどれだけずれたか細かく知ることができます。

ただし、1 つ問題があります。例えば黒色と灰色のちょうど境目は 830 くらいですが、数字を見ただけでは右側か左側か分かりません。アナログセンサ 1 個では右にずれているのか左にずれているのか分からないのです。

そこで、アナログセンサを 2 個、40[mm] の間隔で取り付け、次の計算を行います。

> センサの値 ＝ 左センサの値 － 右センサの値

この計算を行うことによりセンサの値は、左側にずれているなら正の数、右側なら負の数となり、左右のどちら側に寄っているのか分かります（図 7.15）。

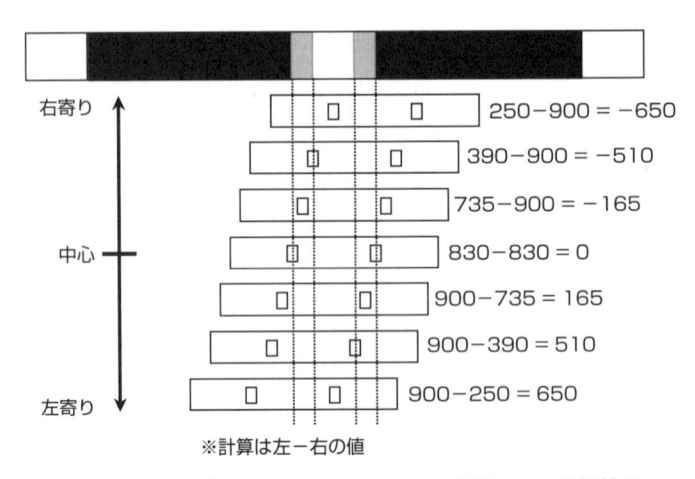

図7.15　アナログセンサ2個によるコース状態コース状態検出

　計算値が負の数ならハンドルを左へ、正の数なら右へ曲げれば、センサがコースの中心に寄るようになります。また値の大きさで、どのくらいの強さで曲げるかを調整することができます。例えば50なら弱く曲げる、500なら強く曲げる、というように制御します。

7.4.7 回路

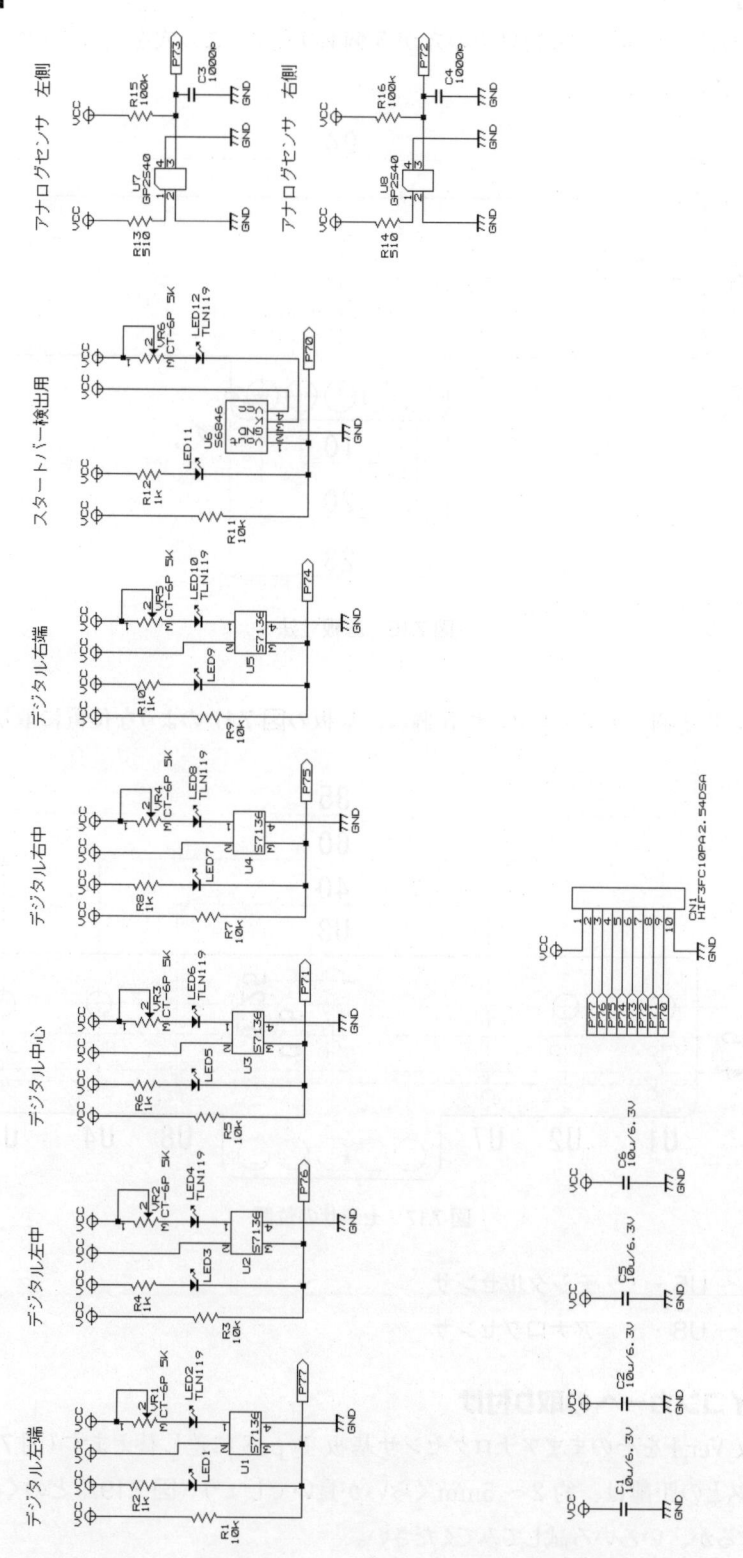

7.4.8 寸法

図7.16のように、基板の取り付け用の穴が5個あります。この穴を使ってアナログセンサ基板を固定してください。

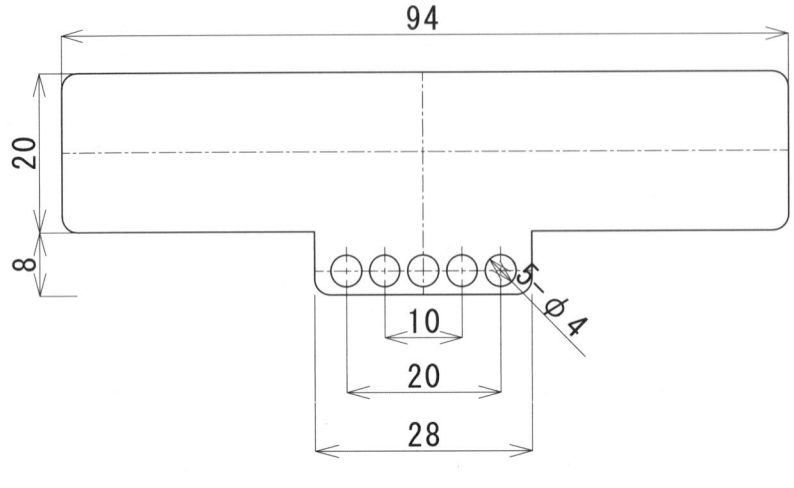

図7.16 基板寸法

アナログセンサ2個、デジタルセンサ5個は、基板の図7.17のような位置に取り付けています。

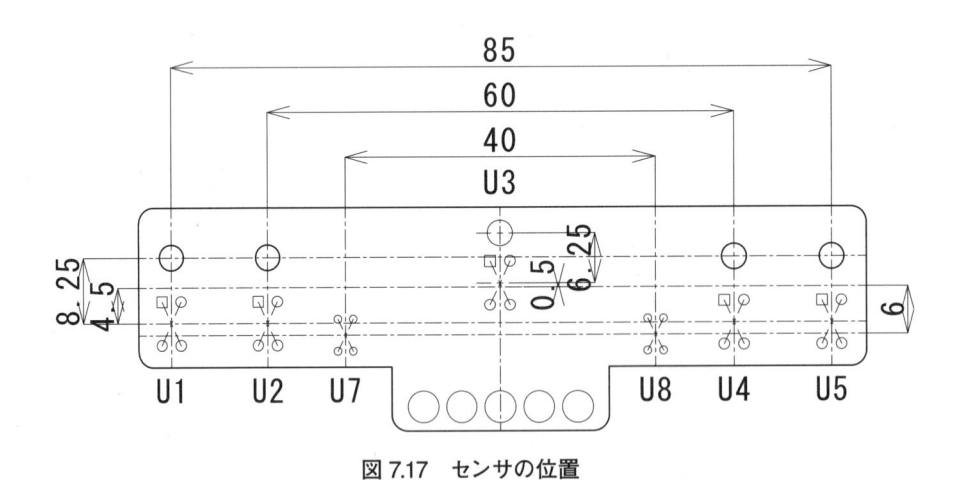

図7.17 センサの位置

※ U1～U5・・・デジタルセンサ
　 U7～U8・・・アナログセンサ

7.4.9 マイコンカーへの取り付け

センサ基板Ver.4をそのままアナログセンサ基板TypeSに差し替えます（図7.18）。アナログセンサとコースとの距離は、約2～5mmくらいが良いでしょう（図7.19）。どのくらいの高さがいちばん安定するか、いろいろ試してみてください。

第 7 章 上位をねらうために

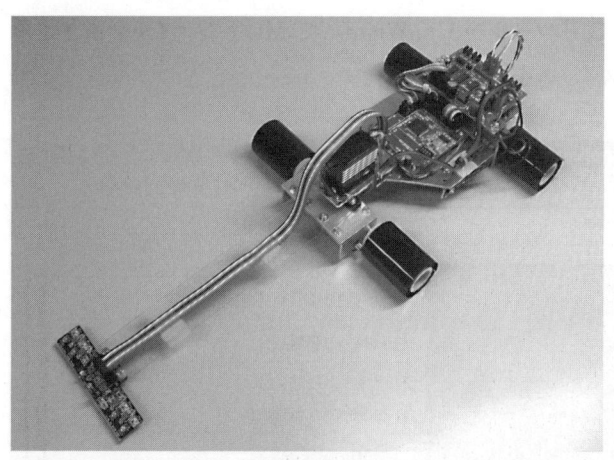

図 7.18 アナログセンサ基板 TypeS に変えたマイコンカー

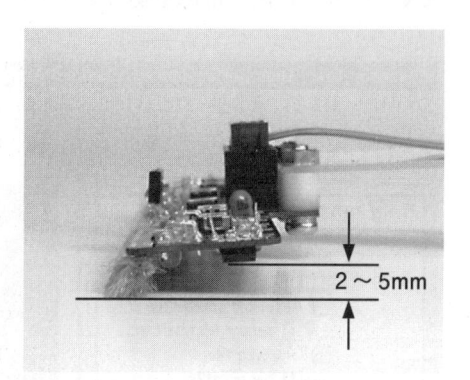

図 7.19 コースとの隙間

7.4.10 センサの反応を確かめる

実際に、アナログセンサの値が変化するところを確かめてみましょう。

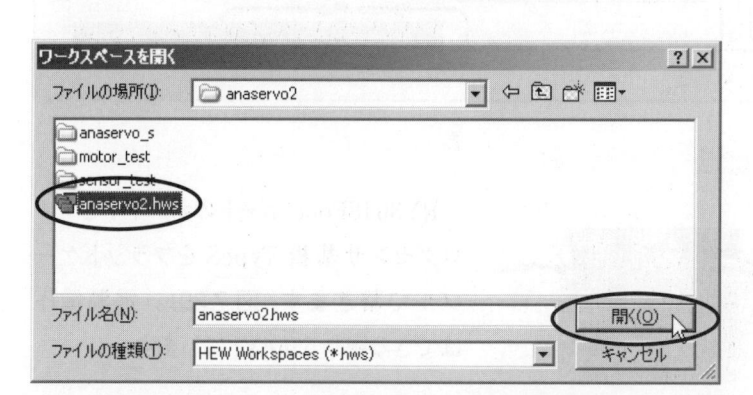

ルネサス統合開発環境を立ち上げ、「Cドライブ→Workspace → anaservo2」の「anaservo2.hws」を選択します。

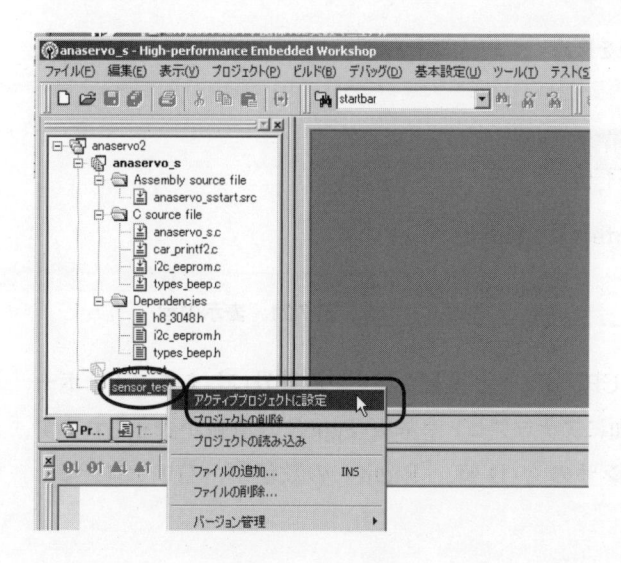

「anaservo2」ワークスペースが開かれます。プロジェクト「sensor_test」上で右クリックして、「アクティブプロジェクトに設定」を選択します。

383

プロジェクト「sensor_test」をビルドして、「ツール→ CpuWrite」で MOT ファイルを書き込みます。書き込み後、電源を切って FWE スイッチを内側にします。

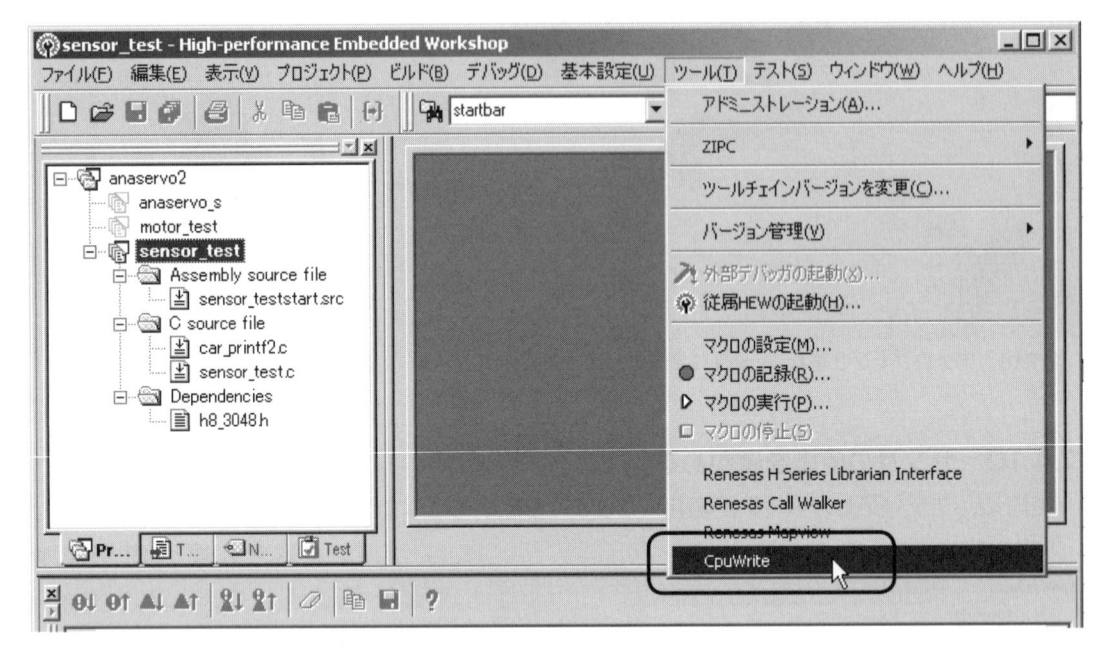

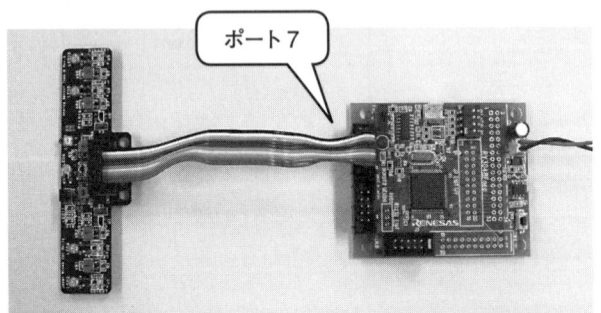

図 7.20 CPU ボードとアナログセンサ基板を接続

RY3048Fone ボードのポート7とアナログセンサ基板 TypeS をフラットケーブルで繋ぎます（図 7.20）。電源電圧はできる限り 5.00[V] にします。

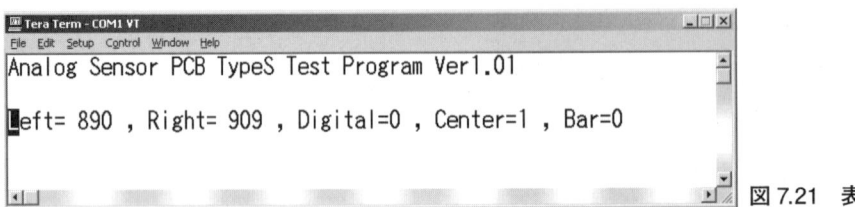

図 7.21 表示内容

TeraTermPro を立ち上げ、通信ポートを CPU ボードと接続されている番号にします。CPU ボードの電源を入れると、TeraTermPro の画面にアナログセンサ基板 TypeS の情報が表示されます（図 7.21）。「Left」の数値が左アナログセンサの A/D 値、「Right」の数値が、右アナログセンサの A/D 値です。

コース上でセンサを左右に動かし、値がどう変わるか確かめてましょう。このとき、**センサとコースの高さを常に一定にしなければ値が変わりますので注意してください。**マイコンカーに取り付けるときにセンサ下部に貼る材質を実際に取り付けて左右に動かすと良いでしょう。

ただし今回の表示は、左アナログセンサ、右アナログセンサの値が出力されますが、左センサ－右センサの値は表示されません。今回説明した右に寄るとマイナス、左に寄るとプラスというのが分かりづらいです。プログラムを改造しましょう。いったん、TeraTermPro は終了します。「sensor_test.c」の main 関数内の while で囲った無限ループ内のプログラムを**リスト 7.5** のように変更します。ビルドしてエラーがないことを確認し、書き込みましょう。

リスト 7.5

```
    while ( 1 ) {
        if ( cnt1 >= 200 ) {
            cnt1 = 0;

            printf ( "Left=%4d , Right=%4d , L-R=%+5d\r",
                     get_ad3 () , get_ad2 () , get_ad3 () -get_ad2 () );
        }
    }
```

先ほどと同様にコース上でセンサを左右に動かします。右にずれたときの画面例を**図 7.22** に、左にずれたときの画面例を**図 7.23** に示します。右か左かで符号が変わり数値を見ただけで右寄りか左寄りか分かります。

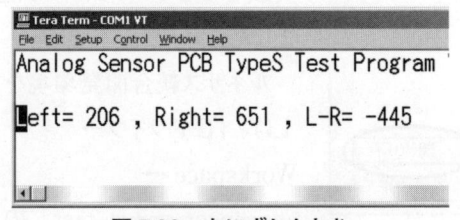

図 7.22 右にずれたとき

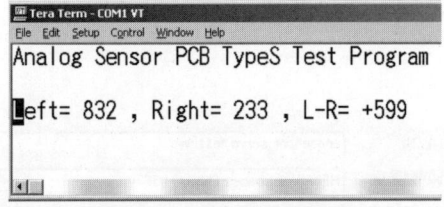

図 7.23 左にずれたとき

いよいよ走行プログラムの説明をしていきましょう！！　と行きたいところなのですが実は、アナログセンサを使う場合は、ラジコンサーボではうまくマイコンカーを制御することができません。

アナログセンサ基板を使うとコースのずれが非常に細かく分かります。このずれの大きさに応じて最低でも 1[ms] ごとにサーボの制御を行わなければいけません。ラジコンサーボの制御周期は16[ms]、高性能なデジタルサーボを使ったとしても 5[ms] くらいがやっとです。これでは全く間に合いません。ラジコンサーボではアナログセンサの性能を生かし切れないのです。アナログセンサを使う場合、次に説明する自作サーボとペアで使用することが必須です。次章では自作サーボとアナログセンサを使った制御方法について説明しますのでそちらを参照してください。

と書いても、ほんとに？と思う方もいると思います。ではどのような走りになるか、実際に実験

Micom Car Rally

してみましょう。

(1) 構成

マイコンカーキット Ver.4 の構成で、センサ基板 Ver.4 をアナログセンサ基板 TypeS に交換します (図 7.24)。

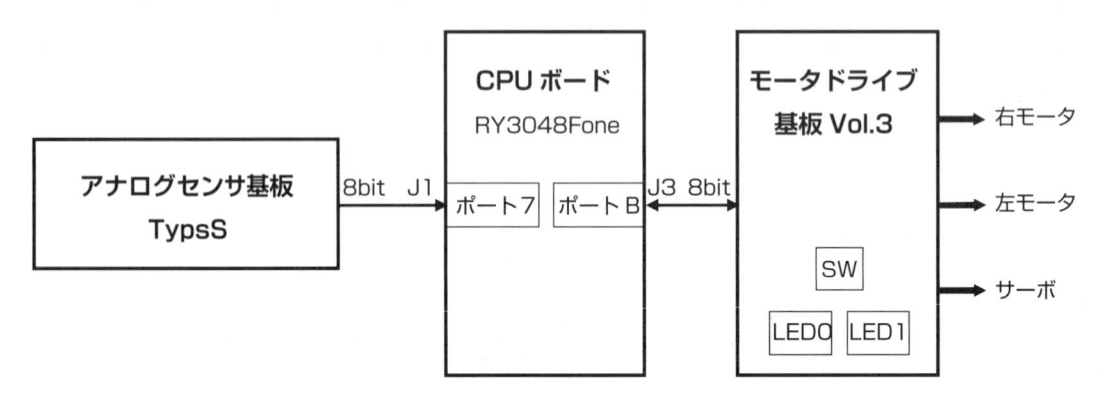

図 7.24 実験回路の構成

(2) プログラム

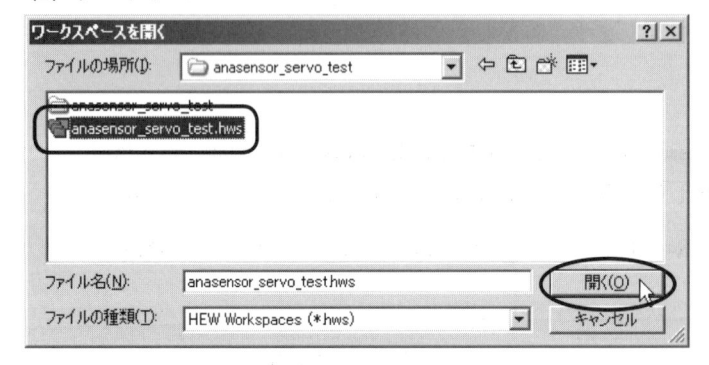

アナログセンサ基板 TypeS とラジコンサーボを使った制御の実験をするワークスペースを作りました。

ルネサス統合開発環境を立ち上げ、「C ドライブ→Workspace→anasensor_servo_test」の「anasensor_servo_test.hws」を選択します。

(3) 調整

サーボが動作する範囲内で、「PWM_CYCLE」の値を小さくして周期を短くします。サーボセンタも合わせます (リスト 7.6)。調整後、ビルドしてプログラムを書き込んでください。

リスト 7.6

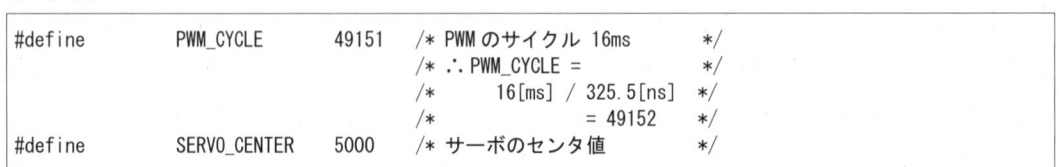

```
#define     PWM_CYCLE       49151    /* PWM のサイクル 16ms         */
                                     /* ∴ PWM_CYCLE =              */
                                     /*     16[ms] / 325.5[ns]     */
                                     /*               = 49152      */
#define     SERVO_CENTER    5000     /* サーボのセンタ値            */
```

(4) 実行！！

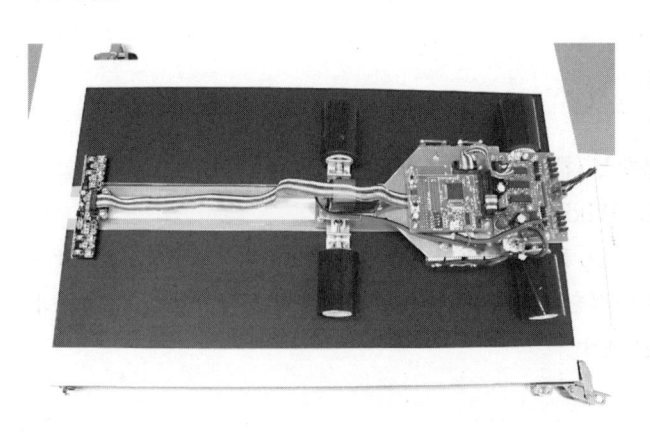

コース上でサーボの振りが安定するか、確かめてください。ディップスイッチでサーボの振りの大きさを調整することができます。うまくいくでしょうか？？
いろいろ実験してみましょう。

7.5　サーボを自作しよう

　先の説明の通り、ラジコンサーボでの制御は「サーボの制御周期」の関係で細かく制御することができません。また、サーボの中を開けると小さなモータが入っています。高価なサーボはコアレスモータ搭載などと謳っていますが、モータの大きさからしてパワーには限界があります。そこで、普通のモータをラジコンサーボの位置に付け替え、ラジコンサーボが行っていたことを、H8マイコンと自作の機構で作ってしまいましょう。

7.5.1　特徴

マイコンカーで使用する場合の、ラジコンサーボと自作サーボの特徴を表7.11に示します。

表7.11　ラジコンサーボと自作サーボの特徴

項目	ラジコンサーボ	自作サーボ
制御周期	サーボに加えるPWM周期が制御周期 標準的なサーボで16ms、 デジタルサーボで5ms 秒速4m/sなら16msで64mm進んでしまう	プログラムで可変可能 サンプルプログラムは1ms 秒速4m/sなら1msで4mmしか進まない！
モータドライブ回路	サーボに内蔵のため不要	必要
プログラム	PWMのデューティ比を変えるだけ、簡単	アナログセンサのずれから、加えるPWMのデューティ比を計算、調整が難しい
現在の角度検出	できない　ただし別途ボリューム、またはロータリエンコーダを付けることにより可能	ボリューム、またはロータリエンコーダ必要
モータ	サーボに内蔵のため選定不要 逆に言えば選べない	自分で選定する
ギヤ比	サーボ固有のギヤ比	自分で組む必要があるが、組み方により自由に設定できる

MICOM CAR RALLY

　自作サーボはギヤ比、モータ、制御周期を自分で選定できるため、高価なラジコンサーボ以上の性能を出すことも可能です。

※サーボについて
　サーボは、「物体の位置、方位、姿勢など（機械量）を制御量とし、目標値の任意の変化に追従するように構成された制御系。」（出典：Wikipedia）という意味です。
　本書では、ラジコン屋さんで販売されているPWMを加えると自動で動くサーボをラジコンサーボ、マイコンで直接モータを制御するサーボを自作サーボと使い分けています。どちらもサーボではありますが、制御方法が大きく異なります。

7.5.2　自作サーボの構造

　サーボ機構を自作します。サーボ機構はラジコンサーボが行っていたことを自作すればよいだけです。といってもラジコンサーボはどのような構成なのでしょう。次のような構成になっています。

ラジコンサーボ＝モータドライブ回路＋モータ＋ギヤ＋ボリューム（＋制御プログラム）

　これらの機能をマイコンカーに組み込めば自作サーボの完成です。例として図7.25にサーボ機構の製作例を示します。表7.12にポイントを示します。

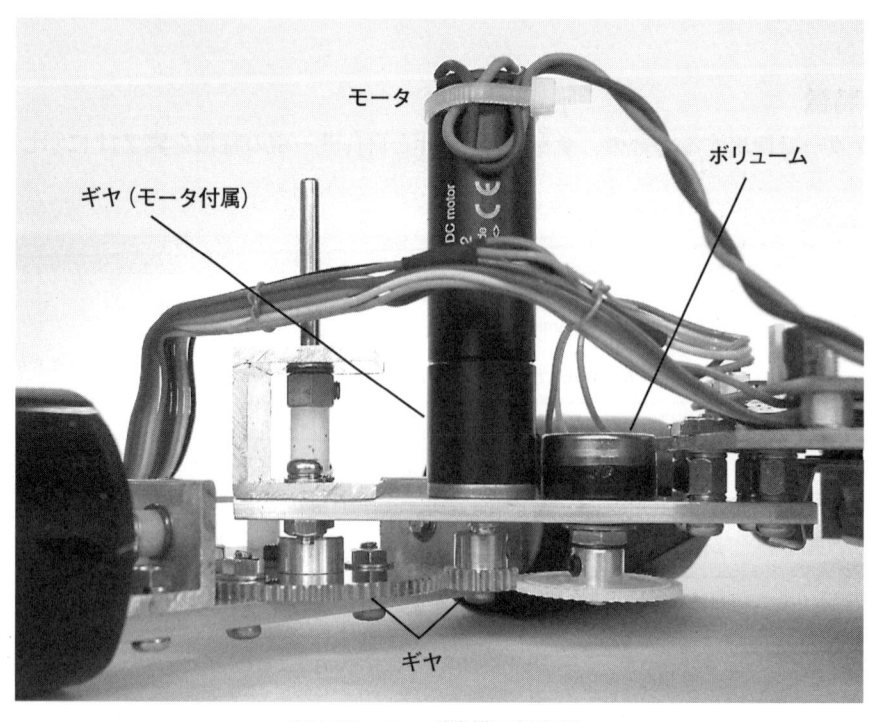

図7.25　サーボ機構の製作例

表 7.12 自作サーボのポイント

項目	詳細
モータ	写真のマイコンカーは、マクソンモータ 118682（RE16 3.2W）を使用しています。モータ付属ギヤは 110322（GP16A 19:1）を使用しています。このモータの公称電圧は 4.5[V] ですが、モータに加える電圧は 9.6[V] です。本来であれば公称電圧 9[V] 程度のモータを使用したいのですが、このモータとギヤの組み合わせはマクソンモータのホームページにある「コンテスト向け学校サポートキャンペーン」の対象となっており、通常の半分程度の値段で購入することができます（2008 年 6 月現在）。そのため、スペック的にはかなりオーバしていますが今回はこのモータを使いました。電圧はオーバしていますが、プログラムで加える PWM に上限を設けて、100％の PWM は加えないようにします。 モータの選定基準は、筆者の経験値で参考程度ですが、9.6[V] 換算で停止トルクが約 30[mNm] 程度あれば良いと感じています。今回のモータは 9.6[V] 換算で停止トルク約 37[mNm] です。 ちなみに、承認モータ RC-260RA18130 を 2 個並列に接続すれば、市販されているラジコンサーボにも負けない性能にすることもできます。停止トルクは、9.6[V] 換算で 1 個約 15[mNm]、2 個並列で使用すれば約 30[mNm] となります。
ギヤ	ギヤ比はモータのトルクによりますが、今回のモータの場合、40 〜 80 くらいが良いでしょう。 写真の例では、 モータ付属のギヤ部分 1 ／ 19 ×自作部分 20 ／ 80 ＝ 1：76.0 です。 ギヤの組み合わせが多すぎるとギヤの遊び（バックラッシュ）が大きくなり微妙な制御ができません。ステアリング用のギヤは、極力遊びを無くしてください。
ボリューム	ハンドルの切れ角を検出するためのボリュームです。ハンドルを切ったとき、ボリュームも回るように機構設計します。ハンドルをまっすぐにしたときにボリュームの回転部分が中心（約 2.5[V]）になるよう合わせます。左右に目一杯切ったときにボリュームの電圧が 0.5 〜 4.5[V] くらいになると良好です。それ以下の電圧でも検出範囲が狭くなるだけで問題はありません。今回は左にハンドルを切ったとき 5[V] に近い電圧、右にハンドルを切ったとき 0[V] に近い電圧が出力されるようにします。

※承認モータを使った自作サーボ

参考に、承認モータを 2 個並列に使ったサーボ機構の写真を図 7.26 に示します。

ギヤは、承認モータのピニオンギヤ 8T、次に平ギヤ 72T、その軸に 15T、最後に 72T のギヤがあり、そこにタイヤやセンサが繋がります（図 7.27）。ギヤ比は、次のようです。

$$ギヤ比 = \frac{8}{72} \times \frac{15}{72} = \frac{120}{5184} = \frac{1}{43.2}$$

図 7.26

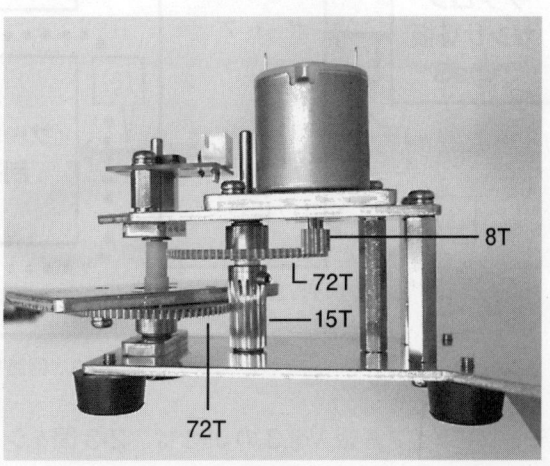

図 7.27

角度検出として、抵抗式センサと呼ばれるアルプス電気（株）の「RDC503013A」という10[KΩ]のボリュームを使っています（図7.28）。φ3のシャフトをD型にして抵抗式センサの穴に入れて、シャフトと一緒にボリュームの中心が回るようにします。

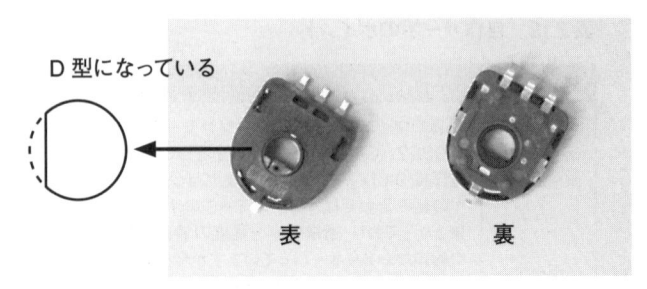

図7.28

7.5.3 回路の構成

サーボモータを制御する回路を追加します。そのときの構成を図7.29に示します。

①ラジコンサーボに繋いでいたPWM信号を、サーボモータ制御回路に繋ぎモータ制御を行います。
②サーボモータの回転方向制御としてPA7を使用します。
③ボリュームの出力値は0～5[V]のアナログ電圧です。A/Dを使用して0～1023の値に変換します。アナログ入力端子はポート7のみなので、P71に接続します。
④アナログセンサ基板TypeSは、フラットケーブルでポート7に接続していますが、③の理由からP71と信号がぶつかる中心デジタルセンサをPA6に接続します。今回はPA6にしましたが、デジタル値なので空いているどの端子でも構いません。

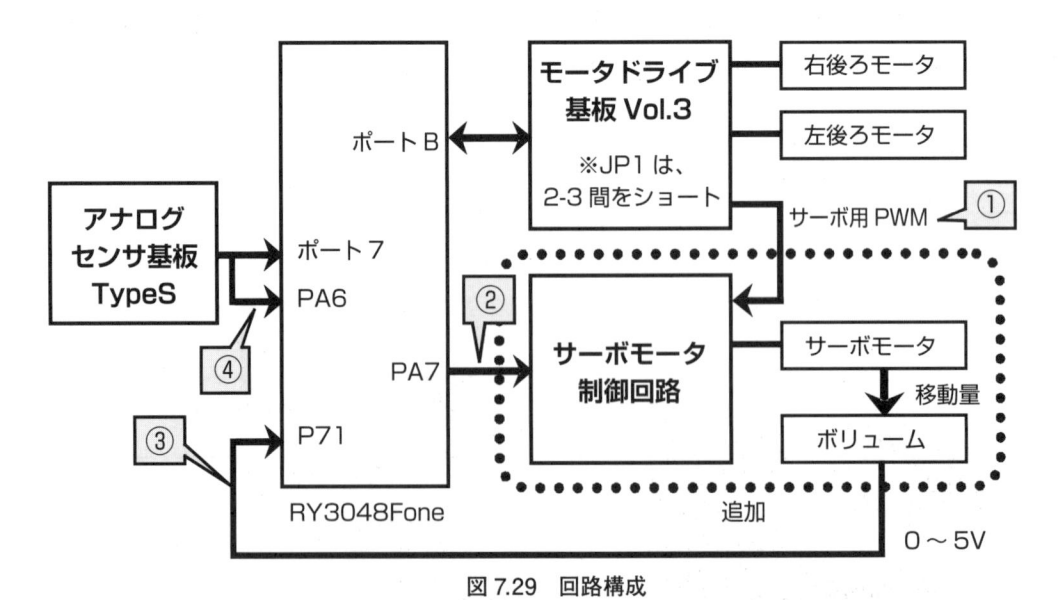

図7.29　回路構成

※モータドライブ基板Vol.3のJP1は、2-3間をショートさせます。LM350、及び周辺回路は必要ありませんが、付いていても問題ありません。

7.5.4 接続

基板間を図 7.30 のように接続します。

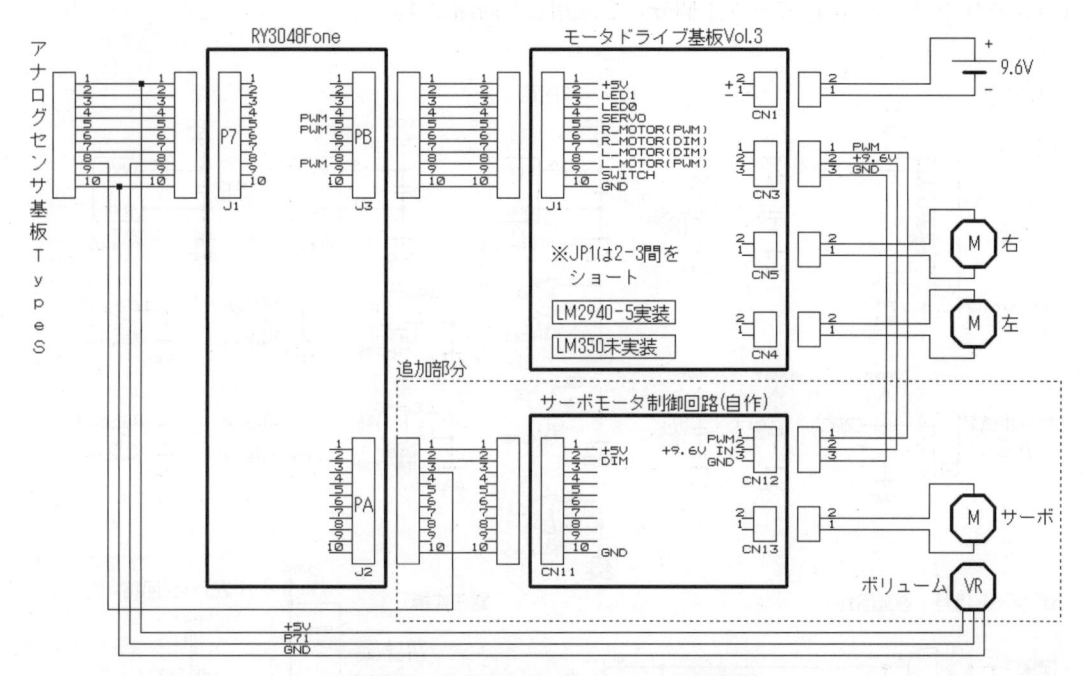

図 7.30 自作サーボマイコンカーの接続図

7.5.5 サーボモータ制御回路

今回自作する、サーボモータ制御回路は図7.31のような回路となります。モータドライブ基板Vol.3のHブリッジ回路（モータ1個分）を流用した回路です。

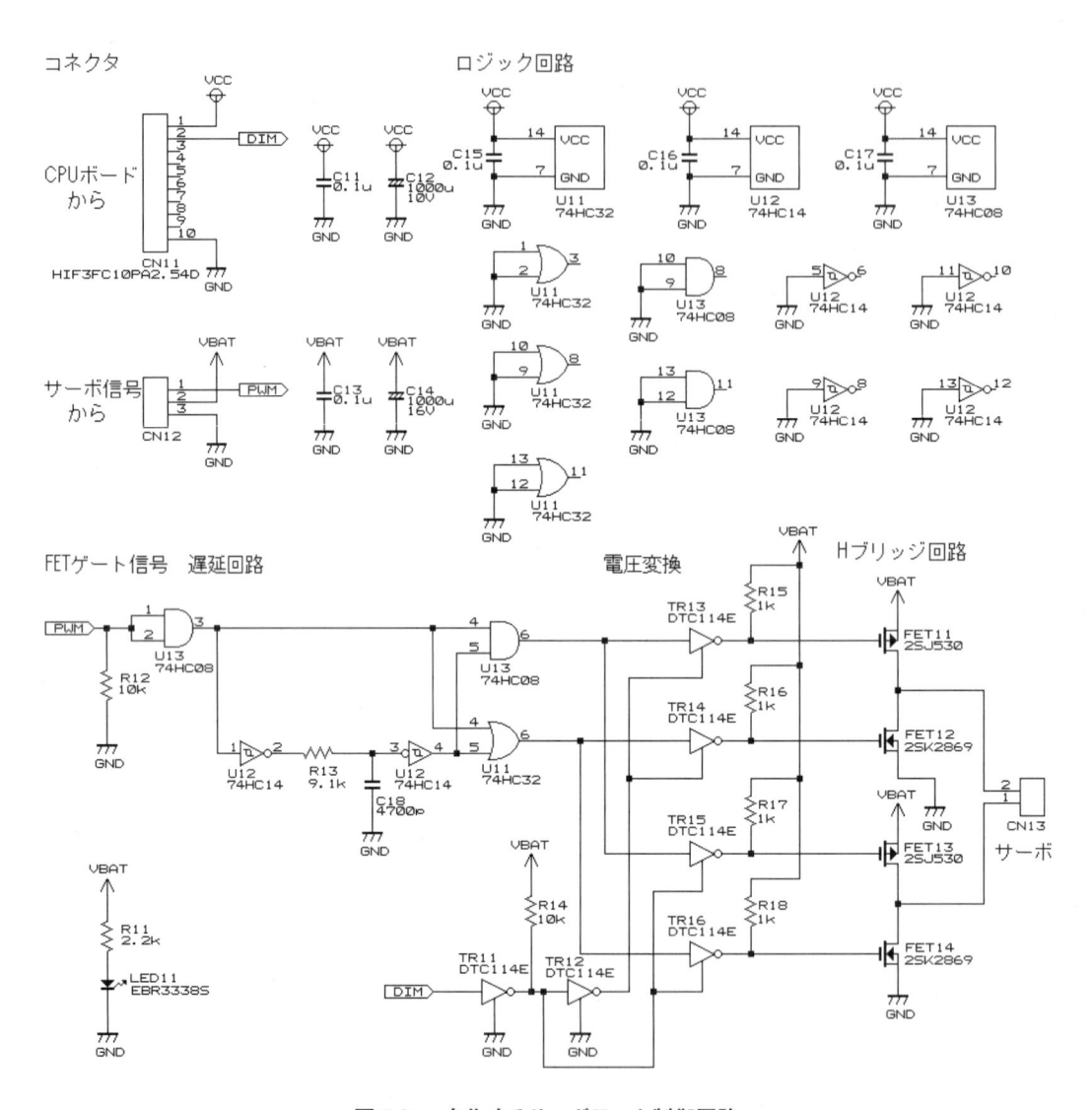

図7.31 自作するサーボモータ制御回路

7.5.6　車体の設計

基本設計は、「5.8.3 車体全体の設計」の電池を底にしたマイコンカーに習います。ラジコンサーボがあった部分にサーボモータ、ギヤ、ボリュームを取り付けます。シャーシはボリュームがぶつからないよう、再設計しています。設計例を図 7.32 に、製作例を図 7.33 に示します。

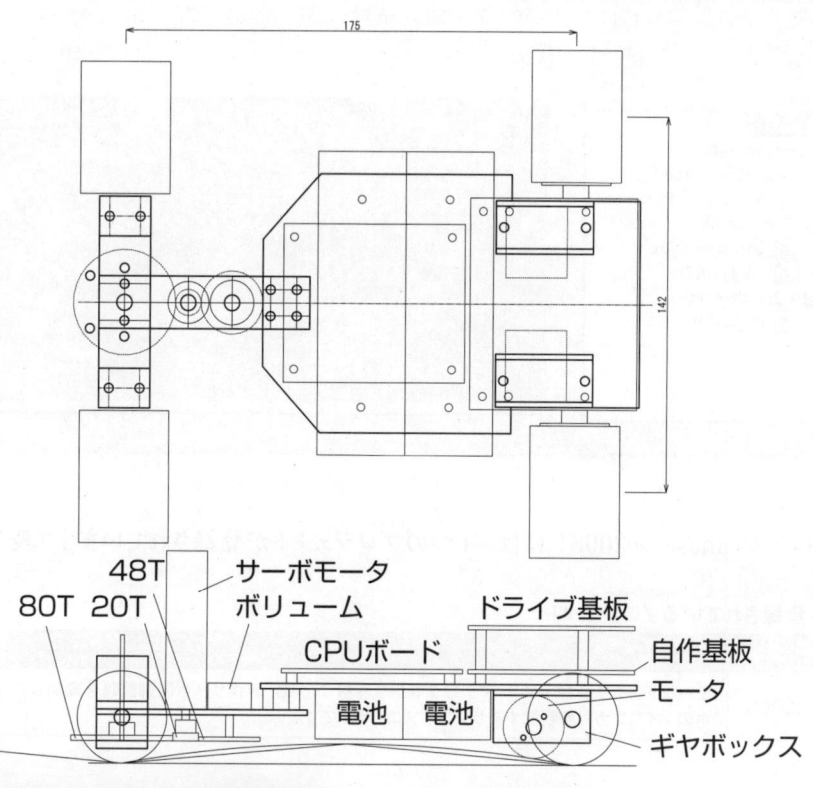

図 7.32　設計例

図 7.33　製作例

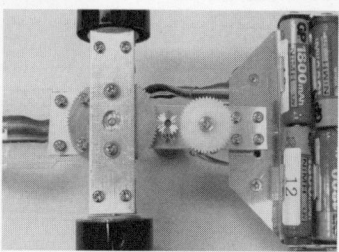

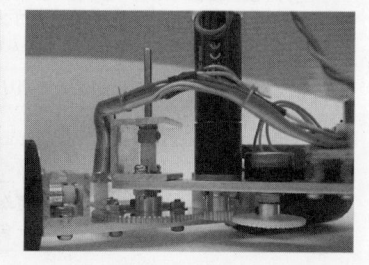

7.5.7 サンプルワークスペース

ルネサス統合開発環境を立ち上げ、「Cドライブ → Workspace → anaservo2008」の「anaservo2008.hws」を選択します。「anaservo2008」ワークスペースが開かれます。

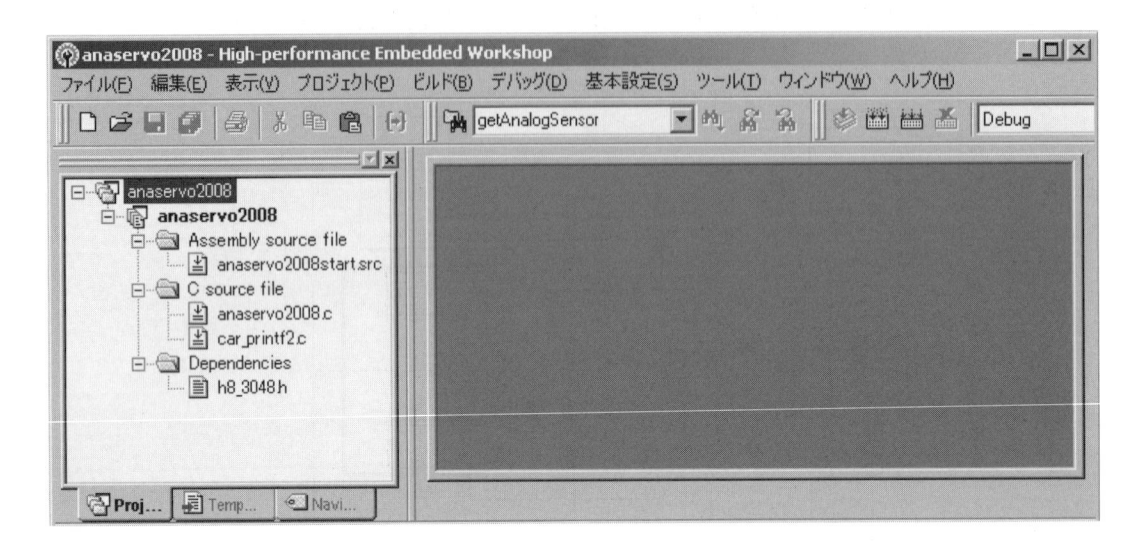

ワークスペース「anaservo2008」には、1つのプロジェクトが登録されています（**表 7.13**）。

表 7.13　登録されているプロジェクト

プロジェクト名	内容
anaservo2008	モータドライブ基板 Vol.3、アナログセンサ基板 TypeS、自作サーボ制御回路を追加して、自作サーボのマイコンカーを制御するサンプルプログラムです。

7.5.8　H8/3048F-ONE で使用する内蔵周辺機能

本プログラムでは、表 7.14 のように H8/3048F-ONE の内蔵周辺機能を使用しています。

表 7.14　使用する内蔵周辺機能

機能	詳細
A/D 変換器	P73 〜 P71 をアナログ電圧入力用として使用します。P73 〜 P71 端子の電圧を A/D 変換器でデジタル値に変換します。 P73…左アナログセンサ電圧入力 P72…右アナログセンサ電圧入力 P71…ボリューム電圧入力
ITU0	1[ms] ごとの割り込み
ITU1	未使用
ITU2	未使用
ITU3,4	ITU3 と 4 を組み合わせてリセット同期 PWM モードとして使用します。出力される 3 つの PWM 信号で、左モータ、右モータ、サーボモータを制御します。

7.5.9 変数、定数の定義

変数の宣言、定数の定義をしているプログラムをリスト 7.7 に示します。

リスト 7.7

```
41 : /*======================================*/
42 : /* グローバル変数の宣言                */
43 : /*======================================*/
44 :   int           pattern;              /* マイコンカー動作パターン     */
45 :   int           crank_mode;           /* 1: クランクモード 0: 通常    */
46 :   unsigned long cnt1;                 /* タイマ用                     */
47 :
48 : /* サーボ関連 */
49 :   int           iSensorBefore;        /* 前回のセンサ値保存           */
50 :   int           iServoPwm;            /* サーボ PWM 値                */
51 :   int           iAngle0;              /* 中心時の A/D 値保存          */
52 :
53 : /* センサ関連 */
54 :   int           iSensorPattern;       /* センサ状態保持用             */
55 :
56 : /* 内輪差値計算用  各マイコンカーに合わせて再計算して下さい */
57 :   const revolution_difference[] = {    /* 角度から内輪、外輪回転差計算 */
58 :       100, 98, 97, 95, 94,
59 :        92, 91, 89, 88, 87,
60 :        85, 84, 82, 81, 80,
61 :        78, 77, 76, 74, 73,
62 :        72, 70, 69, 68, 66,
63 :        65, 64, 62, 61, 60,
64 :        58, 57, 56, 54, 53,
65 :        52, 50, 49, 48, 46,
66 :        45, 43, 42, 40, 39,
67 :        38 };
```

変数、定数の詳細を表 7.15 に示します。

表 7.15 anaservo2008.c の変数、定数の詳細

変数名	内容
pattern	マイコンカーの現在の動作パターンを設定します。
crank_mode	アナログセンサ値をデジタルセンサを使って補正するかしないかを設定します。 0: 補正 ON（通常トレース状態） 1: 補正 OFF（クロスラインの検出後とクランクトレースモード時など）
cnt1	タイマです。1[ms] ごとに増加していきます。この変数を使って 100[ms] 待つなど、時間のカウントをします。
iSensorBefore	1[ms] 前のアナログセンサ値を保存します。通常のプログラムでは使用しません。
iServoPwm	割り込み内で計算したサーボモータ用の PWM 値を保存します。
iAngle0	ステアリング角度 0 度のときのボリューム A/D 値を保存します。
iSensorPattern	getAnalogSensor 関数内で使用します。アナログセンサが中央ラインをはずれたときの対処用です。通常のプログラムでは使用しません。

revolution_difference	外輪を 100 としたとき、内輪の回転数を計算します。revolution_differencex[角度] とするとその角度のときの内輪数が返ってきます。例えば、revolution_differencex[5] とすると、92 が返ってきます。これは、5 度で曲げているとき、外輪 100%、内輪 92% ということです。このテーブルはマイコンカーのホイールベース、トレッドによって変わってきますので「revolution_difference の配列の更新」(P.414 コラム)を参照して各自書き換えてください。

7.5.10 割り込みプログラム

interrupt_timer0 関数は、ITU0 で設定した 1[ms] ごとの割り込みで実行される関数です。リスト 7.8 にプログラムを示します。

リスト 7.8

```
270 :   #pragma interrupt ( interrupt_timer0 )
271 :   void interrupt_timer0 ( void )
272 :   {
273 :       unsigned int    i;
274 :
275 :       ITU0_TSR &= 0xfe;                    /* フラグクリア              */
276 :       cnt1++;
277 :
278 :       /* サーボモータ制御 */
279 :       servoControl ();
280 :   }
```

276 行で、cnt1 変数を +1 しています。割り込みは 1[ms] ごとに実行されるので、1[ms] ごとに +1 されることになります。

279 行で、servoControl 関数を実行します。この関数は、サーボモータに加える PWM 値を計算しています。サーボモータの PWM を、1[ms] ごとに更新していると言うことです。

7.5.11 アナログセンサ基板 TypeS のデジタルセンサ値読み込み

アナログセンサ基板 TypeS のデジタルセンサ 4 個を読み込む関数です。デジタルセンサは黒で "1"、白で "0" なのでポートから読み込むときに "～"(チルダ)をつけて反転させます。中心のデジタルセンサ値は読みません。リスト 7.9 にプログラムを示します。

マイコンカーキット Ver.4 版の sensor_inp 関数と違い、引数はありません。マスクするときは、「sensor_inp () & 0x03」のように、関数とマスク値のアンドを取ります。

リスト 7.9

```
282 :   /***************************************************************/
283 :   /* アナログセンサ基板 TypeS のデジタルセンサ値読み込み           */
284 :   /* 引数    なし                                                  */
285 :   /* 戻り値  左端、左中、右中、右端のデジタルセンサ 0:黒 1:白      */
286 :   /***************************************************************/
287 :   unsigned char sensor_inp ( void )
```

```
288 : {
289 :     unsigned char sensor;
290 :
291 :     sensor = ~P7DR >> 4 & 0x0f;       /* 上位4ビットを下位に移動    */
292 :
293 :     return sensor;
294 : }
```

図 7.34 に、センサが左から「黒黒白白」のときの例を示します。

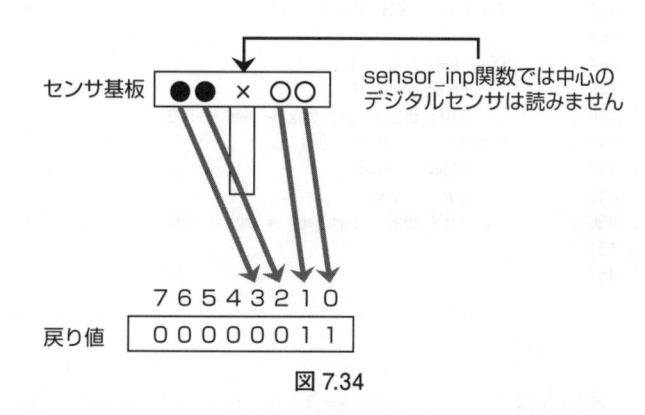

図 7.34

7.5.12 アナログセンサ基板 TypeS の中心デジタルセンサ読み込み

アナログセンサ基板 TypeS の中心デジタルセンサ 1 個を読み込む関数です。リスト 7.10 にプログラムを示します。

リスト 7.10

```
301 : unsigned char center_inp ( void )
302 : {
303 :     unsigned char sensor;
304 :
305 :     sensor = ~PADR & 0x40;          /* アナログセンサ基板 TypeS の */
306 :     sensor = !!sensor;              /* 中心デジタルセンサ読み込み  */
307 :
308 :     return sensor;
309 : }
```

図 7.35 に、中心センサが「白」のときの例を示します。

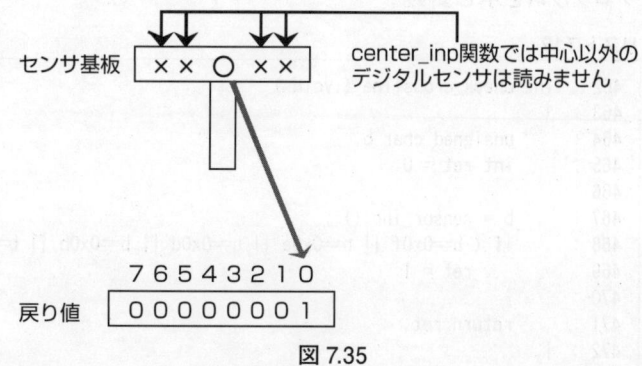

図 7.35

7.5.13　サーボモータのPWM出力

サーボモータに出力するPWM値を設定する関数です。リスト7.11にプログラムを示します。

リスト7.11

```
438 :   void servoPwmOut ( int pwm )
439 :   {
440 :       unsigned long    pwm_max;
441 :
442 :       pwm_max = PWM_CYCLE - 1;
443 :
444 :       if ( pwm > 0 ) {
445 :           PADR &= 0x7f;
446 :           ITU4_BRB = pwm_max * pwm / 100;
447 :       } else if ( pwm < 0 ) {
448 :           PADR |= 0x80;
449 :           pwm = -pwm;
450 :           ITU4_BRB = pwm_max * pwm / 100;
451 :       }
452 :   }
```

使い方は、

　　servoPwmOut (サーボモータのPWM値);

です。PWM値は、

　　　　0… 停止
　　1～100… 右動作の割合　100が一番速い
　-1～-100… 左動作の割合　100が一番速い

を設定することができます。

　今回のサンプルプログラムは、引数を正の数にすると右へ、負の数にすると左へステアリングが動くよう配線します。逆の場合は、サーボモータの線を入れ変えてください。

7.5.14　クロスラインの検出処理

デジタルセンサの状態をチェックして、クロスラインかどうか判断する関数です。リスト7.12にプログラムを示します。

リスト7.12

```
462 :   int check_crossline ( void )
463 :   {
464 :       unsigned char b;
465 :       int ret = 0;
466 :
467 :       b = sensor_inp () ;
468 :       if ( b==0x0f || b==0x0e || b==0x0d || b==0x0b || b==0x07 ) {
469 :           ret = 1;
470 :       }
471 :       return ret;
472 :   }
```

アナログセンサ基板 TypeS の中心を除くデジタルセンサ 4 個の内、3 つ以上が白を検出するとクロスラインと判断します。戻り値は、クロスラインを検出したら "1"、クロスラインなしは "0" が返ってきます。

7.5.15 サーボ角度の取得

getServoAngle 関数は、サーボの角度を検出する関数です。リスト 7.13 にプログラムを示します。

リスト 7.13

```
479 :    int getServoAngle ( void )
480 :    {
481 :        return ( (AD_DRB>>6) - iAngle0 );
482 :    }
```

サーボの角度は、ステアリング部分に取り付けられているボリュームの電圧を読み込むことで分かります。ボリュームは、P71 端子に接続されているので、A/D 変換して値を取得します。

今回のマイコンカーは左右 40 度ずつハンドルが切れるとします (図 7.36)。

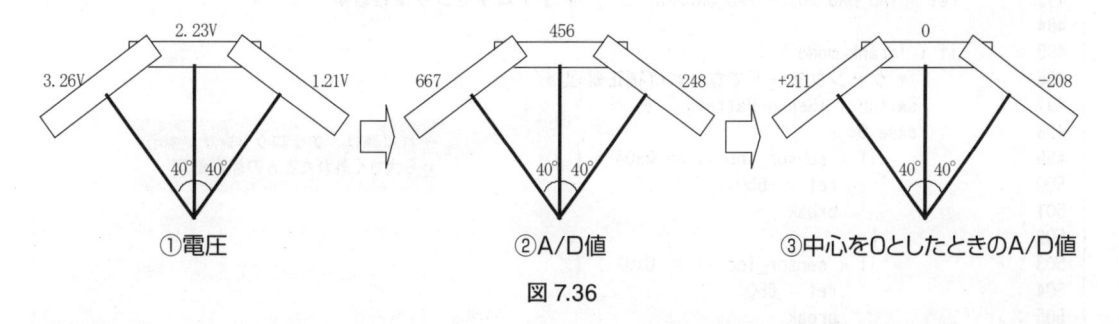

①電圧　　　　　　　②A/D値　　　　　　③中心を0としたときのA/D値

図 7.36

左 40 度、0 度、右 40 度にしたときのボリュームの電圧を測ります。テスタでボリューム値を計った結果、

左いっぱい…3.26V　　中心…2.23V　　右いっぱい…1.21V

となりました (①)。5.00V が 1023 なので、それぞれの電圧を A/D 値に変換すると、

左いっぱい…3.26/5 × 1023=667　　中心…2.23/5 × 1023=456
右いっぱい…1.21/5 × 1023=248

となります (②)。

481 行の iAngle0 変数には、main 関数内で、0 度のときの A/D 値を入れておきます。iAngle0

変数に 456 の値を入れると、

> 左いっぱい…+211　　中心…0　　右いっぱい…-208

となります（図 7.36 ③）。

このように、getServoAngle 関数は、まっすぐ向いたときを 0 としたときの A/D 値を取得する関数です。注意点は、「**取得値は A/D 値であって角度ではない**」ということです。± 40 度で A/D 値が ± 210 だとすると、

　1 度あたりの A/D 値 = 210 ÷ 40 = 5.25

となります。

7.5.16　アナログセンサ値の取得

getAnalogSensor 関数は、アナログセンサ基板 TypeS に付属しているアナログセンサ 2 個の差分を取得する関数です。リスト 7.14 にプログラムを示します。

リスト 7.14

```
489 :   int getAnalogSensor ( void )
490 :   {
491 :       int     ret;
492 :
493 :       ret = (AD_DRD>>6) - (AD_DRC>>6) ;    /* アナログセンサ情報取得     */
494 :
495 :       if ( !crank_mode ) {
496 :           /* クランクモードでなければ補正処理 */
497 :           switch ( iSensorPattern ) {
498 :           case 0:
499 :               if ( sensor_inp () == 0x04 ) {
500 :                   ret = -650;
501 :                   break;
502 :               }
503 :               if ( sensor_inp () == 0x02 ) {
504 :                   ret = 650;
505 :                   break;
506 :               }
507 :               if ( sensor_inp () == 0x0c ) {
508 :                   ret = -700;
509 :                   iSensorPattern = 1;
510 :                   break;
511 :               }
512 :               if ( sensor_inp () == 0x03 ) {
513 :                   ret = 700;
514 :                   iSensorPattern = 2;
515 :                   break;
516 :               }
517 :               break;
518 :
519 :           case 1:
520 :               /* センサ右寄り */
521 :               ret = -700;
522 :               if ( sensor_inp () == 0x04 ) {
```

（左センサ-右センサでアナログセンサ値を取得する）

（それ以降は、アナログセンサが中心から大きく外れたときの補正処理）

```
523 :                 iSensorPattern = 0;
524 :             }
525 :             break;
526 :
527 :         case 2:
528 :             /* センサ左寄り */
529 :             ret = 700;
530 :             if ( sensor_inp () == 0x02 ) {
531 :                 iSensorPattern = 0;
532 :             }
533 :             break;
534 :         }
535 :     }
536 :
537 :     return ret;
538 : }
```

493 行で「左アナログセンサ−右アナログセンサ」の計算をしています。それ以降の行は、急カーブのときにステアリングが反応しきれずにセンタラインを大きくはずれてしまった場合、デジタルセンサを使用して補正させる処理を行っています。

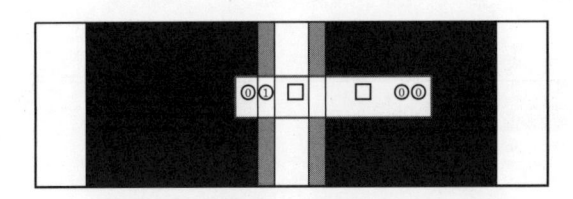

センサが "0100" になると、センサ値を強制的に -650 とします。

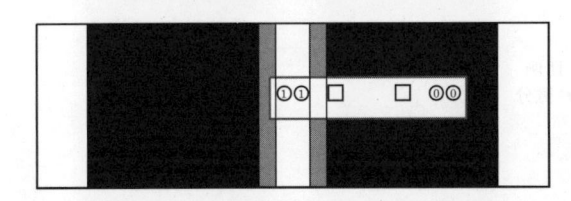

デジタルセンサが "1100" になると、センサ値を強制的に -700 とします。この状態をデジタルセンサが "0100" になるまで保持します。

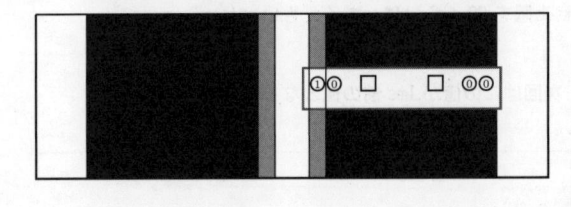

更に外側にずれてもデジタルセンサが "0100" になるまで -700 の値を保持し続けます。この状態になると、アナログセンサは両方とも黒色ですので差分をとっても 0 となります。補正がなければ、この状態を中心と認識してしまいます。

このように、アナログセンサだけでは追従しきれない場合を想定して、デジタルセンサを併用して最終的なアナログセンサの値としています。

逆のずれも、デジタルセンサの状態と値が変わるだけで考え方は同じです。

495 行目で crank_mode 変数の値をチェックしています。これは、クロスラインやハーフライン

や直角を検出したときに、デジタルセンサの補正を行わないよう補正機能を OFF するための変数です。crank_mode が 0 なら、if の{ } 内は実行しません。

例えば、図 7.37 のようなときはクロスライン検出状態です。センサの反応は "1100" となり、補正するとセンサ値は -700 となってしまいます。もう少し進み、"1110" や "1111" になったらすぐに crank_mode を 1 として、デジタルセンサの補正を禁止します。補正を禁止にしないと、ずっとセンサ値が -700 になってしまいハンドルを左に切って脱輪します。

ちなみに、"1100" から "1111" に変化するまでの間は、アナログセンサ値は -700 になってしまいますが、非常に短い時間なのでほとんど影響はありません。

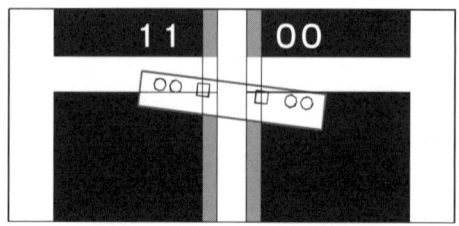

図 7.37　クロスライン検出状態

7.5.17　サーボモータ制御

servoControl 関数は、現在のセンサのずれを検出して、サーボモータの PWM 値を計算する、サーボ制御の要（かなめ）の部分です。リスト 7.15 にプログラムを示します。

リスト 7.15

```
546 :   void servoControl ( void )
547 :   {
548 :       int    i, iRet, iP, iD;
549 :
550 :       i = getAnalogSensor ();              /* センサ値取得                  */
551 :
552 :       /* サーボモータ用 PWM 値計算 */
553 :       iP = 5 * i;                          /* 比例                         */
554 :       iD = 25 * (iSensorBefore - i );      /* 微分                         */
555 :       iRet = iP - iD;
556 :       iRet /= 128;
557 :
558 :       /* PWM の上限の設定 */
559 :       if ( iRet >  50 ) iRet =  50;        /* マイコンカーが安定したら      */
560 :       if ( iRet < -50 ) iRet = -50;        /* 上限を 90 くらいにしてください */
561 :       iServoPwm = iRet;
562 :
563 :       iSensorBefore = i;                   /* 次回はこの値が 1ms 前の値となる */
564 :   }
```

(1) PID 制御とは？

自動制御方式の中でもっとも良く使われる制御方式に「PID 制御」という方式があります。この PID とは

　　P：Proportinal（比例）

　　I：Integral（積分）

　　D：Differential（微分）

の3つの組み合わせで制御する方式で、サーボモータのPWMをきめ細かく調整してスムーズな制御を行うことができます。

PID制御についての詳細は、ホームページや書籍が多数出ていますのでそちらを参照してください。

今回、サーボモータの制御は比例制御と微分制御を行います。PD制御と呼びます。

(2) P（比例）制御

比例制御とは、目標値からのずれに対して比例した制御量Pを与えます。Pを計算する式は次のようになります。

制御量 $P = kp \times p$

$kp = $ 定数

$p = $ 現在の値 　　　　　　　　　　　　　ー　目標の値　　　　　　　　　　　…考え方
　　= 現在のアナログセンサ値　ー　目標のアナログセンサ値　…今回の場合
　　= getAnalogSensor()　　　　ー　0　　　　　　　　　　　　…実際の値
　　= getAnalogSensor()

目標のアナログセンサ値は、ちょうどコースの中心の値である0になります。

制御としては早く目標値に近づけたいので、ずれが大きいほどサーボモータのPWMを多くします。そのため、目標値に到達しても速度を落としきれず、目標値をいったりきたりと振動してしまいます。図7.38にそのときのサーボの動きを示します。

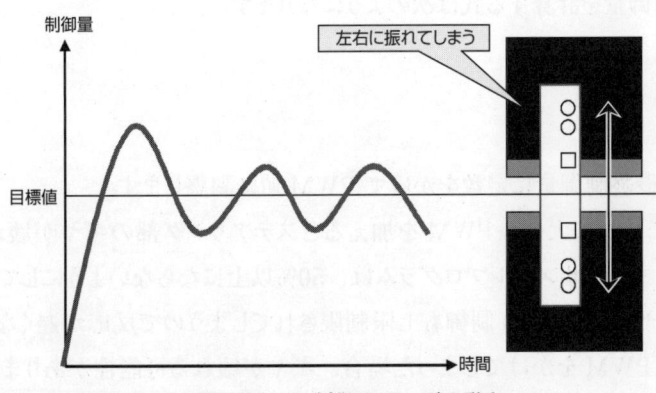

図7.38　P制御のサーボの動き

(3) D（微分）制御を加える

微分制御とは、瞬間的な変化量を計算して比例制御を押さえるような働きをします。微分制御量Dを計算する式は次のようになります。

制御量 $D = kd \times d$

$kd = $ 定数

```
d ＝ 過去のアナログセンサ値  －  現在のアナログセンサ値
  ＝ iSensorBefore         －  getAnalogSensor ()
```

過去のアナログセンサ値を iSensorBefore というグローバル変数に保存しておきます。

　比例制御のみで振動していても、微分量を加えると振動を抑えることができます。ただし、比例制御を押さえる働きをしますので、目標値に近づく時間は長くなります。時間は数 [ms] 〜数十 [ms] のレベルです。それが、実際の走りにどう影響するかは検証する必要があります。図 7.39 にそのときのサーボの動きを示します。

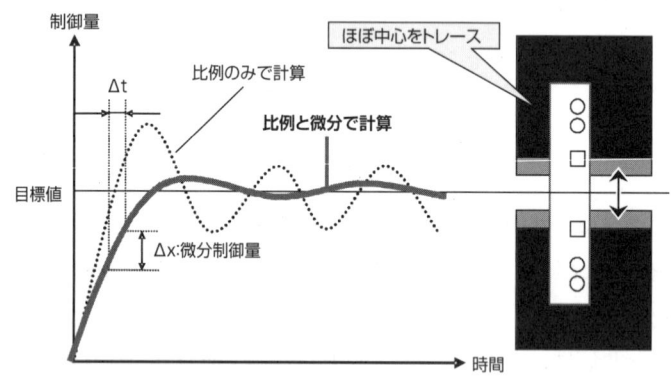

図 7.39　PD 制御のサーボの動き

(4) 最終制御量

　サーボに加える制御量を計算する式は次のようになります。

最終制御量 ＝ P 値 - D 値

　プログラムでは、最終制御量に定数をかけて PWM 値に調整します。

　最後に、サーボモータに大きい PWM を加えるとステアリング部のギヤが壊れてしまうので、PWM の上限を設けます。サンプルプログラムは、50%以上にならないようにしています。この数値が小さすぎると、せっかくの PD 制御も上限制限されてしまうので反応が遅くなります。大きすぎると万が一大きい PWM をかけてしまった場合、ギヤが壊れる可能性があります。50%の設定は最初だけにして、コーストレースが安定したら 90%程度にしてください。

今回のプログラムは、
・P 制御の定数 ＝ 5
・D 制御の定数 ＝ 25
・最終定数　　 ＝ 1/128

にしています。モータ、ギヤ、電圧により違ってきますので個々のマイコンカーに合わせてカット＆トライで調整してください。調整するときは、P=0、D=0として、Pを1つずつ増やしていきます。ブルブルがある程度大きくなってきたら、今度はD値を増やしていきブルブルがある程度収まるように調整します。最後に、実際にコースを走らせて中心を追従するよう最終調整を行ってください。

7.5.18 内輪のPWM値計算

diff関数は、引数に外輪（多く回るタイヤ側）のPWM値を入れて呼び出すと、内輪（少なく回るタイヤ側）のPWM値が返って来るという関数です。リスト7.16にプログラムを示します。

リスト7.16

```
571 :    int diff ( int pwm )
572 :    {
573 :        int i, ret;
574 :
575 :        i = getServoAngle () / 5;           /* 1度あたりの増分で割る      */
576 :        if ( i < 0 ) i = -i;
577 :        if ( i > 45 ) i = 45;
578 :        ret = revolution_difference[i] * pwm / 100;
579 :
580 :        return ret;
581 :    }
```

> 1度あたりの増分は各自のマイコンカーに合わせて調整してください

575行で、現在の角度を取得します。getServoAngle関数の戻り値はA/D値なので、「度」に直す必要があります。「7.5.15 サーボ角度の取得」の説明の通り、ハンドルを±40度動かしたときのA/D値は約±210でした。A/D値210のとき、左40度なので、1度あたりのA/D値は次のようになります。

1度あたりのA/D値 ＝ 左40度のときのA/D値÷左40度
　　　　　　　　 ＝ 210÷40
　　　　　　　　 ＝ 5.25 ≒ 5

値は四捨五入して、整数にします。よって、A/D値5が約1度となります。

576行は、負の数を正の数に変換してます。

577行は、45度以上の角度のときは、45度にしておきます。これは次に説明する配列の設定が、45度までしか無いためです。

578行は、内輪と外輪の回転差を計算します。まず、外輪の回転数を100と考えて、内輪の回転数を計算します。例えば、現在の角度が25度のとき、添え字（大カッコの中の数字）部分に25が入り、内輪の回転数が戻り値となります。

```
ret = revolution_difference[i]
    = revolution_difference[ 25 ]
    = 65
```

よって外輪100%のとき、内輪は戻り値である65%であることが分かります。

次に、外輪が100%で無い場合を計算します。内輪は外輪の回転に比例しますので、割合をかければ内輪のPWM値が分かります。例えば外輪が60%なら、

```
ret = 65 × 外輪のPWM値 / 100
    = 65 × 60 / 100
    = 39
```

サーボ角度が25度のとき、次のプログラムを実行するとnairin変数には39が代入されます。

```
nairin= diff ( 60 ) ;
```

7.5.19　パターン処理

マイコンカーの状態はpattern変数で管理しています。本書では、パターン処理と呼びます。patternが0でスタート待ち、1で通常トレースなど、それぞれの状態に応じてパターンを変えて処理内容を変えていきます。

表7.16　patternと状態の関係

pattern	状態	pattern変数が変わる条件
0	プッシュスイッチ押下待ち	・プッシュスイッチを押したら1へ
1	スタートバー開待ち	・スタートバーが開いたら11へ
11	通常トレース	・クロスラインを検出したら21へ
21	クロスライン通過処理	・100msたったら22へ
22	クロスライン後のトレース、直角検出処理	・右クランクを見つけたら31へ ・左クランクを見つけたら41へ
31	右クランク処理	・曲げ終わりを検出すると32へ
32	少し時間がたつまで待つ	・100msたったら11へ
41	左クランク処理	・曲げ終わりを検出すると42へ
42	少し時間がたつまで待つ	・100msたったら11へ
その他	—	・何もしない

7.5.20　パターン11：通常トレース

パターン11は、通常トレース処理で、ラインをトレースする処理です。リスト7.17にプログラムを示します。

リスト 7.17

```
125 :        case 11:
126 :            /* 通常トレース */
127 :            servoPwmOut ( iServoPwm ) ;
128 :            i = getServoAngle () ;
129 :            if ( i > 170 ) {
130 :                speed ( 0, 0 ) ;
131 :            } else if ( i > 25 ) {
132 :                speed ( diff (80) , 80 ) ;
133 :            } else if ( i < -170 ) {
134 :                speed ( 0, 0 ) ;
135 :            } else if ( i < -25 ) {
136 :                speed ( 80, diff (80) ) ;
137 :            } else {
138 :                speed ( 100, 100 ) ;
139 :            }
140 :            if ( check_crossline () ) {        /* クロスラインチェック        */
141 :                crank_mode = 1;
142 :                pattern = 21;
143 :                cnt1 = 0;
144 :            }
145 :            break;
```

127 行でサーボ制御を行っています。次に 128 行でハンドル角度を取得します。角度に応じて左右回転数の設定をしています。サンプルプログラムは、ハンドル角度と駆動モータの PWM 値の関係を表 7.17 のようにします。

表 7.17　ハンドル角度と駆動モータの PWM 値

A/D 値	角度に変換 A/D 値÷5	左モータ PWM	右モータ PWM
171 以上	34 以上	0	0
26 〜 170	5 〜 34	diff (80)	80
-171 以下	-34 以下	0	0
-26 〜 -170	-5 〜 -34	80	diff (80)
それ以外 (-25 〜 25)	-5 〜 5	100	100

A/D 値が ± (26 〜 170) なら、外輪を 80%として内輪をハンドルの切れ角に応じて PWM 値を可変します。

最後に、140 行でクロスラインチェックを行います。クロスラインを検出すると crank_mode に 1 を代入して、アナログセンサ値を取得する getAnalogSensor 関数内でデジタルセンサ補正を行わないようにします。パターンは 21 へ移行します。

7.5.21　パターン 21：クロスライン検出処理

パターン 21 はクロスラインを検出後、100[ms] 待つ処理を行います。リスト 7.18 にプログラムを示します。

リスト7.18

```
147 :        case 21:
148 :            /* クロスライン通過処理 */
149 :            servoPwmOut ( iServoPwm );
150 :            led_out ( 0x3 );
151 :            speed ( 0, 0 );
152 :            if ( cnt1 >= 100 ) {
153 :                pattern = 22;
154 :                cnt1 = 0;
155 :            }
156 :            break;
```

ここではブレーキをかけて、サーボ制御を行います。100[ms] の間に 2 本目のクロスラインを通過させ、100[ms] 後にはパターン 22 へ移行します。クロスラインを越える前にパターン 22 に移ってしまうと、クロスラインを直角と見間違って脱輪してしまいます。図 7.40 にクロスラインを検出してから 100[ms] までの様子を示します。

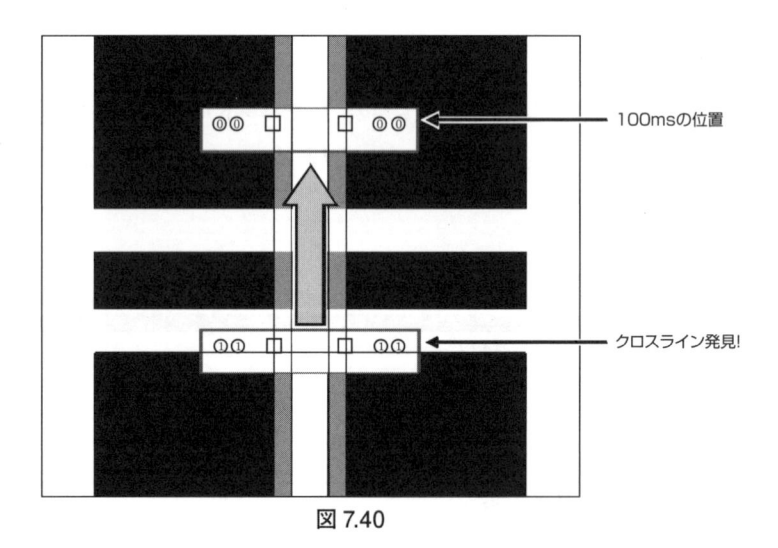

図 7.40

7.5.22　パターン 22：クロスライン後のトレース、直角検出処理

パターン 22 は、クロスライン通過後の処理を行います。リスト 7.19 にプログラムを示します。

リスト7.19

```
158 :        case 22:
159 :            /* クロスライン後のトレース、直角検出処理 */
160 :            servoPwmOut ( iServoPwm );
161 :            speed ( 40, 40 );
162 :
163 :            if ( (sensor_inp () &0x01) == 0x01 ) { /* 右クランク？            */
164 :                led_out ( 0x1 );
165 :                pattern = 31;
```

```
166 :            cnt1 = 0;
167 :            break;
168 :        }
169 :        if ( (sensor_inp () &0x08) == 0x08 ) {   /* 左クランク?          */
170 :            led_out ( 0x2 );
171 :            pattern = 41;
172 :            cnt1 = 0;
173 :            break;
174 :        }
175 :        break;
```

161 行で PWM 値を 40%にして、直角を曲がるためにスピードを落としています。エンコーダがあるなら、この部分をスピード制御しましょう。

163 行目で、いちばん右のデジタルセンサのみをチェック、反応すれば右クランクと判断しパターン 31 へ移ります。同様に 169 行目で、いちばん左のセンサのみをチェック、反応すれば左クランクと判断しパターン 41 へ移動します。図 7.41 に右クランクを検出したときの様子を示します。

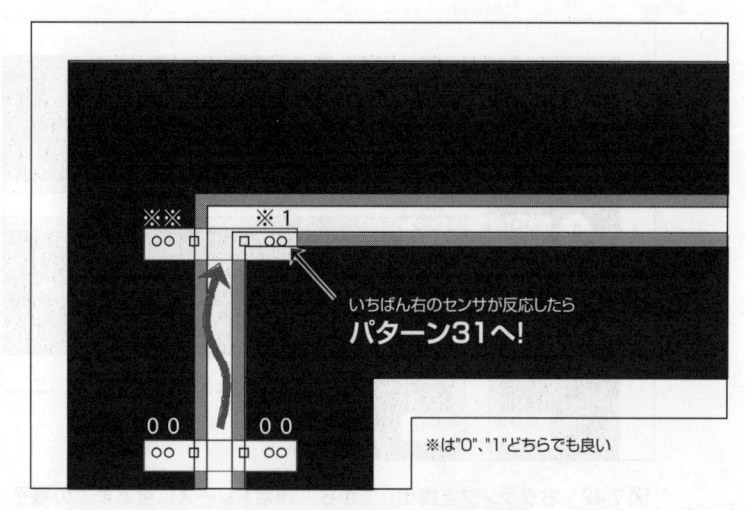

図 7.41 右クランクを検出したときの様子

7.5.23 パターン 31：右クランク処理

パターン 31 は、右にハンドルを曲げて、曲げ終わりかどうかチェックしている状態です。リスト 7.20 にプログラムを示します。

リスト 7.20

```
177 :    case 31:
178 :        /* 右クランク処理 */
179 :        servoPwmOut ( 50 );           /* 振りが弱いときは大きくする      */
180 :        speed ( 60, 27 );
181 :        if ( sensor_inp () == 0x04 ) {    /* 曲げ終わりチェック          */
```

```
182 :            iSensorPattern = 0;
183 :            crank_mode = 0;
184 :            pattern = 32;
185 :            cnt1 = 0;
186 :        }
187 :        break;
```

サーボモータのPWMはセンサ状態に関係なく右に50%回転させています。サーボの動きが遅い場合はこの値を大きくしますが、曲げすぎて車体にステアリング部分がぶつかりロックしないようにしてください。サーボモータのトルクが大きすぎたりギヤが弱い場合、ギヤがかけたり車体が曲がったりすることがありますので気をつけます。

何処まで回し続けるかというのが181行です。中心以外のデジタルセンサをチェックして、"0100"ならパターン32に移ります。移る前に、クランクが終わったのでcrank_mode変数を0に戻します。図7.42に右クランクを検出してから、通常トレースに戻るまでの様子を示します。

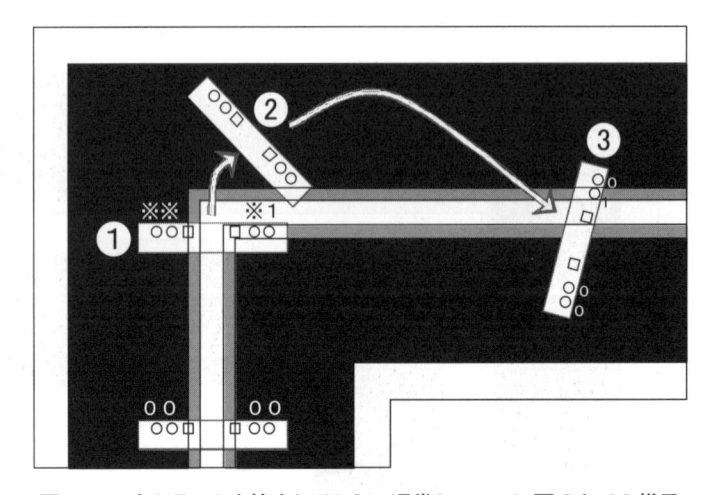

図7.42　右クランクを検出してから、通常トレースに戻るまでの様子

① いちばん右のデジタルセンサが"1"になったので、右クランクと判断しサーボモータを50%、左モータを60%、右モータを27%で回します。左右回転差は、ハンドル40度で計算しています。
② デジタルセンサが"0100"になるまで待ちます。まだです。
③ デジタルセンサが"0100"になりました。パターン32へ移ります。

7.5.24　パターン32：右クランク処理後、少し時間がたつまで待つ

パターン32は、右クランク処理終了後、少し時間がたつまで待つ状態です。リスト7.21にプログラムを示します。

リスト7.21

```
189 :        case 32:
190 :            /* 少し時間が経つまで待つ */
191 :            servoPwmOut ( iServoPwm );
192 :            speed2 ( 80, 80 );
193 :            if ( cnt1 >= 100 ) {
194 :                led_out ( 0x0 );
195 :                pattern = 11;
196 :            }
197 :            break;
```

右クランク処理終了後、100[ms] 間は駆動モータを 80%にします。これはパターン 32 に移ってきたとき、ハンドルを右に大きく曲げています。この状態でパターン 11 に戻ると、ボリューム値が -170 以下なのでモータスピードが左右共に 0%になり止まってしまいます。これを防ぐために 100[ms] 間、ハンドルの角度に関係なく PWM を 80%にしてハンドル角度が浅くなるまで少し進ませます。

パターン 41、42 は左クランクを検出したときの処理です。パターン 31、32 を逆にした動作ですので説明は省略します。

7.5.25　自作サーボの角度指定

今までのステアリング制御は、アナログセンサ基板が常にコースの中心にくるような制御をしていました。ラジコンサーボのように、右に何度曲げる、左に何度曲げるなど、角度を指定したい場合、どうすればよいのでしょうか。

(1) PD 制御

コースをトレースするときは、アナログセンサの値が 0 になるようにサーボモータを制御していました。これを、角度を検出しているボリュームの値にすれば良いだけです。比例、微分制御の計算方法の違いを表 7.18 に示します。

表 7.18　アナログセンサとボリュームでの計算方法の違い

	アナログセンサの値にするとき	ボリュームの値にするとき
比例制御	制御量 P = kp × p kp =定数 p =現在のアナログセンサ値－目標のアナログセンサ値 　= getAnalogSensor () － 0 　= getAnalogSensor ()	制御量 P = kp × p kp =定数 p =現在のボリューム値－目標のボリューム値 　= getServoAngle () － iSetAngle ※目標のボリューム値を iSetAngle 変数に入れます
微分制御	制御量 D = kd × d kd =定数 d =過去のアナログセンサ値－現在のアナログセンサ値 　= iSensorBefore － getAnalogSensor ()	制御量 D = kd × d kd =定数 d =過去のボリューム値－現在のボリューム値 　= iAngleBefore2 － getServoAngle ()

(2) プログラム

■グローバル変数の追加

グローバル変数を追加します。リスト 7.22 にプログラムを示します。

リスト 7.22

```
/* サーボ関係 2 */
int             iSetAngle;              /* 設定したい角度（AD 値）     */
int             iAngleBefore2;          /* 前回の角度保存              */
int             iServoPwm2;             /* サーボ PWM 値               */
```

■関数の追加

サーボモータの角度指定用の servoControl2 関数を追加します。関数を追加したので、プロトタイプ宣言もしておきましょう。

サンプルプログラムは比例定数 20、微分定数 100、計算後の調整値は 1/2 にしています。この値は、マイコンカーによって違いますので各自調整してください。リスト 7.23 にプログラムを示します。

リスト 7.23

```
/************************************************************/
/* モジュール名   servoControl2                              */
/* 処理概要       サーボモータ制御 角度指定用                */
/* 引数           なし                                       */
/* 戻り値         グローバル変数 iOutPwm2 に代入             */
/************************************************************/
void servoControl2 ( void )
{
    int     i, j, iRet, iP, iD;

    i = iSetAngle;                  /* 設定したい角度       */
    j = getServoAngle () ;          /* 現在の角度           */

    /* サーボモータ用 PWM 値計算 */
    iP = 20 * (j - i) ;             /* 比例 */
    iD = 100 * (iAngleBefore2 - j) ; /* 微分 */
    iRet = iP - iD;
    iRet /= 2;

    if ( iRet >  50 ) iRet =  50;   /* マイコンカーが安定したら      */
    if ( iRet < -50 ) iRet = -50;   /* 上限を 90 くらいにしてください */
    iServoPwm2 = iRet;

    iAngleBefore2 = j;
}
```

■割り込みプログラムの追加

割り込みプログラムに servoControl2 関数を追加して、1[ms] ごとに実行するようにします。リスト 7.24 にプログラムを示します。

リスト 7.24

```
void interrupt_timer0 ( void )
{
    unsigned int    i;

    ITU0_TSR &= 0xfe;                /* フラグクリア              */
    cnt1++;

    /* サーボモータ制御 */
    servoControl () ;
    servoControl2 () ;    追加
}
以下略
```

■使い方

main 関数内で使用するときは、

・iSetAngle 変数に、ステアリングモータで角度を指定したい A/D 値を代入します。
・プログラムは、「servoPwmOut (iServoPwm2);」を実行します。「servoPwmOut (iServoPwm);」とすると、センサ基板がコースの中心になるようなステアリング制御になります。2 が付くか付かないかの違いです。

リスト 7.25 に、main プログラムのいちばん最初で角度指定した例を示します。このプログラムで角度指定ができているか iSetAngle 変数の値を変えて実験してみましょう。
なお、元々のプログラムでは iAngle0 変数 (0°のときの A/D 値) の設定を走行開始直前に行なっていたので、iAngle0 の設定をいちばん最初にしています。

リスト 7.25

```
void main ( void )
{
    int             i;
    unsigned char   c;

    /* マイコン機能の初期化 */
    init () ;                        /* 初期化                   */
    init_sci1 ( 0x00, 79 ) ;         /* SCI1 初期化              */
    set_ccr ( 0x00 ) ;               /* 全体割り込み許可         */

    /* マイコンカーの状態初期化 */
    speed ( 0, 0 ) ;
    servoPwmOut ( 0 ) ;

    cnt1 = 0;
    while ( cnt1 <= 10 ) ;
    iAngle0 = getServoAngle () ;    /* 0 度の位置記憶           */

    iSetAngle = 100;
    while ( 1 ) {
```

```
        servoPwmOut ( iServoPwm2 );
    }
以下略
```

角度指定ができたことを確認できたら、実際の走行プログラムに組み込んでマイコンカー制御に使用します。リスト7.26は新しくパターン52を作り、A/D値が-50になるような位置に自作サーボモータを移動させる例です。

リスト7.26

```
    case 52:
        iSetAngle = -50;
        servoPWM ( iServoPwm2 );
        break;
```

コラム　revolution_difference の配列の更新

自分のマイコンカーに合わせて、revolution_differenceの内容を更新しましょう。

角度計算.xlsを開き、ホイールベース、トレッドを入力します。「コピーして貼り付け用」をクリックします。

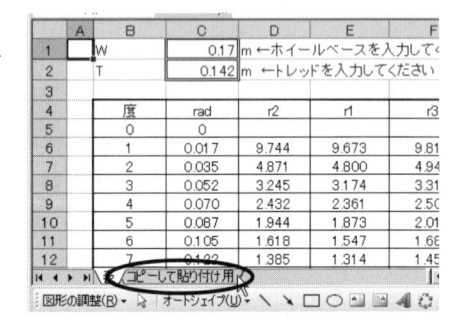

A1 ～ A11 を選択して、「右クリック→コピー」で内容をコピーします。

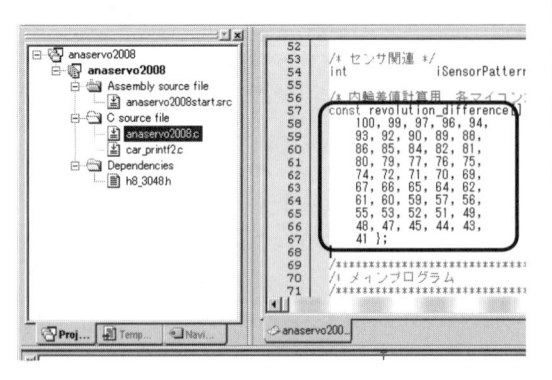

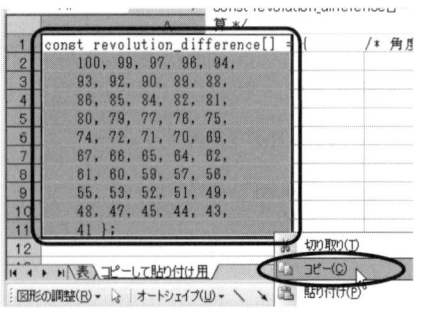

anasevo2008.cの57～67行を差し替えます。これで自分のマイコンカー用の内輪回転用テーブルの完成です。

7.6 モータドライブ基板 TypeS を使う

5個のモータを制御することのできるモータドライブ基板 TypeS 基板が販売されてます（図 7.43）。次のような特徴があります。

- CPU ボードをモータドライブ基板 TypeS 上に搭載（コネクタを改造します）
- モータを5個制御する回路を搭載
  （左前、右前、左後、右後、自作サーボの各モータ合計5個を想定）
- アナログセンサ基板 TypeS の信号を入力するコネクタを搭載
  （センサ基板 Ver.4 も取り付け可能ですが、サンプルプログラムの変更が必要です）
- ロータリエンコーダ信号を入力するコネクタを搭載
- ボリューム信号（自作サーボの角度検出用）を入力するコネクタを搭載
- 入力電圧は 7.2V 以上（単三電池6～8本直列）
- EEP-ROM（24C256）、ブザー回路搭載済み

紙面の都合上、ここでは概要のみしか紹介することができません。詳しい内容は、マイコンカーホームページのダウンロードコーナにある**表 7.19** のマニュアルに掲載されていますので、それぞれのマニュアルを参照してください。

図 7.43 モータドライブ基板 TypeS

表 7.19 ホームページにあるマニュアルと内容

マニュアル名	内容
モータドライブ基板 TypeS 製作マニュアル	モータドライブ基板 TypeS の製作について
TypeS 基板 プログラム解説マニュアル	モータドライブ基板 TypeS、アナログセンサ基板 TypeS を使用して製作したマイコンカーのプログラム解説について

今まで説明したロータリエンコーダ、EEP-ROM（24C256）、アナログセンサ基板 TypeS、4輪独立制御、自作サーボ制御を行うことができる基板です。ただし、基板の製作の難易度は高く、目安としては技能検定3級（電子機器組立て）以上の技術を有する方による半田付け、組み立てをお勧めします。

7.6.1 仕様

表 7.20 に、モータドライブ基板 TypeS の仕様を示します。参考にモータドライブ基板 Vol.3 の仕様も載せておきます。

表 7.20　モータドライブ基板 TypeS の仕様

	モータドライブ基板 TypeS	モータドライブ基板 Vol.3（参考）
略称	ドライブ基板 S	ドライブ基板 3
対象	既にもの作りを経験されている方が対象	すべての方が対象
部品数	リード線のある部品：約 54 個、 表面実装部品：約 121 個、 部品のピンの間隔は最小 1.27mm	リード線のある部品：約 52 個 表面実装部品：0 個 部品のピンの間隔は 2.54mm 以上
RY3048Fone ボードの改造	既存 10 ピンコネクタの取り外し、10 ピンメスコネクタの取り付け	なし
RY3048Fone ボードとの接続方法	ドライブ基板 S の上に重ねる	10 芯フラットケーブルにより接続
制御できるモータ数	5 個 自作サーボ、左前、右前、左後、右後の各モータ	2 個　左モータ、右モータ
制御できるラジコンサーボ	なし	1 個
入力電圧	7.2V 以上（単三電池 6 本〜8 本）	5V 以上（単三電池 4 本〜8 本） ただし 5 本以上の電圧を加える場合、LM350 追加セットの追加が必要です
プッシュスイッチ	1 個	1 個
ディップスイッチ	8bit	なし
プログラムで点灯、消灯できる LED	4 個	2 個
リミットスイッチなどの接点入力回路	4 個分（CN8）	なし
エンコーダ入力回路	あり（CN15）	なし
ボリューム入力回路	あり（CN9）	なし
ブザー	あり （周波数は固定です、圧電ブザーではありません）	なし
EEP-ROM	あり（32KB）	なし
センサ基板の信号入力コネクタ	あり アナログセンサ基板 TypeS、またはセンサ基板 Ver.4	なし ※ドライブ基板 3 の場合は CPU ボードにセンサ基板を接続します
基板外形	110 × 90 ×厚さ 1.6mm	80 × 75 ×厚さ 1.6mm
重量（基板のみ）	約 30g	約 15g
完成時の寸法（実寸）	幅 110 ×奥行き 90 ×高さ 35mm ※スイッチを除くと高さ 22mm	幅 80 ×奥行き 65 ×高さ 20mm
重量（完成品の実測）	約 65g（CPU ボードは除く） ※リード線の長さや半田の量で変わります ※参考：CPU ボード込みで実測 89g	約 33g ※リード線の長さや半田の量で変わります

7.6.2 構成

モータドライブ基板 TypeS、アナログセンサ基板 TypeS を使った構成を図 7.44 に示します。

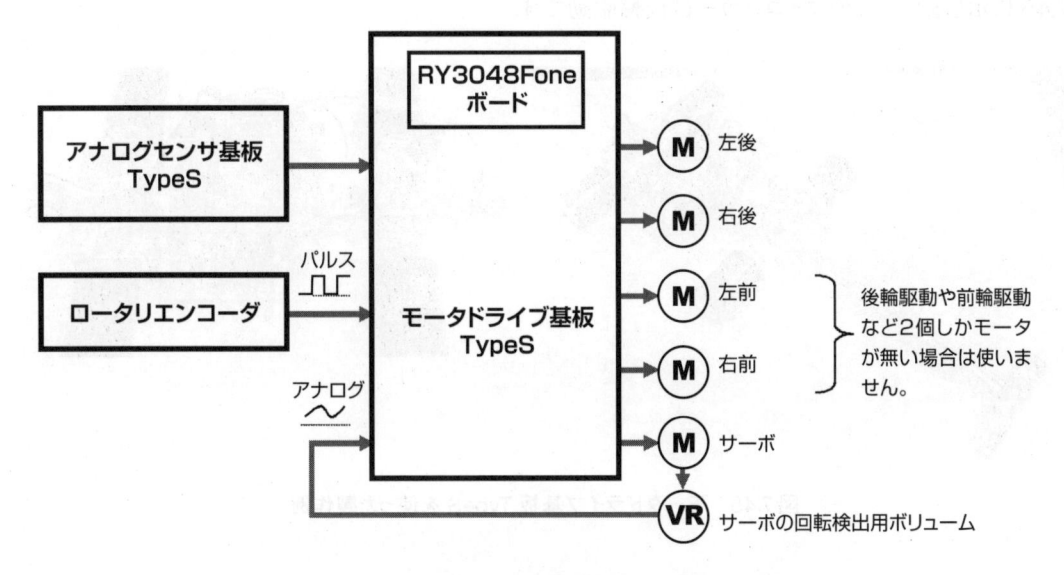

図 7.44 モータドライブ基板 TypeS を使った構成

7.6.3 H8/3048F-ONE で使用する内蔵周辺機能

H8/3048F-ONE の内蔵周辺機能の使い方は表 7.21 のようです。

表 7.21 内蔵周辺機能の使い方

機能	詳細
A/D 変換器	P73 〜 P70 をアナログ電圧入力用として使用します。P73 〜 P70 端子の電圧を A/D 変換器でデジタル値に変換します。 P73…左アナログセンサ電圧入力 P72…右アナログセンサ電圧入力 P71…ボリューム電圧入力 P70…未接続（プルアップ抵抗を接続）
ITU0	PWM モードとして使用しています。左前モータを制御します。
ITU1	PWM モードとして使用しています。右前モータを制御します。
ITU2	ロータリエンコーダパルス入力として使用します。
ITU3,4	ITU3 と 4 を組み合わせて相補 PWM モードとして使用します。また、1 周期ごとに割り込みを発生させています。1 周期は 1ms なので、1ms ごとに割り込みが発生することになります。次の 4 つの役割をしています。 1. 左後モータの制御 2. 右後モータの制御 3. サーボモータの制御 4. 1ms ごとの割り込み

7.6.4 マイコンカー製作例

モータドライブ基板 TypeS とアナログセンサ基板 TypeS を使ったマイコンカーの製作例を図 7.45 に示します。このマイコンカーは後輪駆動です。

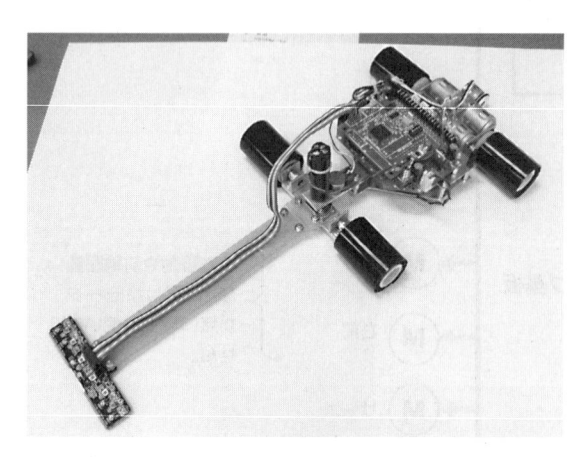

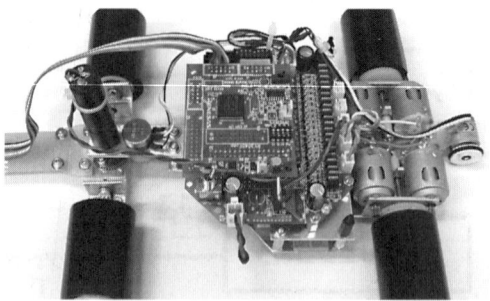

図 7.45　モータドライブ基板 TypeS を使った製作例

第8章 大会に出場するまで

この章では、マイコンカーの大会に出場するまでの流れを説明します。

8.1 技術講習会

毎年5月から8月にかけて「高校の教職員向け技術講習会」が各地区で開催されています。残念ながら一般の方向けの講習会はありません。2007年度は、20カ所で地区講習会、及び都道府県別講習会が行われました。

講習会の内容は、主に基礎編と応用編があります。基礎編は、初めてマイコンカーに取り組まれる先生を対象としてマイコンの概要及びマイコンカーキットについての説明をします。最後にミニコースを走らせて完走することが目標です。応用編は、ロータリエンコーダやEEP-ROM(24C256)を使ったデータ解析など、より実践に近い内容を行います。

お問い合わせは、各地区の事務局、またはマイコンカーラリーホームページのお問い合わせまで、ご連絡ください。

2007年度講習会の様子

8.2 大会参加資格、申し込み方法

高校生 Advanced Class の部、高校生 Basic Class の部、一般の部の参加資格、申し込み方法を表 8.1 にまとめます。

表 8.1 参加資格、申し込み方法

部門	高校生 Basic Class の部	高校生 Advanced Class の部	一般の部
参加資格	高等学校に在籍し、今までマイコンカーの大会に出場したことのない生徒で該当地区大会のみ参加可能です。	高等学校に在籍している生徒で、該当地区大会のみ参加可能です。	小学生以上なら誰でも参加可能です。ただし、小中学生については予選までの出場とし、その成績は参考記録とします。
重複登録	できません。他の地区の一般の部への参加もできません。		一般の部に出場すると、いかなる高校生の部への参加もできません。他の地区の一般の部への参加は可能です。
申込先	各地区事務局へ、顧問の先生が申し込みます。		マイコンカーラリーホームページから申し込みます。
全国大会への出場	各地区の上位入賞選手が全国大会の出場権を得ることができます。人数は各地区異なりますので要項やホームページを確認してください。		各地区上位 1 割の選手が全国大会の出場権を得ることができます。また、全国大会に直接エントリーも可能です。

※該当地区

2008 年 6 月現在、マイコンカーラリーの大会は 12 地区に分かれています。該当地区と都道府県の関係は表 8.2 のようになっています。各地区の事務局県は毎年変わりますので、事務局からの案内やホームページなどで確認してください。

表 8.2 該当地区と都道府県の関係

地区名	都道府県名
北海道	北海道
北東北	青森県、岩手県、宮城県、秋田県
山形	山形県
福島	福島県
北関東	茨城県、栃木県、群馬県、埼玉県
南関東	千葉県、東京都、神奈川県、山梨県
北信越	新潟県、長野県、富山県、石川県、福井県
東海	静岡県、愛知県、岐阜県、三重県
近畿	滋賀県、京都府、大阪府、兵庫県、奈良県、和歌山県
中国	鳥取県、島根県、岡山県、広島県、山口県
四国	徳島県、香川県、愛媛県、高知県
九州	福岡県、佐賀県、長崎県、熊本県、大分県、宮崎県、鹿児島県、沖縄県

北海道札幌国際情報高等学校

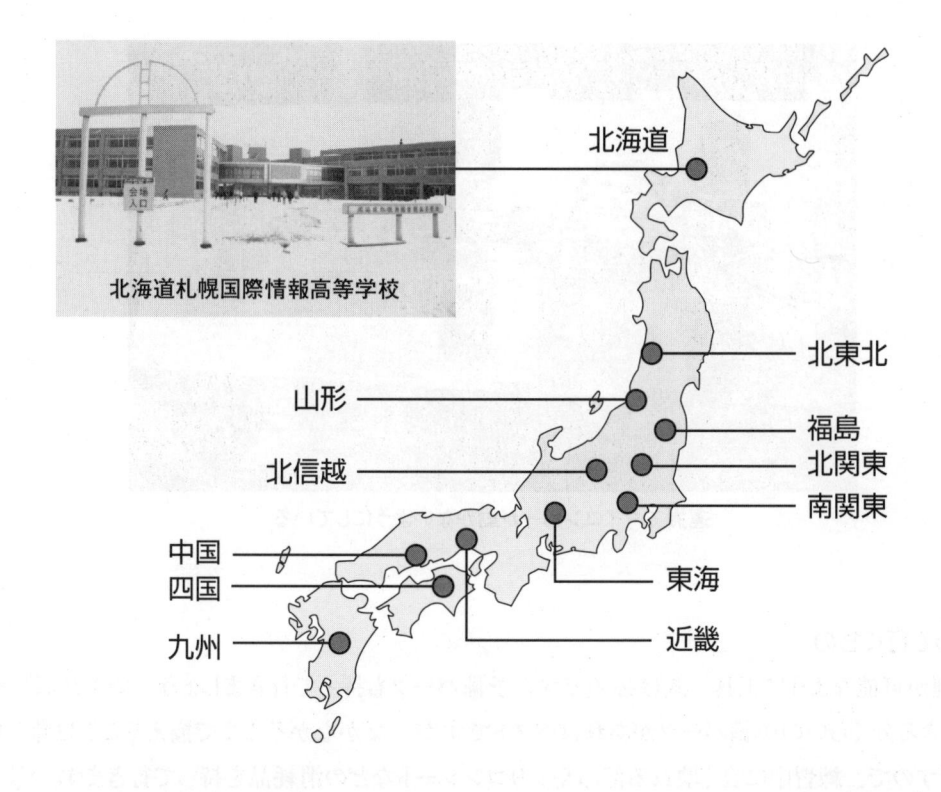

北海道
北東北
山形
福島
北信越
北関東
南関東
中国
四国
東海
九州
近畿

8.3 大会への準備

　今まで学校で調整していたマイコンカーを学校外に持って行くことになります。今まで精魂込めて作ったマイコンカーが運搬中に壊れないようにしましょう。また、試走などで万が一壊れてしまった場合に備えて予備部品もできる限り持って行きましょう。

■マイコンカーの運搬

　車や電車や飛行機で移動することになりますが、どの場合でも振動があります。マイコンカーはハードケースなどに入れ、その中にもエアーキャップやスポンジなどの保護材を入れて固定してください。

　たまに、飛行機の手荷物検査場のエックス線でマイコンが・・・　という話を聞くことがありますが、筆者は1年間に何度も同じマイコンカーを手荷物検査場に通していますが、まったく問題ありません。あまり神経質にならなくとも大丈夫です。

　マイコンカーのタイヤは、接地させておくとタイヤが凹むことがあるので必ずタイヤは浮かせた状態にしておきます。

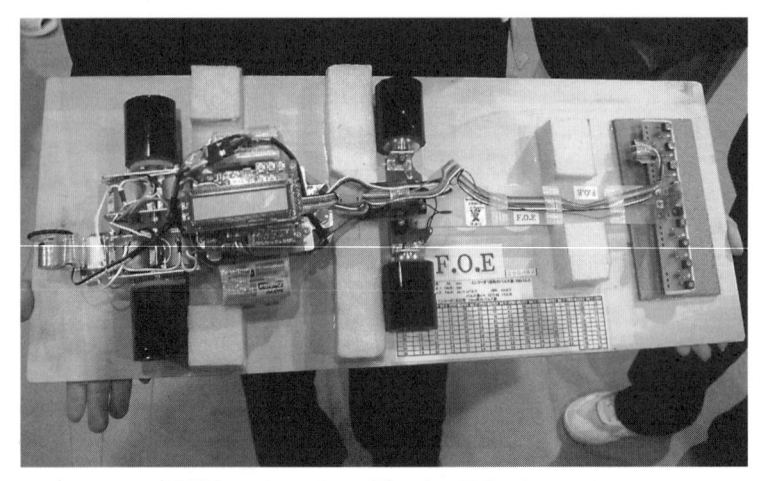

運搬でマイコンカーが動かないようにしている

■持って行くもの

　修理が可能なように工具一式は必須です。予備パーツも持って行きましょう。できれば車体が1台できる分くらいの予備パーツがあればベストですが、なかなかそこまで揃えることは難しいと思いますので、練習中に良く壊れる部品やシリコンシートなどの消耗品を持って行きます。

　プログラム調整用のノートパソコンも持って行きましょう。

　できれば大会1ヶ月前くらいから持って行くべきものをメモしておくと、忘れ物をしづらくなります。大会を想定して何を持って行くべきか検討しておきましょう。

筆者の予備部品の一部

8.4　控え場所での作業

　大会会場に着き控え場所を確保したら、まず自分のマイコンカーに不具合がないか調べましょう。振動でどこか壊れているかもしれません。特に、**ネジのまし締めは必ず行いましょう**。ネジはゆるんでいる可能性が非常に高いです。ギヤなどのイモネジは特にゆるみやすい箇所です。

　会場によってはコンセントの使用条件が限られている場合があります。例えば、コンセントの使用はパソコンのみで、半田コテは半田コーナのみで使用など、決められています。あらかじめ、控え場所でのコンセントの使用条件を確かめておきましょう。もし、コンセントを使った充電ができ

ない会場なら電池は1台当たり2～3組は必要だと思います。ちなみに全国大会の会場である北海道札幌国際情報高等学校は、電源容量の関係でコンセントを使った充電はできません。マナーを守り気持ちよく準備しましょう。

全国大会での控え室の様子

8.5 試走

　本番コースで試走ができる大会とできない大会があります。本番コースで試走ができなくともミニコースなど別なコースで試走ができる大会がほとんどです。試走前は、
・スタートバーセンサの調整がきちんとできているか（スタートバーがある場合）
・センサ感度は合っているか
を確かめましょう。センサ調整用のドライバを必ず携帯しましょう。

　試走は限られた時間しかできません。タイヤをきれいにする布やテープなどを必ず持って行き、順番待ちしているときにタイヤメンテナンスできるように準備しましょう。もし、電池交換をするの

全国大会での調整の様子 　　　　　　　　*地区大会での試走の様子*

であれば、もちろん予備の電池も準備しておきましょう。

　試走では、必ず完走できるパラメータ（ディップスイッチの値など）と、ぎりぎり完走できるパラメータを確認します。試走で無理にスピードを出しすぎると、脱輪して壊れてしまうことがあるので、無理は余りしないようにしましょう。

8.6　車検

　車検では、皆さんのマイコンカーがルール通り作られているかチェックします。車検は限られた時間でたくさんのマイコンカーの確認を行わなければいけません。車検時間には必ず遅れないようにして、車検場では審判の先生の指示に従ってください。

　車検は主に、次のことをチェックします。

■決められた部品のチェック

　決められた部品が使われているかチェックします。特に承認 CPU ボード、承認モータ、電池の型式の確認がしやすいようにしておいてください。これはもちろん製作時の話です。

　チェックすべき部品が見えない場合、ネジを外して確認することがありますが、車検後はすぐに走らせなければいけません。ばたばたしてネジの閉め忘れや位置がずれてしまい思ったように組み立てられないことがありますので、このようなことは無いように気をつけましょう。

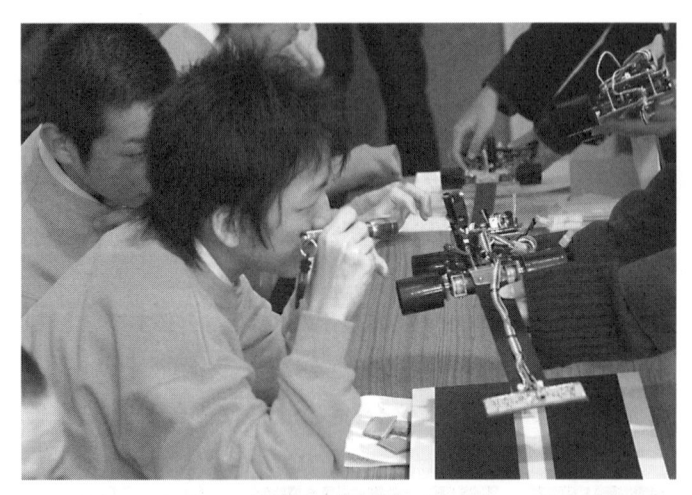

承認モータかチェック

■外形のチェック

　幅 300mm、高さ 150mm の枠にマイコンカーを通して、外形がルールの範囲内かチェックします。

幅 300mm、高さ 150mm の枠に通してチェック

■上り坂、下り坂のチェック

10度以内の上り、下りパーツを使用してシャーシやセンサバーなど、タイヤとセンサ以外がコースを擦らないかチェックします。擦った場合は車検を通りません。車検場での修正は難しいので、大会前に必ず確認しましょう。友達同士でチェックし合うと良いでしょう。

■タイヤの粘着性チェック

5cm角の検査用紙をマイコンカーのタイヤの数だけ用意します。この検査用紙の裏面（ざらざら面）を使い、この上に各タイヤが完全に接触するように置き、3秒間マイコンカーを静止させます。その後、マイコンカーを持ち上げ、検査用紙が3秒以内に落下すればタイヤのチェックはOK、もし1輪でも落下しなければ再車検となり、車検時間内にOKにならなければ失格となります。

最近は、マイコンカーラリーの物品販売を行っている日立インターメディックスで販売されているシリコンシートをタイヤに付けているマイコンカーが多いですが、シリコンシートは車検を通ります。ただし、使い込んだシリコンシート（新品はぴかぴか光っていますが、その光りが無くなった状態）の場合は、車検用紙にくっつくことがあるようです。練習中に車検用紙にくっつくか試しておきましょう。車検用紙も日立インターメディックスの販売サイトで売られています。

■その他

予選では再走行をしたり、決勝トーナメントなどでは車検後、控え場所に戻れずそのまま2回目、3回目の試合をすることがあります。そのため、タイヤメンテナンス用の道具や、予備の電池など、再走行に必要な物は持って行きましょう。

車検の説明を聞く選手達

8.7 待機中の注意

車検後は、タイヤのメンテナンス、電池交換、パラメータの変更以外は認められていません。例えば、基板の脱着や、全長、全高を変える行為はできません。最近、液晶ボードを搭載しているマイコンカーが見受けられますが、もちろん液晶ボードの脱着もできません。取りたい場合は車検前に取っておきましょう。

コース脇で待機中（北海道大会）

8.8 レース中

連日遅くまで取り組んできたマイコンカー。いよいよ、その集大成として走らせるときがしました。なかなかできないかもしれませんが、できるだけ平常心で臨みましょう。特にスタートバーのセンサ調整などは焦らずじっくりと行ってください。

■まずマイコンカーをセット

マイコンカーの先端からスタートバーまでの距離を 2 〜 5cm 離してセットします。これが以外と

分からず、審判の先生から注意を受けている所をよく見ます。ルールをきちんと把握しておいてください。

　このとき、センサ基板のセンサがきちんと反応するか簡単にモニタLEDを確認しましょう。万が一、反応しない場合やずっと反応する場合は、手持ちの調整用ドライバで短時間で調整してください。全国大会では呼ばれてから3分以内にセットが完了しないと失格となります。だからといって3分かけていると進行が遅れてしまいますので、基本的には試走中に調整、最悪スタート前に分かった場合でも短時間で調整するようにしてください。

■スタートスイッチを押して、スタートバーが開くのを待つ
　スタートバー検出センサが反応していることを確認して、スタートスイッチを押します。スタート準備ができたら、審判に手を挙げるなどして合図します（審判の指示に従ってください）。

　どうしてもスタートバー検出センサがうまく反応しない場合、スタートバーが開いたことを選手が確認してからスタートボタンを押してスタートさせることもできます。この場合、審判の先生に手動でスタートする旨、伝えて手動スタートしましょう。

■スタートバーが開いても走らないときは
　スタートスイッチを押しても走らない場合、電源コネクタが抜けていたり、CPUボードの書き込みスイッチが書き込み側だったり、ちょっとしたミスの場合があります。スタートしてタイム計測が始まっても、マイコンカーがゲートを通っていなければマイコンカーに触れても大丈夫ですのでコネクタの抜き挿し確認など速やかに行ってください。確認後、すぐにスタートスイッチを押してスタートさせましょう。

Micom Car Rally

■後は、完走するのを祈るだけ！！

　スタート後は、完走を見守るだけです。万が一、脱輪してしまった場合は相手の走りを妨害しないよう、速やかにマイコンカーを取り上げましょう。

　決勝トーナメントの場合は自分が脱輪しても、相手が脱輪すれば、1回は再走行になります。脱輪したからといってすぐに戻らずに、相手の走行を確認してから戻りましょう。

8.9　最後に

　大会に出場する選手の皆さんは、全員同じルールに則って、製作、参加しています。自分だけいいや、これくらいいいや、ではなく、正々堂々とレースに臨みましょう。

付録A

資料集

A.1 2進16進変換表

LEDの出力はONかOFFか、2進数と同じです。2進数の1がON(LEDなら点灯)、0がOFF(LEDなら消灯)です。C言語では2進数表記はできないため、10進数か16進数で記述することになります。どちらで記述しても良いのですが、2進数を10進数に変換するより、2進数を16進数に変換する方が簡単なため、通常16進数でプログラムします。変換表を表A.1に示します。

表A.1 10進数・16進数・2進数変換表

10進数	16進数	2進数	出力パターン ○=ON、●=OFF
0	0	0000	●●●●
1	1	0001	●●●○
2	2	0010	●●○●
3	3	0011	●●○○
4	4	0100	●○●●
5	5	0101	●○●○
6	6	0110	●○○●
7	7	0111	●○○○
8	8	1000	○●●●
9	9	1001	○●●○
10	a	1010	○●○●
11	b	1011	○●○○
12	c	1100	○○●●
13	d	1101	○○●○
14	e	1110	○○○●
15	f	1111	○○○○

例えば、ポートBのbit7～0をON,OFF,ON,OFF,OFF,ON,OFF,ONと出力したい場合、まずは2進数に変換します。

ON,OFF,ON,OFF,OFF,ON,OFF,ON → 10100101

次に、4桁ずつ区切ります。

  10100101 → 1010 0101

次に、表 A.1 より、4 桁の 2 進数を 16 進数に変換します。今回は「1010」と「0101」の 2 つありますので、変換も 2 回行います。

 1010 0101
  ↓ ↓
  a 5

16 進数の前には「0x (ゼロ、エックス)」を付けますので、

  0xa5

となります。このようにして、出力したいパターンを 16 進数に変換して最終的に次のようにプログラムするとポート B から「ON,OFF,ON,OFF,OFF,ON,OFF,ON」の信号が出力されます。

```
PBDR = 0xa5;
```

A.2 H8 マイコンの変数のサイズ

 C 言語は"手続き型言語"と呼ばれ、変数（データの入れ物）は初めに用意し、しかも大きさも決めておかなくてはなりません。

```
void main( void )
{
  int a,b,c ;
  a = 100 ; b = 2000 ;
  c = a * b ;
  printf("¥n c = %d ",c) ;
}
```

 画面にはどのように表示されるでしょうか。200000 と正確に表示されるものもあれば 3392 と、とんでもない表示をするものもあります。

 実は int 型の大きさは"処理系に依存する"と言う言葉で表現されており何ビットであるかは決まっていません。C コンパイラを作成した開発者に任されている部分なのです。

 H8/300H（H8/3048F-ONE）のコンパイラは次のようになっています。

■整数型（H8マイコンのコンパイラの場合）

型	値の範囲	データサイズ
char（signed char 型として扱われる）	-128 〜 127	1バイト
signed char	-128 〜 127	1バイト
unsigned char	0 〜 255	1バイト
short	-32768 〜 32767	2バイト
unsigned short	0 〜 65535	2バイト
int	-32768 〜 32767	2バイト
unsigned int	0 〜 65535	2バイト
long	-2147483648 〜 2147483647	4バイト
unsigned long	0 〜 4294967295	4バイト

■実数型（H8マイコンのコンパイラの場合）

型	データサイズ	限界値	
		最大値	正の最小値
float	4バイト	3.4028235677973364e+38f （0x7F7FFFFF）	7.0064923216240862e-46f （0x00000001）
double long double	8バイト	1.7976931348623158e+308 （0x7FEFFFFFFFFFFFFF）	4.9406564584124655e-324 （0x0000000000000001）

　H8/300H のコンパイラで結果をだすと 3392 になります（65,536 × 3 + 3,392 = 200,000）。

　コンパイラは、桁あふれしたかどうか確認するようなことはしません。データの取り扱いはプログラマに任されています。上記の値の範囲は、H8 マイコンのコンパイラのみ対応です。他の種類のマイコンは違う可能性が高いので必ず確認してください。

A.3　演算子の種類

演算子を用いると、値をいろいろと加工することができます。演算というのはちょっと硬い表現ですが、簡単に言えば、足す、引く、掛ける、割るなどの計算です。

下表に、演算子の機能をまとめておきます。

演算子		機能	備考	例
単項演算子	−	負		−a
	＋	正		＋b
	〜	ビットごとの反転	チルダと読む	〜a
	−−	デクリメント		a−−
	++	インクリメント		b++
	&	変数のアドレス	&a　は a の変数が格納されているアドレス	&a
	*	ポインタ変数の指す内容	*p　は p の指す内容	*p
2項演算子	−	減算		a = b − c;
	＋	加算		a = b + c;
	*	積		a = b * c;
	/	商		a = b / c;
	%	整数除算の余り		a = b % c;
	&	ビットごとの論理積		a = b & 0x7f;
	|	ビットごとの論理和		a = b | 0x80;
	^	ビット毎の排他的論理和		a = b^0x55;
	&&	論理積	答えは真か偽	if (a==b && c==d)
	||	論理和	答えは真か偽	if (a==b || c==d)
	>>	右シフト	（変数名）>>（シフトするビット数）	a = a >> 2;
	<<	左シフト	（変数名）<<（シフトするビット数）	a = a << 2;
代入演算子	=	代入		a = b;
	+=	加算して代入		a += b;
	−=	減算して代入		a −= b;
	/=	除算して代入		a /= b;
	%=	剰余演算して代入		a %= b;
	<<=	左シフト演算して代入		a <<= 5;
	>>=	右シフト演算して代入		a >>= 2;
	&=	論理積して代入		a &= 0x55;
	|=	論理和して代入		a |= b;
	^=	排他的論理和して代入		a^= b;
比較演算子	==	等しい		if (a == b)
	!=	等しくない		if (a != b)
	>	より大きい		if (a > b)
	<	より小さい		if (a < b)
	>=	より大きいか等しい		if (a >= b)
	<=	より小さいか等しい		if (a <= b)

A.4　C言語の式の優先順位

式は優先順位の高い順に評価され、同順位なら結合規則にしたがって、左→右または右→左に評価されます。優先順位を変えるには（　）を用います。

優先順位＼演算子	1高	2	3	4	5	6	7	8	9	10	11	12	13	14	15低
関数、カッコ	( )														
配列	[ ]														
構造体	. ->														
型		(型) sizeof													
ポインタ		* &													
インクリメント／デクリメント		++ --													
算術		+ -	* / %	+ -	※優先順位2は、単項演算子　例）-a 　優先順位4は、二項演算子　例）a-b										
関係					< <= > >=	== !=									
ビット		~			<< >>			&	^	|					
論理		!									&&	||			
条件													?:		
代入														= += *= など	
コンマ															,
結合規則	左→右	左←右	左→右								左←右				左→右
演算子＼優先順位	1高	2	3	4	5	6	7	8	9	10	11	12	13	14	15低

A.5 printf 文の仕様

■記述形式

printf 関数の呼び出しは次の形式で記述します。

```
         ret = printf ( fmt , arg1 , arg2 , ... ) ;
ただし  ret              : int 型。出力した文字数（エラー時は -1）。
        fmt              : char 型へのポインタ型。フォーマット変換を指定する文字列。
        arg1,arg2,...    : 定数または表示データの格納された変数や式（書式に依存）。
```

printf 関数は、fmt で示される文字列をそのまま表示します。ただし、文字列の中に「%」があると、それに続く文字により 2 番目以降（arg1）の引数の示す値を変換し変換結果を文字列に埋め込んで表示します。

変換文字列は次のように記述します。

| % | + | オプション | + | 変換指定文字 |
| | | ① | | ② |

① オプション（省略可能）

オプション文字	内容
l	引数を long 型のサイズとして扱います。なお、l は整数型に適用可能です。
数値	出力幅の指定です。変換結果の文字数が指定値より少ないときは右詰めとなります。また、「数値」の左に「-」を付けると出力欄に左詰めされます。
「.」を含む数字列	浮動小数点形式に変換する場合の出力欄の幅と精度（小数点以下の桁数）を「.」で区切って示します。指定がなければ小数点以下 6 桁表示となります。

② 変換指定文字

変換指定文字	引数の型	表示のされ方
d	int	10 進数
o	int	8 進数
x	int	16 進数
u	int	符号なし 10 進数
e	double	[-]m.nnnnnne[±]xx の形式の 10 進浮動小数点数 （n の桁数はオプションで可変だが標準では 6 桁）
f	double	[-]m.nnnnnn の形式の 10 進浮動小数点数 （n の桁数はオプションで可変だが標準では 6 桁）
c	int	単一文字
s	char *	文字列
p	void *	ポインタ
%		%

■プログラム

```
 1 : /*====================================*/
 2 : /* インクルード                        */
 3 : /*====================================*/
 4 : //#include   <no_float.h>            /* stdio の簡略化 最初に置く */
 5 : #include    <stdio.h>
 6 : #include    <machine.h>
 7 : #include    "h8_3048.h"
 8 :
 9 : /*********************************************************************/
10 : /* メインプログラム                                                  */
11 : /*********************************************************************/
12 : void main ( void )
13 : {
14 :     int    a = 64 , b = -64;
15 :     long   c = 123456;
16 :     double d = 6.4;
17 :     char   data[20] = { "I Love You !" };
18 :
19 :     /* マイコン機能の初期化 */
20 :     init_sci1 ( 0x00, 79 );             /* SCI1 初期化          */
21 :     set_ccr ( 0x00 );                   /* 全体割り込み許可     */
22 :
23 :     printf ( "decimal      :%20d%20d\n", a, b );
24 :     printf ( "unsigned     :%20u%20u\n", a, b );
25 :     printf ( "octal        :%20o%20o\n", a, b );
26 :     printf ( "hexadecimal  :%20x%20x\n", a, b );
27 :     printf ( "character    :%20c\n", a );
28 :     printf ( "long decimal :%20ld\n", c );
29 :     printf ( "double       :%20f\n", d );
30 :     printf ( "double - e   :%20e\n", d );
31 :     printf ( "string       :%20s\n", data );
32 : }
```

// 以降はコメントです

■実行結果

```
decimal      :                  64                 -64
unsigned     :                  64               65472
octal        :                 100              177700
hexadecimal  :                  40                ffc0
character    :                   @
long decimal :              123456
double       :            6.400000
double - e   :        6.400000e+00
string       :        I Love You !
```

■解説

5 行目：printf 関数を使用するため「 stdio.h 」をインクルードします。

14 ～ 17 行目：必要となる変数を初期値付きで宣言します。

23 行目：変換指定 % d により 64 と -64 が表示されます。

24 行目：変換指定 % u により -64 を符号なし 2 進数とみなして 10 進数に変換し、65472 が表示されます。

25 行目：変換指定 %o により 64 と -64 の 8 進表現が表示されます。
26 行目：変換指定 %x により 64 と -64 の 16 進表現が表示されます。
27 行目：変換指定 %c により 64 を文字に変換し @ が表示されます。
28 行目：変換指定 %ld により 123456 が表示されます。long 型整数は必ず「ld」としてください。
29 行目：変換指定 %f により 6.4 が小数点のみの形式で表示されます。
30 行目：変換指定 %e により 6.4 が指数形式で表示されます。
31 行目：変換指定 %s により char 型配列の内容が文字列として表示されます。

※このプログラムを実行する場合は、「car_printf2.c」ファイルの「#include <no_float.h>」もコメントにするか、削除してください。

A.6　scanf 文の仕様

scanf 関数の呼び出しは次の形式で記述します。

```
        ret = scanf ( fmt , arg1 , arg2 , ... );
ただし  ret              : int 型。読み込んで変換されたデータの数（エラー時は -1）。
        fmt              : char 型へのポインタ型。フォーマット変換を指定する文字列。
        arg1,arg2,...    : 変換したデータの格納先を示すアドレスや式（書式に依存）。
```

キーボードから改行キーが入力されるまで文字をバッファに入力します。改行が入力されてはじめて変換作業が始まり、バッファから読み込まれて処理されます。バッファの管理はライブラリ関数側で自動的に行われます。

fmt が示す文字列中の「%」に続く変換文字列に従って変換を行い、結果を 2 番目以降（arg1）の引数が示す格納先に格納します。変換文字列は次のように記述します。

　% ＋ 代入抑止文字 ＋ オプション ＋ 変換指定文字
　　　　　①　　　　　　②　　　　　　③

① 代入抑止文字（省略可能）

文字	内容
*	変換指定文字を「読み捨てる」という意味になります。

② オプション（省略可能）

文字	内容
l	long 型および double 型のデータを入力する場合に使用します。

② 変換指定文字

変換指定文字	引数の型	入力データ
d	int *	10進数
o	int *	8進数
x	int *	16進数
f	float *	浮動小数点数
e	float *	浮動小数点数
c	char *	単一文字
s	char *	文字列（最後にヌルコードが付加される）
p	void *	ポインタ
[文字]	char *	入力データの中から [ ] 内に出てくる文字のみを入力する。[ ] にない最初の文字で入力が終了し、この文字は入力されない
[^ 文字]	char *	入力データの中から [] 内の文字のみを読み飛ばす

※変換指定文字が「c」以外の場合

　改行やスペースなどの非印字文字は区切り記号とみなされます。また、変換データよりも前にある場合は読み飛ばされ、後の場合はバッファ内に読み残されます。したがって、文字列の読み込みの際にスペースも含めて入力したい場合、変換指定文字の「s」は使えません。

　変換結果が正常でない場合、例えば10進入力にもかかわらず数字以外のものが入力されていた場合は、その文字を読み込まずに作業は終了します。

※変換指定文字が「c」の場合

　ASCIIコードはすべて（改行やスペースも含め）処理の対象となります。そのため、それ以前のscanf関数の処理によってバッファに読み残された非印字文字があれば、それを読んでしまうことになります。これを避けるため "＿% c"（＿はスペース）とスペースを挿入して記述する方法が用いられます。

A.7　no_float.h について

　このファイルは、ルネサス統合開発環境専用のヘッダファイルです。printf 文、scanf 文で float 型や double 型を使わなければ、stdio.h をインクルードする前に no_float.h をインクルードすることにより、プログラムサイズ（MOT ファイルサイズ）を小さくすることができます。もし、float 型や double 型を使用するのであれば、no_float.h は入れないでください。

　注意点は、no_float.h を入れるなら、stdio.h をインクルードしている C ソースプログラムファイルすべてに入れる、入れないならすべてに入れないと統一してください。

　例えば、ワークスペース「kit07rec」のプロジェクト「kit07rec_03」には、「kit07rec_03.c」と

「car_printf2.c」と「i2c_eeprom.c」の3つのCソースプログラムファイルが登録されています。stdio.hを使っているファイルは、「kit07rec_03.c」と「car_printf2.c」です。これらにno_float.hを入れます。

kit07rec_03.cのインクルード部分です。

```
14 : /*======================================*/
15 : /* インクルード                          */
16 : /*======================================*/
17 : #include    <no_float.h>            /* stdioの簡略化 最初に置く */
18 : #include    <stdio.h>
19 : #include    <machine.h>
20 : #include    "h8_3048.h"
21 : #include    "i2c_eeprom.h"          /* EEP-ROM追加（データ記録） */
```

car_printf2.cのインクルード部分です。

```
 6 : /*======================================*/
 7 : /* インクルード                          */
 8 : /*======================================*/
 9 : #include    <no_float.h>            /* stdioの簡略化 最初に置く */
10 : /*
11 : printf, scanf文でfloatやdouble型を使わなければ、stdio.hをインクルードする前に
12 : no_float.hをインクルードすることにより、MOTファイルサイズを小さくすることが
13 : できます。もし、double型を使用するのであれば、インクルードしないでください。
14 : no_float.hはルネサス統合開発環境でのみ使用できます。
15 : */
16 : #include    <stdio.h>
17 : #include    <machine.h>
18 : #include    "h8_3048.h"
```

printf文、scanf文などで浮動小数点を使わなければ、上記のようにno_float.hを2ファイルに追加します。もし使う場合は、両ファイルとも「#include <no_float.h>」を削除します。

参考までに、プロジェクト「kit07rec_03」に関係するファイルについて、no_float.hの有無によるプログラムサイズの違いを表A.2に示します。

表A.2　no_float.hの有無によるプログラムサイズの違い

no_floatの有無	プログラムサイズ
あり	0x0000 ～ 0x3f0f番地の 16,144バイト
なし	0x0000 ～ 0x7b9d番地の 31,646バイト

付録 B

マイコンカーラリー全国大会・大会記録

会場：北海道札幌国際情報高等学校　特設コース
目的：マイコンカーラリー競技をとおしてメカトロ技術の基礎・基本の習得、自発的・創造的な学習態度の育成を図るとともに、ものづくりによる課題解決型教育を推進し、新技術への夢を育む。
主催：全国工業高等学校長協会、北海道工業高等学校長会
主管：ジャパンマイコンカーラリー実行委員会

◆第1回大会「マイコンカーラリー 1996　北海道大会」

日時	：	平成8年1月13日
参加台数	：	179台
その他	：	マイコンカーラリーの第1回大会です。当時は北海道地区のみでの開催でした。当時の大会は、「一般の部」「高校生の部」に加えて、「アトラクションの部」という部門がありました。

■ 高校生の部（参加 99 台　完走 14 台　完走率 14.1%）

優勝	富永 篤さん	デストロイヤー	札幌琴似工業高等学校
準優勝	中村 奈緒子さん	ZANKU	札幌国際情報高等学校
3位	杉山 秀則さん	EART II	札幌国際情報高等学校

■ 一般の部（参加 80 台　完走 17 台　完走率 21.31%）

優勝	岡島 昌仁さん	TR95A	札幌市交通局
準優勝	阪野 文昭さん	SSC・MR1	札幌市青少年科学館
3位	伊藤 令さん	HIT95Z	北海道工業大学

■ 最高タイム

高校生の部	富永 篤さん	42秒33
一般の部	岡島 昌仁さん	37秒59

■ アトラクションの部（参加 7 台）

優勝	西川 浩司さん	電磁加速器	札幌琴似工業高等学校

439

◆第2回大会「マイコンカーラリー 1997　北海道大会」

日時　　　：　平成9年1月11日、12日
参加台数　：　327台
その他　　：　「中学生の部」が新設されました。

■ 高校生の部（参加 150 台　完走 27 台　完走率 18.0%）

優勝	加納 利博さん	JAPPAN II	北海道札幌国際情報高等学校
準優勝	西野 敬博さん	トム・キャット	北海道札幌琴似工業高等学校
3位	小林 佳夫さん	GSDF	北海道札幌国際情報高等学校

■ 一般の部（参加 159 台　完走 49 台　完走率 30.8%）

優勝	伊藤 令さん	HIT041	北海道工業大学
準優勝	島津 春夫さん	SHIMA2号	札幌琴似工業高等学校OB
3位	高橋 秀治さん	HIT044	北海道工業大学

■ 中学生の部（参加 18 台）

優勝	稲村 太郎さん	レイソル'97	札幌市立明園中学校
準優勝	大竹 秀樹さん	Hide1号	石狩市立花川中学校
3位	内藤 歩実さん	ハテナ	札幌市立光陽中学校

■ 最高タイム

高校生の部	加納 利博さん	36秒22
一般の部	島津 春夫さん	28秒09
中学生の部	稲村 太郎さん	54秒99

■ アトラクションの部（参加 8 台）

最優秀賞	代表：佐藤 孝貴さん	H8搭載ワイヤーカッターむじんくん
	北海道芦別総合技術高校	

◆第 3 回大会「ジャパンマイコンカーラリー 1998　全国大会」

日時　　：　1998 年 1 月 11 日
参加台数：　341 台
その他　：　マイコンカーラリー史上、初の全国大会となりました（96 〜 97 年までは北海道地区のみ）。
　　　　　　高校生の部のみ、全国大会に向けて「地区大会」が開催されるようになりました。
　　　　　　「アトラクションの部」がなくなりました。

■ 高校生の部（参加 202 台　完走 55 台　完走率 27.2%）

優勝	太田 拓也さん	天和	北海道札幌琴似工業高等学校
準優勝	加納 利博さん	JAPPAN III	北海道札幌国際情報高等学校
3 位	長谷川 章人さん	Iravati	北海道札幌国際情報高等学校

■ 一般の部（参加 112 台　完走 25 台　完走率 22.3%）

優勝	島津 春夫さん	ずっこけ号	札幌琴似工業高等学校　OB
準優勝	久米田 昭さん	トラブルメーカー	防衛大学校
3 位	阪野 文昭さん	SSC-MR3	札幌市青少年科学館

■ 中学生の部（参加 27 台　完走 3 台　完走率 11.1%）

優勝	佐久間 大貴さん	ナップル	札幌市立青葉中学校
準優勝	上西 里美さん	チビタ	札幌市立新琴似北中学校
3 位	安部 至さん	トマホーク	札幌市立明園中学校

■ 最高タイム

高校生の部	加納 利博さん	30 秒 14
一般の部	島津 春夫さん	26 秒 85
中学生の部	佐久間 大貴さん	48 秒 09

◆第 4 回大会「ジャパンマイコンカーラリー 1999　全国大会」

日時　　　：　平成 11 年 1 月 10 日
参加台数　：　167 台
その他　　：「小学生の部」が新設されました。

■ 高校生の部（参加 71 台／完走 37 台／完走率 52.1%）

優勝	竹尾 範史さん	インフィニティ∞	熊本県立玉名工業高等学校
準優勝	井原 伸治さん	スーパー DX	香川県立多度津工業高等学校
3 位	徳田 貴士さん	モンキーターン II 号	香川県立坂出工業高等学校

■ 一般の部（参加 85 台／完走 25 台／完走率 29.4%）

優勝	近藤 晃司さん	スキップ　ア　ウェイ	防衛大学校　情報工学教室
準優勝	有永 和織さん	カナベイ	北海道札幌琴似工業高等学校
3 位	田中 聡さん	DASH'98	（株）テクセル

■ 中学生の部（参加 8 台／完走 2 台／完走率 25.0%）

優勝	小形 淳さん	スナイパージャポ	札幌市立明園中学校
準優勝	児島 寿子さん	ぎゃろっピー	札幌市立青葉中学校

■ 小学生の部（参加 3 台／完走 2 台／完走率 66.7%）

敢闘勝	太田 尚吾さん	Victory shogo III	札幌市立手稲鉄北小学校
敢闘勝	見楚谷 剛輝さん	ピースケ	江別市立大麻泉小学校
敢闘勝	公平 健太さん	ヒカチュー 1 号	稚内市立潮見が丘小学校

■ 最高タイム

高校生の部	徳田 貴士さん	27 秒 01
一般の部	滝田 好宏さん	23 秒 33
中学生の部	小形 淳さん	45 秒 35

◆第5回大会「ジャパンマイコンカーラリー2000　全国大会」

日時	：平成12年1月9日
参加台数	：184台
予選参加台数	：974台
その他	：「小学生の部」と「中学生の部」が「一般の部」に吸収されました。

■ 高校生の部（参加51校97台　完走31台　完走率32.0%）

優勝	上林 亮さん	nWo.Japan	香川県立坂出工業高等学校　3年
準優勝	岩崎 和也さん	ペペロンチーノ	香川県立坂出工業高等学校　3年
3位	鷹箸 雅実さん	今市工業高校ルパンII	栃木県立今市工業高等学校　2年

■ 一般の部（参加87台　完走24台　完走率27.6%）

優勝	大日向 拓実さん	Extreme	北海道自動車短期大学
準優勝	藤田 繁治さん	SHAZEN	防衛大学・情報工学室
3位	滝田 好宏さん	Stream	防衛大学・情報工学室・助教授

■ 最高タイム

高校生の部	上林 亮さん	29秒06
一般の部	大日向 拓実さん	29秒67

◆第6回大会「ジャパンマイコンカーラリー2001　全国大会」

日時	：平成13年1月8日
参加台数	：252台
予選参加台数	：1472台

■ 高校生の部（参加66校150台　完走61台　完走率40.7%）

優勝	山下 泰樹さん	Siva	24秒53	香川県立三豊工業高等学校 2年
準優勝	石山 和稔さん	MOS-2000	26秒87	香川県立三豊工業高等学校 2年
3位	山岡 亨さん	熊九郎	25秒90	香川県立三豊工業高等学校 2年

■ 団体戦（参加地区11地区）

優勝	四国地区	準優勝	東海地区	3位	九州地区

■ 一般の部（参加102台　完走21台　完走率20.6%）

優勝	平澤 順治さん	VELOCISTA	29秒66	防衛大学校情報工学科
準優勝	工藤 裕樹さん	HK-LINER	31秒86	防衛大学校情報工学科
3位	宮岡 欣一郎さん	エイプリル01	33秒70	松山工業高校 電子科

■ 最高タイム

高校生の部	山下 泰樹さん	24秒08
一般の部	平澤 順治さん	27秒79

◆第7回大会「ジャパンマイコンカーラリー2002 全国大会」

日時	：平成14年1月13日
参加台数	：220台
予選参加台数	：1790台
コースレイアウト	：全長61.03m
その他	：アルカリ電池に加えて、二次電池の使用が可能となりました。

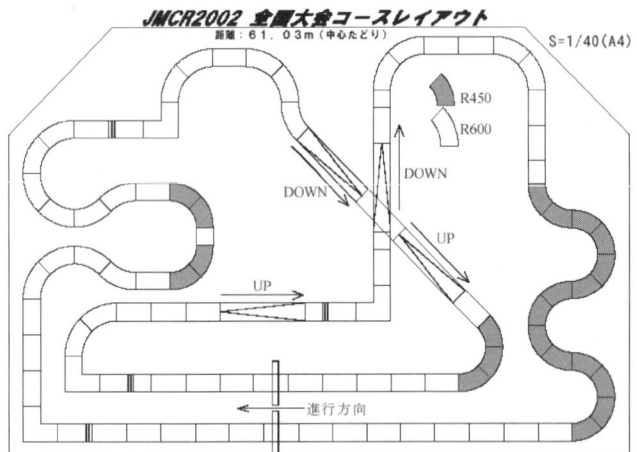

■ 高校生の部（参加56校120台 完走54台 完走率45.0%）

優勝	山岡 亨さん	熊九郎	24秒42	香川県立三豊工業高等学校
準優勝	福岡 隆也さん	三豊工将軍	24秒67	香川県立三豊工業高等学校
3位	石川 真人さん	三豊の林	25秒19	香川県立三豊工業高等学校

■ 高校生の部：団体戦

優勝	四国地区	170点	準優勝	北信越地区	80点	3位	九近畿地区	50点

■ 一般の部（参加100台／完走33台／完走率33.0%）

優勝	宮岡 欣一郎さん	エイプリル01	26秒84	愛媛県立松山工業高等学校	電子科教諭
準優勝	山岡 裕さん	神通力	28秒41	富山県立大沢野工業高等学校	教諭
3位	桑原 明さん	くわクマMCR	25秒80	神奈川県立横須賀工業高等学校	教諭

■ 最高タイム

高校生の部	中川 淳さん	23秒52
一般の部	桑原 明さん	24秒58

◆第8回大会「ジャパンマイコンカーラリー2003 全国大会」

日時	：平成15年1月12日
参加台数	：218台
予選参加台数	：1983台
コースレイアウト	：全長62.13m。3回連続クランクや、長距離のスラロームなど、難易度の高いコースとなりました。
その他	：「高校生の部」で使用するモータが指定されました。

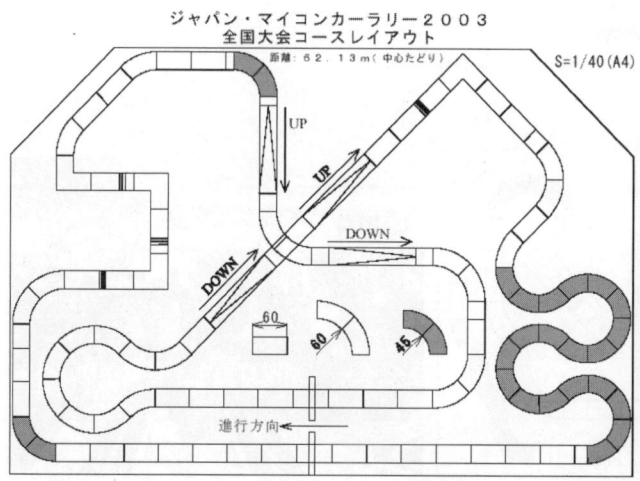

■ 高校生の部（参加60校119台／完走39台／完走率32.8%）

優勝	瀬戸 義弘さん	よっし～Jr	香川県立三豊工業高等学校
準優勝	折谷 直人さん	Cat'C	富山県立大沢野工業高等学校
3位	橘川 友統さん	ジャスティス	香川県立坂出工業高等学校

■ 高校生の部：団体成績

優勝	四国地区	130点	準優勝	北信越地区	110点	3位	北海道地区 30点

■ 一般の部（参加99台／完走29台／完走率29.3%）

優勝	丸木 雅大さん	青嵐	無所属
準優勝	瀬尾 文隆さん	WINNINGRUN	香川県立三豊工業高等学校
3位	清水 一豊さん	百式	兵庫県立相生産業高等学校

■ 最高タイム

高校生の部	瀬戸 義弘さん	よっし～Jr	22秒60	香川県立三豊工業高校
一般の部	丸木 雅大さん	青嵐	18秒91	無所属

◆第9回大会「ジャパンマイコンカーラリー2004 全国大会」

日時	：平成16年1月11日
参加台数	：241台
予選参加台数	：2421台
コースレイアウト	：全長63.16m。上り坂の直後にS字カーブやクランクがあり、今まで以上に難しいコースとなりました。
その他	：今回、新たに「高校生の部」「一般の部」の優勝者に「文部科学大臣奨励賞」という賞が授与されました。二次電池の容量は1800mAh以下までという制限がなくなりました。吸引機構を搭載したマシンの参加が禁止されました。

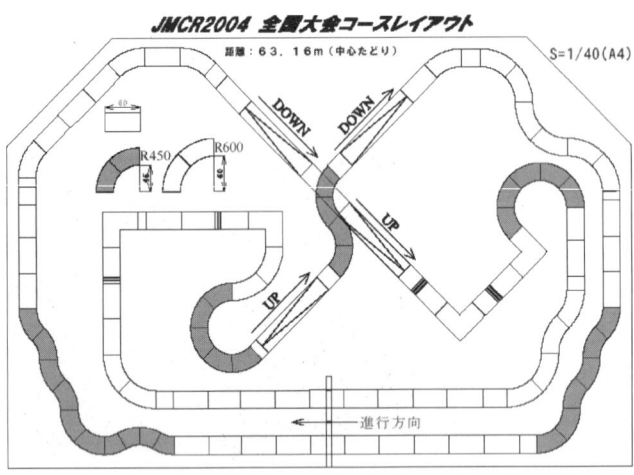

■ 高校生の部　個人成績（参加65校120台／完走45台／完走率37.5%）

優勝	石川 信吾さん	LEVIN	香川県立三豊工業高等学校
準優勝	丸林 靖隆さん	10W40	兵庫県立相生産業高等学校
3位	石川 真人さん	雷鳥R	香川県立三豊工業高等学校

■ 高校生の部　団体成績

優勝	近畿地区　120点	準優勝	四国地区　100点	3位	北信越地区　70点

※ 決勝トーナメントの成績でポイントを与え、ポイントの合計により順位をつけます。
※ 優勝60点、準優勝50点、3位40点、4位30点、5〜8位20点、9〜16位10点です。

■ 一般の部　個人成績（参加121台／完走59台／完走率48.8%）

優勝	勘原 利幸さん	拳禅一如	香川県立三豊工業高等学校
準優勝	猪熊 伸彦さん	元祖熊九郎	香川県立三豊工業高等学校
3位	瀬尾 文隆さん	WinningRun	香川県立三豊工業高等学校

■ 予選時の最高タイム

高校生の部	溝口 誠さん	18秒89	長野県松本工業高等学校
一般の部	勘原 利幸さん	18秒30	香川県立三豊工業高等学校

◆第10回大会「ジャパンマイコンカーラリー2005全国大会」

日時	：平成17年1月8日　決勝トーナメント1月9日
参加台数	：243台
予選参加台数	：高校生の部　2241台　　一般の部　260台
コースレイアウト	：全長66.84m。連続S字と2連続クランクの攻略がポイントとなりました。
その他	：10回記念大会はNTT北海道セミナーセンタ体育館で開催されました。公開競技として25mの直線を走る「ドラッグカーレース」、T字、Y字のある「ニューレギュレーションレース」が開催されました。

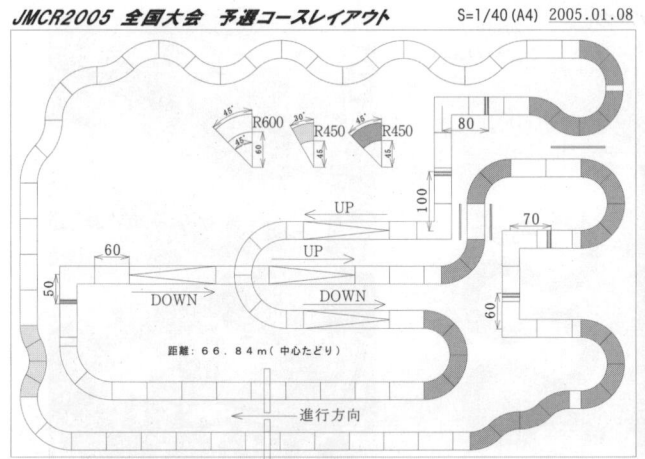

■ 高校生の部　（参加76校120台／完走48台／完走率40.0%）

優勝	水野 匠	韋駄天磯工	神奈川県立磯子工業高等学校
準優勝	谷 直哉	マグナムセイバー	香川県立三豊工業高等学校
3位	難波 泰規	マッキー	岡山県立東岡山工業高等学校

■ 高校生の部　団体成績

優勝	四国地区	110点	準優勝	南関東地区	80点	3位	北信越地区　80点

■ 一般の部　個人成績（参加123台／完走35台／完走率28.5%）

優勝	中尾 伊知郎	ICHIRO	ICHIRO（個人）
準優勝	大美 周平	帆立、イクラ、旨い蟹	丸亀市民クラブ
3位	中村 雄一	SYNR－SWK	TRC

■ 最高タイム（予選のみ）

高校生の部	杉野 忠志	19.18秒	香川県立坂出工業高等学校
一般の部	中尾 伊知郎	18.86秒	ICHIRO（個人）

Micom Car Rally

◆第 11 回大会「ジャパンマイコンカーラリー 2006 全国大会」

日時	：平成 18 年 1 月 8 日
参加台数	：240 台
予選参加台数	：高校生の部　2333 台　　一般の部　338 台
コースレイアウト	：全長 62.26m。UP と DOWN が連続し、高低差が激しいコースとなりました。たこつぼと呼ばれるカーブの攻略がポイントとなりました。
その他	：走行方向が、予選と決勝トーナメントで逆方向になりました。コースに使用されている材質が変更になりました (エコパレット)。

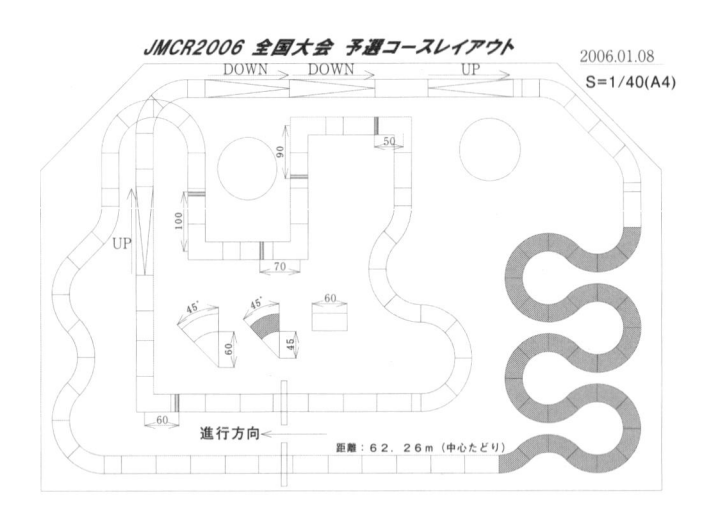

■ 高校生の部 (参加 65 校 120 台／完走 72 台／完走率 60.0%)

優勝	岩倉 敏也	FALKEN	香川県立三豊工業高等学校
準優勝	亀井 啓丞	COSMO	香川県立坂出工業高等学校
3 位	大林 俊宏	AP	香川県立坂出工業高等学校

■ 高校生の部　団体成績

優勝	四国地区	150 点	準優勝	九州地区	80 点	3 位	北信越地区	50 点

■ 一般の部　個人成績 (参加 120 台／完走 51 台／完走率 42.5%)

優勝	大美 周平	ほっけ、鮭も旨い蟹	チーム MTY
準優勝	榮井 弓子	MAGNA	衛大学校　情報工学科
3 位	綿貫 祐介	疾風	九州産業高校 OB

■ 最高タイム (予選のみ)

高校生の部	岩倉 敏也	18.67 秒	香川県立三豊工業高等学校
一般の部	綿貫 祐介	17.89 秒	九州産業高校 OB

◆第12回大会「ジャパンマイコンカーラリー2007全国大会」

日時	：平成19年1月8日
参加台数	：243台
予選参加台数	：高校生の部　2166台　　一般の部　403台
コースレイアウト	：全長61.88m。 スネークロードと呼ばれる細かいS字コースの攻略がポイントとなりました。
その他	：スタートが、ゲートが開くと同時に計測が始まる方式に変更されました。レーンチェンジ（車線変更）コースが追加されました。コースに使用されている材質が変更になりました（中川ケミカル）。

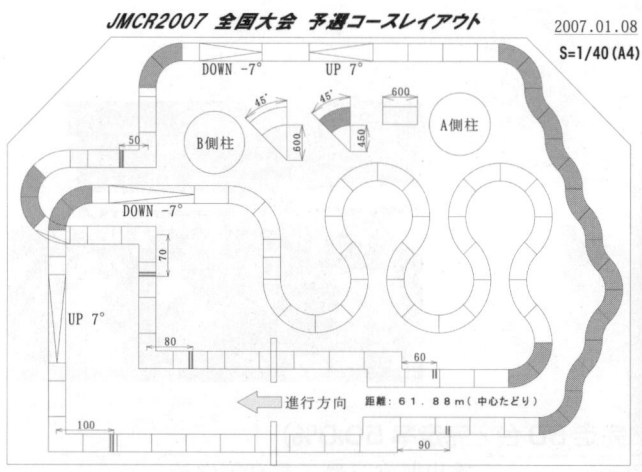

■ 高校生の部（参加74校120台／完走45台／完走率5%）

優勝	布村 真佐喜	麒麟児	富山県立大沢野工業高等学校
準優勝	香月 洋輔	九産2号	九州産業大学付属九州産業高等学校
3位	河上 哲也	オジー	熊本県立御船高等学校

■ 高校生の部　団体成績

優勝	九州地区	170点	準優勝	北信越地区	60点	3位	近畿地区　30点

■ 一般の部　個人成績（参加123台／完走38台／完走率30.9%）

優勝	中村 彰男	ランサー6号	熊本県立球磨工業高等学校
準優勝	藤坂 浩史	SAMES太郎2号	株式会社三洋メディコムソフトウェア
3位	河野 純也	FRAGILE006	日産自動車株式会社

■ 最高タイム（予選のみ）

高校生の部	森川 卓哉	17.78秒	香川県立三豊工業高等学校
一般の部	勘原 利幸	17.55秒	チームMTY

◆第13回大会「ジャパンマイコンカーラリー2008全国大会」

日時	：平成20年1月13日
参加台数	：244台
予選参加台数	：高校生の部　2225台　　一般の部　457台
コースレイアウト	：全長64.68m。クランク、レーンチェンジ、クランクの連続コースの攻略がポイントとなりました。
その他	：初めてマイコンカーに取り組んだ選手のみがエントリーできるBasic Classがプレ開催されました。

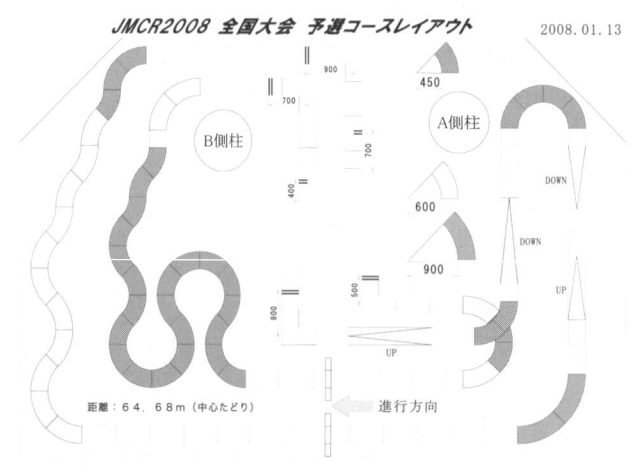

■ 高校生の部（参加68校120台／完走60台／完走率50.0%）

優勝	池田 竜	LineSpear	香川県立三豊工業高等学校
準優勝	閑井 健人	非常食	兵庫県立相生産業高等学校
3位	合田 直樹	Wリンク	香川県立三豊工業高等学校

■ 高校生の部 Basic Class（参加23校24台／完走10台／完走率41.7%）

優勝	小田 耕大	プライスレス	熊本県立球磨工業高等学校
準優勝	榎本 徹	やっち号	北海道北見工業高等学校
3位	一ノ本 匠	フェンリスヴォルフ	神奈川県立藤沢工科高等学校

■ 高校生の部　団体成績

優勝	四国地区	100点	準優勝	九州地区	80点	3位	近畿地区	50点

■ 一般の部　個人成績（参加100台／完走38台／完走率38.0%）

優勝	番土 隆	若鷹	砺波マイコンカークラブ（TMCC）
準優勝	中村 彰男	ランサー7号	熊本県立球磨工業高等学校
3位	砂田 聡	TRC快調	TRC

■ 最高タイム（予選のみ）

高校生の部	布村 真佐喜	18.14秒	富山県立大沢野工業高等学校
一般の部	三輪 秀幸	17.58秒	愛知工業大学

付録 C

規則集

ジャパンマイコンカーラリー大会　競技規則
【高校生「Advanced Class の部」・一般の部】

【定義】
第1条　マイコンカーラリーは、実行委員会承認のマイコンボードを搭載した完全自走式マシンで、規定コースの競技タイムを競うものである。

【マシン規格】
第2条　マシンは、次の各号の条件を満たすものとする。
- (1) 参加者が独自に製作した完全自走式マシンとし、指定部品で製作されたマシンとする。
- (2) 電源及びエネルギー源は単三アルカリ電池（LR6）又は単三2次電池（1.2V）8本以内とする。
- (3) マシンの外形は幅 300㎜、高さ 150㎜ 以内とし、全長、重量、材質等については制限しないが、タイマーセンサーを遮ることの出来る構造とする。（図−6参照）ただしスタート後、タイムを有利にするため故意に全長を変えることは不可とする。
- (4) マシンの駆動部はコース面上に接触しながら走行するものとし、接触部分に粘着性物質を使用することは不可とする。（車検に於いて、コースに貼り付くと確認されるものも含む）
- (5) 吸引機能を用いたマシンは不可とする。
- (6) 電気二重層コンデンサの使用は不可とする。
  ※バックアップ電源等の用途で販売されている電気二重層コンデンサ等の大容量キャパシタは、使用不可とする。（公称容量がF [ファラド]で標記されているものは不可）
- (7) 走行時にコースを損傷させたり汚したりするおそれのある構造は不可とする。
- (8) 指定部品は次のように定める。
  - ア．実行委員会承認のマイコンボードを使用すること。ただし、H8/532系を除く。
  - イ．実行委員会承認のモータ（MCR刻印付）を使用し、分解、内外部の加工を禁ずる。（ノイズ除去コンデンサ等のケースへの半田付けは除く）ただし、一般の部は除く。

【コース規格】

第3条　1　コースは厚さ 30mm で、その表面は幅 300mm、表面素材は艶消しの白色アクリル製とする。（図－1参照）

2　コースの走行面（図－2参照）は艶消し白色アクリル材に黒及び灰色の別記シール材を貼ったものとし、クランク及びレーンチェンジ表示、コース補修材には白色を含め別記シール材を用いる。

3　コース全体は直線、カーブ、クランク（90°の右・左カーブ）、S字カーブ（最小内径450mm）、レーンチェンジ、傾斜角度10°以内の丘または谷を組合わせたものとする。（図－3、図－4参照）

4　クランクについては、手前 500〜1000mm の地点に 30mm 間隔（白線の内側の間隔）で、幅 20mm の白線を横に2本引く。（図－5参照）

5　レーンチェンジについては、チェンジ区間長さ 600mm、幅 600mm を設ける。チェンジ区間より手前 300〜1000mm の地点に 30mm 間隔（白線の内側の間隔）で、幅 20mm の白線をチェンジ方向に合わせ（左右片側に）2本引く。またチェンジ区間には、長さ 200mm と 400mm からなるセンターライン（第3条-2）及び、外側の路肩に幅 30mm の白線を引く（図－7参照）。

6　スタートラインとしてタイマーセンサーから進行方向 10mm 後方のコース表面にコース同一素材のシールを貼る。

7　コースの接合部の隙間は 1mm 以内とする。

8　タイマーセンサーを含むスタートバー装置とその保護材周辺及び立体交差点以外は、コースの両サイド 50mm 以内には壁などの障害物を一切置かない。ただし、コースジョイント用の金具はコースの一部と見なす。

（シール材質）

黒…セキスイハルカラー HC－015　エコパレットハルカラー HKC－011
　　中川ケミカル 793（ブラックマット）

灰…セキスイハルカラー HC－050　エコパレットハルカラー HKC－057
　　中川ケミカル 735（ミディアムグレー）

白…セキスイハルカラー HC－095　エコパレットハルカラー HKC－097
　　中川ケミカル 711（ホワイト）

【車検】

第4条　1　レギュレーション検査においては第2条の規定について検査する。

（1）予選の検査は予選競技開始前にブロック毎に行うのものとする。

（2）決勝トーナメントの検査は決勝トーナメント開始前、および必要に応じて審判の指示により行うものとする。

（3）検査不合格のものは検査時間内に改善し、再度検査を受けることができる。
（4）レギュレーション検査合格後の改造は禁止とする。ただし、タイヤのメンテナンスは認める。
（5）検査に合格したマシンには合格シールを貼る。
2　レース前検査においては、タイヤ等の粘着性物質の使用について検査する。
（1）検査不合格のものは検査時間内に改善し、再度検査を受けることができる。
（2）レース前検査合格後のタイヤ等のメンテナンスは禁止とする。

【競技方法】

第5条　1　予選はマシンが規定コース上を走行するタイムレースとし、決勝は開催要項に定める予選タイム上位者によるトーナメントとする。

2　車検に合格したマシンに限り競技に出場できる。

3　競技者は、スタートラインにマシンの先頭をセットする。（図-8参照）

※マシンのセットとは、駆動系（モーター、駆動部）が静止している状態を意味する。

4　スタートバーが開き始めたことをマシンが自動検出しスタートする。ただし、競技者の操作によるスタートも認める。

5　スタートバーが開くと同時にタイマーが計測を開始する。ゴールは、タイマーセンサーの反応で計測を終了する。

6　スタートバーが開く前にマシンによりタイマーセンサーまたはスタート開センサーが反応した場合、マシンがスタートバーに触れた場合及び審判がフライングと判定した場合フライングとする。

7　他車に追い越されそうになった場合は、審判の指示により競技者が自車の持ち上げを行う。

8　レースにおけるマシンの取り扱いについて

（1）追い越されたマシンについて

ア．予選で追い越された場合はレースの直後に再走行（単独走行）ができる。

イ．決勝トーナメントで追い越された場合、追い越したマシンが完走した時点でそのレースは終了となる。また追い越したマシンが完走しなかった場合は、レースの直後に再走行ができる。

（2）決勝トーナメントで両者同タイムまたは両者失格の場合

　ア．1回のみ再レースを行う。

　イ．再レースで再度同タイムまたは両者失格の場合は、予選タイムの上位を勝者とする。

9　再レースまたは再走行の場合は、タイヤ表面のメンテナンス及び電池の交換ができる。ただしこの場合、タイヤ車検及び電池の確認を再度受けなければならない。

10 コースレイアウトは、大会直前まで未公開とし、コース上の試走はできない。ただし、高校生「Advanced Classの部」は除く。

【失格】

第6条　次の各号に該当する行為があった場合は、失格とする。
(1) 第2条の規定に反したもの。
(2) コースの側面を利用した機構で走行するもの。
(3) 故意に並走するマシンの走行を妨害する機構を有するもの。
(4) マシンを故意に複数に分離したもの。
(5) マシンの一部がコース外の床、壁に接触したもの。
(6) 車検後にコンピュータ等からプログラムの転送、移植をしたもの。
(7) 車検後にマシンを改造したもの。
(8) 車検合格シールの貼付がないもの。
(9) フライングしたもの。
(10) 計測開始後2分以内に完走できないもの。
(11) 故意で有る無しに関わらずコースを損傷させたり、汚したもの。
(12) 再走行の場合にモードの切り替えをしたもの。
(13) 故意で有る無しに関わらず追い越し時以外に他車と接触したもの。ただし追い越し時に於いて、追い越されるマシンの取り上げが失敗し、追突した場合はこの限りでない。
(14) 審判の指示なしに、スタート後のマシンに触れたもの。
(15) その他競技の公正を害すると思われる行為があるもの。
(16) 大会運営規則第6条に反したもの。

【進行】

第7条　1 競技は、審判長を中心に審判団により進行する。
2 各レースの開始は、主審が行うゼッケン番号のコールとする。
3 コールされた選手はその後3分以内に、スタートラインにマシンの先頭をセットしスタートバー開まで静止させる。
4 スタートバー開後スタートできないマシンは、スイッチ及びコネクタの確認など短時間でできる作業のみを認める。
5 主審は各レース中に、中止の通告で中止、再開の通告で再開することができる。
6 レース終了後、審判がマシンを確認することがある。
7 主審による結果の宣告により、レースを終了する。

【異議申立て】

第8条　1　大会中はいかなる者も、審判の判定に異議の申立てをすることはできない。

　　　　2　本規則の実施に関して疑義がある場合は、大会終了までに審判長に対して異議の申立てをすることはできる。

【補則】

第9条　大会の規模・内容等に特別の事情がある場合は、本競技規則の精神を損なわない限り、本規則によらないことができる。

【改訂】

第10条　本規則の改訂は、実行委員会の決議による。

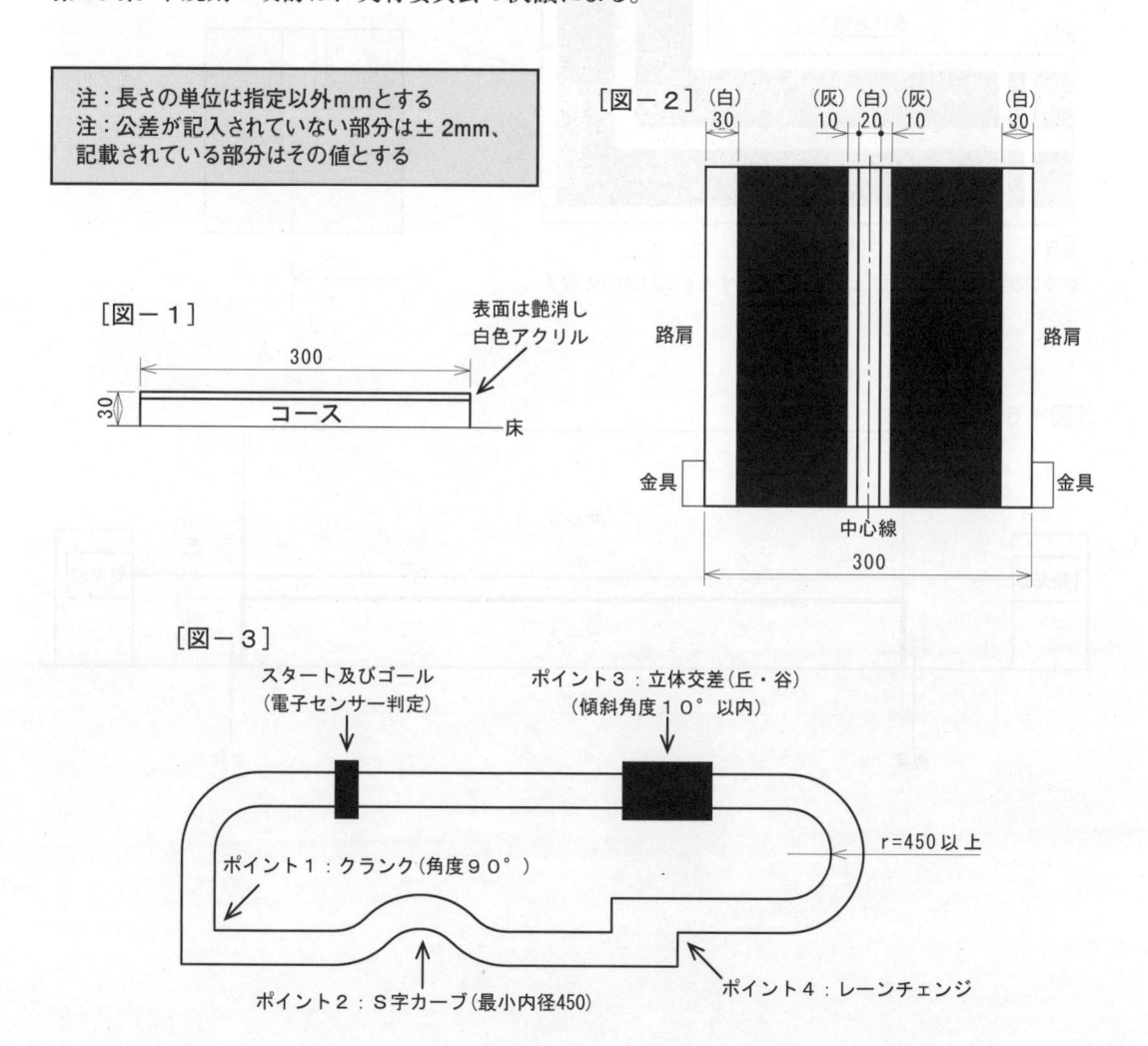

注：長さの単位は指定以外mmとする
注：公差が記入されていない部分は±2mm、記載されている部分はその値とする

[図－1]
コース　表面は艶消し白色アクリル　床　300　30

[図－2]
（白）30　（灰）10　（白）20　（灰）10　（白）30
路肩　路肩　金具　金具　中心線　300

[図－3]
スタート及びゴール（電子センサー判定）
ポイント3：立体交差（丘・谷）（傾斜角度10°以内）
ポイント1：クランク（角度90°）
ポイント2：S字カーブ（最小内径450）
ポイント4：レーンチェンジ
r=450以上

[図－4]

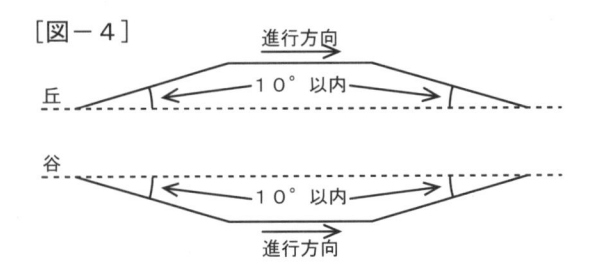

丘　進行方向　10°以内

谷　10°以内　進行方向

[図－5]

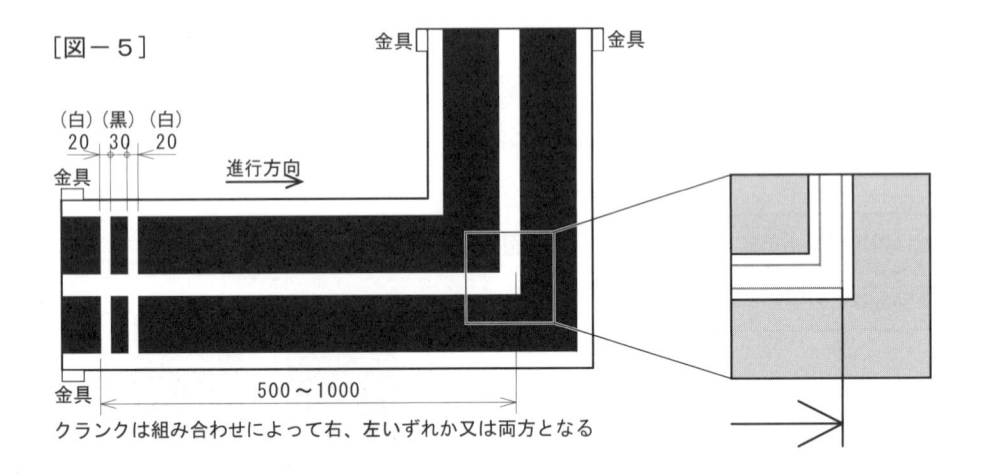

金具　金具

（白）（黒）（白）
20　30　20

金具　進行方向

金具　500～1000

クランクは組み合わせによって右、左いずれか又は両方となる

[図－6]

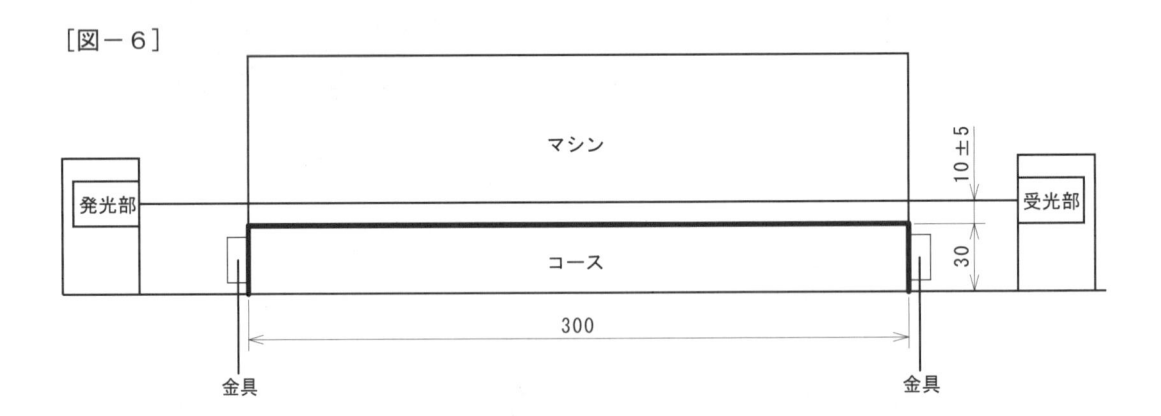

マシン

発光部　受光部

10±5

コース

30

金具　300　金具

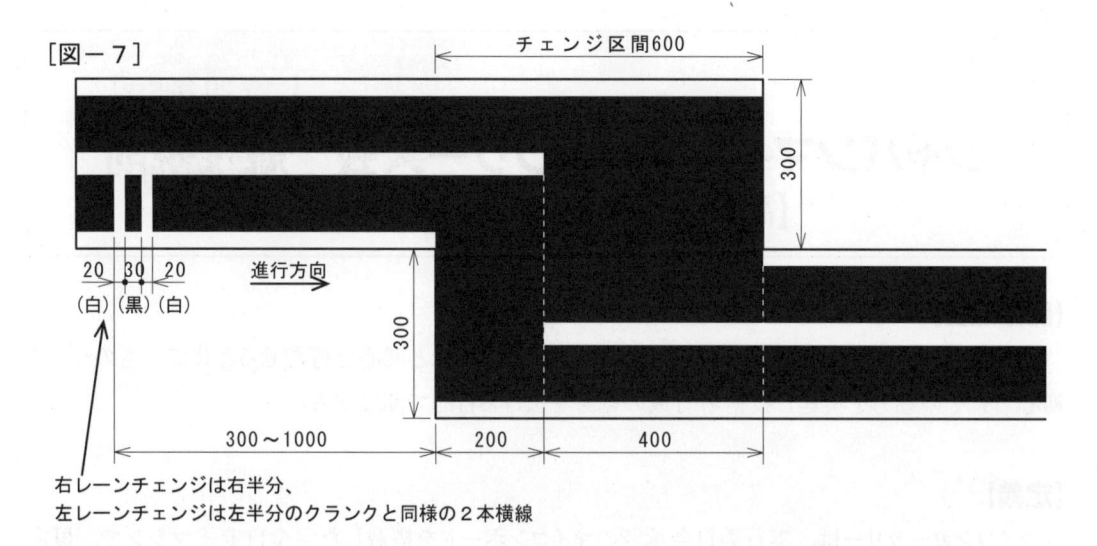

[図－7]

右レーンチェンジは右半分、
左レーンチェンジは左半分のクランクと同様の2本横線

[図－8]

附則　本規定は、平成20年6月3日より施行する。

補足：現在の競技規則第3条8「タイマーセンサーを含むスタートバー装置とその保護材周辺及び立体交差点以外は、コースの両サイド50mm以内には壁などの障害物を一切置かない。ただし、コースジョイント用の金具はコースの一部と見なす。」を適用し、スタート、ゴール部は50mm以内に機器を置くこともあり得る。

ジャパンマイコンカーラリー大会　競技規則
【高校生「Basic Class の部」】
【平成 20 年度版】

【開設趣旨】
　この部門は、マイコンカー製作を通してものづくりに興味と関心を持たせると共に、ものづくり初心者にその魅力を喚起し技術者育成の裾野を広げる目的で開設する。

【定義】
　マイコンカーラリーは、実行委員会承認のマイコンボードを搭載した完全自走式マシンで、規定コースの競技タイムを競うものである。

【マシン規格】
第2条　マシンは、次の各号の条件を満たすものとする。
　　(1) 参加者が独自に製作した完全自走式マシンとし、指定部品で製作されたマシンとする。
　　(2) 電源及びエネルギー源は単三アルカリ電池(LR6)又は単三2次電池(1.2V)8本とし、駆動用には4本、CPU用には4本の電池を使用することとし、変圧は不可とする。
　　(3) マシンの外形は幅300㎜、高さ150㎜以内とし、全長、重量、材質等については制限しないが、タイマーセンサーを遮ることの出来る構造とする。(図－6参照)
ただしスタート後、タイムを有利にするため故意に全長を変えることは不可とする。
　　(4) マシンの駆動部はコース面上に接触しながら走行するものとし、接触部分に粘着性物質を使用することは不可とする。(車検に於いて、コースに貼り付くと確認されるものも含む)
　　(5) 吸引機能を用いたマシンは不可とする。
　　(6) 電気二重層コンデンサの使用は不可とする。
　　　※バックアップ電源等の用途で販売されている電気二重層コンデンサ等の大容量キャパシタは、使用不可とする。(公称容量がF [ファラド] で標記されているものは不可)
　　(7) 走行時にコースを損傷させたり汚したりするおそれのある構造は不可とする。
　　(8) センサーはコースの色検出、およびスタートバーの開閉検出のみ認める。
　　(9) 液晶などの文字を表示する機能の搭載は認めない。
　　(10) 指定部品は次のように定める。

ア．実行委員会承認のマイコンボード（ただし H8/532 系を除く）を1枚使用し、改造はコネクタの追加のみを認める。

イ．実行委員会承認のギヤボックスを2個使用し、ケースの改造は認めない。
ただし、次の点については認める。
①ピニオンギア（8T）の交換
②シャーシ取り付けネジを避けるための逃げ加工
③シャフトの切断

ウ．実行委員会承認のモータ（MCR 刻印付）を2個使用し、分解、内外部の加工を禁ずる。（ノイズ除去コンデンサ等のケースへの半田付けは除く）

エ．電池ボックスを使用し電圧値の確認ができ、電池を容易に取り外すことができる構造であること。また、電池のパック化は認めない。

オ．実行委員会承認のサーボモータを1個使用し、その型式の確認ができる構造であること。改造は、サーボモータの基本性能を変える加工は認めない。
※実行委員会承認のサーボモータは次の通りとする。

ハイテック製————————————HS425BB　4.8V 時 0.21s/60 度 3.3kg・cm
フタバ製—————————————S3003　　4.8V 時 0.23s/60 度 3.2kg・cm
サンワ製—————————————SRM-102Z　4.8V 時 0.20s/60 度 3.0kg・cm
JR（日本遠隔制御株式会社）製—ES-519　4.8V 時 0.23s/60 度 3.3kg・cm

【コース規格】

第3条　1　コースは厚さ 30mm で、その表面は幅 300mm、表面素材は艶消しの白色アクリル製とする。（図－1参照）

2　コースの走行面（図－2参照）は艶消し白色アクリル材に黒及び灰色の別記シール材を貼ったものとし、クランク及びレーンチェンジ表示、コース補修材には白色を含め別記シール材を用いる。

3　コース全体は直線、カーブ、クランク（90°の右・左カーブ）、S字カーブ（最小内径450mm）、レーンチェンジ、傾斜角度10°以内の丘または谷を組合わせたものとする。（図－3、図－4 参照）

4　クランクについては、手前 500〜1000mm の地点に 30mm 間隔（白線の内側の間隔）で、幅 20mm の白線を横に2本引く。（図－5参照）

5　レーンチェンジについては、チェンジ区間長さ 600mm、幅 600mm を設ける。チェンジ区間より手前 300〜1000mm の地点に 30mm 間隔（白線の内側の間隔）で、幅 20mm の白線をチェンジ方向に合わせ（左右片側に）2本引く。またチェンジ区間には、長さ200mm と 400mm からなるセンターライン（第3条-2）及び、外側の路肩に幅 30mm の白線を引く（図－7 参照）。

6 スタートラインとしてタイマーセンサーから進行方向 10mm 後方のコース表面にコース同一素材のシールを貼る。

7 コースの接合部の隙間は 1mm 以内とする。

8 タイマーセンサーを含むスタートバー装置とその保護材周辺及び立体交差点以外は、コースの両サイド 50mm 以内には壁などの障害物を一切置かない。ただし、コースジョイント用の金具はコースの一部と見なす。

（シール材質）

黒…セキスイハルカラーＨＣ－015　エコパレットハルカラーＨＫＣ－011
　　中川ケミカル 793（ブラックマット）

灰…セキスイハルカラーＨＣ－050　エコパレットハルカラーＨＫＣ－057
　　中川ケミカル 735（ミディアムグレー）

白…セキスイハルカラーＨＣ－095　エコパレットハルカラーＨＫＣ－097
　　中川ケミカル 711（ホワイト）

【車検】

第 4 条　1　レギュレーション検査においては第 2 条の規定について検査する。

(1)「Basic Class 車検証明書」は、記載事項にしたがい大会前に実施するものとする。

(2) 予選の検査は、予選競技開始前にブロック毎に行うのものとする。

(3) 決勝トーナメントの検査は、決勝トーナメント開始前および必要に応じて審判の指示により行うものとする。

(4) 検査不合格のものは検査時間内に改善し、再度検査を受けることができる。

(5) レギュレーション検査合格後の改造は禁止とする。ただし、タイヤのメンテナンスは認める。

(6) 検査に合格したマシンには合格シールを貼る。

2　レース前検査においては、タイヤ等の粘着性物質の使用について検査する。

(1) 検査不合格のものは検査時間内に改善し、再度検査を受けることができる。

(2) レース前検査合格後のタイヤ等のメンテナンスは禁止とする。

【競技方法】

第 5 条　1　予選はマシンが規定コース上を走行するタイムレースとし、決勝は開催要項に定める予選タイム上位者によるトーナメントとする。

2　車検に合格したマシンに限り競技に出場できる。

3　競技者は、スタートラインにマシンの先頭をセットする。（図－8 参照）

※マシンのセットとは、駆動系（モーター、駆動部）が静止している状態を意味する。

4　スタートバーが開き始めたことをマシンが自動検出しスタートする。ただし、競技者

の操作によるスタートも認める。
5 スタートバーが開くと同時にタイマーが計測を開始する。ゴールは、タイマーセンサーの反応で計測を終了する。
6 スタートバーが開く前にマシンによりタイマーセンサーまたはスタート開センサーが反応した場合、マシンがスタートバーに触れた場合及び審判がフライングと判定した場合フライングとする。
7 他車に追い越されそうになった場合は、審判の指示により競技者が自車の持ち上げを行う。
8 レースにおけるマシンの取り扱いについて
(1) 追い越されたマシンについて
ア. 予選で追い越された場合はレースの直後に再走行（単独走行）ができる。
イ. 決勝トーナメントで追い越された場合、追い越したマシンが完走した時点でそのレースは終了となる。また追い越したマシンが完走しなかった場合は、レースの直後に再走行ができる。
(2) 決勝トーナメントで両者同タイムまたは両者失格の場合
ア. 1回のみ再レースを行う。
イ. 再レースで再度同タイムまたは両者失格の場合は、予選タイムの上位を勝者とする。
9 再レースまたは再走行の場合は、タイヤ表面のメンテナンス及び電池の交換ができる。ただしこの場合、タイヤ車検及び電池の確認を再度受けなければならない。

【失格】

第6条　次の各号に該当する行為があった場合は、失格とする。
(1) 第2条の規定に反したもの。
(2) コースの側面を利用した機構で走行するもの。
(3) 故意に並走するマシンの走行を妨害する機構を有するもの。
(4) マシンを故意に複数に分離したもの。
(5) マシンの一部がコース外の床、壁に接触したもの。
(6) 車検後にコンピュータ等からプログラムの転送、移植をしたもの。
(7) 車検後にマシンを改造したもの。
(8) 車検合格シールの貼付がないもの。
(9) フライングしたもの。
(10) 計測開始後2分以内に完走できないもの。
(11) 故意で有る無しに関わらずコースを損傷させたり、汚したもの。
(12) 再走行の場合にモードの切り替えをしたもの。
(13) 故意で有る無しに関わらず追い越し時以外に他車と接触したもの。ただし追い越し

時に於いて、追い越されるマシンの取り上げが失敗し、追突した場合はこの限りでない。
(14) 審判の指示なしに、スタート後のマシンに触れたもの。
(15) その他競技の公正を害すると思われる行為があるもの。
(16) 大会運営規則第6条に反したもの。

【進行】

第7条　1　競技は、審判長を中心に審判団により進行する。
　　　2　各レースの開始は、主審が行うゼッケン番号のコールとする。
　　　3　コールされた選手はその後3分以内に、スタートラインにマシンの先頭をセットしスタートバー開まで静止させる。
　　　4　スタートバー開後スタートできないマシンは、スイッチ及びコネクタの確認など短時間でできる作業のみを認める。
　　　5　主審は各レース中に、中止の通告で中止、再開の通告で再開することができる。
　　　6　レース終了後、審判がマシンを確認することがある。
　　　7　主審による結果の宣告により、レースを終了する。

【異議申立て】

第8条　1　大会中はいかなる者も、審判の判定に異議の申立てをすることはできない。
　　　2　本規則の実施に関して疑義がある場合は、大会終了までに審判長に対して異議の申立てをすることはできる。

【補則】

第9条　大会の規模・内容等に特別の事情がある場合は、本競技規則の精神を損なわない限り、本規則によらないことができる。

【改訂】

第10条　本規則の改訂は、実行委員会の決議による。
　　　附則　　本規定は、平成20年6月3日より施行する。

※図は、『高校生「Advanced Classの部」・一般の部　競技規則』と同じため省略

補足：現在の競技規則第3条8「タイマーセンサーを含むスタートバー装置とその保護材周辺及び立体交差点以外は、コースの両サイド50mm以内には壁などの障害物を一切置かない。

ただし、コースジョイント用の金具はコースの一部と見なす。」を適用し、スタート、ゴール部は 50mm 以内に機器を置くこともあり得る。

ジャパンマイコンカーラリー大会　運営規則
【平成 20 年度版】

【目的】
第1条　全国工業高等学校長協会並びに北海道工業高等学校長会が主催し、ジャパンマイコンカーラリー実行委員会（以下　実行委員会という）が主管する大会の運営を円滑に行うことを目的とする。

【組織】
第2条　1　本大会の運営組織は、実行委員会役員、事務局、運営委員をもって構成する。
　　　2　実行委員長は、大会運営に関する業務を総括し、一切の権限を有する。
　　　3　実行委員は、大会運営に関する業務を行い、競技上の責任を有する。
　　　4　事務局は、大会参加募集・受付、開催日の調整及び会場設営等の大会運営に関する庶務的・実務的業務を行う。
　　　5　運営委員は、大会運営に関する業務を行い、競技上の責任は有しない。
　　　6　審判長・審判員は、実行委員長が任命・委嘱する。
　　　7　審判長は、審判員を代表し、審判員による審判団を形成する。
　　　8　審判団は、競技ごとに主審・副審・スタート前検査員を定め、競技規則に基づき競技の審判・進行の業務を行う。

【大会開催】
第3条　1　全国大会の開催は原則として年1回とし、開催日及び開催場所は実行委員会が定める。
　　　2　高校生の部は、必要に応じて地区大会を開催することができる。
　　　3　地区大会の開催については、地区主管校と協議のうえ実行委員会が定め、その運営は地区大会運営団体に委嘱する。

【競技方法】
第4条　1　競技規則に定める規定のコース上を、接地しながら走行するものとする。

2 予選はタイムレースとし、決勝はトーナメントとする。
3 競技は高校生対象の「Advanced Classの部」と「Basic Classの部」、一般の部の3部門に分けて行う。

【参加マシン】
第5条　1 参加できるマシン（マイコンカー）は、競技規則に基づき創造的に製作したマイコン組込みカーとする。
2 製作者はマシンにカーネームを付け、参加申込時に登録を行うこと。ただし、登録は一名につき1台のみとし、複数台の登録はできない。

【参加資格】
第6条　1 高校生「Advanced Class及びBasic Classの部」は、高等学校に在籍し、地区代表として各学校が参加を認めた者とする。
2 一般の部の参加者は、小学生以上の一般愛好者とする。ただし、小中学生については予選までの出場とし、その成績は参考記録とする。
3 高校生「Advanced Class及びBasic Classの部」については地区大会を含め、一般の部との二重登録はできないものとする。
4 各部門における最大登録台数及び高校生「Advanced Class及びBasic Classの部」の地区代表人数については、実行委員会が定める。
5 高校生以下の一般の部参加者は、保護者又は成人の責任のもとに参加するものとする。

【表彰】
第7条　1 各部の表彰及び賞は、次のとおりとする。
　（1）優勝　　表彰状　盾又はそれに準ずる物
　（2）準優勝　表彰状　盾又はそれに準ずる物
　（3）第3位　表彰状　盾又はそれに準ずる物
2 参加状況に応じて、実行委員会の決議を経て表彰者を増やすことができる。
3 一般の部については、実行委員会が別に定める副賞を与える。ただし、高校生が入賞した場合は、高校生「Advanced Classの部」に準じた表彰とする。
　（1）優勝　　副賞
　（2）準優勝　副賞
　（3）第3位　副賞
4 実行委員会は状況に応じて、アイディア賞等の特別賞を大会出場者の中から制定することができる。

【特別審査委員】

第8条　1　特別審査委員は、実行委員会が選考し実行委員長が委嘱する。

　　　　2　特別審査委員は、第7条4で制定された各賞の審査を行う。

【補則】

第9条　大会の規模・内容等に特別の事情がある場合は、本大会運営規則の精神を損なわない限り、本規則によらないことができる。

【改訂】

第10条　本規則の改訂は、実行委員会の決議による。

　　　　附　　則　本規則は、平成10年12月1日より施行する。
　　　　附則改訂　本規定は、平成13年　7月3日より施行する。
　　　　附則改訂　本規定は、平成14年　2月21日より施行する。
　　　　附則改訂　本規定は、平成15年　2月26日より施行する。
　　　　附則改訂　本規定は、平成17年　2月22日より施行する。
　　　　附則改訂　本規定は、平成18年　5月31日より施行する。
　　　　附則改訂　本規定は、平成19年　2月26日より施行する。
　　　　附則改訂　本規定は、平成20年　6月3日より施行する。

Micom Car Rally

参考文献

■書籍
- オーム社　H8マイコン完全マニュアル　藤澤幸穂著　第1版
- 電波新聞社　マイコン入門講座　大須賀威彦著　第1版
- 電波新聞社　C言語による組込み制御入門講座　大須賀威彦著　第1版
- オーム社　C言語でH8マイコンを使いこなす　鹿取祐二著　第1版
- ソフトバンク　新C言語入門シニア編　林晴比古著　初版
- 共立出版　プログラマのためのANSI C全書
  L.Ammeraal著　吉田敬一・竹内淑子・吉田恵美子訳　初版
- 技術評論社　合格を目指す技能検定1・2級　機械製図の総合研究 第26版

■マニュアル
- (株) ルネサス テクノロジ
  H8/3048B グループハードウェアマニュアル 第1版
- (株) ルネサス テクノロジ
  High-performance Embedded Workshop V.4.00 ユーザーズマニュアル Rev.3.00
- (株) ルネサス テクノロジ 半導体トレーニングセンター　C言語入門コーステキスト　第1版

■web
- ウィキペディア（Wikipedia）フリー百科事典
  http://ja.wikipedia.org/
- (社) 電池工業会
  http://www.baj.or.jp/index.html

《著 者》

島津 春夫（しまず　はるお）

[略歴] 1976年北海道生まれ。1995年北海道札幌琴似工業高校卒業後、システムハウスメーカーに就職。マイコンカーラリーには同校OBとして出場するとともに、スタッフとして大会運営にも参加。その傍ら、後輩の指導にもあたる。1998年大会、一般の部優勝。2001年マイコンカーラリーの業務に本格的に参画し、講習会講師、先端カー製作等、技術部門を担当。

[現在] ジャパンマイコンカーラリー事務局

《執筆、技術情報協力者》

北海道札幌国際情報高等学校	向平　弘之 先生
北海道札幌国際情報高等学校	小野　栄一 先生
北海道札幌国際情報高等学校	矢倉　賢二 先生
佐賀県立多久高等学校	梅崎　和弘 先生
群馬県立前橋工業高等学校	阿佐美　斉 先生
岐阜県立可児工業高等学校	深澤　則正 先生

小倉太郎さん

本書の一部または全部について、株式会社電波新聞社から文書による許諾を得ずに、無断で複写、複製、転載、テープ化、ファイル化することを禁じます。

実践！作りながら学ぶ　マイコンカーラリー

© 島津春夫 2008

2008年8月10日　第1版第1刷発行

　　　　　著　者　島津　春夫
　　　　　発行者　平山　哲雄
　　　　　発行所　株式会社　電波新聞社
　　　　　〒141-8715　東京都品川区東五反田1-11-15
　　　　　電話　03（3445）8201（販売部ダイヤルイン）
　　　　　振替　東京　00150-3-51961
　　　　　URL　http://www.dempa.com/
　　　　　DTP　　株式会社JC2
　　　　　印刷所　日立インターメディックス株式会社

Printed in Japan
ISBN978-4-88554-967-0

落丁・乱丁本はお取替えいたします
定価はカバーに表示してあります